大學叢書

新亞論叢

第二十二期

《新亞論叢》編輯委員會
主編

稿　約

⑴本刊宗旨專重研究中國學術，以登載有關文學、歷史、哲學等研究論文為限，亦歡迎
　有關中、西學術比較的論文。
⑵來稿均由本刊編輯委員會送呈專家審查，以決定刊登與否，來稿者不得異議。
⑶本刊歡迎海內外學者賜稿，每篇論文以一萬五千字內為原則，中英文均接受；如字數
　過多，本刊會分兩期刊登。
⑷本刊每年出版一期，每年九月三十日截稿。
⑸本刊有文稿行文用字的刪改權，惟以不影響內容為原則。
⑹文責自負，有關版權亦由作者負責，編委會有權將已刊登論文轉載於其他學術刊物。
⑺若一稿二投，需先通知編輯委員會，刊登與否，由委員會決定。
⑻來稿請附約二百字中文提要及約一百字作者簡介，刊登時可能會刪去。
⑼來稿請用 word 檔案，電郵至：socses@yahoo.com.hk

編輯弁言

　　二〇二一年，是令人傷感的一年，新冠病毒纏擾地球超過兩年多。執筆之際，全球染疫者超過二億五千萬人，死者超過五百萬人。可算是世紀疫症，各國似乎束手無策，部份國家已預備與病毒共存，真是無可奈何！

　　今年的稿件非常踴躍，分別來自大陸、臺灣、香港、新加坡及英國，內容異常豐富。部份落選稿件，作者看過專家評語後，再來郵討論，重整內容。主編亦重交專家學者再評審，如此認真態度作研究，令人佩服。編輯委員會再次強調，部份落選論文只是不適合本刊宗旨，並不是代表論文水平不足。例如，一般評論有關當代作品、電影或書評等，委員會特別考慮其學術性高低才決定刊登與否。倘是一己之見，佐證不足，則不符合論文的要求。今期的論文如過往一致，有關文學部份占一半以上，其他則是歷史、哲學、小學及考究作品。

　　《新亞論叢》創刊之初，受到新亞研究所的支持，發展期間，又得到新亞文商書院的資助，得以逐漸發展，擴大其在學術界的影響力。本年，多位與新亞學系有關的著名學者，先後離世。委員會成員，尤其是出身新亞系統的學者教授，心情非常沉痛。

　　余英時教授（1930-2021），國際著名學者，五十年代就讀新亞書院，追隨錢穆先生。其後，留學美國哈佛大學，師從當代漢學專家楊聯陞教授。一九七四年獲選中央研究院院士，歷任美國密西根大學副教授、哈佛大學教授、香港新亞書院校長兼香港中文大學副校長、美國耶魯大學歷史講座教授，美國康乃爾大學第一任胡適講座訪問教授，晚年任普林斯頓大學講座教授。余教授謝世後，中央研究院的訃告評論余教授是「深入研究中國思想、政治與文化史，貫通古今，在當今學界十分罕見。學術研究之外，他亦為具社會關懷、維護自由民主價值之公眾知識份子」。在訪問紀錄中，余英時稱他與錢穆先生主要談論如何作學術研究，很少討論形而上的精神思想。如此，可以理解余教授曾說他自己：「我沒有中國夢，有的只是人類的夢」。

　　廖伯源教授（1945-2021），是本刊的學術顧問，亦是編輯委員成員的前輩學長。香港浸會學院史地系、香港新亞研究所畢業，法國巴黎第七大學博士，法國高等研究實驗學院歷史語言研究所畢業。曾任中研院史言所研究員，東吳大學歷史系兼職教授、新亞研究所所長。秦漢政治制度史專家，師隨嚴耕望教授，得其真傳，代表作《制度與政治：政治制度與西漢後期之政局變化》，一九八四年獲得法國儒蓮漢學獎。

　　廖教授雖是著名學者，但對後學，照顧有加，尤其是研究所的師弟妹。本刊主編鄭潤培教授及楊永漢教授，就讀研究所期間，往訪中央研究院，並在研究院的圖書館研讀古本文獻，全是廖教授安排。楊永漢主編當年尚未畢業，廖教授已千叮萬囑，要用心研

究，並勉勵楊主編畢業後要任教專上學院，方便繼續學術研究。在臺期間，廖教授邀請著名學者與研究所同學晚宴，並介紹同學研究範圍，期望同學能與高賢溝通，增益學問。其照拂之情，至今仍銘記各人心中。

黎志剛教授，本刊編輯委員會成員，二〇二一年四月二十二日逝世。黎教授是嶺南學院本科畢業（1980），香港新亞研究所碩士（1982），美國加州大學戴維斯分校博士（1992）。在香港追隨經濟史學大師全漢昇教授研究經濟史，在美國則跟隨中央研究院院士劉廣京教授研究，曾在多所大學、研究及教學，包括澳大利亞國家圖書館、華東師範大學、加州大學、哈佛大學等，離世前任澳大利亞昆士蘭大學歷史、哲學、宗教及古典史學院（Schoolof HPRC）教授。兼任中國社科院近代史研究所社會史研究中心學術委員、上海社科院特聘研究員、清華大學華商研究中心學術委員、香港中文大學訪問教授、山東大學訪問教授以及復旦大學上海史國際研究中心和孫中山博物館顧問，亦是「全漢昇講座」發起人之一。

黎教授沉默寡言，專心研究，對人熱情，在企業史、商業史領域上有突出成就。黎教授曾說他研究的嚴肅態度除受全漢昇教授及劉廣京教授的影響外，更得到香港樹仁大學的湯定宇教授和美國紐約州立大學的韓子奇教授的訓勉，所寫的論文必須以高水準要求完成。故其研究結果，均具影響力，例如研究「招商局」，黎教授指出招商局的影響已超出企業範圍，影響當及於文化、軍事、外交等等，成為近代史重要的部份。黎教授與本刊編輯委員鄭潤培教授、張偉保教授、楊永漢教授共同跟隨全漢昇教授學習，有同門之誼。最後與黎教授共聚，應是中央研究院院士王業鍵教授來港負責主講「全漢昇講座」時，師兄弟於講座完畢，共同與王業鍵教授晚宴。黎教授的突然離世，實在令人惋惜。

新亞文商書院副院長李志文教授（1949-2021），早年畢業於臺灣大學中國文學系，回港後得教育文憑、中文大學碩士及博士學位。歷任珠海書院、珠海研究所教授，又曾任華僑旅運社經理、海華服務基金主任，是港臺的橋樑。臺灣在港舉辦的大型教育活動，包括展覽、招生、頒發獎學金等，多由李教授從中斡旋而成。李教授尤對道教文化貢獻良多，八十年代積極推動「道學研習班」，推動道風，居功至偉。自出任新亞文商書院副院長後，聯絡臺灣數十所大學，共同籌劃發展港臺專上教育，並擔任「佛光山系統大學」香港辦事處顧問。惜疫情嚴重，種種努力，尚待跟進。

辛丑年，苦雨淒風，瘟疫橫行，在無聲無念之情況下，幾位我們尊敬的學者前輩先後離去，深感痛惜。

最後，感謝林以邠編輯，每次校對都給林編輯的認真校對態度所感動。疫情關係，學校經常停課，種種通訊，或未能及時回應，在此對各論文作者及編輯致歉。謹期疫症消失，地球回復正常。

《新亞論叢》編輯委員會

二〇二一年十二月

目次

早期中國文本形態與圖像關係論略[*]

張朋兵

天津師範大學文學院

　　歷史學家曾將傳統史料畫分為口傳、文字、圖像與實物四大類，其中口傳狀態下的文獻去古已遠，實難覓其蹤跡，實物資料又難提供直接的歷史訊息。那麼，圖像和文字就成了我們瞭解歷史最直觀的材料了。在人類文明早期，圖像與文字就結下不解之緣，這不僅是因為在中華文明創設之初，漢字本身就是一種象形文字，記事摹象，書畫同源，更因為圖像與文字兩種著錄媒介之間有著相近的知識背景與文化內涵。

　　中國早期文獻的形成亦與圖像關係密切，很早就有學者進行了關注。從書籍史和文獻學角度看，「圖書」是早期中國歷史文化傳播的重要方式和物質載體；[1]從圖像志與思想史角度看，圖像與文字雖隸屬兩種不同的敘事媒介，但兩者之間可相互佐證、以圖證史，[2]圖像文獻在某種程度上可補文字文獻之不足；從文獻生成角度看，圖像與文字文本之間常有共同的敘事母題、題材、故事等可供轉譯與摹寫，圖像對早期敘事文本的生成有一定的助益之功。因此，無論是從歷史傳統還是當下學術語境，研究早期中國文本形態及其演變歷程，都有必要從圖像角度加以審視。

一　「圖」與「書」──早期文獻著錄與傳存形態

　　宋人鄭樵《通志》〈圖譜略〉說：「圖，經也，書，緯也，一經一緯，相錯而成文……古之學者為學有要，置圖於左，置書於右，索象於圖，索理於書。」[3]這是說古

---

* 基金項目：國家社科基金重大項目「中國上古知識、觀念與文獻體系的生成與發展研究」（11&ZD 103）、國家社科基金後期資助項目「戰國兩漢文本形態與圖像關係研究」（20FZWB04）、二○一九年天津師範大學教學改革項目「圖像在古代文學教學中的運用研究」（JGYB01219001）階段性成果。

1 參見饒宗頤：《澄心論萃》上海：上海文藝出版社，1996年，頁264-290；李學勤：《簡帛佚籍與學術史》南昌：江西教育出版社，2001年，頁35-75；李零：《中國方術正考》北京：中華書局，2006年，頁142-156；江林昌：《中國上古文明考論》上海：上海教育出版社，2005年，頁413；錢存訓：《書於竹帛：中國古代的文字記錄》上海：上海書店出版社，2002年，頁1-4。

2 英國學者彼得‧伯克二○○三年在〈作為證據的圖像：十七世紀的歐洲〉一文中指出，應該將圖像作為歷史的「遺跡」或「記錄」來看待，目前學界已經有一個「圖像轉向」的趨勢。參見（英）彼得‧伯克著、楊豫譯：《圖像證史》北京：北京大學出版社，2002年；葛兆光：〈思想史研究視野中的圖像〉，《中國社會科學》2002年第4期。

3 （宋）鄭樵：《通志》北京：中華書局，1987年，頁837。

人治學不僅要讀有字的文，還要觀覽摹象的圖，最好能將兩者結合起來研讀。其實，這裡已經牽涉到古代中國圖書著錄形態、流傳及使用的相關問題。據文獻顯示，早期中國圖書的起源可遠溯至「河圖洛書」傳說。《易》〈繫辭上〉言：「河出圖，洛出書，聖人則之。」[4]這雖是歷史傳聞，卻表明「圖」所指代的圖像文獻與「書」所指稱的文字文獻同等重要，它們不僅是聖人治理天下的重要文化依據，也暗示著「圖」與「書」作為早期文本著錄與流傳環節中兩種最主要文獻形態的重要價值。

　　一般而言，早期中國圖籍多以「圖書」稱之，其概念、範圍都更為具體，與今天廣義層面的「圖書」不同。所謂「圖書」，實際上包含了「圖像（如圖版、圖畫、圖章等）」與「文字」兩部分，若僅有文字沒有圖像，則只稱「書」不稱「圖書」，譬如長沙子彈庫戰國楚帛圖書（圖一）、長沙馬王堆漢墓出土的「太一將行圖書」以及某些青銅器圖飾等，其上不但著錄或鑴刻了面目猙獰的神靈物怪，而且還有與圖內容相關的文字注解，它們均是有圖有文的「圖書」。當然，還有一些「圖」並沒有與文字相配，如陳家大山戰國楚墓出土人物龍鳳圖、長沙子彈庫楚墓所出絲帛人物御龍圖等，它們均沒有相應的提示文字，圖像的意涵需要結合墓主身份、隨葬品及其他器物資訊才能明白。另外，還有一部分是以「書」為主，在文中配有插圖性質的「圖」。不過這類「圖」由於只是輔助說明「書」內容的，所以繪製得相對簡單、粗略，如睡虎地秦簡日書甲種所附

圖一　長沙子彈庫戰國楚帛書

4　（魏）王弼注，（唐）孔穎達疏：《周易正義》，李學勤主編：《十三經注疏》北京：北京大學出版社，1999年，頁290。

《人字圖》（圖二）[5]、《養生方》所附《牝戶圖》、《天文氣象雜占》所附《彗星圖》等，它們屬於一般實用類圖書文獻，常會在數術方技操作中見到。

圖二　睡虎地秦簡日書所附《人字圖》

　　從載錄形態看，早期圖書著錄與書寫的物質媒介相對有限，主要以青銅、簡帛等器質材料為主。《韓非子》〈大體〉載：「豪傑不著名於圖書，不錄功於盤盂。」[6]這裡「圖書」是與記功頌德性質的鐘鼎彝器「盤盂」相對的，指用文字書寫在竹簡或圖畫摹繪在絲帛等載體上的一切物質形態，近世出土繪圖的簡牘、帛畫都能證明。另外，早期「圖書」是一個相對指涉含混的概念，「圖」與「書」的內容及界限也並非畛域分明，[7]而是經常呈現出雜糅並置的狀態，這與早期中國各文化事象混而不分的歷史背景相吻合。比如，秦末蕭何收集於石渠閣的「圖書」，《史記》〈蕭相國世家〉云：「沛公至咸陽，諸將皆爭走金帛財物之府分之，（蕭）何獨先入收秦丞相御史律令圖書藏之。……漢王所以據知天下阨塞，戶口多少，強弱之處，民所疾苦者，以何俱得秦圖書也。」[8]秦所藏「圖書」多為律令法典，可能也有史官文書、戶籍與地圖檔案等，圖書樣態、內容及種類都十分博雜。

　　先秦圖書文獻的著錄、保存和流傳通常是一個相對專業性的工作，常有專門的史官進行管理。例如，《周禮》所記與地理圖籍有關的史職就包括邨人、司險、塚人、職方氏、燧人、行方氏等十餘種之多，其中有兩類與周天子的問政諮詢直接相關：一類是土訓，負責解說地圖；二是誦訓，承擔講述方志。另外，圖籍文獻由於載錄了大量關乎地理疆域、典章制度、人口賦稅、歷史傳說等方面的知識與資訊，常被奉為治國理政的依據，因此圖籍的傳存、轉移就象徵著國家政治的興盛與否，《呂氏春秋》〈先識覽〉載：「凡國之亡也，有道者先去，古今一也。……夏太史令終古，出其圖法，執而泣之。夏

5　《胎產書》所附《人字圖》的注解文字是：「其日在富，富貴難勝殹（也）。夾頸者貴。在奎者富。在掖（腋）者愛。在手者巧盜。在足下者賤。在外者奔亡。女子以已字，不復字。」（參見劉樂賢：〈睡虎地秦簡日書「人字篇」研究〉，《江漢考古》1995年第1期。）

6　（清）王先謙，鍾哲點校：《韓非子集解》北京：中華書局，2003年，頁210。

7　楊茉：《古代「圖書」一詞源流考》瀋陽：遼寧大學2018年碩士學位論文，頁19。

8　（漢）司馬遷：《史記》北京：中華書局，1959年，頁2014、1395。

桀迷惑，暴亂愈甚。太史令終古乃出奔如商。……殷內史向摯見紂之愈亂迷惑也，於是載其圖法，出亡之周。」[9]這裡，史官所掌書籍中就有圖畫文獻，而且「圖法」的轉移被當做文化德政的體現，失其圖法等同於亡國、敗政，可見圖籍對國家政治的重要價值。

　　秦漢以降，隨著隸書的流行和紙張的發明、使用，「圖書」典籍以數萬計的速度催生、增殖，不但圖繪、書寫的場合與範圍日趨擴大，如宮殿、墓室、鄉校、官署、車馬飾物等，而且圖像發揮的文化功能也備受人們的關注，《後漢書》謂圖繪之功是「以昭勸誡」，圖畫繪事得到前所未有之重視。漢代的圖書文本以歷史人物類居多，大多配有文字榜題，以輔助說明畫面內容及情節，如山東嘉祥縣武梁祠刻錄的伏羲圖，其旁題記文字曰：「伏羲倉精，初造王業，畫卦結繩，以理海內。」[10]與此同時，兩漢讖緯思潮蔓延，圖讖典籍亦大量滋生，緯書多有以「某某圖」稱之者，如《易緯》有《坤靈圖》《稽覽圖》《通統圖》，《春秋緯》有《演孔圖》《保乾圖》《握誠圖》《感應圖》等。唐張彥遠《歷代名畫記》對此解釋說：「前後漢讖緯之說風行，故圖畫亦受其影響，此節所列，即為讖緯書的插圖。」[11]「此節所列」除了「七緯」圖讖外，還涉及六甲隱形圖、孝經秘圖等總計九十七種「密畫珍圖」，這說明圖讖在當時一定是數量異常龐大、流傳程度頗高的圖書資源。

　　另外，當時還流傳另一種稱「瑞圖」的文獻，王逸《九思》說「懿風後兮受瑞圖」[12]，稍後班固《白雉詩》亦云「啟靈篇兮披瑞圖，獲白雉兮效素烏」[13]。東漢王充在批駁當朝儒生時還提到過這種瑞圖，其云：「儒者之論，自說見鳳皇麒麟而知之。何則？案鳳皇麒麟之象……如有大鳥，文章五色；獸狀如麕，首戴一角，考以圖象，驗之古今，則鳳麟可得審也……世儒懷庸庸之知，齎無異之議，見聖人不能知，可必保也。夫不能知聖，則不能知鳳皇與麒麟，聞其鳥獸之奇者耳。」[14]當時儒生迷信至極，只知將鳳凰、麒麟等瑞圖作為判斷賢聖君王出現的徵兆，卻不知什麼才是真正的聖王之道。東漢學者以「瑞圖」稱祥瑞，想必當時已有圖繪祥瑞之物的圖畫手冊流傳，因為結合東漢民間正在盛行的「瑞圖」風尚，當時有關「瑞圖」的文本或已結集。《玉燭寶典》記應劭《風俗通義》說「七日為人日，家家剪綵或鏤金簿為人，以帖屏風，亦戴之頭鬢，今世多刻為花勝，象《瑞圖》金勝之形。」[15]文中所說的《瑞圖》今已不存，但按應劭之言，人日這天民間藝匠所剪花勝即是根據形式眾多《瑞圖》文本之一種剪裁的。

9　（戰國）呂不韋著，陳奇猷校釋：《呂氏春秋新校釋》上海：上海古籍出版社，2002年，頁955。

10　（清）馮雲鵬、馮云鶵輯：《金石索》北京：書目文獻出版社，1996年，頁1263。

11　（唐）張彥遠著，俞劍華注釋：《歷代名畫記》上海：海人民美術出版社，1964年，頁76。

12　（清）嚴可均輯：《全後漢文》北京：商務印書館，1999年，下冊，頁580。

13　逯欽立輯校：《先秦漢魏晉南北朝詩》北京：中華書局，1988年，上冊，頁169。

14　（明）黃暉撰：《論衡校釋》北京：中華書局，1990年，頁721-723。

15　（清）杜臺卿：《玉燭寶典》卷一，《叢書集成初編》第297冊，北京：中華書局，2011年，頁419。
　　（注：今本應劭《風俗通義》無此段文字。）

　　然值得注意的是，魏晉之後書文獻日盛，圖大量佚失或消亡，造成了後世僅存「書」不見「圖」的尷尬處境，也給我們理解戰國秦漢以來的「圖書」形態帶來了困難。一個典型的例證是早期官方史著中並沒有出現圖文相配的情況，這也常受到史學家們的詬病。清代章學誠就曾斷言在司馬遷撰寫《史記》時，圖像由於難采於史書，故其作用與功能大為衰落。[16]我們認為這種觀點是值得商榷的，圖像之所以沒在史著中出現，是因其竹簡記史的器物特質性及篇幅所決定的，並不能說明圖像是被主動捨棄的。隨著二十世紀以來的各種考古大發現，那些業已消失的「圖書」典籍又重新出現在我們面前。如今，當我們再次檢視早期中國歷史文獻典籍時，應該本著圖文並生的歷史境況與文獻實際，這樣對於我們認識和理解早期中國的圖籍形態及流傳方式都具有重要的學術意義。

二　圖文互證──文字與圖像的共生及功能

　　戰國秦漢流傳下來的文獻並不少，但符合上文所謂「圖書」範疇的也並不算多。以諸子文獻為例，它們載錄的主要是先聖哲言和勸諫之辭，以記言、議論為主，基本是不配「圖」的。而大凡是與宗教祭祀、物怪神靈、神話傳聞、歷史故事等有關的文獻，則配圖或圖像出現的概率要高很多。換言之，戰國秦漢的「圖書」，內容上主要還是與先民的宇宙觀、宗教神話、宗族歷史等有關的。下面分而述之：

　　宇宙起源類。古代先民對宇宙開闢、萬物起源、物我生化等奧秘的無窮探索，往往凝結成圖畫描摹、文字載錄的圖書典籍，「圖」與「書」論及的主題約有三：一是對宇宙生成前狀態的論述。比如長沙子彈庫楚帛圖書，它南北短，東西長，總體呈長方形。《山海經》〈中山經〉說：「天地之東西二萬八千里，南北二萬六千里。」[17]也是東西長，南北短，這恐怕並非偶然，可能透露著古人的原始宇宙觀。同樣，楚帛圖書甲篇說黃熊包戲為宇宙開闢前的原初大神，並謂當時景象是：「夢夢墨墨，亡章弼弼，□每水□，風雨是於。」[18]「書」文獻亦有相似的記錄：

> 馬王堆帛書《道原》：恆無之初，迵同大虛。虛同為一，恆一而止。濕濕夢夢，未有明晦。[19]

馬王堆帛書「濕濕夢夢，未有明晦」，意即子彈庫楚帛圖書「夢夢墨墨，亡章弼弼」八字，都是說宇宙渺茫蒙昧之象的，「圖」的描述與「書」基本一致。

16　（清）章學誠著，葉瑛校注：《文史通義校注》北京：中華書局，2014年，頁848。
17　袁珂校注：《山海經校注》上海：上海古籍出版社，1980年，頁179。
18　李零：《長沙子彈庫戰國楚帛書研究》北京：中華書局，1985年，頁64。
19　陳鼓應注譯：《黃帝四經今注今譯：馬王堆漢墓出土帛書》北京：商務印書館，2007年，頁399。

　　二是有關宇宙起源創世神的描述，以及日月星辰的運行化成天地、陰陽、四時等。中國古人對宇宙起源、創世神的認識有許多基本概念，比如「易」、「道」、「太一」等，它們往往具有化生天地、陰陽、萬物的神性機能，但這些哲學術語原本其實是形容日月星辰運行及變化之象的。例如甲骨卜辭裡「易」寫作「 ⚡ 」或「 ⟋ 」，像旭日從海面初生之象。與之相對應的「圖」曾在河北磁縣下潘汪的一個仰韶時期的陶缽上發現，缽面上繪製的正是兩個呈倒置狀的旭日初升圖像（圖三）。旭日下的灰暗三角區可能表示黑夜，斜紋代表海平面，圖所描述的正是先民對太陽作為區分晝夜、化生陰陽所做出的初步認識，所以《周易》〈繫辭〉才言「易化道陰陽」。與之相仿的例子還見於一九五九年山東泰安大汶口墓地 M26出土的一把象牙梳板面（圖四），梳柄被鏤刻成 S 形太陽運行八卦圖模樣。[20] S 形由十一組「☰」形符號組成，這個符號其實正是《周易》裡的乾卦，S 形上下口處有「☷」符連接，代表坤卦，內側有兩個上下相對的「丁」、「⊥」符號，表示上、下方位，如果將整幅圖聯繫起來則是說太陽上、下的方位變化引起了晝夜推移、陰陽交替等自然現象。

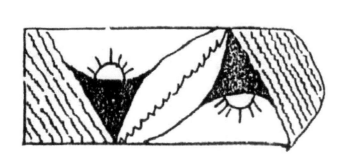

圖三　旭日半出倒置圖　　　　　　圖四　太陽運行八卦圖

至於「太一」，它與「易」「道」等一樣也有化生萬物的本領，如：

　　夫禮必本於太一，分而為天地，轉而為陰陽，變而為四時。（《禮記》〈禮運〉）
　　太一出兩儀，兩儀出陰陽。陰陽變化，一上一下，合而成章。（《呂氏春秋》〈大樂〉）
　　太一者，牢籠天地，彈壓山川，含吐陰陽，伸曳四時。（《淮南子》〈本經訓〉）

「太一」等術語作為宇宙形成論在哲學上的反映，其本質是對天體運行周而復始之狀的

20　參見逄振鎬：〈論原始八卦的起源〉，《北方文物》1991年第1期。

視覺化呈現，比如「兵避太歲圖書」和「太一將行圖書」。「兵避太歲圖書」一九六〇年出土於湖北荊門漳河橋戰國楚墓（圖五）。此戈圖像中神人腳踏日、月，頭戴羽冠，是太陽神的人格化，銘文「太歲」即「太一」。[21]《山海經》中羲和就是太陽神的化身，《大荒南經》說羲和生十日，郭注云：「羲和蓋天地始生，主日月者也。」[22]《史記·封禪書》載元鼎五年武帝「為伐南越，告禱太一。以牡荊畫幡日月、北斗、登龍，以象太一三星，為太一鋒，命曰『靈旗』」。[23]由於是畫「日月、北斗」以像「太一三星」，所以太一最初是指日、月、星辰等眾天體，但又被神格化了。這是目前關於太一神之「圖」與「書」最能相互對應的一個證據，屬於青銅器物上的「圖書」。

圖五　「兵避太歲」銅戈　　　　　　　圖六　太一將行圖書（線摹圖）

　　巧合的是，太一神像圖又見於一九七三年長沙馬王堆三號漢墓出土的「太一將行圖書」（圖六）。畫面中間為頭戴鹿角的大神「太一」，是整幅圖的主神；太一兩側分別為雷公與雨師；足部左右各有兩個手持武器的武弟子。胯下三條龍呈「品」字形排開，中為青首黃龍，左為「持爐」黃龍，右為「奉熨」青龍，這三條龍可與上文《史記》「三龍」及「兵避太歲」三條龍之「圖」相佐證。整個畫面有一總題記，每個神旁又有各自的分題記，屬於「圖書」之「書」部分。總題記以「太一祝曰」結尾，分題記現已漫漶不清，但仍可窺得「太一將行」、「神從之」字樣。「太一將行」指中間的大神「太一」，

21 參見俞偉超、李家浩：〈論「兵避太歲」戈〉，收入《出土文獻研究》北京：文物出版社，1985年，頁138-145；李零：〈湖北荊門「兵避太歲」戈〉，《文物天地》1992年第3期；李學勤：〈古越閣所藏青銅兵器選粹〉，《文物》1993年第4期。

22 袁珂校注：《山海經校注》上海：上海古籍出版社，1980年，頁381。

23 （漢）司馬遷：《史記》北京：中華書局，1959年，頁1395。

「神從之」表示跟在後面的雷公、雨師。這一層大致屬於自然神祇，象徵著宇宙開創之象；而四個武弟子手持形式各異的兵器，又傳達著古人的四時觀念。[24]

　　三是對宇宙形成後特徵的描述。郭店楚簡《太一生水》對宇宙形成後天地形貌記載說：「天地名字並立，故訛其方，不思相於西北，其下高以強。地不足於東南，其上□以□者，有餘於下。」[25]我國地勢西北高，東南低，也即簡文「天不足以西北」、「地不足以東南」。其實這種地貌特徵在上文子彈庫楚帛圖書中已經提及，《四時》篇說包戲時「山陵不疏」，炎帝時又「山陵備側」，後經祝融等的努力重又恢復了天地秩序，祝融最後回答：「非九天則大側，則毋敢蔑天靈」，其實是說「九州備側」實乃自然之狀，宇宙整體上是平穩的，所以這並不妨礙日月、四時的實際運行。楚帛圖書對山陵的記載，反映了先民對天下地理的認識。以上對天下宇宙的觀察和補天神話也有些相似，據《淮南子》〈覽冥訓〉：「往古之時，四極廢，九州裂，天不兼覆，地不周載，火濫炎而不滅，水浩洋而不息，猛獸食顓民，鷙鳥攫老弱。」[26]天地崩裂，天下九州被洪水覆蓋的記述與楚帛圖書的記載可相映證。《淮南子》源出楚地，其觀念與楚帛圖書相近，應該是沒有異議的。

　　另外，在其他傳世「書」文獻中，亦可看到古人對宇宙起源及創世神靈的片段認識，可謂以「書」證「圖」者。例如一九七三年長沙子彈庫出土《人物御龍圖》（圖七），畫面內容與《九歌》情節頗多相合處。圖中一蓄須男子側身直立，身著長袍，腰挎長劍，這種形象與《東君》「青雲衣兮白霓裳，舉長劍兮射天狼」相對應；車頂上有向後拂動的三條綢帶，表明舟車正在前行，可謂「駕龍舟兮乘雷，載雲旗兮委蛇」；神人駕著前有龍頭、後有鳳尾雕飾的舟車，下為象徵著地下冥府或黑夜的鮫魚，與龍飛鳳

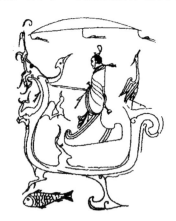

圖七　人物御龍圖線摹圖

---

24 參見李零：〈馬王堆漢墓「神祇圖」應屬避兵圖〉，《考古》1991年第10期。

25 李零：《郭店楚簡校讀記》增訂本，北京：中國人民大學出版社，2007年，頁42。

26 何寧撰：《淮南子集釋》北京：中華書局，1998年，頁479-480。

舞的白晝相對，整幅畫描述的正是東君「暾將出兮東方，照吾檻兮扶桑。扶餘馬兮安驅，夜皎皎兮合節」的晝夜潛行、循環往復之狀。

事實上，神人御龍、駕鳳飛翔的內容、情節也是出土帛畫的基本主題。子彈庫《人物御龍圖》中神人駕龍鳳車以遨遊天地上下之間，「兵避太歲圖」中神人手持龍蛇，「太一將行圖」中「太一」腳踏三龍將行，畫面情節或相近，或一致，這都說明楚地當時確實流傳著以此內容、情節為據的圖畫文獻。在與之相應的「書」文獻裡，神巫御龍飛馳之狀的情節也是屢見不鮮的，如：

> 駕八龍之婉婉兮，載云旗之委蛇。（〈離騷〉）
> 龍駕兮帝服，聊遨遊兮周章。（〈雲中君〉）
> 駕飛龍兮北征，邅吾道兮洞庭。（〈湘君〉）
> 乘龍兮轔轔，高馳兮沖天。（〈大司命〉）
> 乘水車兮荷蓋，駕兩龍兮驂螭。（〈河伯〉）

「書」文獻對御龍飛翔有多批次復述，這表明與此關聯的情節在當時是大家所熟知的公共知識。又如對神靈將行之象的描述：

> 靈氛既告餘以吉占兮，曆吉日乎吾將行。（〈離騷〉）
> 撰餘轡兮高馳翔，杳冥冥兮以東行。（〈東君〉）
> 與子交手兮東行，送美人兮南浦。（〈河伯〉）

材料或言神靈「將行」，或言將「東行」。馬王堆《太一將行圖書》之太一神分題記亦言「太一將行」，圖畫上的「太一」也作「將行」狀，在總題記中，作「即左右□，經行毋顧」。由此看來，「將行」、「徑待」、「徑行」等均是對神靈出行時的某種儀式場面的呈現，「圖」與「書」的記載再次一致。

要之，楚地文獻中的諸神靈情節大多可與出土的「圖」相證，換句話說，楚系文獻具有廣泛的圖畫知識、觀念作為文字文本情節的基礎，這些用「書」的形式表述的「圖」，正是與楚國先祖公卿祠堂所繪壁畫相近的一整套「圖書」知識系統，戰國秦漢時期的帛畫絮堆發現於南楚故地，僅從地域分布上便可說明楚國圖書資源之於楚國文學的關係。

動物神怪類。動物犧牲及物怪圖畫常與古人的巫術信仰相關聯，與其他祭祀禮器相伴而現於禮儀場合，其中之一便是鼎。鼎在商周時是宗廟重器，被看作王朝與政治權力的象徵。據傳鼎之最古且最尊貴者為「九鼎」。《左傳》〈宣公三年〉記述了王孫滿對「九鼎」的來源及功能的解釋：

> 昔夏之方有德也，遠方圖物，貢金九牧，鑄鼎象物，百物而為之備，使民知神、

奸。故民入川澤、山林，不逢不若。魑魅罔兩，莫能逢之。用能協於上下，以承天休。[27]

王國維釋「物」為「雜色牛」[28]，是一種著錄於鼎上的神怪圖像。《周禮》〈春官‧神仕〉言：「致地視物魅。」魅古同魅，鄭注曰：「百物之神曰魅。」[29]這裡的「物」，也可歸入物怪之形。上古民神不分，鬼神雜糅，因此一切神靈動物皆可以「物怪」稱之，而這也是王孫滿所謂「百物」及百姓庶人要躲避的「魑魅罔兩」之屬。據此，「鑄鼎象物」的實際功用也就是在各類青銅鼎上鑄刻這些「百物」、「神奸」的圖形，好讓百姓「莫能逢之」。

另外，鑄錄於青銅器上的一些其他神怪鬼魅紋飾，同樣發揮著類似的功能。比如「饕餮」，古人俗稱獸面紋。饕餮是傳聞中的上古怪獸之一，《呂氏春秋》〈先識覽〉云：「周鼎著饕餮，有首無身，食人未咽，害及其身，以言報更也。」[30]《山海經》說它羊身人面，目在腋下，大頭大嘴，虎齒人爪。除了饕餮，還有肥遺、夔等物怪。《山海經》〈北山經〉載：「有蛇一首兩身，名曰肥遺，見則其國大旱。」[31]又〈大荒東經〉云：「其上有獸，狀如牛，蒼身而無角，一足，出入水則必風雨，其光如日月，其聲如雷，其名曰夔。黃帝得之，以其皮為鼓，橛以雷獸之骨，聲聞五百里，以威天下。」[32]從現存出土彝器及文獻典籍記載來看，商周時期的物怪不下百種，（宋）王黼《重修宣和博古圖》說周鼎紋飾有「足象形，上為鼻，下為尾，高而且長」者，也有「三面各為夔龍」者，還有牛鼎、羊鼎等，足可證「九鼎」鑄錄「百物」之多。

古人認為「鑄鼎象物」的目的是「以承天休」、「著形以自戒」。（宋）黃伯思《周方鼎說》說：「鼎腹之四周皆飾以乳，其數比他器為多，蓋亦推己以致養之意鼎之唇緣，其文鏤也，合則為饕餮，以著貪暴之戒；散則為應龍，以見居上澤物之功。」[33]張光直就認為刻繪在青銅器上的物怪圖像是「各地特殊的通天動物，都供王朝的服役」，而「虎食人」的圖形則「可能便是那作法通天中的巫師，他與他所熟悉的動物在一起，動物張開大口，噓氣成風，幫助巫師上賓於天」[34]。這裡，動物神怪圖像是被當作巫師通天助手來看待的。根據交感巫術的原理，「各種害人的惡物的圖像被鑄到鼎上後，魑魅

---

27 楊伯峻編著：《春秋左傳注》修訂本，北京：中華書局，1990年，頁669-672。

28 王國維：《觀堂集林》北京：中華書局，1984年，頁287。

29 同上註。

30 （戰國）呂不韋著，陳奇猷校釋：《呂氏春秋新校釋》上海：上海古籍出版社，2002年，頁956。

31 袁珂校注：《山海經校注》上海：上海古籍出版社，1980年，頁78。

32 《山海經校注》，頁361。

33 （宋）黃伯思：《東觀餘論》，收入《叢書集成初編》北京：中華書局，1991年，頁44。

34 張光直：〈商周青銅器上的動物紋樣〉，收入《中國青銅時代》北京：生活‧讀書‧新知三聯書店，2013年，頁457。

罔兩便全在夏王的掌握中，人民也就可以放心的出入於川澤、山林了」[35]。通曉和認識某種物怪之名或熟識物怪之形，並在祀典儀式上直呼其名，意味著對它們的習性十分熟悉，也即在某種程度上控制了它們。各地方國收集上來的「百物」以圖畫形式鑄於九鼎，以致「使民知神奸」，便是這個原理。

除「九鼎」外，還有像「鑄鼎象物」一樣的其他物怪圖畫文獻。據《國語》〈楚語下〉載：「楚之所寶者……又有左史倚相，能道訓典以敘百物，以朝夕獻善敗於寡君，使寡君無忘先王之業，又能上下說乎鬼神，順道其欲惡，使神無有怨痛於楚國。」[36]倚相為南楚史官，他能道一種「敘百物」的《訓典》，似可說明這種文獻跟前文所述九鼎所載「百物」巫術圖畫相差無幾。《左傳》〈昭公十二年〉說他「是良史也，子善視之！是能讀《三墳》、《五典》、《八索》、《九丘》」[37]，此四種文獻今已不存，我們不好判定，但《八索》似有來源。「索」在古代是一種年終祭，《禮記》〈郊特性〉說：「天子大蠟八，伊耆氏始為蠟。蠟也者，索也，歲十二月，合祭萬物而索饗之也。」[38]「索」、「蠟」古音相近，所以有學者指出「大蠟八」就是「八索」[39]。年終蠟祭是祭祀人們日常生活中常見的自然物怪神靈，現存於《禮記》中的〈伊耆氏蠟辭〉還有「土反其宅，水歸其壑，昆蟲勿作，草木歸其澤」[40]的誦辭。而掌管索祭的一般是虞人，《荀子》〈王制〉載虞人之官的職責是：「修火憲，養山林藪澤草木魚鱉百索，以時禁發，使國家足用而財務不虧，虞師之事也。」[41]那麼，倚相所謂「八索」、虞人所養「百索」，便是對山川草木鳥獸之神靈物怪致祭了，而倚相本人實為當時的大巫師。虞人或巫史掌管著鳥獸物怪，他們可能也有繪製成冊的動物圖畫文獻傳世，以滿足職業需要。

虞人掌管鳥獸草木之職及祭祀之法，而相傳《山海經》的作者益就是一位虞人。《尚書》〈舜典〉說：「帝曰：『疇若予上下草木鳥獸？』僉曰：『益哉！』帝曰：『俞，咨！益，汝作朕虞。』」[42]虞為掌「上下草木鳥獸」之神，益為虞職，當然益也就是專門負責祭祀自然神靈的巫師。益擔任著索祭和祭祀四方神靈的權責，當然也就需要一種類似於動物圖畫性質的文獻以察百物，因此大禹時「遠方圖物」，鑄造了九鼎，就與益的職掌關係莫大。另外，郭璞在注《山海經》時經常提到一種「畏獸畫」，如：

---

35 參見趙世超：〈鑄鼎象物說〉，《社會科學戰線》2004年第4期。

36 徐元誥撰，王樹民、沈長雲點校：《國語集解》北京：中華書局，2002年，頁526。

37 楊伯峻編著：《春秋左傳注》修訂本，北京：中華書局，1990年，頁1340。

38 （漢）鄭玄注，（唐）孔穎達疏：《禮記正義》，李學勤主編：《十三經注疏》北京：北京大學出版社，1999年，頁934。

39 詹鄞鑫：《神靈與祭祀》南京：江蘇古籍出版社，1992年，頁297。

40 《禮記正義》，頁936。

41 （清）王先謙撰，沈嘯寰、王星賢點校：《荀子集釋》北京：中華書局，1988年，頁168。

42 （漢）孔安國傳，（唐）孔穎達疏：《尚書正義》，李學勤主編：《十三經注疏》北京：北京大學出版社，1999年，頁77。

有獸焉，其狀如禺而長臂，善投，其名曰嚻。郭注：亦在畏獸畫中，似獼猴投擲也。(〈西山經〉)

有獸焉……其名曰駮，是食虎豹，可以御兵。郭注：駮亦在畏獸畫中……養之辟兵刃也。(〈西山經・西次四經〉)

有神銜蛇操蛇……名曰強良。郭注：亦在畏獸畫中。(〈大荒北經〉)

有獸焉，其狀如禺而白耳，伏行人走，其名曰狌狌。郭注：禺似獼猴而大，赤目長尾，今江南上中皆有，說者不了此物，名禺作牛字，圖亦作牛形，或作猴，皆失之矣。(〈南山經〉)

（晉）郭璞注《山海經》時，明言參考了當時流傳的某種「畏獸畫」神怪圖像資料，也就是說畏獸畫上的物怪是《山海經》「百物」的文本來源。這種畏獸畫的顯著功能是避凶邪、辟兵刃、防妖厲，與九鼎所鑄巫圖的作用相似。饒宗頤引宋人姚寬《西溪叢語》說：「大荒北經有神獸銜蛇，其狀虎首人身，四蹄長肘，名曰強良，亦在《畏獸畫》中，此書今亡矣。」饒氏以書稱「畏獸畫」，明言其對「畏獸畫」存在的可信，所以他進一步解釋說：「如姚言，古實有《畏獸畫》之書，《山海經》所謂怪獸者，多在其中。」[43]想必「畏獸畫」便是那時專門記錄物怪神靈知識的圖畫文獻了。

對山川物怪的描繪還常見於戰國時出土的漆器、絲帛上，可知這些神奇的物怪之屬是當時流傳日久的「公共知識」。馬昌儀曾對長沙戰國楚墓出土的《人物御龍圖》、《十二月神圖》及相關圖畫的分析指出，鳳鳥、夔龍、肥遺、人面三神獸、五采鳥、馬身人面神、並封、窫窳、騶吾、鳳鳥及巫師形象等，都是某種「畏獸畫」[44]，這與《山海經》記述的物怪也非常相近。不可否認，現今出土的帛畫及文獻中描述的物怪圖像與《山海經》的記述有許多相似之處，這都讓我們覺得郭注中提到的「在畏獸畫中」、「圖」、「像」等等字樣，應該不是虛妄之言。

事實上，像畏獸之類的物怪圖畫經常見於史籍的記載。（漢）王逸《楚辭章句》言屈原遭放逐後，曾見「楚有先王之廟及公卿祠堂，圖畫天地山川神靈，琦瑋譎詭，及古賢聖怪物行事」[45]。其中，「天地山川神靈」與「怪物」當指「物怪」之類。顯然，楚先王壁畫與巫師的百物知識有關。同樣建於漢代、受楚風影響甚大的魯靈光殿，其壁畫所繪物態是「圖畫天地，品類群生，雜物奇怪，山神海靈」[46]，「雜物奇怪」之屬雖非巫師專門所為，但所具備的「百物」屬性已昭然若揭。可以想見，戰國秦漢時代的動物物怪圖畫文獻無論在數量還是形式上，都遠比我們今天看到的更為豐富，它們在當時一

43　饒宗頤：《澄心論萃》上海：上海文藝出版社，1996年，頁264-266。

44　參見馬昌儀：〈從戰國圖畫中尋找失落的山海經古圖〉，《民族藝術》2003年第4期。

45　（宋）洪興祖撰，白化文等點校：《楚辭補注》北京：中華書局，1983年，頁85。

46　（梁）蕭統編，（唐）李善注：《文選》北京：中華書局，1977年，頁171。

定無處不在，屬於名符其實的一般公共知識資源。

　　人物政治類。歷史人物與政治道德訓誡不僅是史傳文學經常探討的主題，圖畫文本亦參與其中。據《淮南子》〈主術訓〉載：「文王周公觀得失，遍覽是非，堯、舜所以昌，桀、紂所以亡者，皆著於明堂。」高誘注：「著猶圖也。」[47]這表明文王時代已在明堂設有關於古帝王道德善惡的歷史圖像了。傳說孔子在觀周代古先賢畫像時也曾說「此周之所以盛也。夫明鏡所以察形，往古所以知今」[48]。孔子觀看廟堂的故事不知是否屬實，但至少在傳聞中周人已拿人物圖像進行道德勸誡，而且古聖王圖像故事往往和宗教儀式、政治道德緊密相連，這也逐漸形成了古代中國以圖箴誡的文藝敘事傳統。

　　兩漢時圖籍逐漸演化成為一種重要的政治教化手段，漢代士人普遍認為圖志具有德教感化、以昭勸勉的教導作用，所以《續漢書》〈郡國志〉說在郡府聽事壁上繪製人物畫贊的目的是「後人是瞻，足以勸懼，雖《春秋》采毫毛之善，罰纖厘之惡，不避王公，無以過此，尤著明也。」[49]據邢義田考證，兩漢京師宮廷、地方郡縣庭府、學館鄉校等處，[50]皆圖畫聖賢、忠臣孝子、貞女列婦等群像，期冀能讓「天子過此，一二問其過，可以得師矣」[51]。漢以孝治天下，忠孝貞節成了漢庭中央政府竭力推崇的道德倫理典範，這種文化趨向對文學書寫、圖像製作的影響顯而易見。西漢成帝時劉向作《列女傳》以戒天子，班固《漢書》說：「向睹俗彌奢淫……故採取《詩》、《書》所載賢妃貞婦，興國顯家可法則，及孽嬖亂亡者，序次為《列女傳》。」[52]同時，還將眾列女圖繪於一面四堵屏風上與傳相配，這是早期史傳文本以「圖+傳」流傳最典型的例證。

　　西漢中葉以後，以圖箴誡的風尚愈演愈烈，傳注人物的史傳、箴頌等圖籍文本層出不群。《漢書・趙充國傳》言揚雄曾為趙充國像作頌，[53]（漢）劉歆亦據《列女傳》作列女頌等。東漢明帝時朝廷圖繪二十八將及李通、竇融等三十二名臣於南宮云臺；靈帝曾設立鴻都門學，圖畫孔子及七十二賢人群像，又為樂松、江覽等三十二人立像贊；靈帝還圖畫「至孝」典範胡廣、黃瓊於省內，圖畫高彪於東觀以勸學者。另據《太平御覽》引孫暢之《述畫》：「漢靈帝詔蔡邕圖赤泉侯楊喜五世將相形像於省中，又詔邕為贊，仍令自書之。」[54]依圖作傳或頌成為一時風尚，特別是針對女子教育類的女誡作品大量湧現，譬如班昭、杜篤作《女誡》，蔡邕書《女訓》，地方官吏趙宣妻杜泰姬撰《戒諸女及婦》、楊元珍女楊禮珪作《赦二婦》等，史著《後漢書》還將「列女」入傳，《東觀漢

47　何寧撰：《淮南子集釋》北京：中華書局，1998年，頁695。

48　（清）陳士珂輯：《孔子家語疏證》上海：上海書店，1987年，頁72。

49　錢林書編：《續漢書郡國志匯釋》合肥：安徽教育出版社，2007年，頁7。

50　邢義田：《畫為心聲：畫像石、畫像磚與壁畫》北京：中華書局，2011年，頁16。

51　（漢）班固：《漢書》北京：中華書局，1962年，頁2891。

52　《漢書》，頁1957-1958。

53　《漢書》，頁299。

54　（宋）李昉等編、夏劍欽校點：《太平御覽》二版，石家莊：河北教育出版社，1994年，頁52。

記》、《華陽國志》亦設單篇列女傳，民間出土漢墓壁畫圖摹列女人物更是不計其數，圖像和文字成為傳播漢代孝子貞婦列女故事與道德楷模的重要消費媒介，三國曹植〈畫贊序〉對此總結說：「觀畫者見三皇五帝，莫不仰戴；見三季暴主，莫不悲惋；見篡臣賊嗣，莫不切齒；見高節妙士，莫不忘食；見忠節死難，莫不抗首；見忠臣孝子，莫不歎息；見淫夫妒婦，莫不側目；見令妃順後，莫不嘉貴。是知存乎鑒者，圖畫也。」[55]戰國秦漢人物政治圖籍所涉及的忠臣賢人、孝子良將、列女義士等人物主題，決定了其作用主要是普及知識與宣傳教化之用的，同時也促使史傳與人物圖籍文本的製作與傳播。

　　至此可以說，早期中國圖書的實際主題主要集中於「宇宙起源」、「動物神怪」、「人物歷史」這三類上，其內容大多是紀實性的，這是因為戰國秦漢時人們普遍對宗教巫術、祖先神祇、歷史政治等更為關心，所以不少「圖書」皆是對此內容與情節的直接記錄或間接追述，傳世文獻和出土資料都已證實了這一點，而且圖像摹刻與文字載錄之間往往可以相互對應，兩者之間存在一個互文闡釋系統。

三　轉譯與摹寫──早期圖文關係中的一對基本問題

　　透過以上分析，我們認為早期文獻在形態上呈現出的圖文共生或互配的情況，是一個比較常見的文本現象。《韓非子》〈守道〉說：「託天下於堯之法，則貞士不失分，奸人不徼幸。寄千金於羿之矢，則伯夷不得亡，而盜蹠不敢取。堯明於不失奸，故天下無邪；羿巧於不失發，故千金不亡。邪人不壽而盜蹠止，如此，故圖不載宰予，不舉六卿；書不著子胥，不明夫差。」王先慎《集解》云：「此宰予謂齊簡公臣，與田成爭權而死者。……『六卿』，晉臣。言無爭奪亡滅之禍，故圖書不得而載著。」[56]這是以「圖」「書」互文的方式分錄宰予、六卿、子胥、夫差人物歷史掌故。另外，以圖、詩並錄的專門性著作也不時出現，《晉書》〈束皙傳〉載：「太康二年，汲郡人不准盜發魏襄王墓，或言安釐王塚，得竹書數十車。……《圖詩》一篇，畫贊之屬也。」[57]（清）孫德謙《漢書藝文志舉例》曾專設「書有圖者須注出例」，指出《漢書》〈藝文志〉所錄者多有圖文互配的情況，這都表明圖畫與文字共生的文本著錄形態是早期文本比較常見的文化現象。

　　圖文共生或互證實際上揭示了中國早期文本內部的互文闡釋關係，而圖像與文字之間的相互轉譯、摹寫則是另一種文本現象，這可從兩個方面加以理解：

　　一是文字文本對圖像在內容、情節、空間敘事觀念等方面的轉述與仿寫，典型代表是《山海經》與山海圖。眾所周知，《山海經》最初是有圖的，雖然對圖的性質學者們

55　（宋）李昉等編、夏劍欽校點：《太平御覽》二版，石家莊：河北教育出版社，1994年，頁52。

56　（清）王先謙撰、鍾哲點校：《韓非子集解》北京：中華書局，2003年，頁203。

57　（唐）房玄齡等：《晉書》北京：中華書局，1974年，頁1432-1433。

還眾說不一[58]，但《山海經》是對古山海圖的文字注解這一點在學界已基本形成共識，原因即在於《山海經》在敘事上呈現出了鮮明的空間方位感，例如海外諸經開篇都有提示方位的標記性文字：

〈海外南經〉：自西南陬至東南陬

〈海外西經〉：自西南陬至西北陬

〈海外北經〉：自西北陬至東北陬

〈海外東經〉：自東南陬至東北陬

《山海經》文本整體遵循著南—西—北—東—中的順時針方位敘事，空間方位邏輯清晰可見，對神怪的外貌、形狀、方向等的描述往往優先於行動，空間內容強烈擠佔了時間，這些特徵都只能說明它是某種圖本的贊注文字。[59]一旦明乎此，也就讓我們明白了一種迥異於記事之辭的「依圖而述」的早期文本生成方式，這種生成方式曾普遍存在於早期中國文獻衍生與流傳過程之中。

屈原〈天問〉實際也是對某種圖畫的述說文字，前文說東漢王逸《楚辭章句》說屈原遭流放時看到楚先王之廟及公卿祠堂，「仰見圖畫，因書其壁，呵而問之，以洩憤懣，舒瀉愁思。」[60]由於其與楚先王廟壁圖畫的關係，因此學者多認為《天問》是「呵壁」之作。在廟壁或祠堂畫圖山川神怪可能在當時已蔚然成風，漢〈魯靈光殿賦〉的創作，更是如此。《文選》卷一一〈魯靈光殿賦〉下張銑注引范曄《後漢書》云：「王延壽父逸欲作辭賦，命文考往圖其狀，文考因韻之一簡其父。」[61]其中有一段說靈光殿上所繪之物是：

圖畫天地，品類群生。雜物奇怪，山神海靈。寫載其狀，托之丹青。千變萬化，事各繆形。隨色象類，曲得其情。上紀開闢，遂古之初。五龍比翼，人皇九頭。伏羲鱗身，女媧蛇軀。鴻荒樸略，厥狀睢盱。煥炳可觀，黃帝唐虞。軒冕以庸，衣裳有殊。下及三后，淫妃亂主。忠臣孝子，烈士貞女。賢愚成敗，靡不載敘。惡以誡世，善以示後。[62]

58　學術界目前對《山海經》圖的性質大略有禹貢圖、地圖、壁畫、巫圖等四種說法。（參見畢沅：《山海經新校正》〈序〉，收入丁錫根編：《中國歷代小說序跋集》北京：人民文學出版社，1996年，頁15；郝懿行：《山海經箋疏》〈序〉成都：巴蜀書社，1985年，頁11；呂子方：〈山海經雜記〉，收入《中國科學技術史論文集》成都：四川人民出版社，1984年，頁113、160；袁珂：〈山海經新探〉成都：四川社會科學院出版社，1986年，頁237。）

59　傅修延：《先秦敘事研究》北京：東方出版社，1992年，頁141。

60　（宋）洪興祖撰，白化文等點校：《楚辭補注》北京：中華書局，1983年，頁85。

61　（梁）蕭統編，（唐）李善等注：《六臣注文選》北京：中華書局，1987年，頁215。

62　（梁）蕭統編，（唐）李善注：《文選》北京：中華書局，1977年，頁171。

靈光殿上的天地山川神祇畫像早已淹沒在歷史的長河裡，但透過王延壽對其圖畫的文字述說，我們依然可以領略那巍峨宮殿上的萬古群生！

不僅如此，秦漢以來的古輿圖、地志等圖籍資料，由於載錄了豐富的動植物、礦產、風俗等物質文化知識以及本身所蘊含的空間方位屬性，經常成為漢賦製作過程中知識博物、敘事模式等的模擬、借鑑對象或參考依據。[63]明人謝榛說漢人作賦之前要參考大量圖志書籍，大體以「《離騷》為主，《山海經》、《輿地志》、《爾雅》諸書為輔」[64]，這表明作為圖畫手冊性質的《山海經》以及古輿圖、地志對以博物著稱的漢大賦製作十分重要。兩漢賦家對京都賦的偏愛，尤其是對空間方位敘事的空前重視，都讓我們覺得它是依據某種圖而寫定的，余定國認為〈二京賦〉「具有雙重的地圖學意義。首先是使用度量和測繪，常與地圖學密切相關。作為一種政治隱喻，在描寫漢高祖如何建都長安時，度量和測繪暗示了漢初的政治制度張衡的賦也可能是有關應用地圖的描述，張衡賦中的一些用詞暗示它可能是根據地圖撰寫的。有些部分，可以說張衡等於是製作了一幅『口頭描述的地圖』。他的賦讀起來是有方向的，他的描述向左右移動，又向南北移動」。[65]這暗示我們，突出空間方位感的古輿圖、圖志材料與漢大賦文本敘事之間也存在某種內在邏輯關聯。

無獨有偶，其他早期文本的生成亦與依圖而述密不可分。現代研究證明，《詩經》中的〈大明〉、〈皇矣〉、〈綿〉等篇章是對先祖神祠中的歷史人物圖畫功跡的稱頌之辭，[66]還有流行於秦漢民間的一種俗賦文本的形成亦與按圖講誦的傳播方式有關。[67]以上諸例說明，文字文本對圖像的轉述或仿寫，經常會在其內容、情節、敘事方式、審美建構等方面進行，這也是早期中國文本「依圖注文」衍生方式的主要途徑。

二是圖像對文字文本所記神話傳說、歷史人物、山川神怪等知識和內容譜系的轉錄、摹刻。戰國秦漢時代，既是一個新知識、新觀念不斷被創造的時期，也是一個對以往歷史和當下社會進行重新整合與解釋的時代，生活中各種神話故事、歷史人物、宴享樂舞、巡狩弋獵、祥瑞名物等均以形象化的圖像形式被描繪出來，尤其在秦漢畫像世界裡，上至宇宙星辰，下至山川名物，均被一一圖錄，圖畫文獻成了人們日常生活中喜聞樂見的一般知識體系和觀念來源，正如歷史學家翦伯贊所說：「除了古人遺物以外，再沒有一種史料比繪畫雕刻更能反映出歷史上的社會之具體的形象。同時，在中國歷史上，也再沒有一個時代比漢代更好在石板上刻出當時現實生活的形式和流行的故事

63 參見拙著：〈漢大賦製作的圖志化傾向〉，《中南大學學報》2017年第1期。

64 謝榛著，宛平校點：《四溟詩話》北京：人民文學出版社，1961年，頁62。

65 參見（美）余定國著、姜道章譯：《中國地圖學史》北京：北京大學出版社，2006年，頁148-149。

66 參見李山：〈《詩》〈大雅〉若干詩篇圖贊說及由此發現的〈雅〉〈頌〉間部分對應〉，《文學遺產》2000年第4期。

67 參見伏俊璉：〈戰國秦漢「看圖講誦」藝術與俗賦的流傳〉，《天水師範學院學報》2008年第6期。

來」。[68]以成系統的東漢嘉祥武梁祠人物壁畫為例，相關圖像情節和文字榜題多直接源自史著，比如十一位古帝王圖像（圖八）：

圖八　山東嘉祥縣武梁祠古帝王圖像

武梁圖像	文字榜題	文本來源
伏羲女媧	伏（戲）羲蒼精，初造王業，畫卦結繩，以理海內。	《周易》〈繫辭〉《白虎通》
祝融	無所造為，未有耆欲，刑罰未施。	《白虎通》《大戴禮記》〈盛德〉
神農	神農氏：因宜教田，辟土種穀，以振萬民。	《周易》〈繫辭〉
黃帝	多所改作，造兵井田，（垂）衣裳，立宮宅。	《周易》〈繫辭〉《風俗通義》
顓頊	帝顓頊高陽者，黃帝之孫，而昌（意之）子。	《史記》〈五帝本紀〉《大戴禮記》
帝嚳	帝嚳高辛者，黃帝之曾孫也。	《史記》〈五帝本紀〉
堯	帝堯放勳：其仁如天，其智如神，就之如日，望之如雲。	《大戴禮記》〈五帝德〉
舜	帝舜名重華，耕於曆山，外養三年。	《史記》〈五帝本紀〉
禹	長於地理，脈泉知陰，隨時設防，退為肉刑。	《尚書》〈邢德政〉
夏桀	夏桀	《後漢書》〈井丹傳〉《竹書紀年》

　　據圖像和圖表顯示，十一位古帝王圖像故事基本源自戰國秦漢史籍文本，圖畫內部可分為三類：三皇（伏羲女媧、祝融、神農）、五帝（黃帝、顓頊、帝嚳、堯、舜）和人王（夏桀、禹）。首先，從服飾看，除伏羲女媧外，祝融、神農皆戴「巾」束髮，著粗布衣裳；五帝之後則大多寬袍垂衣，頭戴裝飾王冠，明顯不同於三皇。《風俗通義》〈五帝〉說：「黃帝始制冠冕，垂衣裳，上棟下宇，以避風雨。」[69]又《易》〈繫辭〉言：「黃帝、堯、舜垂衣裳而天下治。」[70]很明顯，「制衣裳」成了五帝與三皇最重要的

68　翦伯贊：《秦漢史》北京：北京大學出版社，1983年，頁5。

69　（漢）應劭撰，王利器校注：《風俗通義校注》北京：中華書局，2010年，頁10。

70　（魏）王弼注，（唐）孔穎達疏：《周易正義》，李學勤主編：《十三經注疏》北京：北京大學出版

視覺區別，因此在武梁圖像中被特意作為符號標記加以刻繪。其次，從所持工具看，伏羲、女媧持規和矩，神農氏持耒，禹持鑱或鍬，夏桀駕人車，圖像刻畫與古文獻記載幾乎一模一樣。也就是說，東漢武梁人物圖像故事的內容、主題等大多來自戰國秦漢以來的史傳文本，而且圖像故事並不是一一摹刻，而是篩選了史籍中的一種或幾種進行圖錄，比如武梁六幅列女圖分別來自劉向《列女傳》之〈貞順〉、〈節義〉章。漢以後北魏司馬金龍漆面屏風《列女古賢圖》，八位人物出自《列女傳》之〈母儀〉、〈賢明〉、〈仁智〉和〈辯通〉四章，只有一位蔡人之妻來自〈貞順〉章；傳為東晉顧愷之的《列女仁智圖》摹品，源自《列女傳》之〈仁智〉章。以上三組圖像故事均是對《列女傳》文本的部分節選，圖像經過了製圖者的刻意篩選，因此才表現出了近乎一致的思想主題，可以看作是《列女傳》的一個圖像節選本。

另外，其他武梁人物圖像，譬如孝子、義士圖像主要來自《戰國策》、《史記》、《說苑》等史傳文本，刺客圖像源自《荀子》、《韓非子》、《管子》、《戰國策》、《呂氏春秋》、《史記》、《春秋公羊傳》、《淮南子》、《鹽鐵論》、《吳越春秋》、《琴操》等戰國秦漢諸子文本。圖像在內容、情節等方面充分吸收歷史文獻所記史事，在部分細節處均能很好地反映文本故事情節，甚至連生前生活場景、仙物祥瑞、作者自身也被加以圖錄，這不僅反映出漢墓主人對以往歷史的總結和重新闡釋，也透過有選擇性的刻繪人物或故事圖像而寄寓了某種隱含的人文話語或思想鏡鑒。因此，秦漢社會的圖像知識體系，不單是對先秦以來流傳的文字文本故事的簡單復述或摹畫，也是漢人文化思維和思想意識的間接映證，南朝顏延之總結說：「圖載之意有三：一曰圖理，卦像是也；二曰圖識，字學是也；三曰圖形，繪畫是也。」[71]圖像對早期文字文本故事的實際轉述或摹刻，其實就包含了圖、文、理這三個層面。

綜上所述，圖文之間的共生和互證、轉譯與摹仿等現象是早期中國文本生成與流傳過程中顯著的文化現象，造成這種現象的原因主要是圖像文本與文字文本在形成初期有著相近的知識、觀念與文化背景，譬如巫祝典祀、宗族認同、歷史追認等等，而且大凡是被圖像與文字反覆摹寫或繪飾的文化主題，多為人類內在思想精神和生存哲學的「原型」或「典範」形象，不管是宇宙形成，還是神話故事，亦或是人物政治，本身就蘊含著豐厚的歷史文化積澱，是旋繞在中華民族心間難以拭去的精神所在，因此從圖像角度對早期文獻文本加以梳理、分析和審視是完全有必要的。

社，1999年，頁290、300。

71　（唐）張彥遠，俞劍華注釋：《歷代名畫記》上海：上海人民美術出版社，1964年，頁3。

「鬼」、「神」之形音義及其構詞搭配略說[*]

馬顯慈

香港都會大學教育及語文學院

一　引言

　　「鬼」、「神」兩字在甲文、金文出現之後，漢儒許慎《說文解字》又進一步從人類生活文化角度將其字義加以闡釋，分析角度反映出兩字詞義之變化發展。在語言使用實況來看，尤其是粵方言表述方面，「鬼」、「神」兩詞之表述層面更大更深，並具有非常豐富而靈活的組合及傳意功能。本文透過文字形音義及古今漢語例子，包括香港所見粵語實例，探討兩者在語言使用方面的特點。

二　字形分析

　　以下先從文字學角度辨析「鬼」、「神」兩字之構形：

（一）鬼

　　甲文、金文均有「鬼」字，如 （一期　合集　一三七五一）、（四期　存二八四六）；[1] （鬼壺）、（陳肪簋）。[2]

　　（漢）許慎《說文解字》釋曰：「鬼，人所歸為鬼。从人，象鬼頭。鬼陰氣賊害，从厶。」[3] 本篆下收「禔」一字，指出「古文、從示」[4]。按字形結構而論，「鬼」為象形字，上象其頭首，下之「儿」象兩腿。甲文、金文並無文中「厶」，陳肪簋「鬼」字左下方有「口」形，此為篆文「鬼」右下「厶」之雛形。《說文》所收古文有示旁，與陳肪簋之字形對應，後來衍生為異體字。

---

* 本論文承蒙孫廣海博士查核若干條引文及黃敬賢仁棣處理古文字資料等有關事項，特此鳴謝。

1　徐中舒主編：《甲骨文字典》成都：四川辭書出版社，1988年，頁1021。
2　陳初生編纂，曾憲通審校：《金文常用字典》西安：陝西人民出版社，1987年，頁872。
3　（漢）許慎撰、徐鉉校：《說文解字》卷9，北京：中國書店，2021年，頁7a。
4　同上註。

（二）神

　　金文有「神」字，（克鼎）、（伯幾鼎）、（寧簋）。[5] 甲骨文以「申」為「神」，兩者同源，甲文有「申」字，如（一期　京四七六）、（甲　二四一五）；[6] 金文作矢方彝、（即簋）。[7]

　　（漢）許慎《說文解字》釋曰：「神，天神，引出萬物者也。从示、申。」[8] 釋「申」則曰：「神也。七月，陰气成，體自申束。从臼，自持也。」並收有古文申，籀文申。[9] 按字形之發展情況而論，「神」之本字為「申」。《說文》對字形構件之訓解，牽強而不可信。以「申」之甲文、金文構形而言，此為行雷閃電之天文現象，「申」即「電」字，後加上「示」為形旁而成「神」，字義作縱深發展，引申義、假借義不斷出現，已不可單從其構形而獲得清晰合理的解釋。

三　字音分析

　　「鬼」，《廣韻》只收一音，見上聲卷・七尾韻，切音為居偉切。中古音為上聲調，合口，三等韻，止攝；上古音為見紐、微部。擬測音值為 kjuəi。普通話只有一音，上聲調，屬第三聲，音標為 guǐ。粵音亦只有一音，上聲調，音標為 gwɐi^2，屬陰上聲，沒有變調。

　　「神」，《廣韻》亦只收一音，見平聲上卷・十七真韻，切音為食鄰切。中古音為平聲調，開口，三等韻，臻攝；上古音為船紐、真部。擬測音值為 dźien。普通話只有一音，陽平聲調，屬第二聲，音標為 shén。粵音書面語有一音，平聲調，音標為 sɐn^4，陽平聲，有變調。[10]《漢語大字典》收有兩音，一用《廣韻》食鄰切，另一用《字彙》升

5　《金文常用字典》，頁18。

6　《甲骨文字典》，頁1599。

7　《金文常用字典》，頁1172。

8　《說文解字》卷1、頁2a。

9　《說文解字》卷14、頁8a。

10　有關「鬼」、「神」兩字之古音分析及擬測音標，參考：一、余迺永校注：《新校互注宋本廣韻》香港：中文大學出版社，1993年，頁255、頁102。二、郭錫良著：《漢字古音手冊》增訂本，北京：商務印書館，2010年，頁223、頁367。普通話音標參考：中國社會科學院語言研究所詞典編輯室編：《現代漢語詞典》北京：商務印書館，2000年，頁476、頁1122。粵音音標參考：一、黃錫凌著：《粵音韻彙》重排本，香港：香港中華書局公司，2005年，頁9、頁16。二、《中華新字典》全新修訂版，香港：香港中華書局公司，2008年，頁828、頁475。粵音之聲調數字符號依《中華新字典》。

人切，其普通話對應音標為 shēn，讀作第一聲陰平。[11]按《康熙字典》所錄，「神」字有又音伸，切音為升人切，為海神之名。另一又音為禪，切音為時連切，見於古代韻文叶音。[12]「神」之粵音變調將於下文再論。

四　字義分析

（一）鬼

按一般具代表性之字典、詞典所載，「鬼」字義項可綜合如下（每項略引一例，以省篇幅）[13]：

一、迷信者以為人死後的精靈：《禮記》〈祭義〉：「眾生必死，死必歸土，此之謂鬼。」[14]

二、祖先：《論語》〈為政〉：「非其鬼而祭之，諂也。」（東漢）何晏注：「鄭曰：人神曰鬼也。……非其祖考而祭之者，是諂求福也。」[15]

三、萬物的精靈；鬼怪：《論衡》〈訂鬼〉：「鬼者物也，與人無異。天地之間，有鬼之物，常在四邊之外，時往來中國，與人雜廁。」[16]

四、喻隱秘不測：《韓非子》〈八經〉：「故明主之行制也天，其用人也鬼。」[17]

五、不可告人的打算和計謀：《紅樓夢》第七十二回：「心內懷著鬼胎，茶飯無心，起坐恍惚。」[18]

11　參考《漢語大字典》編輯委員會編《漢語大字典》三卷本，成都：四川辭書出版社，1995年，頁2393，「神」字條。

12　「神」字又音，詳見《康熙字典》標點整理本，上海：上海辭書出版社，2008年，「神」字條，頁802。

13　本文所述有關「鬼」、「神」之義項及其出處，主要參考：一、林尹、高明主編：《中文大辭典》臺北：中國文化大學出版社，1993年。二、《漢語大詞典》編纂處整理：《康熙字典》標點整理本，上海：上海辭書出版社，2008年。三、《漢語大字典》編輯委員會編：《漢語大字典》三卷本市，成都：四川辭書出版社，1995年。四、《漢語大詞典》編輯委員會編：《漢語大詞典》上海：漢語大詞典出版社，1993年。五、《實用古漢語大詞典》編輯委員會編：《實用古漢語大詞典》，鄭州：河南人民出版社，1995年。

14　（漢）鄭玄注、（唐）孔穎達等正義：《禮記正義》，《十三經注疏》附校勘記及識語，杭州：浙江古籍出版社，1998年，頁1595中。

15　（魏）何晏等注、（宋）邢昺疏：《論語注疏》，《十三經注疏》附校勘記及識語，杭州：浙江古籍出版社，1998年，頁2463下。

16　黃暉撰：《論衡校釋》北京：中華書局，1990年，頁936。

17　陳奇猷校注：《韓非子集釋》上海：上海人民出版社，1974年，頁996。

18　（清）曹雪芹、（清）高鶚著：《新增批評繡像紅樓夢》北京：北京圖書館出版社，2003年，頁2084。

六、蔑稱：《世說新語》〈方正〉：「我父、祖名播海內，寧有不知？鬼子敢爾！」[19]

七、沉迷於不良嗜及患病已深的人[20]：如：酒鬼、肺癆鬼。

八、狡黠：《方言》一：「虔、儇，慧也。……自關而東，趙魏之間謂之黠，或謂之鬼。」[21]

九、敏慧、便捷：《廣雅》〈釋詁一〉：「鬼，慧也。」[22]

十、暱稱：關漢卿《閨怨佳人拜月亭》第三折：「待不你個小鬼頭春心兒動也。」[23]

十一、遠；絕遠：《文選》班固〈典引〉：「仁風翔乎海表，威靈行乎鬼區。」六臣注引：「蔡邕曰：鬼區，遠絕之區也。」[24]

十二、星宿名：《通志》〈天文一〉：「鬼四星，冊方似木櫃，中央白者積尸氣，鬼上四星是爟位。」[25]

十三、形容惡劣，糟糕。（多用作詈詞）：老舍《龍鬚溝》第一幕：「這個鬼地方，一天陰，我心裡就堵上個大疙瘩！」[26]

十四、謂迷信鬼神：《逸周書》〈命訓〉：「極禍則民鬼，民鬼則祭淫。」[27]

十五、姓：上古有「鬼臾區」，見《史記》〈封禪書〉。[28]《正字通》〈鬼部〉：「鬼，姓。」[29]

（二）神

按一般具代表性之字典、詞典所載，「神」字義項可綜合如下（每項略引一例，以省篇幅）：

一、傳說中的天神，即天地萬物的創造者。：《說文解字》〈示部〉：「神，天神，引出萬物者也。」[30]

19　（南朝宋）劉義慶撰，毛德富、段書偉等注譯：《世說新語》鄭州：中州古籍出版社，2008年，頁128。

20　說法及例子見《漢語大字典》，頁4427，「鬼」字條。

21　（清）錢繹撰集；李發舜、王建中點校：《方言箋疏》北京：中華書局，2013年，頁3。

22　（清）王念孫撰：《廣雅疏證》濟南：山東友誼書社出版社，1991年，頁267。

23　（元）關漢卿著、藍立蓂校注：《彙校詳注關漢卿集》北京：中華書局，2008年，頁548。

24　（唐）李善等注：《六臣注文選》北京：中華書局，2012年，頁920上。

25　（宋）鄭樵撰：《通志》杭州：浙江古籍出版社，2007年，頁532。

26　老舍著：《老舍全集》（第10卷）北京：人民文學出版社，1999年，頁443。

27　黃懷信撰：《逸周書校補注譯》西安：西北大學出版社，1996年，頁14。

28　（漢）司馬遷撰、（宋）裴駰集解、（唐）司馬貞索隱、（唐）張守節正義：《史記》北京：中華書局，1975年，頁1393。

29　（明）張自烈、（清）廖文英編；董琨整理：《正字通》北京：中國工人出版社，1996年，頁1335下。

30　《說文解字》卷1，頁2a。

二、精神：《墨子》〈所染〉：「不能為君者，傷形費神，愁心勞意，然國逾危，身逾辱。」[31]

三、表情；神志：《後漢書》〈劉寬傳〉：「夫人欲試寬令恚，伺當朝會，裝嚴已訖，使侍婢奉肉羹，翻汙朝衣。婢遽收之，寬神色不異，乃徐言曰：『羹爛汝手？』」[32]

四、肖像：蘇軾《傳神記》：「南都程懷立，眾稱其能。於傳吾神，大得其全。」[33]

五、神奇；神異：《易》〈繫辭上〉：「陰陽不測謂之神。」（魏）王弼注：「神也者，變化之極妙，萬物而為言，不可以形詰者也。」[34]

六、靈驗：《史記》〈龜策列傳序〉：「略聞夏殷欲卜者，乃取著龜，已則弃去之，以為龜藏則不靈，著久則不神。」[35]

七、尊重；珍貴：《爾雅》〈釋詁下〉：「神，重也。」[36]《荀子》〈非相〉：「寶之珍之，貴之神之。」[37]

八、治理：《爾雅》〈釋詁下〉：「神，治也。」（北宋）邢昺疏：「治理也。」[38]

九、謹慎：《爾雅》〈釋詁下〉：「神，慎也。」（北宋）邢昺疏：「謂謹慎也。」[39]

十、通「昇」：《八瓊室金石補正》〈僧肅然造像記〉：「過往先亡，願神淨土。」[40]

十一、陳列：《廣雅》〈釋詁二〉：「神，陳也。」（清）王念孫疏證：「神、陳、引，古聲亦相近。」[41]

十二、指知識淵博或技能超群的人：（晉）王嘉《拾遺記》〈後漢〉：「京師謂康成為『經神』。」[42]

十三、神韻；韻味：（唐）李肇《唐國史補》卷上：「始吾見公主擔夫爭路而得筆法之意，後見公孫氏舞劍器而得其神。」[43]

十四、猶治：《孟子》〈盡心上〉：「夫君子所過者化，所存者神。」（清）焦循《正

31 吳毓江撰、孫啟治點校：《墨子校注》北京：中華書局，1993年，頁17。

32 （宋）范曄撰，（唐）李賢等注《後漢書》香港：中華書局香港分局，1971年，頁888。

33 （宋）蘇軾撰，孔凡禮點校《蘇軾文集》北京：中華書局，1996年，頁401。

34 （魏）王弼、韓康伯注，（唐）孔穎達等正義：《周易注疏》，《十三經注疏》附校勘記及識語，杭州：浙江古籍出版社，1998年，頁78下。

35 《史記》，頁3223。

36 （晉）郭璞注，（宋）邢昺疏：《爾雅注疏》，《十三經注疏》附校勘記及識語，杭州：浙江古籍出版社，1998年，頁2573下。

37 熊公哲注譯：《荀子今注今譯》臺北：臺灣商務印書館，1995年，頁78。

38 《爾雅注疏》，頁2576下。

39 《爾雅注疏》，頁2577上。

40 （清）陸增祥撰：《八瓊室金石補正》北京：北京文物出版社，1985年，卷63，頁435。

41 （清）《廣雅疏證》，頁267。

42 （晉）王嘉撰、（梁）蕭綺錄、齊治平校注：《拾遺記校注》北京：中華書局，2015年，頁155。

43 （唐）李肇：《唐國史補》，輯於《欽定四庫全書・子部》，卷上，頁3。

義》曰：「如堯舜生唐虞，則唐虞之民皆化；孔子在魯國，則魯國三月大治。」[44]

十五、猶化：《呂氏春秋》〈具備〉：「說與治不誠，其動人心不神。」（東漢）高誘注：「神，化。言不誠不能行其化也。」[45]

十六、中醫指主宰人體生命活動的生理和精神狀態。：《黃帝內經》〈素問・湯液醪醴論〉：「今精壞神去，榮衛不可復收，何者？」（唐）王冰注：「精神者，生之源；榮衛者，氣之主。氣主不輔，生源復消，神不內居，病何能愈哉！」[46]

十七、姓：《廣韻》〈真韻〉：「亦姓。《風俗通》云：神農之後，漢有騎都尉神曜。何氏《姓苑》云：『今琅邪人。』」[47]

十八、方言[48]

（1）威風，例如：看你多神氣。

（2）入神，例如：你神了一陣。

（3）聰明，例如：他真神，一看就會了。

綜合而言，「鬼」、「神」兩字之詞義發展可簡要歸納如下：

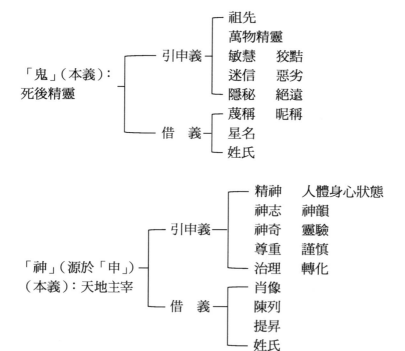

44　（清）焦循撰、沈文倬點校：《孟子正義》北京：中華書局，1996年，頁895。

45　陳奇猷校釋：《呂氏春秋校釋》上海：學林出版社，1984年，頁1231。

46　（唐）王冰注、（宋）林億等校正《黃帝內經素問補注釋文》，輯於《正統道藏》太玄部，卷12，臺北：臺灣藝文印書館，1977年，頁2。

47　見《新校互注宋本廣韻》，頁102。

48　有關分類及例子參考《漢語大字典》，頁2393，「神」字條。

五　組詞分析

　　以單字組詞，「鬼」、「神」兩字之組合活躍多姿，古今漢語例子頗多，以下分語法結構、音節結構兩大類，辨析其搭配情況：[49]

（一）語法結構組合

1　兩字成詞類

A　主謂結構

鬼叫	鬼迷	鬼誅	鬼嘯	鬼笑
神來	神知	神助	神游	神馳

B　動賓結構

驅鬼	弄鬼	搞鬼	養鬼	搗鬼
入神	傷神	迎神	酬神	祭神

C　偏正結構

窮鬼	死鬼	懶鬼	鬼節	鬼胎
海神	真神	火神	神廟	神柏

D　並列結構

魔鬼	人鬼	鬼神	鬼怪	鬼仙
神魔	人神	神煞	神怪	神鬼

2　三字成詞類

A　主謂結構

鬼壓床	鬼打架	鬼剃頭	鬼上身	鬼推磨
神助攻	神護草	神通靈	神策軍	氣化神

49　有關例子頗多，本文於「鬼」、「神」每一類組詞中略選錄五個常見例（包括古今漢語所見例子，組詞例子參考網路資料「古詩詞庫」：〈gushiciku.cn/cc/251502〉及「便民查詢網」之「在線組詞」：〈zuci.bmcx.com〉，瀏覽日期：2021年8月10日。

B　動賓結構

行鬼路　使鬼錢　扮鬼臉　懷鬼胎　點鬼火
迎喜神　開路神　養神芝　發神經　泣鬼神

C　偏正結構

小鬼頭　沒頭鬼　膽小鬼　五鬼術　洋鬼子
二郎神　社稷神　五瘟神　山神廟　神主牌

3　四字成詞類

A　主謂結構

鬼迷心竅　鬼神難測　鬼怕惡人　冤鬼纏身　心裡有鬼
神不守舍　神游物外　神魂飄蕩　錢可通神　神佛不祐

B　偏正結構

鬼魅技倆　若敖之鬼　刀頭活鬼　破敗五鬼　花邊鬼頭
黯然失神　姑射神人　涸澤之神　過路財神　十二花神

C　並列結構

鬼斧神工　鬼使神差　木魅山鬼　孤魂野鬼　百鬼眾魅
神昏意亂　氣定神閑　勞力傷神　鬼哭神嚎　神機妙算

D　重疊結構

鬼鬼祟祟　鬼鬼魆魆　鬼鬼啾啾　鬼鬼溜溜　鬼鬼頭頭
神神化化　神神氣氣　神神鬼鬼　神神叨叨　精精神神

（二）音節組合分類

1　由兩字組成兩音節詞

A　置前式

鬼神　鬼魅　鬼雄　鬼方　鬼才
神峰　神工　神交　神明　神器

B 　置後式

魔鬼　厲鬼　山鬼　鬧鬼　五鬼
怡神　祝神　巫神　通神　土神

2 　由三字組成三音節詞

A 　置前式

鬼谷子　鬼畫符　鬼見愁　鬼門關　鬼夜哭
神農氏　神女峰　神道碑　神韻說　神槍手

B 　置中式

五鬼術　潑鬼頭　射鬼箭　點鬼錄　錄鬼簿
洛神賦　封神榜　財神爺　泛神論　活神仙

C 　置後式

替死鬼　吊頸鬼　無頭鬼　吝嗇鬼　活見鬼
八臘神　護法神　不留神　精氣神　捉用神

3 　由四字組成四音節詞

鬼斧神工　鬼影幢幢　與鬼為鄰　各懷鬼胎　白日見鬼
神通廣大　凝神返思　顧盼神飛　黯然傷神　怪亂力神

　　按網路資料〈古詩詞庫〉所收詞條及分組情況而論，「鬼」、「神」兩字之古今漢語成詞例子相當豐富，茲綜合統計如下：[50]

表一

兩字詞	數量	三字詞	數量	四字詞	數量
鬼X	196	鬼XX	98	鬼XXX	61
X鬼	122	X鬼X	89	X鬼XX	28
		XX鬼	78	XX鬼X	60
				XXX鬼	43

---

50 本文兩表中所用語料，基本上以「便民查詢網」之「在線組詞」：〈zuci.bmcx.com〉為準，瀏覽日期：2021年8月10日。

兩字詞	數量	三字詞	數量	四字詞	數量
				鬼鬼XX	6
				XX鬼鬼	2
				X鬼X鬼	2
				鬼X鬼X	4
總　計	318		265		206
合　計	318　+　265　+　206　=　789				
百分比	40.30%　　33.59%　26.11%				

表二

兩字詞	數量	三字詞	數量	四字詞	數量
神X	472	神XX	96	神XXX	251
X神	285	X神X	59	X神XX	155
		XX神	71	XX神X	178
				XXX神	119
				神神XX	4
				XX神神	0
				X神X神	0
				神X神X	0
				X神神X	1
總　計	757		226		708
合　計	757　+　226　+　708　= 1691				
百分比	44.77%　13.36%　41.87%				

表三

	鬼		神	
兩字詞	318	40.30%	757	44.77%
三字詞	265	33.59%	226	13.36%
四字詞	206	26.11%	708	41.87%
合　計	789	100%	1691	100%

　　先說兩音組詞情況，按表一所示，「鬼」兩音節詞之前置者有一九六個，後置有一二二個，全部合計三一八個。兩類分別占百分之六十一點六四與百分之三十八點三六，比重大約為六比四。如表二所示，「神」兩音節詞之前置者有四七二個，後置有二八五個，全部合計七五七個。兩類分別占百分之六十二點三五與百分之三十七點六四，比重亦大約為六比四。由此可見，兩者之組詞功能相當接近。

　　至於三音組詞情況，按表一所示，「鬼」三音節詞之前置者有九十八個，中置有八十九個，後置有七十八個，全部合計二六五個。三類分別占百分之三十六點九八、百分之三十三點五八與百分之二十九點四三，比重大約為四比三比三。如表二所示，「神」三音節詞之前置者有九十六個，中置有五十九個，後置有七十一個，全部合計二二六個。三類分別占百分之四十二點四八、百分之二十六點一一與百分之三十一點四二，比重大約為四比三比三。可見兩者之組詞功能亦相當接近。

　　四音組詞情況比較複雜，以 AB 式之結構來分，四字的組合基本上可分作八種：ABBB、BABB、BBAB、BBBA、AABB、BBAA、BABA、ABAB。此皆見於「鬼」、「神」兩類四字詞組，但「神」字之組合另有一種 BAAB。按數量組合較多的前四種計算，〈表一〉所見之「鬼」字四音節詞，ABBB 式有六十一個、BABB 式有二十八個、BBAB 式有六十個、BBBA 式有四十三個，四種合計一九二個。四種分別占百分之三十一點七七、百分之十四點五八、百分之三十一點二五與百分之二十二點四〇，比重大約為三比二比三比二。至於表二所示，「神」字四音節詞，ABBB 式有二五一個、BABB 式有一五五個、BBAB 式有一七八個、BBBA 式有一一九個，四種合計七〇三個。四種分別占百分之三十五點七〇、百分之二十二點〇五、百分之二十五點三二與百分之十六點九三，比重大約為四比二比三比二。兩者之組詞功能亦比較接近。

　　按表三所示，「神」字之組詞數量頗為豐富，兩字、三字、四字合計有一六九一個。相比之下，「鬼」字之組詞數量較為遜色，三類合計有七八九個。兩者比率分別是百分之六十八點一九與百分之三十一點八一，約是七比三。然而，若按兩字之組詞類別的比率來看，兩音節類都十分接近，「鬼」字是百分之四十點三〇，「神」字是百分之四十四點七七，同樣占了全部的四成。三音節類，「鬼」字是百分之三十三點五九，「神」字是百分之十三點三六，差距頗為明顯，約是三比一。四音節類，「鬼」字是百分之二十六點一一，「神」字則是百分之四十一點八七，差距稍為收窄，約是三比四。

五　粵方言詞例闡釋

　　「鬼」、「神」兩字在粵方言（以香港社會為例）之語用情況又異常豐富，在口語表述方面，無論是字義（詞義）、組詞、語法，在語義溝通，乃至文化傳訊方面，都有獨

特而具趣味的發展。茲按有關文獻所錄有關語料，[51]以及筆者在香港對「鬼」、「神」兩字之語用所見所聞，綜合幾項闡述如下（每項略舉幾例，以省篇幅）：[52]

（一）單音節詞

「鬼」，作副詞用，詞義等同「極」，有時作助詞，作用是加強表達語氣。例子：

好鬼熱（hou² gwɐi² jit⁹）（極熱）

爛鬼嘢（lan⁶ gwɐi² jɛ⁵）（破爛的東西）

激鬼氣（gik⁷ gwɐi² hei³）（極之受氣）

「鬼」作否定詞用，詞義等同「不」、「沒」，作用是強化否定之訊息。例子：

有鬼用（jɐu⁵ gwɐi² juŋ⁶）（沒有作用）

係鬼（hɐi⁶ gwɐi²）（不是）

鬼信咩（gwɐi² sœn³ mɛ¹）（誰也不信）

「神」，充當謂語，詞義指「有故障」。例子：

隻錶神咗（dzɛk⁸ biu1 sɐn⁴ dzɔ²）（手錶壞了）

架車神咗（ga³ tsɛ¹ sɐn⁴ dzɔ²）（車壞了）

「神」之詞義由「神經」引申，並非「神靈」，「神咗」是指發了神經，不可以正常操作，所以可譯作「有故障」。

另有兩字連用，傳意重心在前者，後者變調，有強化語氣作用，增添感情色彩。

神神地（sɐn⁴ sɐn² dei²）（有點不正常）

---

51 本文引述之粵語方言詞例，參考：一、詹伯慧主編：《廣東粵方言概要》廣州：暨南大學出版社，2002年。二、曾子凡編著：《廣州話‧普通話口語詞對譯手冊》香港：三聯書店（香港）公司，2014年。三、馮展雄、馮展娥、馮穗英編著：《廣州話發音與口語》香港：中華書局（香港）公司，2011年。四、張洪年著：《香港粵語語法的研究》增訂版）香港：香港中文大學出版社，2014年。五、鄧思穎著：《粵語語法講義》香港：商務印書館（香港）公司，2015年。六、侯興泉、吳南開著：《信息處理用粵方言字詞規範研究》廣州：廣東人民出版社，2017年。七、饒秉才等著：《廣州話方言詞典》香港：商務印書館（香港）公司，2017年。八、詹伯慧主編：《廣東粵方言概要》廣州：暨南大學出版社，2002年。

52 本部分所附之粵語音標，基本上引用黃錫凌之〈粵音音標〉，見黃錫凌著《粵音韻彙》重排本，香港：中華書局（香港）公司，2005年。粵音之調號標示用1-9，依《中華新字典》全新修訂版，香港：中華書局（香港）公司，2008年。

用法與前例相近，例如：「隻錶神神地，有時又行得喎。」（手錶不正常，時好時壞。）「神神地」（sɐn⁴ sɐn² dei²）與「侲侲地」（sɐn⁵ sɐn² dei²）音近而義不同。「侲侲地」指不成熟，「侲」本義是描述嘴嚼某物體之質感有韌度，例如粵語歇後語「蒸生瓜」就是「侲侲地」，通常借此說女孩子不夠成熟。

（二）兩音節詞

「鬼」與其他單音節詞構成兩音節詞：例子：

鬼鼠（gwɐi² sy²）（鬼鬼祟祟）——並列結構
鬼佬（gwɐi² lou²）（西方國家男人）——偏正結構
鬼馬（gwɐi² ma⁵）（狡猾）[53]——並列結構

「神」與其他單音節詞組合成兩音詞：例子：

神心（sɐn⁴ sɐm¹）（有恆心，有毅力，誠心）——偏正結構
神經（sɐn⁴ giŋ¹）（發神經，發癲）——偏正結構
神沙（sɐn⁴ sa¹）（零錢，碎銀）——偏正結構

（三）三音節詞

「鬼」與其他單音節詞或兩音詞組合而成三音節詞：例子：

孤寒鬼（gu¹ hɔn⁴ gwɐi²）（吝嗇鬼）——偏正結構。
番鬼佬（fan¹ gwɐi² lou²）（外國男子）——偏正結構。
鬼打鬼（gwɐi² da² gwɐi²）（壞人互鬥）
——主謂賓結構，可視之為短語或句子。

「神」與其他單音節詞或兩音詞組合而成三音節詞：例子：

神仙肚（sɐn⁴ sin¹ tou⁵）（不用吃飯的肚子）——偏正結構。
生神仙（sɐŋ¹ sɐn⁴ sin¹）（預測非常準確的相士）——偏正結構。
撞手神（dzɔŋ⁶ sɐu² sɐn⁴）（踫運氣）——動賓結構。

---

53 按饒秉才等著《廣州話方言詞典》香港：商務印書館（香港）公司，2017年，「鬼馬」之義項有三種，分別是：機巧而滑稽、狡猾、不正經，詳見頁81。本文選其中較流行之一項，以省篇幅。

（四）四音節詞

「鬼」與其他單音節詞或兩音詞組合而成四音節詞：例子：

鬼五馬六（gwei² ŋ⁵ ma⁵ luk⁹）（亂七八嘈／不正經的）
　　——並列結構，亦可視作偏正式。
搞鬼搞怪（gau² gwei² gau² gwai³）（描述有人從中作梗）
　　——並列結構，亦可視作動賓式。
靚過鬼火（leŋ³ gwɔ³ gwei² fɔ²）（形容非常美麗）
　　——後補結構，亦可視作比較式。
呃神騙鬼（ɐk⁷ sɐn⁴ pin³ gwei²）（形容非常美麗）
　　——動賓結構，亦可視作並列式。

「神」與其他單音節詞或兩音詞組合而成四音節詞：例子：

神仙難救（sɐn⁴ sin¹ nan⁴ gɐu³）（形容情況／處境十分悲觀）——主謂結構。
求神拜佛（kɐu⁴ sɐn⁴ bai³ fɐt⁹）（祈求神靈幫助）
　　——動賓結構，亦可視作並列式。
冇嘜神氣（mou⁵ lei⁴ sɐn⁴ hei³）（形容沒有精神，十分頹唐）
　　——偏正結構，亦可視作動賓式。
貼錯門神（tip⁸ tsɔ³ mun⁴ sɐn⁴）（形容兩方不和，互相敵視）
　　——動賓結構，亦可視作偏正式。

（五）詞語活用

　　詞語活用是指合理地打破詞語的一般屬性和一般用法的特殊運用。[54]「鬼」、「神」兩字在粵方言（以香港社會為例）之語用情況又體現了其詞語活用的特質，以下是一些口語實例：

　　「鬼」本為名詞，例如：「鬼古」（鬼故事）、「鬼賣」（鬼砒）、「扮鬼」、「嚇鬼」等，詞義都是與鬼的本義貼近。然而，「鬼」之名詞又可活用作助詞，例如：「嘥鬼氣」、「黐鬼線」、「麻鬼煩」，這些都是夾於兩字詞中間，充當這些離合詞的分隔詞，具有助詞的功能。有些作助詞之作用是加強表述的語氣，例如：「條路好鬼長」；「邊鬼個咁百厭」；「俾人食鬼咗隻車」。也有些助詞是放於「咁」或「噉」之前，以表示極度，

---

54 《中國語言學大辭典》編委會編：《中國語言學大辭典》南昌：江西教育出版社，1991年，頁443，「詞語活用」條。

例如：「條街鬼咁多人」；「大髀鬼咁痕」；「痛到鬼噉」；「佢地好到鬼噉」。還有些是用在副詞「好」的後面，例如：「好鬼乞人憎」；「好鬼嘥」；「好鬼爽」。「鬼」在這些語言資料所承擔的功能與本義無關，其充當助詞的作用主要是強化語氣，增添感情色彩。在充當副詞方面，則有誇張、強調之修飾效果。此外，「鬼」也有活用作代詞，例如：「鬼知咩」；「鬼同你玩」；「鬼睬你」。這些代稱在一定程度上也有誇張、強調作用，例子中「鬼」的引用本意是指「沒有人」，從語法來看相當於疑問代詞「誰」。

「神」本是名詞，有時在搭配上亦有些轉變，例如：「神級」（非一般人的水平質素）、「男神」（「女神」之仿詞）等，詞義仍是緊扣與神相關的本義。然而，「神」之名詞亦可活用作其他詞語，但表述功能沒有「鬼」那麼多樣多變。如前例子：「隻錶神咗」、「架車神咗」。再如：「佢都神神哋」、「神起上嚟，你咪話唔驚！」這裡「神」有具動感的詞義訊息，可以充當為謂語，例中「神」是由本義引申為「神化」、「神經」、「發神經」，此與「鬼」之活用情況有所不同。

（六）歇後語

歇後語是一些由近似謎面、謎底兩部分組成而又帶有隱語性質的口頭用語，[55]屬於詞匯的範疇。以下是一些見於香港粵語環境中與「鬼」、「神」有關例子：

①神枱貓屎——神憎鬼厭
②拜神唔見雞——棵神噉聲
③神枱桔——陰乾
④棺材鋪拜神——想人死
⑤神仙放屁——不同凡響
⑥神仙過鐵橋——包穩陣
⑦兩公婆見鬼——唔係你就係我
⑧隔夜油炸鬼——無喱火氣
⑨火燒城隍廟——急死鬼
⑩閻王殿大罷工——冇鬼用

①②③④都和民間信仰有關，反映出民眾借有關活動去諷喻一些生活行為事態。原則上，上述語料中「神」一詞不算貶義，它仍舊保留著其至高無尚，受到尊重的基本詞義。⑤⑥以「神仙」一詞構成短語，縱然語義內容頗見滑稽，亦算是正面的描述。相對來看，⑦至⑩具有「鬼」之詞義短語組合，諸項語義內容則多承受一些負面訊息。⑧

55　《中國語言學大辭典》，頁280-281，「歇後語」條。

「油炸鬼」是一種食品代稱，它的命名本身具有貶義，但在現實生活中只作食品名稱則沒有負面涵義，當然配上「隔夜」就是變了質，語義趨向負面發展。⑦之「見鬼」是一般行為心理描述，通常作負面使用，亦含有貶義。⑨⑩「鬼」之涵義則有深層意思，所呈示的都是貶義，表述一些負面、不如意的訊息，所描述的都是生活上的一些具阻折、不暢順的心理活動或事態情況。

（七）俗諺

　　以「鬼」、「神」組詞傳遞訊息，在粵方言為主的香港社區裡，非常流行。類型非常廣泛豐富其中包括慣用語、暗語、專業語、諺語等。綜觀而論，「鬼」、「神」兩者多配成具貶義性質之詞或短語，以「神」之組詞為例，「衰神」、「瘟神」為般常見罵人之詞；「學神」指在馬路上學習駕車人士，這些「神」稱都具貶義，但貶義程度沒有以「鬼」組詞的那般嚴屬。如以「鬼」組詞的「有鬼」、「睇鬼」、「走鬼」，這些語料中的「鬼」本為「某人」代稱，本義指有人來；注意有人在場、要馬上離開；有人正來驅趕，屬於一些特殊社區暗語，例如與在街擺賣的小販、正參與競技的運動員、社團組織之活動等有關。事實上，不少具貶義之代稱之詞都用「鬼」而不用「神」去組成詞語，例如「火燭鬼」（消防員）、「鹹濕鬼」（急色之徒）、「孤寒鬼」（吝嗇鬼）、「是非鬼」（好搬弄是非之人）、「大嘥鬼」（非常浪費之人）等。當然，也有一些褒義性質的組詞，例如「生鬼」（生動）、「盞鬼」（有趣）、「老友鬼鬼」（非常友好）等。此外，一些以「神」組成之詞又具有極度誇張的褒義，例如「歌神」、「賭神」、「廚神」、「股神」、「醫神」、「馬神」、「車神」之類，都反映出社會大眾一種敬神怕鬼、喜神厭鬼的心理文化。

　　以下舉一些香港粵語通俗諺語，看看「鬼」、「神」兩類組詞的特色。所謂諺語，是指民眾口頭上流傳的通俗而涵義深刻的固定語句，其最具特色是有事理性、警示性及教育意義。[56]這類與慣用語接近，其中有些是兩三字的短小組合片語，就以「鬼」的組詞來說，「鬼食泥」、「鬼揞眼」、「鬼揦腳」、「畫鬼腳」等，其實都是具有深一層比喻意思，借「鬼」的行動或相關活動來描述一些異於常態的事理或現象。以下是一些與「鬼」、「神」有關例子：

　　①呃鬼食豆腐
　　②鬼拍後尾枕
　　③時運高唔聽鬼叫
　　④多隻香爐多隻鬼
　　⑤見過鬼仲唔怕黑

56　有關說法參考《中國語言學大辭典》，頁281，「諺語」條。

①至⑤都以「鬼」說出一些具諷刺性事理及人情心態。①表示個人不受尊重，反映出被愚弄的不滿情緒。②⑤揭示鬼的異能力量及其令人恐懼的心理感受。③借現實處境反映出人的自信與膽色，而側面揭示出人對鬼 x 的懼怕心理。④借民間祭祀情況說明生活現實，寫實諷刺兼備。

　　⑥有食神
　　⑦捉你用神
　　⑧神主牌都會唦
　　⑨過咗海就係神仙
　　⑩三六滾兩滾，神仙企唔穩

　　⑥至⑩皆借「神」去說明一些具諷喻性或事理性的生活實況。⑥⑦「食神」、「用神」都是一些民間信仰符號，這些與神靈有關之詞都含有較正面的訊息，在若干程度上，予人一種平和、順意的心理安慰。⑧引用「神主牌」述說則較為嚴正，傳統中華民間社會對祖先大都採用崇敬的態度，若然神主牌搖動就是祖先（神靈）顯靈，大眾會認為子孫後人即將行大運。[57]⑨借「八仙過海」典事，將事理訊息作簡約而濃縮處理，借古說今，語義具諷喻性，有時甚至表示出一種不屑、輕佻、自以為是的生活態度。⑩具有強烈諷刺及教化意味，借「烹狗肉」的葷香情況，指出具誘惑之事態力量非同小可，縱然是「神仙」也會抵受不住。

六　結語

　　「鬼」、「神」兩詞本義正反映出人對超現實世界的一種主觀認知。然而，透過長久以來的具體生活經驗及行為實踐，其字義、詞義已逐漸向深層發展，其表述範疇不斷擴張、伸延，涵義內容不斷深化、轉變，從中反映出中國語言文字所具有之豐富而靈活的組合及傳意功能。香港粵方言之語用實例，更可進一步驗證其傳遞訊息之特質，充份體現出其精要、準確、活潑、多變及饒有趣味之語言特色。

---

57 見《廣州話方言詞典》，頁199，「神主牌都會唦」條。

兩周之際周公形象嬗變

——以周代政治理想建構為視角的考察[*]

李明陽

北京　中國社會科學院《中國社會科學》雜誌社

　　西周中前期政治統序嚴整，社會秩序相對穩定，周王室統治也相對平穩，從信仰到禮儀建設，周人建構起一整套優雅、典範的政治文化，孕育和滋養著多元思想觀念的蓬勃興起。隨著周王世系的增益，祭祀時先王和先妣越來越多，周人開始設計新的祭祀方式，這促使其總結先王的功勳，在回顧政治傳統的基礎上，描繪著新的政治理想和治世藍圖。

　　「周公攝政」問題千百年來聚訟紛紜，我們發現春秋時期對周公的描述總體多於西周，說明周公形象的演進並不是一個孤立的現象。[1]繼文王、武王以後，周公成為西周中晚期和春秋時代「聖君明主」形象的新的典型代表，周公成為執政典範，其事蹟成為探討政治理想的公共話語資源。因此下文將以周公為例，探討政治文化建構思路從觀念言說向典範樹立的邏輯轉變，並分析周公地位的上升、形象的充盈、記載的增益和與此相關的文獻衍生問題。

一　從觀念到典範

　　西周中期以降，尤其是春秋戰國文獻中記載了大量賢臣形象，例如《詩經》中的仲山甫、《左傳》中的曹劌、燭之武、子產等，彰顯了時人對他們的敬仰。今文《尚書》周書二十八篇中有十二篇記載周公史事，雖然這些篇目不全撰於春秋時代，但東周時代非常重視對「周公之德」的弘揚。總之，兩周之際周人一改以往以觀念言說為中心的政治文化建構方式，樹立了多位執政典範。這種樹立執政典範的觀念，源於兩周之際社會

* 基金項目：國家社科基金重大項目「中國古代都城文化與古代文學及相關文獻研究」（18ZDA237）、國家社科基金一般項目「祖先崇拜與商周社會」（18BZS035）。

1 前人對周公攝政的討論和筆者的考證，參見拙文：〈《洛誥》所涉周初史事考疑〉，收入《新亞論叢》第二十一期，臺北：萬卷樓圖書公司，2020年。此前郭晨暉利用青銅器銘文考察了先秦時期的周公形象，參見其《先秦時期周公形象的演變》《史學集刊》2017年第2期，本文希望以周代政治理想建構為視角對此有所推進。

思潮的三個特點：天神信仰的失落、社會秩序的混亂與思想觀念的迭生。

先說天神信仰的失落。商王就是大巫師，[2]商代最重要的宗教權力即占卜結果的公布和解釋，完全掌握在商王手裡，因此商代的信仰觀念基本保持穩定。而周人則不同，除《尚書·周書》和西周早期銘文中記載的周初武王、周公、召公、成王、伯禽等極少數周王室重臣掌握占卜技術並親自掌管宗教權力以外，未見其他周王親自占卜的記載。周初先王任命殷遺民史官協理宗教事務，成為安撫東方部族的有效措施。然而，設官分職推動了史官的職事發生變化，涉及宗教的話語權力也隨之下移，[3]促使士階層承襲了大量巫史知識並對社會現象做出解釋，尤其是樂師與史官職事的階層[4]推動《詩經》成為新觀念興起的媒介，從而更快地動搖傳統天命觀念，這大概是周初先王始料未及的。

《詩經》中作於西周晚期的篇目大量記載霜、日食、地震、饑荒等災異氣候，例如「正月繁霜，我心憂傷」[5]、「十月之交，朔月辛卯。日有食之，亦孔之醜」「燁燁震電、不寧不令。百川沸騰，山塚崒崩。高岸為谷，深谷為陵」[6]、「浩浩昊天，不駿其德。降喪饑饉，斬伐四國」[7]、「旱既大甚，蘊隆蟲蟲……旱魃為虐，如惔如焚」[8]，等等。正如《左傳》引《周書》以及《左傳》昭公十八年所謂「皇天無親，唯德是輔」、「天道遠，人道邇」，[9]詩人將種種災異寫進詩歌並用於貴族宴飲諷諫，夾雜著對天道的譴責，昭示著先民信仰觀念中天神地位的衰落，顯然，春秋時期人們對天命的懷疑幾近毫不掩飾地呼之欲出了。

天道如此，政治也並不清明。正如《左傳》昭公二十六年王子朝所說：

> 昔武王克殷，成王靖四方，康王息民，並建母弟，以蕃屏周，亦曰：「吾無專享文、武之功，且為後人之迷敗傾覆而溺入於難，則振救之。」至於夷王，王愆於厥身，諸侯莫不並走其望，以祈王身。至於厲王，王心戾虐，萬民弗忍，居王于彘，諸侯釋位，以間王政。宣王有志，而後效官。至於幽王，天不吊周，王昏不若，用愆厥位。攜王奸命，諸侯替之，而建王嗣，用遷郟鄏，則是兄弟之能用力於王室也。至於惠王，天不靖周，生頹禍心，施于叔帶。……[10]

2　陳夢家：〈商代的神話與巫術〉，《燕京學報》第20期，1936年。

3　參見過常寶：《先秦散文研究》北京：人民出版社，2007年。

4　參見閻步克：《樂師與史官——傳統政治文化與政治制度論集》北京：生活·讀書·新知三聯書店，2001年。

5　（漢）毛亨傳，（漢）鄭玄箋，（唐）陸德明音義：《毛詩傳箋》北京：中華書局，2018年，頁264。

6　同上註，頁269。

7　同上註，頁273。

8　同上註，頁424-425。

9　楊伯峻：《春秋左傳注》北京：中華書局，2016年，頁338、1549，亦見於「古文尚書」〈蔡仲之命〉。

10　同上註，頁1641。

西周政治是一部衰落史，先王個人的德性日薄，上天對周的眷顧也日淺。《詩經》中也不乏對政治黑暗的描述，例如：「尹氏大師，維周之氐。秉國之鈞，四方是維。天子是毗，俾民不迷。不吊昊天！不宜空我師」[11]、「亂之初生，僭始既涵，君子信讒。君子如怒，亂庶遄沮；君子如祉，亂庶遄已」[12]、「赫赫宗周，褒姒滅之」[13]、「人有土田，女反有之。人有民人，女覆奪之」[14]、「四牡騤騤，旟旐有翩。亂生不夷，靡國不泯。民靡有黎，具禍以燼。於乎有哀，國步斯頻」[15]等等。

　　正如徐復觀先生所言：「試看《小雅》幽屬時代怨天罵天的詩，實際上也是罵屬王幽王的；這不能僅拿平常的比興來看，而是來自宗教與政治，神與王，關係過分直接化的原因。」[16]詩人充分展現了西周晚期和春秋時代吏治腐敗、褒姒害國、戰亂頻仍的社會現實，表現出人們對社會失序的無奈和對政治的失望。

　　天神信仰的衰敗，政治格局與家族秩序遭受了突如其來的變動，推動著政治文化觀念的迅速建構與更替，觀念的迭生、衝突、繁複形成「眾聲喧嘩」的態勢，甚至趨近「自我解構」的邊緣。例如《左傳》僖公二十二年、文公十七年、定公四年中充滿了建構秩序的衝動，並記載了大量時人提及的政治觀念：典禮儀式中涉及的大國與小國、同姓與異姓諸侯國的排序的新觀念。諸侯國君以天文分野理論追溯自己祖先世系和盛行於戰國時期墨家主導的「禪讓」學說，[17]等等。這些紛紜繁複的理論和巫史知識廣泛地運用在中央和諸侯國政治文化的各個領域，以至很少有史官可以同時掌握所有巫史知識，每次遇到著名史官和禮儀專家，諸侯國君和史官都會不失時機地請教祭祀和禮儀問題。由此可見，兩周之際的政治文化面臨著前所未有的挑戰，新興觀念空前繁榮卻又充滿了隨意性，絕大多數觀念在史書中只是曇花一現，卻沒被再次提及。

　　總之，周王室和士階層不約而同地尋找既能承載社會理想又能凝聚信仰的新的意識型態。繼承西周時期對歌頌先王歷史功績的一貫傳統，周人選定了幾位有傑出貢獻的政治家，周公是其中典型的代表。歌頌周公之德寄寓著對早期史事的追懷，但歌頌重點從豐功偉績則轉向了理想人格和對理想政治藍圖的描繪。

---

11 （漢）毛亨傳，（漢）鄭玄箋，（唐）陸德明音義：《毛詩傳箋》，頁262。

12 同上註，頁284-285。

13 同上註，頁267。

14 同上註，頁443。

15 同上註，頁418。

16 徐復觀：《中國人性論史（先秦篇）》臺北：臺灣商務印書館，1969年，頁41。

17 參見羅新慧：〈禮讓與禪讓──論周代「讓」的社會觀念變遷〉，《社會科學戰線》2002年第6期；艾蘭：《湮沒的思想──出土竹簡中的禪讓學說與理想政治》北京：商務印書館，2018年等等。

二　周公地位的上升

　　西周文獻中提到周公主要是《尚書》和青銅銘文。儘管「周初八誥」當屬可靠的西周文獻，然其中多數是周公去世後追述的，而並非實錄。由於缺乏足夠可靠的資料，我們很難確認追述這些文獻的具體王世和目的。銘文中提及周公也分為兩種，一種是周公執政，並參與了對武庚和三監叛亂的討伐，事後冊命和賞賜功臣，被記載在銘文裡，此時周公稱「王若曰」。但由周原甲骨「鳳翔 H:11.84」[18]可知，「王」字的使用並非對周公的褒獎和重視，而是當時稱呼王室高級貴族和軍事長官的通例；另一種情況是周公後人或魯國封臣祭祀和紀念周公，這類文例很少，但僅存的個別篇目可以看出周公在西周晚期地位的變化。

　　例如河南平頂山應國墓地出土的柞伯鼎銘文：

> 唯四月既死霸，虢仲令柞伯曰：「在乃聖祖周公䜌有共于周邦，用昏無殳，廣伐南國。今汝其率蔡侯左至於昏邑。」[19]

柞伯是周公之後，其祖先曾參與周公對南方的戰爭。二〇〇七年在此出土了應公鼎，其銘文寫有「武帝日丁」[20]，可見應國、柞國與武王、周公關系密切。虢仲對柞伯提及周公稱為「乃聖祖」，「聖祖」相當於「丕顯考」，是極罕見的敬稱。可見西周晚期周公的地位已有提升。

　　春秋時期，周公地位得到進一步提升，體現在祭祀武王的典禮上。《尚書》〈大誥〉記載牧野之戰獲勝後武王對殷遺民訓話，並無動作與場景描述。《逸周書》〈克殷解〉中說：

> 及期，百夫荷素質之旗于王前。叔振奏拜假，又陣常車。周公把大鉞、召公把小鉞以夾王。泰顛、閎夭皆執輕呂以奏王。王入，即位於社。[21]

儘管郭沫若先生和楊寬先生認為〈克殷解〉作於西周時代[22]，但與典型的西周文獻對比，〈克殷解〉中大量使用「乃」等關聯助詞，這在西周並不多見。此外，全篇的敘事方式與風格也頗與《左傳》相近。因此，筆者贊同裘錫圭先生的說法[23]，〈克殷解〉應

18　參見李學勤、王宇信：〈周原卜辭選釋〉，《古文字研究》第4輯，1980年。

19　朱鳳瀚：〈柞伯鼎與周公南徵〉，《文物》2006年第5期，頁68。

20　河南省文物考古研究所、平頂山市文物管理局：〈河南平頂山應國墓地八號墓發掘簡報〉，《華夏考古》2007年第1期。

21　黃懷信：《逸周書校補注譯》西安：三秦出版社，2006年，頁169-170。

22　郭沫若：《中國古代社會研究》北京：商務印書館，2011年，頁318；楊寬：〈論《逸周書》〉，《中華文史論叢》1989年第1期。

23　裘錫圭先生在〈談談地下材料在先秦秦漢古籍整理工作中的作用〉《古代文史研究新探》南京：江

為春秋時代文獻。

如果說《逸周書》〈克殷解〉與《尚書》〈大誥〉文獻性質不同，那麼比照《尚書》〈牧誓〉則有助於進一步討論〈克殷解〉的文獻性質。顧頡剛先生認為，「〈牧誓〉是周人看了紀念武王伐紂的〈武舞〉所作的一篇文獻」[24]，可將之視為西周中晚期文獻。其中「王左仗黃鉞，右秉白旄以麾」，可看作〈克殷解〉周公、召公手中大鉞和小鉞的原型。顯然，在春秋時期表現周初故事的祭祀儀式裡，將武王手中的權杖分給周公和召公，提升了二人的地位。因此，儘管朱右曾所言「〈克殷〉篇所敘非親見者不能」[25]，但〈克殷解〉與〈牧誓〉一樣，並不是對史實本身的記載，而是對祭祀儀式的載錄。總之，祭祀武王的儀式以周公與召公配享並提到周公與召公（召公奭贊采、周公再拜稽首，乃出），可謂注重描繪了周公與召公在武王克殷戰爭中的重要作用。順便說，召公地位在春秋戰國時代也有所提升，體現在詩歌中提及召公斷案的典故。[26]然而與周公相比，召公的地位仍稍微次要。

此外，《左傳》中多次提及祭祀周公和與周公相關的事件：

> 八年，春……。鄭伯請釋泰山之祀而祀周公，以泰山之祊易許田。三月，鄭伯使宛來歸祊，不祀泰山也。（隱公八年）[27]
>
> 元年，春，公即位，修好于鄭。鄭人請複祀周公，卒易祊田，公許之。三月，鄭伯以璧假許田，為周公、祊故也。（桓公元年）[28]
>
> 秋，吳子壽夢卒。臨于周廟，禮也。凡諸侯之喪，異姓臨於外，同姓於宗廟，同宗于祖廟，同族於禰廟。是故魯為諸姬，臨于周廟；為邢、凡、蔣、茅、胙、祭，臨于周公之廟。（襄公十二年）[29]
>
> 己亥，公孫于齊，次於陽州。齊侯將唁公于平陰，公先至於野井。……子家子曰：「天祿不再。天若胙君，不過周公，以魯足矣。失魯而以千社為臣，誰與之立？且齊君無信，不如早之晉。」弗從。（昭公二十五年）[30]

上述引文是《左傳》中關於祭祀周公的記載。其中，隱公八年與桓公元年記載了鄭國與

蘇古籍出版社，1992年，頁47）中未提及〈克殷解〉為西周文獻；李學勤先生為《逸周書匯校集注》作序時提及的西周篇目中也不包含〈克殷解〉。

24 此文未刊，轉引自劉起釪：《尚書研究要論》濟南：齊魯書社，2003年，頁462-463。

25 （清）朱右曾：〈逸周書集訓校釋序〉，收入黃懷信、張懋鎔、田旭東撰：《逸周書匯校集注》，頁1229。

26 參見羅新慧：〈上博簡《詩論》「甘棠」與上古風俗〉，《陝西師範大學學報》2006年第2期。

27 楊伯峻：《春秋左傳注》，頁62。

28 同上註，頁88。

29 同上註，頁1094。

30 同上註，頁1629。

魯國交換祭祀之地的過程。泰山之神是重要的自然神，將祭祀泰山與祭祀周公比較，可見周公在時人眼中的重要地位。襄公十二年的記載是追溯姬姓諸侯國與周公的血緣關係；昭公二十五年的記載是強調周公與魯國在周代無可替代的地位，可見周公在春秋時代成為政治文化生活中標識性的重要人物。

三　周公形象的增益

這場始於西周晚期、盛於春秋時代的言說和塑造周公形象的思潮，從諸多方面言及周公。在此只展示幾個重要維度，展示經典文獻生成與周公形象的關係。

其一，周公最突出的品質是對王室的忠誠。《逸周書》〈度邑解〉中詳細描繪了武王要傳位周公，周公推辭的場景：

> 王曰：「旦！汝維朕達弟，予有使汝。汝播食不遑暇食，矧其有乃室？今維天使予，惟二神授朕靈期。於未致予休，□近懷予朕室。汝維幼子，大有智。昔皇祖底於今，勖厥遺得顯義，告期付於朕身。肆若農服田，饑以望獲。予有不顯，朕卑皇祖不得高位於上帝。汝幼子庚厥心，庶乃來班朕大環。茲于有虞。意乃懷厥妻子，德不可追於上，民亦不可答於朕下，不賓在高祖。維天不嘉，於降來省。汝其可瘳於茲？乃今我兄弟相後，我簠龜其何所即？今用建庶建。」叔旦恐，泣涕共手。王曰：「嗚呼，旦！我圖夷茲殷，其惟依天。其有憲令，求茲無遠。慮天有求繹，相我不難。自洛汭延于伊汭，居陽無固，其有夏之居。我南望過於三塗，我北望過於有嶽，丕願瞻過於河，宛瞻于伊、洛，無遠天室。其曰茲曰度邑。」[31]

從表述方式來看，這段文字明顯近於《左傳》而遠於《尚書》「周初八誥」和西周青銅銘文，體現在兩個方面，其一，武王言論完整而富有邏輯，「今」、「昔」、「乃」、「於」等關聯詞的運用使段落形成閉合的敘事單元，尤其是「自洛汭延於伊汭」，與《史記》、《漢書》地理志句式相近，其展現出的語言張力絕然不同於西周文獻那樣以句為基本表意單位、罕見虛詞作勾連的面貌；其二，對周公心理的描寫雖然簡短卻很生動，而武王的語言疑問、感歎、陳述句式分明，突顯其情感之真摯。〈度邑解〉不僅並非西周初期周人剛建立簡冊制度不久時的文獻形態，也遠超乎一般載錄行為所能達到的水準。由於其語言之儉省又非戰國時期敘事文獻所常見，筆者推斷其寫定年代應為春秋時代。

〈度邑解〉中最值得關注的細節是「叔旦恐，泣涕共手」，勾勒了周公與後世托孤輔臣近似的情感和反應。這種描寫絕非偶然，而是故意渲染情境、彰顯周公對武王的感

31　黃懷信：《逸周書校補注譯》，頁219。

激和輔政的忐忑心境。文中武王對周公的評價──「汝維幼子，大有智」，肯定了周公的治世才能，並從側面烘托了周公不慕權位、對武王和王室的忠誠。總之，正如《左傳》定公四年所言：「以先王觀之，則尚德也。昔武王克商，成王定之，選建明德，以蕃屏周。故周公相王室，以尹天下，于周為睦。」[32]春秋時期對周公之德的關注重點在於還政成王，並將聚焦和放大「還政成王」的示範性，使周公執政這一西周時代眾所周知卻罕見傳揚的史實得以典型化。

其二，與忠誠於武王和王室相關的是周公對政事的盡心和負責，這類文獻以《尚書》〈無逸〉和〈立政〉為代表。〈無逸〉旨在告誡周王和貴族勤於勞作、不可偏廢農耕傳統；〈立政〉則是教導執政者善於選官用人。

在此仍要釐清這兩篇文獻的時代。作為記載周初史事的文獻，人們往往將〈無逸〉、〈立政〉與「周初八誥」相混淆。然而，對比《左傳》和流傳於春秋戰國之際的諸子和簡帛文獻，會發現春秋時代的話語方式與西周時期迥然不同之處即擅於徵引前人言論或典故。這與春秋時代開始的意識型態整合和文獻編纂有關。〈無逸〉中以「我聞曰」徵引典故，〈立政〉中以「古之人」引領對傳聞的追述，都是春秋時期典型的文獻徵引方式。兩篇文獻提及的先王享國時間、立政在用人等典故和觀點是《左傳》和諸子文獻中常見的談資，這也突顯出較強的獵奇心態。在可靠的西周文獻中這些內容極少出現。此外，〈立政〉中「九德」、「三宅」等數字與名詞組合以表示意識型態的現象更是春秋以降士階層崛起後興起的做法。兩篇文獻典型地體現了春秋時期人們心中理想的執政典範所具備的勤政和擅於選官等素養，更體現了士階層的政治理想和入仕熱忱。

其三，文獻中還記載了周公制禮作樂和護佑王室的勇武形象，例如《左傳》文公十八年云：「先君周公制周禮曰：『則以觀德，德以處事，事以度功，功以食民。』」[33]《逸周書》〈作雒解〉云：「周公立，相天子，三叔及殷東徐、奄及熊盈以略。周公、召公內弭父兄，外撫諸侯」[34]和《左傳》昭公元年所謂：「周公殺管叔而蔡〔流〕蔡叔」[35]，等等。總之，春秋時期周公兼具文德和武功，並且成為忠義的化身，以致昭公十年平子伐莒後以人牲獻祭、臧武仲奚落魯國無義都以周公為喻：「周公其不饗魯祭乎！周公饗義，魯無義。」[36]

32 楊伯峻：《春秋左傳注》，頁1712-1718。

33 同上註，頁695。

34 黃懷信：《逸周書校補注譯》，頁238。

35 楊伯峻：《春秋左傳注》，頁1347。

36 同上註，頁1461。

四　周公形象的異端化

　　抬高周公形象的極端狀況就是認為周公遭遇了不公正的待遇而為其鳴冤。

　　〈金縢〉記載了武王病重時，周公祭祀先王，以自己為質要求先王保佑武王病癒，並將祭祀過程相關記載藏於金縢之中。武王死後，周公居東。天降饑荒，成王開啟金縢，看到周公以自己為質，認識到自己錯怪周公，迎周公反朝，天刮「反風」，禾苗複起。[37]〈金縢〉故事生動，影響很廣。然而宋儒蔡沉曾言

> 武王疾瘳，四年而崩。群叔流言，周公居東二年，罪人既得，成王迎周公以歸，凡六年事也。編《書》者附于〈金縢〉之末，以見請命事之首末，〈金縢〉書之顯晦也[38]

　　認為〈金縢〉結尾是後來接搭自其他文獻。乾嘉以來學者普遍相信「刮反風、禾苗複起」並非實寫。杜勇教授指出〈金縢〉中提及周公作〈鴟鴞〉諫成王，而《論語》記載孔子並不知道〈鴟鴞〉的作者，這說明孔子沒有見過今本〈金縢〉。[39]清華簡中公布了戰國時期的〈金縢〉傳本[40]與今本〈金縢〉基本一致，因此我們相信《尚書·金縢》篇採錄的是戰國時期流傳的版本。

　　李山教授認為，〈金縢〉是最早的「竇娥冤」故事，描繪了「周公奔楚」並死在楚地，突顯了武王死後周公曾遭過成王的迫害。[41]我們看到，〈金縢〉中的周公形象是人物形象塑造的極端個例，也是以訛傳訛和有意歪曲的疊加效果。時人認為以周公的才能本應稱王，替周公感到不公。其實，背後潛藏著春秋戰國時代盛行「立賢」、「禪讓」的邏輯，使周公形象站到了主流思想的對立面。

　　綜上所述，春秋晚期，乃至戰國時代在紛繁複雜的社會思潮推動下，周公已經脫離了其原本忠貞、勇武、護佑周室的形象，成為士人表達自我訴求甚至反對主流思想的話語資源。

五　重視周公的原因

　　兩周之際的《詩》《書》文獻中，召公、尹吉甫等眾多政治家都受到人們的崇高禮贊，然而其中最有影響力者當非周公莫屬。之所以取周公作為人格理想的典型，大概基

37　（漢）孔安國傳，（唐）孔穎達正義：《尚書正義》上海：上海古籍出版社，2007年，頁502。

38　（宋）蔡沉：《書集傳》北京：中華書局，2018年，頁180。

39　杜勇：《清華簡與古史探賾》北京：科學出版社，2018年，頁283-298。

40　李學勤主編：《清華大學藏戰國竹簡》壹，頁47-55。

41　李山：《西周禮樂文明的精神建構》石家莊：河北教育出版社，2014年，頁260-272。

於下述五點原因。

第一，東周都城是王城，而王城在位置上與洛邑有疊合，由於營造洛邑是周公直接監督下完成的，且周公在洛邑主持工作並安置殷遺民，因此，當周人遷往洛邑時一定會懷念這位營造洛邑並最早在此執政的先王。

第二，西周末期國民暴動驅逐了周厲王，進入了二王並立的共和時代。平王東遷後，人心浮動，若想確認其正統地位，需選擇一位功勳卓著的早期先王，並在政治文化傳統上與之建構聯繫。周公是西周初期先王，曾輔佐文王伐崇、黎和武王征商，並主持平定武庚和三監叛亂，其身分和資歷符合西周早期與戰功卓著兩個條件，並足以震懾各方面政治力量。

第三，春秋時期重視禮樂的建構與闡釋，而周公執政時期是周初社會制度與設官分職的起始，並借助其掌握的宗教權力，提出過不少禮樂文化觀念。[42]人們往往將社會文化等方面的成就歸功於當時的執政者，因此周公被認為典型地體現了春秋時代政治文化的整體風尚。

第四，隨著族群交往的頻繁，春秋時代，夷夏觀念成為熱議的話題。例如在《左傳》中：

> 楚子問諸逢伯，對曰：「昔武王克殷，微子啟如是。武王親釋其縛，受其璧而祓之，焚其櫬，禮而命之，使複其所。」楚子從之。（僖公六年）[43]
>
> 夔子不祀祝融與鬻熊，楚人讓之，對曰：「我先王熊摯有疾，鬼神弗赦，而自竄於夔。吾是以失楚，又何祀焉？」秋，楚成得臣、鬥宜申帥師滅夔，以夔子歸。（僖公二十六年）[44]
>
> 晉郤至與周爭鄇田。王命劉康公、單襄公訟諸晉。郤至曰：「溫，吾故也，故不敢失。」劉子、單子曰：「昔周克商，使諸侯撫封，蘇忿生以溫為司寇，與檀伯達封于河。蘇氏即狄，又不能于狄而奔衛。襄王勞文公而賜之溫，狐氏、陽氏先處之，而後及子。若治其故，則王官之邑也。子安得之？」晉侯使郤至勿敢爭。（成公十一年）[45]

周公曾提到「惟殷先人有冊有典」[46]，主張學習殷人的制度和文化，並吸收殷遺民到周王室工作，因此周公對殷遺民和東方部族的態度有利於社會交往，符合更多諸侯國的利益訴求。

---

42 參見過常寶：《制禮作樂與西周文獻的生成》北京：中國社會科學出版社，2015年。

43 楊伯峻：《春秋左傳注》，頁343。

44 同上註，頁482。

45 同上註，頁933。

46 （漢）孔安國傳，（唐）孔穎達正義：《尚書正義》，頁624。

　　第五，春秋時期普遍以嫡長子繼承制為繼位原則，但弒父、弒君事件卻常有發生；與此同時，士階層流傳著大量關於禪讓觀念的傳說，試圖動搖以嫡長子繼承制為主導的繼位觀念。周公輔弼成王執政，確立了「武王—成王」的繼位統序，是周代繼位制度的創建者和維護者，因此周公還政符合春秋時代的政治需求。

六　結語

　　西周晚期以降，經過國人暴動、驅逐厲王、共和行政、平王遷都等一系列政治事件後，周代的社會秩序與思想觀念發生轉變。在意識型態建構上，一個突出的變化就是從祖述周德轉向樹立執政楷模。當時眾多執政大臣受到重視，其中最能代表周人政治理想者，當屬周公。

　　周公在春秋時代受到的重視遠高於西周時代，具體表現為《尚書》、《逸周書》中有篇目細化了武王托孤與還政成王的記載，強調了其對王室的忠誠與熱忱。周公形象體現了周王室、諸侯國與士階層政治理想和入仕訴求共同博弈與合力的結果。戰國時代思潮迭起，士人表達能力強盛，周公形象逐漸背離了其歷史真實面貌，而成為士人表達入仕需求的話語資源。

比較研究屈原《九歌》與赫西俄德《神譜》的文藝意蘊

何祥榮

香港樹仁大學中文系

一 引論

　　屈原與古希臘人赫西俄德同為遠古時期的重要詩人。二人的代表作《九歌》與《神譜》，同為古代詩歌體裁，也代表著中國和希臘的古典文學重要內涵，在思想內容以至藝術技巧，均有很多相似及相異之處，因而具有比較研究的價值。赫西俄德較屈原為早，一般均認為生於西元前八世紀，甚至較荷馬更早。赫西俄德身處於黑暗時期（約在前1200-800年），後來進入古風時代（約在西元前800-493年）。赫西俄德繼承了邁錫尼文明的宗教思想，大抵也吸收了西元前八世紀文藝復興帶來的文化基礎。"the cultural renaissance that took place in Greece in the 8[th]BC, after the dark ages that followed the great flowering of the Mycenaean period"[1]據張巍《希臘古風詩教考論》，希臘古風文化的總體特徵，也就是學界通稱的『歌吟文化』」[2]。美國學者赫林頓也指出，「在古希臘社會裡，『歌』是用來表達和傳播最重要的情感和思想的媒介」[3]

　　希臘古風時代大約相等於中國的周朝。與古希臘一樣，周朝同樣重視詩教，並借助歌詩來傳達重要的思想感情，因而誕生了永垂不朽的詩歌總集——《詩經》、《楚辭》。屈原《九歌》以「歌」命名，正與希臘古風時代的「歌吟文化」不謀而合。此外，《九歌》與《神譜》同具神話性質，較多環繞諸神的敘述，性質異常相近。

　　把屈原與赫西俄德並列觀照，過去並不多見，故選題價值在於楚辭比較文化研究的開拓。兼之，把二者對照考察，不僅可以揭示其對中國及希臘文明發展的影響，更可提升至世界文明發展史的層次，考察二者對世界文明之影響，從而揭示二者在世界文化史中的地位。考慮到論文字數有限，本文集中考究其神性論以及其藝術論的相異之處。本文較多以二者諸神之屬性為切入點，從而探究二者所流露之神性特徵及用何種手法表達之。

1　Rozina Kolonia: *"Delphi Archaeological Museum"* (Athens: Delphi Archaeological Museum, 2012), P.11.

2　張巍著：《希臘古風詩教考論》北京：北京大學出版社，2018年，頁9。

3　張巍著：《希臘古風詩教考論》北京：北京大學出版社，2018年，頁9。

二　《九歌》與《神譜》中的神性論

「神性論」有其泛義性，舉凡諸神的內在性格特質、外在的形象，以至其居所及生活方式均屬之。如古羅馬哲學家西塞羅所言：

> 關於諸神顯現的形象，諸神的家園和居所，諸神的生活方式，都有許多不同的理論，這些理論也都是哲學家不斷爭論的話題。[4]

換言之，西塞羅的神性論涵蓋了神的生活中所顯露的一切。本文所論之神性，蓋指「神」的內在屬性，而內在屬性向外流露，往往形式不同的形象，故神的屬性，實可兼備內在與外在的特性。二者諸神的屬性均有相似之處，就是多為人化了的神。尤以《神譜》中諸神多有血緣關係。而外形往往是內在屬性的流露，故諸神之形象、衣飾也在本文考究之列。

（一）諸神的血緣關係

綜觀《九歌》原典，並無任何一語敘述諸神有血緣關係，從〈湘君〉、〈湘夫人〉之名稱推斷，兩者應為夫妻關係，較接近《神譜》中的家族式血緣關係。學者推斷，「湘君、湘夫人是楚人心中的湘水配偶神」[5]，湘夫人也是舜的兩個妻子娥皇、女英。〈大司命〉、〈少司命〉名義上或有姻戚關係，卻不見於原文中。其餘東君、山鬼、河伯均只敘述一些情節，亦無交代與血緣相關的情事。

《神譜》顧名思義側重敘寫神靈的血緣關係，以天神宙斯為核心，展開其傳宗接代的旅程，從而使文中充斥頗多對血緣關係的描述。這點是《九歌》所沒有的。例如：

一、宙斯與雅典娜的父女關係：「以及神盾持有者宙斯的女兒同明眸的雅典娜」；[6]

二、記憶女神的九個女兒：「統治厄琉塞爾山丘的記憶女神謨涅在埃里亞生了她們，她和克洛諾斯結合生下她們——沒病沒痛無憂無慮的九個神女……」

三、宙斯的九個女兒：「住在奧林波斯山上的繆斯——偉大宙斯的九個女兒歌頌這一切。她們的名字是：克利俄，歐忒耳佩、塔利亞、墨爾波墨涅、忒耳普霍瑞、厄拉托、波呂姆尼亞、烏剌尼亞、卡利俄佩。」[7]

四、混沌及大也該亞的後裔：「從混沌產生出厄玻斯和黑色的夜神紐克斯；由黑夜生

4　（古羅馬）西塞羅著：《論神性》北京：商務印書館，2019年，頁1。

5　金開誠、董洪利、高路明著：《屈原集校注》北京：中華書局，1996年，頁202。

6　（古希臘）赫西俄德著：《神譜》北京：商務印書館，1991年，頁26。

7　（古希臘）赫西俄德著：《神譜》北京：商務印書館，1991年，頁28。

出埃忒耳和白天之神赫莫拉，紐克苦厄玻斯相愛懷孕生了他倆。大地該亞首先
生了烏蘭諾斯——繁星似錦的皇天……大地還生了綿延起伏的山脈和身居山谷的
自然神女紐墨菲的優雅住處。大地未經甜蜜相愛生了波濤洶湧，不產果實的深
海蓬托斯。後來大地和廣天交合，生了渦流深深的俄刻阿諾斯……」[8]

可見，古希臘文化異常重視家族式的血緣與姻戚關係，遂使神話也充滿血緣色彩。

（二）美、善、惡

《九歌》諸神屬性，全為善良。

〈東皇太一〉沒有描述東皇太一的善惡的屬性，但從文中人們對祂的敬愛可知，祂
應為行善之士，深得人們敬愛，以致受到隆重的祭祀，「吉日兮辰良，穆將愉兮上皇」，
「靈偃蹇兮姣服，芳菲菲兮滿堂」。

雲中君能以發出像日月般的光輝，隱寓德性善良，光明正大而非違背良心道義，不
見天日，因而深得人們的思念，〈雲中君〉：「與日月兮齊光……思夫君兮太息，極勞心
兮忡忡」。

湘君、湘夫人有著對配偶的深刻思念，以致彼此苦苦尋覓，有著人性中善美的一
面。〈湘君〉：「望夫君兮未來，吹參差兮誰思……橫流涕兮潺湲，隱思君兮悱惻」，〈湘
夫人〉：「帝子降兮北渚，目渺渺兮愁予」，「沅有芷兮澧有蘭，思公子兮未敢言」。

〈大司命〉則描述了其良善之一面，「折疏麻兮瑤華，將以遺兮離居」祂會折斷一
枝疏麻，送贈給將要分離居住的人，可見祂對人民的關愛。

少司命則為充滿對幼童關愛之心的神，祂會手執長劍擁護幼童，又登上高天掃除妖
星，〈少司命〉：「登九天兮撫彗星，竦長劍兮擁幼艾」，故祂適合作為人民公正的長官，
「蓀獨宜兮為民正」。

東君之善性，在於晝夜不息，周而復始，懸掛於天空，照耀大地與人間，為人民帶
來光明與希望，「撰余轡兮高馳翔，杳冥冥以東行」。

河伯之善性，似表現在其對美人之衷情、專一，原詩雖短，卻字字蘊含河伯對戀人
的一份深情，「日將暮兮悵忘歸，惟極浦兮寤懷……子交手兮東兮，送美人兮南浦」。

山鬼是內在、外在兼美的神靈，「子慕予兮善窈窕」，《方言》：「美心為窈、美色為
窕」。美心，即內心之美善。此外，與河伯一樣，表現在其對戀人的忠誠不二，始終如
一，「風颯颯兮木蕭蕭，思公子兮徒離憂」，為了思念公子，以致徒然遭憂，也在所不
惜。凡此皆為《九歌》中對諸神屬性之描繪，全為善性，而沒有絲毫惡性。

涅柔斯是《神譜》諸神中良善之神，祂誠實正義，和藹可親，深得人們信賴。「涅

8　（古希臘）赫西俄德著：《神譜》北京：商務印書館，1991年，頁30。

柔斯是大海蓬托斯的長子，祂誠實有信。由於祂值得信賴、和藹可親，不忘正義，公正善良，故人們稱他長者。」[9]此外，還有溫和友善的勒托，「勒托性情溫和，對人類和不死的神靈都和藹友善，她一生下來就是如此。在奧林波斯諸神中她是最溫柔的。福伯還生了名聲很好的阿斯忒里亞。」但與《九歌》不同，《神譜》諸神不僅有善美一面，還有邪惡的屬性。

例如「該亞」與烏蘭諾斯生育了三個兒子——科托斯、布里阿瑞俄斯和古埃斯。祂們剛出生，該亞憎恨祂們，於是把祂們禁錮在大地的一個隱密處，接觸不到陽光，結果該亞犯下了這種罪惡行為。但祂不但沒有悔疚，而且十分欣賞，《神譜》第一五四行載：

> 在天神和地神生的所有子女中，這些人最可怕，他們一開始就受到父親的憎恨，剛一落地就被其父藏到大地的一個隱密處，不能見到陽光。天神十分欣賞自己這種罪惡行為。[10]

珀爾塞斯甚至是一位會斬下別神頭顱的神，祂曾把黑髮波塞頓的頭顱砍下：「黑髮波塞頓曾和墨杜薩躺在一塊鮮花盛開的草地上睡覺。珀爾塞斯砍掉她的頭顱。從她的軀幹生出了高大的克律薩俄耳和神馬佩伽索斯」[11]。

克洛諾斯更把其生父的生殖器割下，殘忍至極：「克洛諾斯用燧石刀割下其父的生殖器，把它扔進翻騰的大海。」[12]，「他們之後，狡猾多計的克洛諾斯降生，他是大地該亞所有子女中最小但最可怕的一個，他憎恨他性慾旺盛的父親。」[13]

（三）命運與自然的根源

《九歌》和《神譜》諸神的屬性，均揭示了神話的原型，闡釋了人生命運的根源與自然現象的關係。《九歌》把人生的命運、生命的長短，歸結到「司命之神」的掌管。〈大司命〉明言：「紛總總兮九州，何壽夭兮在予」，命運各有定數，無人能掌管生命，惟獨司命之神可以，「固人命兮有當，孰離合兮可為」；少司命雖無明言掌管人的命運，然「慇長劍兮擁幼艾，蓀獨宜兮為民正」，可推知其與少兒之命運緊扣。

自然現象的生成與變化，亦與諸神有密切關係，〈東皇太一〉為創造萬物的本源，文中雖未明言其為造物者，然《說文》：「惟初太極，道立於一」，則可推知其為萬物之本體，兼之方位在東，為長養萬物之太陽所在方位；〈雲中君〉為雲神可無異議，因文

9　（古希臘）赫西俄德著：《神譜》北京：商務印書館，1991年，頁33。

10　（古希臘）赫西俄德著：《神譜》北京：商務印書館，1991年，頁31。

11　（古希臘）赫西俄德著：《神譜》北京：商務印書館，1991年，頁35。

12　（古希臘）赫西俄德著：《神譜》北京：商務印書館，1991年，頁32。

13　（古希臘）赫西俄德著：《神譜》北京：商務印書館，1991年，頁30。

中明言「靈連蜷兮」，則知為雲形象之描畫，與雲捲曲之形相合；〈東君〉為太陽神當無異議，文中云：「暾將出兮東方，照吾檻兮扶桑」，描畫了朝陽從東方升起，照亮了大地。

赫西俄德則將人類的厄運歸咎為受「黑夜之神」的操縱。「夜神紐生了可恨的厄運之神」[14]，希臘諸神更是人類遭遇痛苦、誹謗的根源，「儘管沒有和誰結婚，黑暗的夜神還生了誹謗之神、痛苦的悲哀之神和赫斯佩里得姊妹。」諸神會對人類施以懲罰，使人飽受折磨，「這三位女神在人出生時就給了他們善或惡的命運，並且監察神與人的一切犯罪行為。在犯罪者受到懲罰之前，她們決不停止可怕的憤怒。」[15]人類遭遇的種種痛苦，受人欺騙、勞役、遺忘、饑荒、憂傷、爭鬥、違法、毀滅、與人不和等，皆因諸神的作弄，「可怕的夜神還生有折磨凡人的涅墨西斯，繼之，生了欺騙女神、友愛女神、可恨的年齡女神和不饒人的不和女神，惡意的不和女神生了痛苦的勞役之神、遺忘之神、饑荒之神，多淚的憂傷之神、爭鬥之神、戰鬥之神、屠戮之神、爭吵之神、謊言之神、爭端之神、違法之神和毀滅之神，所有這些神靈本性一樣。」[16]

赫西俄德也將自然現象的產生，以至自然界的災害，歸因於諸神的掌管。他指出三位風神的名字，分別是「諾托斯、玻瑞阿斯、澤費羅斯」祂們都是造福人類之神，「除諾托斯、玻瑞阿斯和驅趕烏雲的澤費羅斯這三個風神外，提豐也生了帶來潮濕的諸狂風之神。前三種風是神賜的，造福於人類。」反之有為害人間之風神，祂們把狂風橫掃陰暗的海面，打翻船隻，甚至溺斃船上的水手，造成巨大的海難：「狂風則不定時橫掃海面，有一類狂風肆虐于陰暗的海面，因季節不同而不同，猛烈不一樣的陣風翻沉船隻，溺死水手，給人類帶來巨大的劫難。」另有一種狂風專門吹襲繁花似錦的大地，以至摧毀農田及農作物，帶來慘酷的劫難：「另一類狂風吹過無邊無際，繁花似錦的大地，損壞住在下面的農人的美好農田，在上面蓋滿塵土，發出殘酷的尖叫聲。」[17]

除了風神，還有太陽神「赫利俄斯」、月亮神「塞勒斯」、黎明之神「厄俄斯」：「忒亞與許佩里翁相愛，生下魁偉的赫利俄斯（太陽），明亮的塞勒涅（月亮）和厄俄斯（黎明）。厄俄斯照耀大地上的萬物和廣闊天宇中的不死神靈。厄俄斯為阿斯特賴俄斯生下勇敢的風神。」還有一隻給人們帶來災難的獅子，它是宙斯的妻子所養，負責看守涅墨山林，卻帶來災難，「佩名索斯和高貴的柏勒羅豐殺死了它。厄客德娜又和俄耳斯相愛，生下了可怕的斯芬克斯（它毀滅了卡德摩斯的後裔）和涅墨亞獅子。宙斯之賢妻赫拉養大了這頭獅子，用它看守涅墨亞山林，結果帶來了災難。」[18]

14　（古希臘）赫西俄德著：《神譜》北京：商務印書館，1991年，頁35。

15　（古希臘）赫西俄德著：《神譜》北京：商務印書館，1991年，頁33。

16　（古希臘）赫西俄德著：《神譜》北京：商務印書館，1991年，頁33。

17　（古希臘）赫西俄德著：《神譜》北京：商務印書館，1991年，頁51。

18　（古希臘）赫西俄德著：《神譜》北京：商務印書館，1991年，頁36。

（四）陽剛與陰柔

　　《九歌》諸神的衣飾，均偏重陰柔之美，如〈東君〉，「撫長劍兮玉珥，璆鏘鳴兮琳琅」；東君手執長劍[19]，劍上佩上美玉做的劍柄，身上則佩帶著鏗鏘有聲的美玉。〈雲中君〉，「靈連蜷兮既留，爛昭昭兮未央。蹇將憺兮壽宮，與日月兮齊光。龍駕兮帝服，聊逍遙兮周章。」當中的「靈」明顯指到神靈，即雲中君，祂穿的是帝王的服飾，發出極其耀目的光芒。〈湘君〉、〈湘夫人〉篇中對兩位神靈衣飾的著墨不多，但均可窺見，二者均有佩帶美玉於身上，〈湘君〉：「捐余玦兮江中，遺余佩兮澧浦」，〈湘夫人〉：「捐余袂兮江中，遺余褋兮澧浦」。可見兩者的服飾相近，但也有不同之處，湘夫人佩用的是環形有缺口的佩玉，[20]湘君佩用的有小囊和單衣，「袂」有兩解，一說袂即複襦，是有裡的外衣；一說認為袂當袟，指婦女佩帶的小囊[21]。「褋」，單衣。《方言》：「江、淮南楚之間謂之褋，關之東西謂之禪衣」。大司命穿著飄逸的靈衣，佩帶色彩斑斕的美玉，「靈衣兮被被，玉佩兮陸離」也會編結桂枝作為身上的裝飾，「結桂枝兮延佇」。少司命穿的是荷衣，佩上蕙草結成的帶子，「荷衣兮蕙帶」，身上佩帶著長劍，「慫長劍兮擁幼艾」。東君則以青雲為上衣，白霓為下衣，「青雲衣兮白霓裳，舉長矢兮射天狼」。山鬼把薜荔披戴於身上，並以女羅為衣帶，「被薜荔兮帶女羅」。可見《九歌》諸神之佩飾，多以香草、美玉為主，極陰柔之致。

　　《神譜》對諸神形象的描繪著墨不多，但從少數描繪中，可見其陽剛與陰柔之美兼備的特徵。例如大地之神之子癸干忒斯，具有勇猛將士的威武形象，他身穿閃爍的盔甲，其執長矛，「大地生出了強壯的厄里倪斯和穿戴閃光盔甲、手執長矛、身材高大的癸干忒斯。」[22]也有溫文婉約的衣飾，例如彭菲瑞和厄倪俄：「她們一生下來就頭髮灰白，不死的神靈和大地上的人類都叫她們格賴埃。她們是衣著華麗的彭菲瑞和袍色桔紅的厄倪俄」，還有勒托，「福柏與科俄斯戀愛結合，懷孕生了愛穿黑袍的勒托。」[23]

（五）威武的屬性

　　就《九歌》對諸神的外形而言，並無就其軀體作具體描繪，較多是就其衣飾及威勢作出描寫。反觀《神譜》對神靈有著具體的形像描繪，且運用誇飾、隱喻等修辭手法，作出活潑的刻畫。例如，該亞的三個兒子，有一百隻肩膀、五十個腦袋，身材高大，

19　此指扮演東君的主巫。

20　一說是男子帶在右手拇指上的扳指。見《屈原集校注》，頁216。

21　金開誠、董洪利、高路明著：《屈原集校注》北京：中華書局，1996年，頁22。

22　（古希臘）赫西俄德著：《神譜》北京：商務印書館，1991年，頁32。

23　（古希臘）赫西俄德著：《神譜》北京：商務印書館，1991年，頁39。

「該亞和烏蘭諾斯還生有另外三個魁偉、強勁得無法形容的兒子，他們是科托斯、布里阿瑞俄斯和古埃斯——三個目空一切的孩子。他們肩膀上長出一百隻無法戰勝的臂膀，每人的肩上和強壯的肢體上，都還長有五十個腦袋。他們身材魁偉、力大無窮，不可征服。」[24]又如只有一隻眼睛，「他們都只有一隻眼睛，長在前額中間，除此而外，一切方面都像神。」[25]又如該亞的兒子提豐外形就是一條巨蟒，肩上有一百條蛇頭口吐黝黑的舌頭，腦袋、額下、眼睛均火光閃爍：「他是一條可怕的巨蟒，肩上長有一百條蛇頭，口裡吐著黝黑的舌頭。在他奇特的腦袋上、額角下、眼睛裡火光閃爍，怒目而視時，所有腦袋上都噴射出火焰。」[26]又如客拉邁，能呼出火氣，高大強壯，有個不同動物形像的頭，分別是獅子、羊和龍，「厄客德娜還生了客拉邁，他呼氣為火，高大可怕，身強力壯，快步如飛，長有三個頭——一個是目光炯炯的獅首，一個是山羊之首。另一個是蛇首或說凶猛的龍首。（上半身是一頭猛獅，下半身是一條巨龍，身體中段像山羊，呼出來的是熊熊火焰。）」[27]

（六）諸神間的關係

　　《九歌》中諸神大多獨立成篇，除了〈湘君〉、〈湘夫人〉有緊密連繫外，其餘各篇均互不相涉，更不會互相爭戰。而湘君、湘夫人之關係，體現在愛情，湘君、湘夫人是配偶神，儘管歷來學者對二者所指何人，有不同解說[28]，但兩者牽涉愛情，依據文義判斷，絕無異義。王逸及王夫之均認同此說。反觀《神譜》則記載諸神間會互相仇殺，以至戰爭。例如快樂神靈與提坦神之間為爭奪榮譽而戰，「快樂神靈操勞完畢，用武力解決了與提坦神爭奪榮譽的鬥爭」[29]又例如赫拉克勒斯依照雅典娜的意圖，用無情的劍殺害了神靈許德拉，「赫拉克勒斯是宙斯之子。他遵照戰利品攫取者雅典娜的意圖，與好友的伊俄拉俄斯一起用無情的劍殺死了許德拉。」不管男神或女神都會參與戰爭，「科托斯說完，致善之神拍手稱快，他們的戰鬥熱情空前高漲，那一天，所有神靈包括男神和女神都鼓動繼續進行可怕的戰爭。提坦神如此，克洛諾斯的所有子女和宙斯從地下厄瑞玻斯救到光明世界的三位力大無窮的強大神靈也是如此。」又如哈得斯看門狗，為提豐與少女厄客娜結合所生，長了五十個腦袋，吠聲尖銳，凶殘力大：「傳說，膽大妄為、不知凌度的可怕的提豐和目光炯炯的少女厄客娜相愛結合，使她懷孕生下凶殘的後代。

24　（古希臘）赫西俄德著：《神譜》北京：商務印書館，1991年，頁30。
25　（古希臘）赫西俄德著：《神譜》北京：商務印書館，1991年，頁30。
26　（古希臘）赫西俄德著：《神譜》北京：商務印書館，1991年，頁50。
27　（古希臘）赫西俄德著：《神譜》北京：商務印書館，1991年，頁36。
28　陸侃如：《中國詩史》把歷代異說歸納為九種。
29　（古希臘）赫西俄德著：《神譜》北京：商務印書館，1991年，頁51。

最先出生的是革律翁的牧太俄耳托斯，後來又生了一個不可制服、難以名狀的牡刻耳柏羅斯-哈得斯的看門狗，長著五十個腦袋，吠聲刺耳，力大殘凶，以生肉為食。」[30]

三　藝術特徵

（一）《九歌》抒情敘事兼美；《神譜》側重陽剛式的敘事

　　《九歌》偏重抒情，從〈東君〉至〈山鬼〉，均具有鮮明濃厚的抒情藝術色彩，〈東君〉：渲染了祭祀的場景與氣氛，「五音紛兮繁會，君欣欣兮樂康」，充滿歡忻愉悅的情懷；〈雲中君〉：「思夫君兮太息，極勞心兮忡忡」，充滿思念的困苦之情；〈湘君〉：「橫流涕兮潺湲，隱思君兮悱惻……交不忠兮怨長，期不信兮告余以不間」以及〈湘夫人〉：「帝子降兮北渚，目渺渺兮愁予……沅有芷兮澧有蘭，思公子兮未敢言。荒忽兮遠望，觀流水兮潺湲」均充斥著思念情人的悵惘與失落之情；〈大司命〉既有大司命豪情之抒發，「廣開兮天門，紛吾乘兮玄雲」，人神相戀的溫情，「君迴翔兮以下，踰空桑兮從汝」；〈少司命〉側重抒發少司命為萬民子嗣憂心而獨自愁苦，「夫人兮自有美子，蓀何以兮愁苦」，又在風中失意的高歌，「望美人兮未來，臨風怳兮浩歌」；〈東君〉抒發了東君懷著歡息之情升上高天，心中始終為人間無限依戀低徊；〈河伯〉充滿戀人間甜蜜的戀情，「與女遊兮九河」之後，從此流連忘返，「日將暮兮悵忘歸」，曾經一起遊歷於遠遠水邊，使人無限懷念，「惟極浦兮寤懷」；〈山鬼〉側重抒述山鬼對意中人失約而生出的惆悵，「怨公子兮悵忘歸，君思我兮不得閒」，也有對年華老去，青春一去不返的悵惘，「留靈修兮悵忘歸，歲既晏兮孰華予」。可見，《九歌》充滿抒情藝術的氛圍。

　　《九歌》也有敘事，然著墨似不及抒情多，且較多集中於祭祀及戀人間交往的經過。例如〈東皇太一〉敘寫了祭祀的過程，先敘主巫佩飾精美，祭品豐富，「撫長劍兮玉珥，璆鏘鳴兮琳琅……蕙肴烝兮蘭藉，奠桂酒兮椒漿」，繼寫音樂優美，「揚枹兮會鼓，疏緩節兮安歌」；〈雲中君〉敘寫了雲神從天上降臨人間，又由人間回到天上，匆匆而來，匆匆而去，「靈皇皇兮既降，焱遠舉兮雲中。」也記敘了雲神出巡的經過，雲神騎著龍車，穿上莊嚴的帝服，在高天周遊翱翔，「龍駕兮帝服，聊翱遊兮周章」〈湘君〉較多敘寫湘夫人尋覓湘君的歷程，湘夫人乘駕桂舟和飛龍，途經沅水、湘水、涔陽和湍急的淺灘，鑿破冰雪，苦苦尋覓湘君，「沛吾乘兮桂舟，令沅湘兮無波…望涔陽兮極浦，橫大江兮揚靈」，〈湘夫人〉敘寫湘君尋找湘夫人的歷程，登上白蘋叢上遠望，早上在江邊馳騁，黃昏渡過西水，最後不遇湘夫人，只好把衣衫拋棄，將杜若送贈遠方的人，「登白蘋兮騁望，與佳期兮夕張……朝馳余馬兮江臯，夕濟兮西澨……捐余袂兮江

30　（古希臘）赫西俄德著：《神譜》北京：商務印書館，1991年，頁36。

中，遺余褋兮澧浦。搴汀洲兮杜若，將以遺兮遠者」；〈大司命〉敘寫大司命從天上出巡之經過，「廣開兮天門，紛吾乘兮玄雲。令飄風兮先驅，使涷雨兮灑塵……乘龍兮轔轔，高駝兮沖天」，也有人神交往之經過，「君迴翔兮以下，踰空桑兮從女……高飛兮安翔，乘清氣兮御陰陽。吾與君兮齊速，導帝之兮九坑」當大司命離去後，人們充滿憂愁，「結桂枝兮延佇，羌愈思兮愁人」；〈少司命〉記敘了少司命與祭司交往的歷程，從祭堂到咸池，均充滿浪漫情思，「滿堂兮美人，忽獨與余兮目成。入不言兮出不辭，乘回風兮載雲旗……與女沐兮咸池，晞女髮兮陽之阿」；〈東君〉集中敘寫東君從天庭出發，接受人間盛大的祭祀，在高天之上射下天狼星，然後又騎著馬，在幽暗中向東方潛行，準備於翌日又再從東方升起，照亮人間，「暾將出兮東方，照吾檻兮扶桑。撫余馬兮安驅，夜皎皎兮既明……撰余轡兮高駝翔，杳冥冥兮以東行」。〈河伯〉記敘了河伯與戀人遊歷歡會之經過，二人在河中遨遊，日暮忘返，浪漫至極，「與女遊兮九河，衝風起兮橫波。乘水車兮河蓋，駕兩龍兮驂螭……子交手兮東行，送美人兮南浦。」〈山鬼〉側重敘寫山鬼期盼戀人出現，「折芳馨兮遺所思」，然戀人失約，「君思我兮然疑作」，最後只好獨處深山之上，徒然憂愁，「思公子兮徒離憂」。可見，〈九歌〉的敘事，側重柔美的表現，而且較多人神或神神之間相戀的浪漫敘寫。〈九歌〉的陽剛風格較多體現在〈國殤〉中，由開首兩軍對陳，短兵相接，車輪交錯，軍旗蔽天，呈現千軍萬馬的磅礴氣勢，「車錯轂兮短兵接，旌蔽日兮敵若雲」。

《神譜》則相反，陽剛風格的敘寫較為出色，陰柔浪漫的情節相對較少。《神譜》中屬於陰柔描繪的例子為數不多，例如赫利山上的輕歌漫舞，「她們在珀美索斯河、馬泉或俄爾美俄斯泉沐浴過嬌柔的玉體後，在至高的赫利孔山上跳起優美可愛的舞蹈，舞步充滿活力。」[31]；也有繆斯們的純潔歌聲，「來吧！我們從繆斯開始。她們用歌唱齊聲述說現在、將來及過去的事情，使她們住在奧林波斯的父神宙斯的偉大心靈感到高興。從她們的嘴唇流出甜美的歌聲，令人百聽不厭；她們純潔的歌聲傳出來，其父雷神宙斯殿堂」[32]

《神譜》中陽剛的敘寫頗為突出[33]，特別是對戰爭的描畫，運用誇飾的手法，顯得異常細緻，精彩生動，例如敘寫宙斯大發雷霆，使大地、天宇、海洋受到極大震蕩，以致奧林波斯山也不斷搖晃，儼如天崩地裂的震撼場景：

> 但是，宙斯扔出沉重有力的霹靂，周圍的大地、上面的天宇、大海、洋流和冥土都因之震顫。神王進攻時，高大的奧林波斯山在他不朽的腳下搖晃，大地為之呻吟。由於宙斯雷霆和閃電的轟擊，怪物火焰的噴射、灼熱的風和閃光的霹靂，深

31 （古希臘）赫西俄德著：《神譜》北京：商務印書館，1991年，頁26。

32 （古希臘）赫西俄德著：《神譜》北京：商務印書館，1991年，頁27。

33 《九歌》中的〈國殤〉原為敘寫戰爭，然因該篇主要哀輓鬼雄而非神靈之間戰鬥。

藍色的海洋上籠罩著火樣的熱氣，整個大地、海洋和天空都在沸騰。

伴隨著海嘯般的震盪，還有聲音的描繪，海岸充斥著吶喊聲，使人心驚膽喪，「永生神靈衝鋒陷陣時，驚濤駭浪直撲海灘，海岸震顫不已。由於吶喊聲不絕、可怕的衝突未休，統治亡靈的哈得斯在下界也膽顫心驚，和克洛諾斯一起住在塔耳羅斯的提坦們也不寒而慄。」

　　描繪宙斯與提豐的打鬥，也極盡誇飾能事，宙斯以雷霆、閃電為武器，從奧林波斯山躍起燒提豐的頭顱，然後把他扔到天空下，最後被火熔化，「宙斯做出渾身氣力緊握武器——雷霆、閃電和驚人的霹靂，從奧林波斯山跳起來轟擊這個怪物，灼燒他所有怪異的頭顱。宙斯征服提豐之後，把他打成殘廢，扔下天空，大地因之叫苦呻吟。這個被雷電重傷的統治者失敗後，在陰暗多石的山谷裡發射出火焰。可怕的熱氣燒著一大片土地，使之熔化，就像人工加熱使錫在開口的坩鍋裡熔化一樣，或如鐵——萬物中最堅硬的東西在山合中社白熱的火熔化，被赫淮斯特斯的火力溶化在地下一般。這時，甚至大地也被灼熱的火焰熔化了。宙斯十分憤怒，將他扔進了廣闊的塔耳塔羅斯。」[34]

（二）藝術形式

1　《九歌》多為人神對唱，《神譜》則多為神與神之間的對話

　　《九歌》有著人、神對唱，使人神相戀的情節，敘寫更為透澈；反觀《神譜》的人神交往，只是簡單的交代，並無出現人神對唱的互動情節，缺少浪漫情思。

　　《九歌》中如〈大司命〉：「紛吾乘兮玄雲，令飄風兮先驅，使凍雨兮灑塵。」從文意上看應為飾演大司命的主巫唱出，然後，「君迴翔兮以下，踰空桑兮從女」，「君」應為大司命，故此句當為其他祭司的和唱。接語「紛總總兮九州，何壽夭兮在予」，「予」為第一身，當為大司命自稱，故此句又轉為大司命的主唱，「吾與君兮齊速，導帝之兮九坑」，「吾」為巫師自稱，「君」代指大司命，當為祭司向大司命唱頌的歌詞。可見，《九歌》的對唱性質。

　　《神譜》則記敘了兩次歌唱，全為集體唱誦，如開首敘述神女們在赫利孔山上舞蹈與歌唱，「她們夜間從這裡出來，身披濃霧，用動聽的歌聲吟唱，讚美宙斯。」[35]又如尾聲再度描述宙斯的女兒們——繆斯集體謳歌，「現在該說再見了，你們，住在奧林波斯的歌聲甜美的繆斯，神盾持有者宙斯的女兒們呀，來吧，歌唱一群神女……」[36]

34　（古希臘）赫西俄德著：《神譜》北京：商務印書館，1991年，頁51。

35　（古希臘）赫西俄德著：《神譜》北京：商務印書館，1991年，頁26。

36　（古希臘）赫西俄德著：《神譜》北京：商務印書館，1991年，頁55。

2　《九歌》並無開場白，《神譜》卻有序幕

　　《九歌》與《神譜》均有共通處就是具有歌劇性質。王國維早已指出《九歌》可算作中國古典戲曲的源流。《神譜》具備更完整的歌劇形式，是一氣呵成的詩劇，由「繆斯」的歌唱揭開了序幕。「讓我們從赫利孔的繆斯開始歌唱吧。她們是這聖山的主人。她們輕步漫年，或在碧藍的泉水旁，或圍繞著克洛諾斯之子，全能宙斯的聖壇。」[37]反觀《九歌》並無任何開場白。

3　《九歌》無屈原的自述，《神譜》卻有赫西俄德的自述

　　《九歌》並無一語是作者屈原的自述，反觀《神譜》卻有著作者赫西俄德的自述，置身於神話世界中，受神靈的託付，得到繆斯教授一曲光榮的歌，「曾經有一天，當赫西俄德正在神聖的赫利孔山下放牧羊群時，繆斯教給他一支光榮的歌。也正是這些神女──神盾持有者宙斯之女，奧林波斯的繆斯，曾對我說出如下的話，我是聽到這話的第一人：『荒野裡的牧人，只知吃喝不知羞恥的傢伙⋯⋯』偉大宙斯的能言善辯的女兒們說完這話，便從一棵粗壯的橄欖樹上摘給我一根奇妙的樹枝，並把一種神聖的聲音吹進我的心扉，讓我歌唱將來和過去的事情。她們吩咐我歌頌永生快樂諸神的種族，但是總要在開頭和收尾時歌唱她們──繆斯自己。但是，為甚麼要說這一切關於橡樹或石頭的話呢？來吧，讓我們從繆斯開始」[38]

結論

　　本文從「神的屬性」與「藝術形式」對比了《楚辭》〈九歌〉與古希臘《神譜》的藝術內涵。由於篇幅所限，只能聚焦於兩者的相異之處。《九歌》諸神未見有密切的血緣關係，反觀《神譜》諸神多有血緣與姻戚關係，反映古希臘人重視倫理親情；《九歌》中的神靈率皆善良，反之古希臘之神，則善惡兼備；《神譜》對諸神的形象，多有誇張的描繪，以至充滿怪異的色彩，反觀《九歌》相對平實一些。此也反映西方文化較之東方更為大膽、熱情、奔放。《九歌》雖較平實，但其浪漫色彩似較《神譜》濃烈，抒述情懷更為深切細膩。《九歌》偏於陰柔；《神譜》偏於陽剛，這也是中西文化的相異處。源於道家的專任致柔，自古是中國文化的一大特色，反之西方文化中較缺少對柔的認知。這些都是《九歌》與《神譜》以致中西文化的差異之處。

37　（古希臘）赫西俄德著：《神譜》北京：商務印書館，1991年，頁26。
38　（古希臘）赫西俄德著：《神譜》北京：商務印書館，1991年，頁27。

先秦「裘」衣特徵小考

官德祥

香港新亞研究所

一　引言

　　動物毛皮是人類最古老的衣料。《說文》曰：「裘，皮衣也」。[1] 裘衣，又稱毛皮、裘皮或皮草，乃不同時期的稱謂。[2] 古時獸皮為衣，草索為帶，維持了一段很悠久的時間。[3] 到了先秦時期，裘衣的發展隨著商周制度的確立，已開始從簡樸蒙昧狀態中有所突破。裘皮製作進入制度化時代，而且裘皮種類趨向精細化。據《周禮》〈天官‧掌皮〉載：「掌皮掌秋斂皮，冬斂革，春獻之，遂以式法頒皮革于百工……。」這點在《考工記》中得到進一步證明；其文載道：「……攻皮之工五，……函、鮑、韗、韋、裘」。[4] 裘為五個主要攻皮部門之一。可惜《考工記》所載只剩篇名，具歷史價值的內容盡失。

　　作者不是專研先秦史，撰此文僅為研究漢代裘衣作背景準備，豈料此文完成後，竟達一萬六千字的長文；遂決定獨立發表。本文嘗試對先秦裘衣的作探究，得出以下各點特徵：（一）裘衣與等級關係確立、（二）裘衣的顏色世界、（三）裘衣的區分功能、（四）先秦製裘技巧和特色、（五）裘衣作為饋贈物的價值、（六）先秦流行話語中的「裘」及（七）餘論。需要聲明上述特徵絕非反映先秦裘衣的全部內容，當中必有錯漏，冀各方家學者不吝賜正。

1　《說文》曰：「裘，皮衣也」，見（宋）李昉等：《太平御覽》北京：中華書局，1960年，第3冊，卷694〈服章部11〉，頁3097。

2　參見華梅：《中西服裝史》北京：中國紡織出版社，2019年，頁12及（日）荻村昭典、（日）宮本朱譯：《服裝社會學概論》北京：中國紡織出版社，2000年，頁1-3。

3　「西方人類學家認為，人類大約在四十萬年以前知道利用獸皮來抵御冬天的寒冷。到距今十萬年至五萬年的尼安德人時期，人類已經能縫製毛皮。……中國舊可器時代中期，北京人已經具備利用獸皮保暖的能力。至更新世晚期智人階段，遼寧營口金牛山人已經製造磨尖了衣服……。」，見黃能馥、陳娟娟：《中國服飾史》上海：上海人民出版社，2014年，頁2。另參考楊之水：《詩經名物新證》香港：中和出版公司，2021年，頁311。

4　參見戴吾三注釋：《考工記圖說》濟南：山東畫報出版社，2020年，頁32、74。

二　先從四獸之皮說起

　　古代遠祖懂得穿獸皮的歷史相當悠久，有考古學家估計史前時期已為懂得利用靴形器具來刮整獸皮。[5]另有學者認為骨針發明以前，人類已經開始穿獸皮，只是限於披掛或綁扎形式。[6]至於較後期的文字記載，如《禮記》〈禮運〉載曰：「昔者先王未有宮室，冬則居營窟，夏則居橧巢，未有火化，食草木之食，鳥獸之肉，飲其血，茹其毛，未有麻絲，衣其羽皮……。」[7]及其後先祖再發展獸皮以外的衣服材料如葛、麻、蠶絲等。[8]但裘衣並不因葛、麻和蠶絲出現而消失；原因是之一是裘衣擁有禦寒的特殊作用，非其他物料可完全替代。再加上裘衣包含輕型、高貴及珍稀的特性，無怪乎能成為古人趨之若鶩的冬季恩物。

　　有關先秦裘衣取自古代動物皮的來源記錄，最先可在《尚書》〈禹貢〉所載「四獸之皮」得出初步答案。司馬遷根據〈禹貢〉材料寫進其《史記》〈夏本紀〉中。其文載道：

　　　　華陽黑水惟梁州：……貢……熊、羆、狐、狸、織皮。[9]

華指華山，華陽為華山之南。黑水說法不一，此處應為漢水。華陽黑水一帶能上貢熊、羆、狐、狸，四獸之皮，四獸之皮應是該地區的特產。此外，四獸皮到漢代仍一直存在，反映四獸所仰賴的生態環境大抵未變。《禹貢錐指》中對「熊、羆、狐、狸、織皮」的解釋，言人人殊，意見紛紜。作者較同意吳幼清說：「……若去毛而裁其皮，以織為布，則凡獸皆可。何獨取其於四獸，……且四獸之皮宜為裘，《詩》有明徵。〈小雅〉曰：『舟人之子，熊羆是裘。』〈風〉曰：『取彼狐狸，為公子裘』……。」[10]吳言

5　有學者認為此等鹿角靴形器或與古人製造皮革有關。古人利用此靴形器具來刮整獸皮。「中國境內至少有三十四處新石器時代遺址發現了鹿角靴形器，總數約四百件。……基於鹿角靴形器的形態和細節，根據相關的民族學資料及人類學研究，本文推測，鹿角靴形器可能是一種用於皮革加工的刮整工具。」鹿角靴形器中可用作以下幾種重要工序如削裡、鞣製、刮軟。動物毛皮是人類最古老的衣料，作者綜合相關民族學資料及人類學研究，仍出新石器時代祖先利用鹿角靴形器加工皮革的推測，是合乎情理。詳見李默默：〈鹿角靴形器與史前皮革生產〉載《考古》2021年第6期，頁82。

6　華梅：《中西服裝史》北京：中國紡織出版社，2019年，頁13。

7　呂思勉認為「這是古人總述衣食住的進化」，見氏著：《中國通史》上海：商務印書館，1969年，上冊，頁233。

8　參見王玉哲主編：《中國古代物質文化》北京：高等教育出版社，1990年，頁50-53、108。

9　《史記》卷2〈夏本紀〉，頁63。《集解》孔安國曰：「貢四獸之皮也。織皮，今罽也。」注9，頁64。關於狸，（清）桂馥《札樸》卷2〈狸製〉載：「定九年傳：『衣狸製。』杜注：『製，裘也』。」而哀二十七年「陳子成救鄭，及濮，雨。成子衣製，杖戈。」杜注：「製，雨衣也」。《說文》：「袲，艸雨衣」。桂馥案：「裘」當為「袲」字之誤也。因為「袲」、「裘」形似，故誤也。同一「製」字，此訓雨衣彼訓裘，杜氏不應矛盾，後人因狸可為裘，妄改之。總言之，狸皮可作裘或袲，應無疑義。

10　（清）胡渭著、鄒逸麟整理：《禹貢錐指》上海：上海古籍出版社，2006年，頁290-291。

甚是。另外，《爾雅疏》卷十：「羆如熊，黃白文。」郭璞曰：「似熊而長頸高胛，猛憨有力，能拔樹木，關西呼曰貑羆。」《詩》〈大雅・韓奕〉云：「赤豹黃羆。」陸璣《疏》云：「羆有黃羆、有赤羆，大於熊，其脂如熊白而麤理，不如熊白美。」[11]又，《西京雜記》云：「熊、羆毛有綠光，長二尺者，直百金。卓王孫有百餘雙，詔使獻二十枚。」[12]四獸中以首二獸「熊、羆」皆屬猛獸，穿起其皮，威風凜凜；仿如猛獸附體。[13]至於狐、狸，毛長色美，珍貴獨特，尤以白狐裘在先秦備受貴族官員愛戴。[14]總括而言，「四獸之皮」乃較早的裘料來源。不過，查有關先秦時期裘來源的文獻所載，實絕不止限於四獸，還有其他。據《詩經》所載裘衣材料至少包括有狐、羊、狼、熊、羆、麑、麛、犬等。[15]《詩經》比〈夏本紀〉所載增加了羊、狼、麑、麛和犬。麑乃無角小鹿。麛是幼鹿，甲骨文以有角無角區別大鹿和小鹿。一言敝之，先秦時期我們祖先已喜歡從不同動物身上取皮製裘，製裘的獸皮面料已趨於多元化。

三 先秦「裘」的基本資料

先秦時期有關「裘」的史料，上文提及《考工記》，可惜其文闕佚，剩下篇名。聞人軍在《《考工記》譯註》中談及篇名〈裘氏〉時便寫道：「裘氏是五種治皮工官之一，可能負責製造毛絨向外的裘皮服裝。」[16]聞氏用「可能」字眼，學術態度謹慎，足見一斑。作者以為治皮工官乃主責製裘部門，雖不近亦不遠。除《考工記》外有關裘材料散見於眾先秦古籍中；作者匯集當中較重要的臚列如下，供給大家參考：

（1）《論語》〈鄉黨〉曰：「緇衣，羔裘；素衣，麑裘；黃衣，狐裘。褻裘長，短右袂……羔裘玄冠不以吊」[17]

---

11 李學勤主編：《爾雅注疏》北京：北京大學出版社，1999年，頁326及（晉）郭璞注、（宋）邢昺疏：《爾雅疏卷》上海：上海古籍出版社，卷10，頁570。

12 周天游校注：《西京雜記校注》北京：中華書局，2020年，頁76。

13 古時武士喜虎頭或虎皮來裝飾戎裝，希望借其形象或魔力威嚇敵人或馬匹，起碼有辟邪作用，見許進雄：《古事雜談》臺北：臺灣商務印書館，2013年，頁28。

14 至於狐狸變成人們心目中精怪，要在六朝時期才出現，詳見林富士：〈人間之魅──漢唐之間「精魅」故事析論〉，載《中央研究院歷史語言研究所集刊》第78本第1分，2007年3月，頁126。

15 陳溫菊：《詩經器物考釋》臺北：文津出版社，2001年，頁147。

16 聞人軍：《《考工記》譯注》修訂本，上海：上海古籍出版社，2021年，頁75。

17 「黑色的衣配紫羔，白色的衣配麑裘，黃色的衣配狐裘。居家的皮袍身材較長，可是右邊的袖子要做得短些……紫羔和黑色禮帽都不穿戴著去吊喪。」又「褻裘長為著保暖。古代男子上面穿衣，下面穿裳（裙），衣裳不相連。因之孔子在家的皮袍就做得比較長」詳見楊伯峻譯注：《論語譯注》北京：中華書局，2006年，頁114-115。孫欽善把「褻裘」釋為家常所服皮裝，詳見孫氏：《論語新注》北京：中華書局，2018年，〈鄉黨第10〉注8，頁220。

（2）〈邶風‧旄丘〉曰：「狐裘蒙戎」。[18]

（3）〈小雅‧都人士〉曰：「彼都人士，狐裘黃黃」。[19]

（4）《禮記》〈玉藻〉曰：「君衣白狐裘，錦衣以裼之。君之右虎裘，厥左狼裘。士不衣狐白，君子狐青裘豹袖，玄綃衣以裼之。麛裘青犴袖，絞衣以裼之；〉羔裘豹飾，緇衣以裼之。狐裘，黃衣以裼之。錦衣狐裘，諸侯之服也。犬羊之裘不裼。」[20]

（5）《禮記》曰：「……錦衣狐裘，諸侯之服。」[21]

（6）《毛詩》卷第六〈秦車鄰詁訓傳第十一〉〈終南〉條曰：「君子至止，錦衣狐裘」。〈箋〉云：「至止者，受命服於天子而來也。諸侯狐裘，錦衣以裼之。」[22]

（7）《周禮》卷七〈司裘〉曰：「季秋，獻功裘，以待頒賜。」功裘，卿大夫或群臣所服。[23]

（8）《詩經》卷三〈鄭風〉〈羔裘〉條曰：「羔裘如濡……羔裘豹飾……。」

（9）《詩經》十五〈國風〉《檜風》曰：「羔裘翱翔，狐裘在堂……羔裘如膏，日出有曜……。」[24]

（10）《周禮》〈天官‧宮伯〉曰：「月終則均徒，歲終則均敘，以時頒其衣裘，掌其誅賞。」

（11）《周禮》卷第二〈司裘〉曰：「司裘掌為大裘，以共王祀天之服。」[25]

（12）《墨子》曰：「千鎰之裘，非一狐之白也。」[26]

（13）《毛詩》曰：「公子狐狸裘，舟人熊羆裘。」

---

18 于貉，謂取狐狸皮也。鄭玄《箋》云：「于貉，往搏貉以自為裘也，狐狸以共尊者。言此者，時寒宜助女功。」（漢）毛亨傳、（漢）鄭玄箋、（唐）陸德明音義、孔祥軍點校：《毛詩傳箋》北京：中華書局，2018年，卷8〈豳風〉〈七月詁訓傳第15〉〈七月〉條，頁193。貉學名 Nyctereutes procyonides，哺乳動物，似狸，銳頭尖鼻，晝伏夜出，捕食虫類，毛皮為珍貴裘料，聞人軍：《考工記譯注》上海：上海古籍出版社，1993年，頁9，注17

19 周振甫：《詩經譯注》北京：中華書局，2002年，頁379。另參考楊之水：《詩經名物新證》香港：中和出版公司，2021年，頁310。

20 帝王在重大禮節時穿著這種裘衣行禮或接見賓客時外面還要加一件袖子較裘略口短的罩衣，叫做裼，見陳茂同《中國歷代衣冠服飾制》北京：新華出版社，1993年，頁20。

21 見（唐）徐堅《初學記》北京：中華書局，1962年，卷26〈裘第8〉，頁630。

22 （漢）毛亨傳、（漢）鄭玄箋、（唐）陸德明音義、孔祥軍點校《毛詩傳箋》北京：中華書局，2018年，〈國風〉〈秦車鄰詁訓傳〉第11〈終南〉，頁165。

23 李學勤主編：《周禮注疏》北京：北京大學出版社，1999年，上冊，頁172。

24 程俊英、蔣見元：《詩經注析》北京：中華書局，1991年，上冊，頁387。

25 李學勤主編：《周禮注疏》北京：北京大學出版社，1999年，上冊，頁171。

26 孫詒讓：《墨子閒詁》北京：中華書局，1986年，頁6。

四　先秦裘衣的不同視角

綜合上述（1）至（13）等材料，先秦裘衣在不同視角下，可歸納成以下幾個特徵：

（一）先秦裘衣與等級關係確立

先秦時期以周朝是最特重等級的朝代，上自天子公卿，下及士庶百姓，在衣著上有著規範，此可看成裘衣發展史的一大轉捩點。[27]清代學者尚秉和針對周朝的裘衣評論曰：「周時裘衣之雜，等級之分」。[28]有學者更進一步認為周朝裘衣被納入為「服裝的定制時代」。所謂「服裝定制意味著服裝與國家制度、社會文化緊密聯繫在一起。從此服裝與政治、經濟、宗教、文化、藝術息息相關，服裝的涵義逐漸變得豐富而深厚。」[29]總之，自周朝開始，裘衣的穿著是依其尊等作區別，終極目的在維護社會的秩序。[30]王夫之《讀通鑑論》卷八〈桓帝〉載：「天子之獨備者，大裘、玉輅、八佾、宮縣而已；其餘且下而與大夫士同，昭其為一體也。」有學者索性稱此現象為「等級冕服制」。[31]

周朝天子地位毫無疑問是最高，天子所穿的裘稱「大裘」。天子穿大裘，多是在祀天的場合出現。據（11）《周禮》卷第二〈司裘〉所載：「召裘掌為大裘，以共王祀天之服。」鄭司農云：「大裘，黑羔裘」者，祭服皆玄上纁下，則此裘亦羔裘之黑者。[32]

至於天子下的諸侯大夫穿裘情況又如何？這在《禮記》〈玉藻〉中有所反映，其文載道：

> ……士不衣狐白，君子狐青裘豹袖，玄綃衣以裼之。麑裘青犴袖，絞衣以裼之；羔裘豹飾，緇衣以裼之。狐裘，黃衣以裼之。錦衣狐裘，諸侯之服也。犬羊之裘不裼。[33]

當中「士不衣狐白」，意思是說天子、諸侯、卿、大夫等可以穿白狐裘，至於士在低階層則不可穿白狐裘。至於錦衣狐裘，則是諸侯之服。此外，諸侯之服還可從（3）〈小

---

27 關於此方面，閻步克先生在其《服周之冕──《周禮》六冕禮制的興衰變異》作了一個深入細緻的精彩示範，見氏著，北京：中華書局，2009年。

28 尚秉和：《歷代社會風俗事物攷》臺北：臺灣商務印書館，1985年，卷5，頁50。

29 華梅：《中西服裝史》北京：中國紡織出版社，2019年，頁31。

30 （日）荻村昭典、（日）宮本朱譯：《服裝社會學概論》北京：中國紡織出版社，2000年，頁62。

31 王夫之：《讀通鑑論》北京：中華書局，2004年，卷8〈桓帝〉，頁210。另見閻步克著：《官階與服等》香港：三聯書店公司，2008年，頁111、138。

32 陳衍撰、潘林校注：《周禮疑義辨證》北京：華夏出版社，2011年，頁106-107。另參考李學勤主編：《周禮注疏》北京：北京大學出版社，1999年，上冊，頁171。

33 見陳茂同：《中國歷代衣冠服飾制》北京：新華出版社，1993年，頁20。

雅・都人士〉另有反映。其文如下：

> 彼都人士，狐裘黃黃。

狐裘黃黃者，古代貴族裘上通常都有罩衫，狐裘上罩黃衫，是諸侯之服。又，黃衣就是黃色罩衫，是諸侯穿的冬衣。黃黃，形容罩衣之色。[34]另外，《毛詩》卷第六〈秦車鄰詁訓傳第十一〉〈終南〉條：「君子至止，錦衣狐裘」。〈箋〉云：「至止者，受命服於天子而來也。諸侯狐裘，錦衣以裼之。」加在裘外之衣可以是錦衣，毛《傳》「錦衣，彩色也」，錦衣顏色多彩華麗。

至於一般庶民則穿犬裘或羊裘，「犬羊之裘是最次等，是庶人之服」。[35]這些犬或羊裘皮多屬質素普通和質素低劣。據徐堅《初學記》卷二十八〈裘第八〉載：「犬羊之裘不裼，庶人無文飾。」[36]由此可見，庶民的裘衣不可加中衣來配搭，無特別文飾。這與前述天子諸侯所穿的狐裘，無論在質地和手功方面都有著天淵之別。

當權者透過不同手段，在不同範疇如政治、經濟、社會、文化生活中把「等級觀念」一以貫之，務求能牢牢地管著臣民。裘衣分等是其中手段。即便是裘的分等，又豈止於裘皮面料，還有裘皮顏色，也被納入其作等級區分的手段。[37]可見此「等級觀念」設計是何等細膩地滲入臣民之心。

（二）裘衣的顏色世界

古代中國，顏色的使用有著嚴格的規定和限制；有學者稱之為「服飾顏色等級制度」。[38]服飾的顏色作為「辨名次、昭名份」的主要手段；有學者認為「有時服飾的顏色的重要性甚至大於款式和面料」，此言確非虛。[39]

早在先秦時期，人們就十分重視服飾的顏色，以純色為貴，間色、複色為次。夏朝的禹在祭祀時，穿「黼冕」，「黼冕」是用黑白二色繪成斧形圖案，表示可以砍斷，象徵權威。到了西周，情況有了變化，以青、赤、黃、白、黑為正色，是高貴色，紺（紅青色）、紅（較淺的赤色）、縹（淡青色）、紫、淡黃是卑賤色，只能作內衣、便服的色

---

34 程俊英、蔣見元著：《詩經注析》北京：中華書局，1991年，下冊，頁718。

35 參考尚秉和：《歷代社會風俗事物攷》，臺北：臺灣商務印書館，1985年，卷5，頁50。

36 見（唐）徐堅：《初學記》北京：中華書局，1962年，卷26〈裘第8〉，頁630。關於狗皮價值問題可參考官德祥：〈漢文化中狗的角色〉載《中國農史》2018年第5期。

37 （日）荻村昭典、（日）宮本朱譯《服裝社會學概論》北京：中國紡織出版社，2000年，頁19。

38 李娟：〈論周代服飾顏色等級制度及其成因〉載《黑龍江工業學院學報》2017年9月，第17卷第9期，頁30-31。

39 李關亮：〈傳統服飾顏色的尊卑貴賤〉載《蘭臺世界》，2012年第6期，頁65-66。

彩。[40]《禮記》〈玉藻〉曰：「衣正色，裳間色，非列采不入公門」，列采指純色之正服，不穿純色的衣裳是不能進入殿堂的。

此外，前引（11）《周禮》卷第二〈司裘〉曰：「召裘掌為大裘，以共王祀天之服。」鄭司農云：「大裘，黑羔裘」者，祭服皆玄上纁下，則此裘亦羔裘之黑者，故知大裘黑裘。[41]陳衍〈案〉：「祭服既皆玄上纁下，大裘之上既有玄衣，則大裘當是玄狐裘，非黑羔裘。蓋上下四方六合之色，天玄而地黃，餘取金木水火四行之色。黑與玄相近而實不同：玄，天色也；黑，水色也。……」[42]作者採陳衍之說，黑、玄實有本質上的分別。

另外，前引《玉藻》載曰：「君衣狐白裘，錦衣以裼之，君子狐青裘，豹袖，玄綃衣以裼之。羔裘豹飾，緇衣以裼之。狐裘，黃衣以裼之。」陳衍認為「羔裘向與緇衣相稱，與玄衣不相稱。黑，正黑色；玄，黑而帶青色。故玄衣與狐青裘相稱。」陳氏說合理。[43]簡言之，白狐裘是天子和國君的專屬裘服，大夫和士不能穿白狐裘，只能穿青裘。

先秦人士除穿裘衣外，還有流行用裼衣作襯托。上引文（11）提到「錦衣以裼之」、「玄綃衣以裼之」、「緇衣以裼之」便是其中顯例。由於裼衣附麗於裘，因此裼衣難免亦受到顏色的制約。有學者認為「除青狐裘和臘祭裘服之外，其他裘服的顏色均與裼衣的顏色相同。裘服和裼衣均以白色為尊，其次為黃色，黑色和青色再次之。」[44]僅從此裘衣顏色限制的角度來看，先秦統治者為推崇等級思想，所施展手段已近乎無孔不入。

（三）穿著裘衣的各種限制

作者綜合各資料歸納出穿著裘衣的限制最少有四類。[45]第一是場合；第二是年齡；第三是季節；第四是穿著方式。

關於「場合方面」，據上引（1）《論語》〈鄉黨〉載曰：「緇衣，羔裘；素衣，麑裘；黃衣，狐裘。褻裘長，短右袂……羔裘玄冠不以吊」。特別注意最後那句「羔裘玄

---

40 李關亮：〈傳統服飾顏色的尊卑貴賤〉載《蘭臺世界》，2012年第6期，頁65-66。

41 陳衍撰、潘林校注：《周禮疑義辨證》北京：華夏出版社，2011年，頁106-107。另參考李學勤主編：《周禮注疏》北京：北京：北京大學出版社，1999年，上冊，頁171。

42 陳衍撰、潘林校注：《周禮疑義辨證》北京：華夏出版社，2011年，頁107-108。另見閻步克著：《官階與服等》香港：三聯書店，2008年，頁108-109。

43 陳衍撰、潘林校注：《周禮疑義辨證》北京：華夏出版社，2011年，頁108。

44 李娟：〈論周代服飾顏色等級制度及其成因〉載《黑龍江工業學院學報》2017年9月，第17卷第9期，頁32。

45 （日）荻村昭典認為「為了適應與他人的相互關係，值得考慮的是T（time時間）、P（place地點）、O（occasion理由）」，詳見（日）荻村昭典、（日）宮本朱譯：《服裝社會學概論》北京：中國紡織出版社，2000年，頁59。作者認為occasion譯為「場合」才貼切。

冠不以吊」，表明羔裘和黑色禮帽都不穿戴著去吊喪。[46]這顯示出裘衣穿著的場合限制。

至於官員大夫上朝的裘衣，就受更多嚴格規定。據（8）《詩經》卷三〈鄭風〉〈羔裘〉條：「羔裘如濡⋯⋯羔裘豹飾⋯⋯。」羔裘是當時大夫等級官員穿的衣服。羔裘用豹皮裝飾。[47]又，《毛傳》曰：「羔裘以遊燕，狐裘以適朝。」[48]羔裘、狐裘都是貴族大夫的服裝。平時穿羔裘，進朝穿狐裘。狐裘黃黃，古代貴族裘上通常都有罩衫，狐裘上罩黃衫，是諸侯之服。總言之，大夫諸侯平日和上朝所穿裘衣都有不同規定。

除上述外，裘衣穿著者還有「年齡」和「季節」方面的限制。

在年齡限制上，《禮記》〈曲禮〉載曰：「童子不衣裘裳」。[49]表示未成年的小童是不宜穿裘裳。又《禮記》〈內則〉載：「二十可以衣裘」。[50]此兩則資料即可反映穿裘者是講究年齡。

禮制行為需遵守時令規範，穿裘也無例外，受著季節時間之限制，學者稱之謂「行為不應季節」。[51]《禮》曰：「十月之節，天子始裘。」[52]《韓非子》〈五蠹第四十九〉：「⋯⋯冬日麑裘，夏日葛衣。」王先慎曰：「《御覽》二十七又八十又六百九四引並作『鹿裘』，李斯傳亦作『鹿』。」[53]《史記》〈太史公自序〉：「夏日葛衣，冬日鹿裘。」又，《春秋左傳要義》卷八載道：「月令孟冬天子始裘。單子云隕霜而冬裘具，九月已裘是其早也。」[54]總而言之，穿裘受季節之限，背後用意是規範各階層不得僭越。

值得注意是《春秋左傳注疏》卷五十五載曰：

> 未寒而衣裘者哀。[55]

此話目的明顯就是警醒穿裘者「不依禮」的後果。根據月令孟冬天子才開始穿裘衣，在天未寒時穿裘；誠如上言「行為不應季節」；最後招致不快後果，所謂「衣裘者哀」也；「未寒」則被視為穿裘季節的「界線」。至於何時為「未寒」或「孟冬」？根據上文

---

46 詳見楊伯峻譯注：《論語譯注》北京：中華書局，2006年，頁114-115。

47 程俊英、蔣見元：《詩經注析》北京：中華書局，1991年，上冊，頁233及周振甫：《詩經譯注》北京：中華書局，2002年，頁116-117。

48 《毛詩傳箋》北京：中華書局，2018年，卷7〈國風〉〈檜羔裘詁訓傳唐蟋蟀詁訓傳〉第10〈羔裘〉〈第13〉〈羔裘〉條，頁181-182。程俊英、蔣見元：《詩經注析》北京：中華書局，1991年，上冊，頁385-386。陳溫菊：《詩經器物考釋》臺北：文津出版社，2001年，頁113。

49 （宋）李昉等：《太平御覽》北京：中華書局，1960年，第3冊，卷694〈服章部11〉，頁3097。

50 呂思勉著：《中國通史》上海：上海印書館，1969年香港，上冊，頁243。

51 參見薛夢瀟：《早期中國的月令與〈政治時間〉》上海：上海古籍出版社，2018年，頁27-29。

52 （宋）李昉等：《太平御覽》北京：中華書局，1960年，第3冊，卷694〈服章部11〉，頁3097。

53 （清）王先慎、鍾哲點校：《韓非子集解》北京：中華書局，1998年，卷19〈五蠹第49〉，頁443。

54 來源自《文淵閣四庫全書電子版》上海：上海人民出版社，1999年。

55 來源自《文淵閣四庫全書電子版》上海：上海人民出版社，1999年。

所說「九月已裘是其早也」，故冬日天子穿裘衣的時間分界線應該是指十月。[56]

以下一則談到「穿著方式」的限制。

據《左傳》〈哀公十七年〉載曰：

> 十七年，春，衛侯為虎幄於藉圃，成，求令名者而與之始食焉。大子請使良夫。良夫乘衷甸兩牡，紫衣狐裘。至，袒裘，不釋劍而食。大子使牽以退，數之以三罪而殺之。

杜預〈注〉：「食而熱，故偏袒，亦不敬。」孔穎達〈疏〉：「在君之所，於法唯有露裼衣耳，無露裘之時。今良夫為食熱之故，偏袒其裘，則並裘亦袒，是不敬也……三罪：紫衣、袒裘、帶劍。」[57] 由此可知，在君之側袒出正服、裼衣、皮衣的左袖而露出中衣，是一種違禮的不敬之舉；僭越禮法屬嚴重罪行。故事主人翁最終因為穿裘方式不當，違禮致獲死罪。雖然罪總共三條，袒裘只是其中之一。以今人眼光看罪不應致死，「帶劍」及「紫衣」或可能比「袒裘」更致命。無論如何，三罪皆同時見載《左傳》，反映春秋時人們似乎接受「因服裝不敬之罪名被處死」的處理手法。關於此方面，即便生於後五、六百年的杜預及孔穎達仍對以「不敬之罪」判死表示理解。

（四）先秦製裘技巧和裘衣的特色

裘衣有良裘與大裘之分，皆君所服，針功細密，故得良裘之名。[58] 天子大裘、良裘其選料必屬上乘，針功盡善盡美，自不待言。

至於穿者在大夫百官身上的裘衣，其製作技術又怎樣呢？

事實上，較次級的狐裘和羔裘質地雖不及大裘，然仍是屬上佳之品。在（9）《詩經》十五〈國風·檜風〉載曰：

> 羔裘翱翔，狐裘在堂……羔裘如膏，日出有曜……。

羔裘翱翔，翱翔與「逍遙」同意，引申為人的遨遊。膏，油脂。有曜，即曜曜。形容日光。古代的皮袍，毛向外。太陽光照在上面，閃閃發亮，像塗了油一樣。[59] 又（8）「羔裘如濡，洵直且侯」。如濡，潤澤也。[60] 總言之，優質的裘衣觸手柔軟，毛質要濃密而

56　參見薛夢瀟：《早期中國的月令與〈政治時間〉》上海：上海古籍出版社，2018年，頁29。

57　洪亮吉撰、李解民：《春秋左傳詁》卷20，中華書局，1987年，頁888。

58　李學勤主編：《周禮注疏》上冊，北京大學出版社，1999年，頁171。詳見（韓）崔圭順：《中國歷代帝王冕服研究》上海：東華大學出版社，2007年，頁31-32。

59　程俊英、蔣見元：《詩經注析》北京：中華書局，1991年，上冊，頁387。

60　毛亨傳、鄭玄箋、陸德明音義、孔祥軍點校：《毛詩傳箋》北京：中華書局，2018年，〈國風〉〈召南鵲巢詁訓傳〉第2〈羔羊〉，頁111。見（韓）崔圭順：《中國歷代帝王冕服研究》花蓮：東華大學出

富有光澤，毛色一致，這與縫製裘皮的針功有莫大關係。關於此點在《毛詩》卷第一〈國風・召南鵲巢詁訓傳〉第二〈羔羊〉所載，可得到進一步說明，其文內容如下：

> 羔羊之皮，素絲五紽。……羔羊之革，素絲五緘。……羔羊之縫，素絲五總……。[61]

小曰羔，大曰羊。毛以為召南大夫皆正直節儉，言用羔羊之皮以為裘，縫殺得制，素絲為英飾，其紽數有五。古者素絲所以得英裘者，織素絲為組紃，以英飾裘之縫中。[62]羔羊之革，素絲五緘。革猶皮也。緘，縫也，上述記載著古時縫製裘皮的情景。

　　除上述外，先秦人士還有喜用豹皮裝飾裘衣。

　　前引（4）及（8）曾提到羔裘用豹皮裝飾。《詩經》十五〈國風・羔裘〉載：「羔裘豹飾，孔武有力。」程俊元注析曰：「詩人借贊美豹子來贊美大夫的威武而有力量。」[63]又，「羔裘豹袪，自我人居居。豈無他人？維子之故！羔裘豹褎，自我人究究。豈無他人？維子之好。」豹袪即是鑲著豹皮的袖口。這是先秦卿大夫的服飾。在先秦人士心中，穿鑲著豹皮的袖口，或能提升其自我「威武有力」的心理。[64]不過，純豹裘卻非人人可得，但大家想渴望自己「威武有力」。唯有退求其次，發明「豹皮袖口」，作為穿羔裘者的心理補償。

　　此外，先秦裘皮製造還有另一特色，可視之為擁有「威武有力」的更直接手法；就是製裘時「蹄足不去」。

　　根據《鹽鐵論》〈散不足〉所載：

> 古者，鹿裘皮冒，蹄足不去。……[65]

鹿裘，用鹿皮縫製皮衣。冒同「帽」。製裘衣者刻意「蹄足不去」。王利器引《愚谷迂瑣》曰：「在人為手，在獸即為蹄足不去，象形。」[66]盧烈紅校釋：「蹄足不去」：「指縫製皮衣皮帽時不將動物蹄足部分的皮去掉。」[67]作者認為先秦人士穿衣「蹄足不去」原始性味濃，誠如王利器所言「象形」。穿者著連蹄加獸裘以示威風；或受著原始思想影響，認為所穿獸裘能顯靈，守護裘衣主人，這絕對是心理作祟之體現。狩獵者穿著獸裘

版社，2007年，頁31-32。

61　（漢）毛亨傳、（漢）鄭玄箋、（唐）陸德明音義、孔祥軍點校：《毛詩傳箋》北京：中華書局，2018年，〈國風〉〈召南鵲巢詁訓傳〉第2〈羔羊〉，頁24。

62　李學勤主編：《毛詩正義》北京：北京大學出版社，1999年，上冊，卷第1（1之4），頁84-85。

63　程俊英、蔣見元：《詩經注析》，上冊，中華書局，1991年，頁233。

64　程俊英、蔣見元：《詩經注析》，上冊，中華書局，1991年，頁321-322。

65　王利器校注：《鹽鐵論校注》北京：中華書局，1996年，頁350。

66　王利器校注：《鹽鐵論校注》北京：中華書局，1996年，頁372，注82。

67　參見盧烈紅校譯：《新譯鹽鐵論》臺北：三民書局印行，1995年，頁401，注釋1及注釋3。

衣連蹄，可能有利於狩獵活動。穿獸皮或者可以近距離接近同類獵物，方便捕獵；又穿著猛獸之皮或可在森林狩獵時防其他野獸來襲，在戰爭對峙時或可嚇唬對方的兵馬。簡言之，裘衣是先秦一些人士心理和生理的「護身符」。

（五）裘衣作為饋贈物的價值

至於在先秦史料中常提及的裘衣，當以狐裘最引人注目。狐裘中以白狐裘為珍貴，其次黃狐裘、青狐裘、麛麑裘、虎裘、貉裘，再次為狼皮、狗皮、老羊皮等。[68]狐白裘價值連城，是動物裘衣中的貴族；一狐白裘，直千金，天下無雙。據《周禮》卷七〈司裘〉載：

> 季秋，獻功裘，以待頒賜。

季秋進獻功裘，供王者頒賜群臣。[69]功裘，卿大夫或群臣所服。[70]先秦時期，高貴裘衣作為政治獻禮，乃平常的事。

在《史記》卷七十五〈孟嘗君列傳〉一則事件，便反映狐裘的高價值。其文載曰：

> （秦昭王）囚孟嘗君，謀欲殺之。孟嘗使人抵昭王幸姬求解。幸姬曰：「妾願得君狐白裘。」此時孟嘗君有一狐白裘，直千金，天下無雙，入秦獻之昭王，更無他裘。孟嘗君患之，問客，莫能對。最下坐有能為狗盜者，曰：「臣能得狐白裘。」乃夜為狗，以入秦宮臧中，取所獻狐白裘至，以獻秦王幸姬。幸姬為言昭王，昭王釋孟嘗君……。」[71]

戰國四公子之一的孟嘗君有一狐裘衣。他的狐裘衣雖沒有和氏璧般值錢，但能夠被秦王美姬惦記，足見這件裘衣在先秦人士心目中的價值地位。

又，《史記》卷三十五〈管蔡世家〉載：

> 昭侯十年，朝楚昭王，持美裘二，獻其一於昭王，而自衣其一。楚相子常欲之，不與。子常讒蔡侯，留之楚三年。蔡侯知之，乃獻其裘於子常，子常受之，及言歸蔡侯。蔡侯歸而之晉，請與晉伐楚。[72]

一件「美裘」能令晉國伐楚國，或有誇大之嫌；但據上引文「楚相子常欲之」，可以肯

---

68 見黃能馥、陳娟娟：《中國服飾史》上海：上海人民出版社，2014年，頁58。
69 見林尹注譯：《周禮今注今譯》臺北：臺灣商務印書館，1992年，頁70。
70 李學勤主編：《周禮注疏》北京：北京大學出版社，1999年，上冊，頁172。
71 《史記》卷75〈孟嘗君列傳〉，頁2354-2355。
72 《史記》卷35〈管蔡世家〉，頁1568。

定一句說「美裘」的吸引力非凡，只可惜《史記》無載「美裘」是來源自甚麼動物。作者估計是價值連城的狐白裘；否則蔡侯豈有那般輕易脫身歸晉，成為日後改變晉、楚歷史的人。

　　狐白裘作為名貴賜禮，在（12）《墨子》中再有反映。其文曰：「千鎰之裘，非一狐之白也。」[73]又《晏子春秋》〈外篇〉載道：「景公賜晏子狐白之裘，玄豹之此，其貲千金。」除了狐裘外，黑貂裘亦曾是戰國時代首選獻禮之貴物。《戰國策》曰：「蘇秦說李兌，兌送秦黑貂裘黃衣百鎰。」又曰：「蘇秦詣秦王，上書，十上而說不行。黑貂之裘弊，黃金百鎰盡，形容枯槁。及歸，妻不為下機，嫂不為炊。又曰：或謂孟嘗君曰：『太廟之椽，非一木之枝也；千鎰之裘，非一狐之裘也。』」[74]一條貂鼠皮方不過尺，一般要六十幾條才能製成一件裘衣。[75]同一道理千鎰之裘，也需用很多狐皮條才能成裘。從上引文獻可知，狐裘或貂裘曾是戰國外交史上舉足輕重的媒介。

（六）先秦話語中的「裘」及其發展

　　關於先秦古籍所載「話語中的『裘』」，比較突出有以下幾條，值得討論。

　　首先，最常遇的是「夏葛冬裘」或「冬裘夏葛」一詞，均見於《尚書》、《春秋左傳》、《周禮》、《儀禮》及《禮記》；是在先秦流行一時的用語。裘，皮衣；葛，葛麻衣，泛指美服。「夏葛冬裘」成語在提示著先秦人士寒暑有序，適當時候準備合適衣服。「隕霜而冬裘」，透露何時應準備裘衣作禦寒用。「孟冬則天子始裘」，故九月可以具之。此成語還喜與「飢食渴飲」的人體生理現象連在一起；闡明「夏葛冬裘」及「飢食渴飲」成金科玉律，即使聖人也不可違；這儼如日常習性而不省察，與愛親、敬長、慈幼鄉閭的情況出一轍。

　　另外，「反裘負薪」一語常被先秦及漢人徵引。「反裘負薪」一詞早見於戰國時期，一直流行至秦漢朝，多以喻言姿態出現。古者衣裘，故已毛為表，說「從衣毛」之意也。衣皮時，毛在外，故裘之制毛在外。以衣毛製為表字，示不忘古。[76]「反裘」是把皮衣反過來穿。古代正常穿法是皮在裡，毛在外。值得注意是這可能僅是代表中原地區的情形而已。又，根據《說文》云：「裘，皮衣也。」從裘字構形看，皮上之毛向外出。[77]這「反裘負薪」的常用語到了漢代仍流行；更成為知識分子間的熱話。

73　見孫詒讓：《墨子閒詁》北京：中華書局，1986年，頁6。

74　（宋）李昉等：《太平御覽》北京：中華書局，1960年，第3冊，卷694〈服章部11〉，頁3100。

75　陳茂同：《中國歷代衣冠服飾制》北京：新華出版社，1993年，頁20。

76　（漢）許慎撰、（清）段玉裁注：《說文解字注》上海：上海古籍出版社，1981年，八篇上〈裘部〉，頁389。

77　「裘，皮衣也。从衣，象形。各本作「从衣，求聲。一曰象形」，淺人妄增之也。裘之制毛在外，故象毛文。與衰同意，皆从衣而象其形也。巨鳩切，古音在一部。凡裘之屬皆从裘。求，古文裘。此

據《鹽鐵論》〈非鞅第七〉記載道：

> 文學曰：蓋文帝之時，無鹽鐵之利而民富。今有之而百姓困乏，未見利之所利也，而見其害也。且利不從天來，不從地出，一取之民間，謂之百倍，此計之失也。無異於愚人反裘而負薪，愛其毛，不知其皮盡也。[78]

反裘，則皮在外，毛在內。負薪，則背柴薪。皮盡，皮都被薪柴磨破。於此是諷喻一些人，不明白毛與皮的關係。愛毛反裘，甚無謂。反裘負薪存毛。皮一壞，毛也無所依附，此以喻顧此失彼，因小失大。[79]此說明漢代穿皮衣，毛已有在內了。

補充一點：關於「反裘」問題，近年地下出土的秦簡都有其蹤影。陳偉《秦簡牘校讀及所見制度考察》中說：「先秦衣裘以毛面朝外為常，則應無疑義。《司空律》規定城旦舂衣裘者『赤其里而反衣之』，當是因為毛面（表）不便染色的緣故。」《岳麓書院藏秦簡（肆）》簡167-168記云：「司空律曰：『城旦舂衣赤衣，冒赤氈，枸櫝枲之。諸當衣赤衣者，其衣物毋小大及表裡盡赤之。其衣167／1375裘者，赤其里〔而〕反衣之。仗城旦勿將司。舂城旦出繇（徭）者，毋敢之市及留舍闌外，當行市中者，回〔勿行〕』。168／1412」[80]秦簡所載城旦舂反衣，其主要目的與上提到的反裘負薪不同，純為方便識別囚犯之用。

最後，介紹另一句有關裘的話語，字數比較長，它就是「裘雖弊不可補以黃狗」。

據《史記》卷四十六〈田敬仲完世家〉曰：「淳于髡曰：『狐裘雖敝，不可補以黃狗之皮』。騶忌子曰：「謹受令，請謹擇君子，毋擇小人其閒。……」淳于髡很能對平常事觀察入微，並善用比喻，這句「狐裘雖敝，不可補以黃狗之皮」是淳于髡五個微言中第四句，其餘四句都是一些與日常生活有關事物如「狶膏棘軸」、「弓膠昔幹」、「大車不較」等，四句的共通處乃習見之物。淳于髡能逐一指出它們各自長短，提示大家需要特別關注各物的天然制約，不得勉強而行。[81]可惜，此長話卻未有流行後世。

最後，談成語「集腋成裘」。此語實為晚出。人們用「集腋成裘」以喻積少成多，

本古文裘字，後加衣為裘，而求專為干請之用。亦猶加艸為蓑，而衰為等差之用也。求之加衣，蓋不待小篆矣。」（漢）許慎撰、（清）段玉裁注：《說文解字注》八篇上〈裘部〉上海古籍出版社，1981年，頁399及宋鎮豪：《夏商社會生活史》北京：中國社會科學院出版社，1994年，下冊，頁572。

78 馬非百注解：《鹽鐵論簡注》北京：中華書局，1984年，頁52。另參見盧烈紅校譯：《新譯鹽鐵論》臺北：三民書局印行，1995年，頁93。

79 盧烈紅注釋：《新譯鹽鐵論》臺北：三民書局，1995年，頁94。

80 陳偉：《秦簡牘校讀及所見制度考察》武漢：武漢大學出版社，2017年，頁183。

81 《史記》卷46〈田敬仲完世家〉，頁1890。另見《新序》載戰國時期齊國政治家淳于髡等曰：「狐白之裘，補之以弊羊皮，何如？」葉幼明注釋：《新譯新序讀本》臺北：三民書局，1996年，〈雜事第2〉，頁49。作者認為這裡羊皮與黃狗皮字眼雖然有別，簡中義理相同，無需作過分深究。

積眾多狐狸腋下的小塊白色皮，以成為珍貴的狐裘。「集腋成裘」一詞，最先不見於先秦古籍，是後來逐漸演變而成的流行成語，至今仍為人們沿用。

《史記》卷四十三〈趙世家〉：

> 簡子曰：「大夫無罪。吾聞千羊之皮不如一狐之腋。」……[82]狐貉腋下之裘，最為輕暖。狐貉縫腋，謂縫制狐貉之腋裘以為衣。[83]王褒《四子論》曰：「千金之裘，非一狐之掖。」[84]

大家會問，白狐裘價值如何？這在《史記》中或能找出答案。〈貨殖列傳〉載：商人一年販賣曰：「狐貂裘千皮，羔羊裘千石，旃席千具」通邑大都一家商人每年有皮革一千石（一石一百二十斤），有狐貂皮一千張，有羔羊皮一千石，都算是大富商。[85]可獲利二十萬錢，則每販賣一張狐貂裘皮可獲利二百錢，販賣一石羔羊裘皮可獲利二百錢，販賣一具旃席也可獲利二百錢。即是說販賣一張狐貂裘皮的利潤同販賣一具旃席相同，也與販賣一石羔羊皮相同，足見羔羊皮要比狐貂裘、旃席要低廉得多。按照陳連慶先生推算，一張狐貂裘皮、一具旃席的價格均為一千二百錢，而一石羔羊皮的價格也值一千二百錢。[86]由此可知，一狐之掖經已很明貴，更何況需要匯集眾多狐掖才製成一件白狐裘，稱其價為「天價」亦不算過份。

（七）餘論：狐裘如何保養

在網上搜尋如何有效地保養皮草，會發現步驟繁複，一點都不簡單；難怪裘衣保養問題令許多人購買時常猶豫或卻步。這裡作者借「晏子一狐裘三十年」的話作引子，嘗試探索一下關於裘皮的保養問題。[87]

晏子一狐裘三十年，有人或會認為晏子太儉或狐皮太珍貴，非出席極重要場合不常穿。作者認為此言用於一般衣服是十分合理，但對於皮裘則未必，皆因裘只在寒冷天時穿，一年中最少有泰半時間被收藏起來。晏子一件狐裘衣能用上三十年，他是如何妥善保養狐皮？作者暫未在先秦資料中找到有關保養狐裘線索。不過，在東漢崔寔所撰的《四民月令》或者可以獲得一點端倪。

82　《史記》卷43〈趙世家〉，頁1792。

83　王利器校注：《鹽鐵論校注》中華書局，1996年，頁373，〈注84〉。另見（唐）徐堅：《初學記》卷26〈裘第8〉，北京：中華書局，1962年，頁630。

84　見（唐）徐堅：《初學記》北京：中華書局，1962年，卷26〈裘第8〉，頁630。

85　（清）桂馥：《札樸》北京：中華書局，1992年，卷3〈貂〉條，頁111-112。

86　丁邦友：《漢代物價新探》北京：中國社會科學出版社，2009年，頁158。

87　（宋）李昉等：《太平御覽》北京：中華書局，1960年，第3冊，卷694〈服章部11〉，頁3097。

《月令》記曰：

> 五月，芒種節後，陽氣始虧，陰慝將萌；煖氣始盛，蟲蠹並興。……以灰藏茈、裘、毛毳之物及箭羽。……[88]

文中見「以灰藏茈」，據《說文解字》十篇上〈火部〉曰：「灰，死火餘燼也。」死灰獨不服燃。[89]五月「蟲蠹並興」，估計灰是用作防蟲或驅蟲之用。蟲遇到灰或聞到灰的味道，便不敢進犯。古代科技水平不及現代先進，但亦有其藏「裘」秘方，[90]惜《月令》中並無說明灰是來自何物。《四民月令》用灰來保養狐皮的方法，是否早在漢以前或先秦已發明，到東漢才由崔寔《月令》記下，仍有待進一步研究。

五　餘論

　　張光直在半個紀前提出：「即在商周的早期，神奇的動物具有很大的支配性的神力，而對動物而言，人的地位是被動與隸屬性。到了周代的後期，人從動物的神話力量之下解脫出來，常常欲挑戰者的姿態出現……。」[91]張氏之說或許可以解釋周天子封彊建土後，如何具備足夠自信心，視自己為世界主宰者（包括主宰動物世界）。為了強化周朝之政治地位，鞏固天子高人一等的身分，在服飾上努力建立一套等級制。[92]不過，隨著周室末落，森嚴的等級服飾制度仿如骨牌，經歷它自身的「禮崩樂壞」。

　　春秋戰國以降，各國競逐富國和強兵，產生了大量新興工業家、軍人、商人、地主及大富豪等。這些人能開始享用從前只有周室貴族壟斷的生活方式，穿衣等級不再受周時嚴格規範。秦漢一統天下後，《周禮》式服等制度的轉變乃成必然結果。[93]到了漢

88　（漢）崔寔撰、石聲漢校注：《四民月令校注》北京：中華書局，2013年，頁35。

89　（漢）許慎撰、（清）段玉裁注：《說文解字注》上海：上海古籍出版社，1981年，十篇上〈火部〉，頁482。

90　灰，又稱灰燼是火燒過之後遺留的固體。具體地說，它是指物體燃燒之後殘留的所有非水性非氣態殘留物。在分析化學中又稱之為灰分，用於分析化學樣品的礦物和金屬含量，是化學物質完全燃燒後的非氣態、非液體殘留物。作為不完全燃燒的最終產物，灰燼主要是礦物質，但通常仍含有一定量的可燃有機化合物或其他可氧化殘留物。最常見的灰燼是木灰，篝火、壁爐、暖爐等需要燃燒木材的器具都會產生木灰。木灰越黑，說明由於不完全燃燒而殘留的木炭含量越高。詳見網址〈https://zh.wikipedia.org/wiki/%E7%81%B0〉，瀏覽日期：2021年5月18日

91　張光直：《青銅揮塵》上海：上海文藝出版社，2000年，頁170-172。

92　閻步克對此有發人深省的看法，他說：「服飾的背後是利益，在等級服飾上投入的更大精力，與他們由此而獲得的物質利益與象徵利益成正比。那麼服飾等級制的存在或不存在，至少就有一部分原因，要在權力結構和分配格局中尋求。」閻步克：《服周之冕──《周禮》六冕禮制的興衰變異》北京：中華書局，2009年，頁435。

93　禮崩樂壞下許多周禮儀式都有變化，不能再維持本來原貌，裘的服階亦無可避免隨之轉變，王莽曾想復古但失敗。可參見李俊芳：《漢代皇帝施政禮儀研究》，中華書局，2014年，頁39-40。

代，人民只要有財力，都能擁有接近天子的享受；已非周朝人所想像得及。《漢書》六十四下〈嚴安吾丘主父徐嚴終王賈傳〉載：「……今天人民用財侈靡，車馬衣裘宮室皆競修飾……。」[94]其「車馬衣裘宮室」就仿像當代中國人們追求的豪華跑車、高級豪宅、名牌手袋和外衣皮草。名貴裘衣（皮草）成為財富標桿，隨了依舊向著統治階層服務外，有財有勢者同樣可擁用。春秋戰國至秦漢政治經濟變化把周代服飾等級沖淡；迄至漢代，裘衣以另一新貌示人；關於此方面作者將另辟專章探討。

94　《漢書》64下〈嚴安吾丘主父徐嚴終王賈傳〉，頁2809。

The analysis of Zhidao through Least Cost Pathways

（試從地理訊息系統探討直道路線走向）

邱若山

University College London, Institute of Archaeology, United Kingdom

英國　倫敦大學學院考古研究所

1　Introduction

A distinctive infrastructure of the ancient world that survived for centuries is the sophisticated roads system. They are evidence of interactions between civilisations, which commence the exchange of culture, economy and religion through peaceful means or military expansion. Throughout the 5000 years of Chinese history, many roads were constructed by rulers (Ross, 2014). However, it was not until 212 BC, the First Emperor built China's first-ever highway in the Qin dynasty (221 - 208 BC). Also known as Qin Shi Huang, he was the first to proclaim the Emperor of China. He made numerous reforms and constructed many public infrastructures, including the famous Great Wall of China. The renowned road, Zhidao, was also part of his project of consolidating the country. Since the 1970s, many scholars have attempted to trace the exact location of Zhidao through the use of historical sources and archaeological excavations. The result, however, remained controversial among scholars between two possible routes even till nowadays.

Although Zhidao remained one of the most prominent research topics, there are minimal discussions of it through the use of Geographic Information System (GIS). In the west, GIS in archaeology has enabled increasingly sophisticated means of modelling human movement at various geographic scales (Harris, 2000; Bellavia, 2006; Fabrega-Alvarez, 2006; Howey, 2011; White and Barber, 2012). The use of Least Cost Pathway (LCP), in particular, is one of the most successful approaches to further understand past human movement (Zipf, 1949; Pinto and Keitt, 2009; Llobera, Fábrega-Álvarez and Parcero-Oubiña, 2011; Rissetto, 2012; White and Surface-Evans, 2012; Orengo and Livarda, 2016). This paper will attempt to analyse Zhidao through the use of LCPs to give a different perspective on those two possible routes. I will begin by exploring the origin of the two routes. Then, I will examine their plausibility through the use of least cost analysis. I will conclude by suggesting an alternative route that might shed new light in future research.

2　Historiography of Zhidao

Before I discuss the result of the least cost analysis, it is necessary to explain previous scholarship on both possible routes of Zhidao, as all settlements and road stations that the LCPs go through are derived from previously excavated sites.　It is important to stress that without these previously established arguments, it is near impossible to generate a LCP, as most parts of the Zhidao were not left in good condition, including both endpoints. Besides, historical accounts also played a vital role in locating the exact point of the road. Sources, notably annals and other proto-historical sources, provided essential descriptions of certain events and sites, further enhancing our understanding of the road.

2.1　Historical accounts

Zhidao was first recorded in *Shiji* (《史記》), a historical source dated in the early 1st century BC. It was written by Sima Qian (司馬遷), a *Taishi* 太史 during the reign of Emperor Wudi. It is a position in the court that is responsible for recording and managing everyday conversations during a court session (Nienhauser, 1994). From the *Shiji*, we know that Qin Shi Huang ordered General Meng Tian (蒙恬) to construct Zhidao in the 35th year of the First Emperor's reign (212 BC), from Jiuyuan (九原) to Yunyang (雲陽), and it ran for 18,000 *li* (*Shiji*, 256). It specifically hinted at the reason behind the construction, which General Meng Tian was also leading a force of 100,000 to attack Xiongnu (nomadic tribes situated in the Asian Steppe) in the same year (*Shiji*, 2886). In fact, Sima Qian also wrote that he walked the whole of Zhidao when he returned from the northern border (*Shiji*, 2570). Despite the fact that the road was mentioned repeatedly by Sima Qian, very little concrete information or observation were recorded. The only understanding from historical sources is that Qin Shi Huang purposely constructed Zhidao to efficiently supply the frontier against Xiongnu, where it ran between Jiuyuan and Yunyang for 18,000 li, roughly 466 miles. As a result, the exact location of the route remained unseen from ancient accounts.

2.2 Recent discussion

The analysis of Zhidao began with two publications by Shi Nianhai (史念海) in 1975 (Shi, 1975a & 1975b), where he discussed the starting and ending locations briefly, proposing the later-known western route. Since then, there have been three talking points regarding the actual location of the Zhidao. These include the start and endpoints and the exact direction of the route.

After a series of excavations and historical sources analysis, scholars came to a consensus regarding the starting and ending location of the Zhidao. We acknowledge that, from *Shiji*, the roads' northern end was at Jiuyuan, a very small village near modern day Baotou (包頭), Inner Mongolia. In 2003, an excavation was carried out in which archaeologists identified a straight roadbed approximately 22m wide and raised 1-1.5 m above the ground (State Administration of Cultural Relics, 2003). It is slightly harder to interpret for the southern end because ancient settlement names can differ from modern names. Thus, Ganquan (甘泉) is the substitution for a larger geographical unit of Yunyang, even though *Shiji* used Yunyang. According to Sun Xiangwu (孫相武) and Xin Deyong (辛德勇), Ganquan is a region located in Xunyi (旬邑) county, where the famous Ganquan mountain situated (Sun, 1988 & Xin, 2006). Archaeology further supports such an argument, as archaeologists discovered some 90 km of ancient road in Xunyi country as a segment of the Zhidao (Ceng, 2006). They described it as generally straight with an average width of 20-30 m and gutters on both sides (a technique originated from the Qin dynasty to preserve roads from erosion and other water damage). Following this roadbed southwards, they concluded that the southern endpoint is located just outside the Ganquan Palace (甘泉宮).

While there is little disagreement on the northern and southern endpoints of Zhidao, it remains controversial on the path it took between these two points. Shi argued that the route enters Ziwu mountain range (子午嶺) at Shienguan (石門關), where it follows the ridgeline westward into Zhengning (正寧) and Heshui 合水 counties. It carries on northwards, passing through several settlements, and exits the Ziwu mountain range at East of Dingian (定邊) county. It goes through the Ordo plain, bypassing the major town of Uxin, where it ends in Jiuyuan. He cited much historical evidence, which persuaded many later scholars to support his route （Xu, 2010）.

It was compelling, until Jin Zhilian (靳之林) and Bu Zhaowen (卜昭文) claimed they walked the whole of Zhidao in 1984, where they counter-proposed Shi's western route with their eastern route (Bu, 1984). Instead of following the ridgeline westward, they argued it carried on northeast through Huangling (黃陵) and Ganquan counties. It entered the Ordo Plains from Jingbian (靖邊) county, where it bypasses the town of Aletengxirezhen (阿勒騰席熱鎮) (modern day Ordos City), and terminates in Jiuyuan. One of the central arguments of Jin and Bu is that they claimed they could only find Song-era porcelains in their travel along Shi's route. In contrast, they reported numerous Qin-Han relics along their proposed route, including ruins of watchtowers, road stations and auxiliary buildings.

Since then, scholars took sides by supplementing each route with concrete archaeological evidence. Li Zhongli and Liu Dezhen published several related articles in 1991 that thoroughly discuss each site associated with the western route, where I use them for least cost analysis (Li and Liu, 1991a, 1991b; Li, 1993). Several archaeological reports support Jin's and Bu's proposal for the eastern route, where I assemble all the sites to formulate the path (Ji, 1989, 1991; Wang, 2005, 2015; Wang, Cui and Li, 2008). Despite many publications on Zhidao, GIS analysis remains unseen in any of the previous scholarships. As a result, I will attempt to provide an alternate view through the use of least cost analysis to shed new light on the possible routes of Zhidao.

3　Discussion

3.1　Methodology

To begin with, I used two different approaches to generate a friction layer for least cost analysis, hoping to compare the results to determine the plausibility of the two previously proposed routes. The first approach, I will use *r.cost* from Grass GIS to generate a cumulative cost layer from the elevation of the area with respect to a specific starting point (an identified site). Then, I will use the cumulative cost layer and the Movement Direction layer generated from r.cost to create an LCP through *r.drain*. A full-scale LCP will be generated after repeating the process for each site. The second approach is very similar; instead of using the elevation, I will use Tobler's hiking function as a friction layer (Tobler, 1993). As the route passes through several mountains, I hope to generate a different result for comparison.

3.2　The plausibility of the two proposed routes

Before discussing the results of the LCPs, it is important to stress that the Ziwu mountain range is a vast area, approximately 8880.3 square miles, with the average height of each peak between 1600 and 1907 m (Li and Shao, 2004). Due to its constant high attitude, it remains one of the most challenging regions to pass through, even with modern vehicles. The region of Ordos plain was also a difficult place to travel during ancient China. It is a plateau on an average altitude of 1300 to 1500 m above sea level and a climate notorious for its lack of rainfall in all seasons. It remains difficult to believe that a route travelled over 450 miles in such rough terrains survived for several centuries.

Let us begin with the LCP that is generated through evaluating the elevation. From previous scholarship, we acknowledge that both proposed routes started at Ganquan Palace and went through three other sites, reaching Diaolingguan (雕嶺關). All five of these sites are situated roughly 1500 m above sea level, where the LCP went mostly along the ridgeline. It might sound near impossible, as the road was constructed over 2000 years ago, meaning a lack of modern machinery. However, although the road surface only consists of pebble stones, the builders utilised the broad and flat features of most of the ridges to construct a long-lasting road (Yang, 2005).   In fact, its strength was recorded as comparable to other Qin roads in one of the biographies - Jian Shan (賈山) in *Han Shu* (《漢書》):

"…… the road is fifty *pu* wide, with a tree planted in every three *zhang*, the road was substantially stabilised with the hammering of metal tools ……" （Ban Gu, *Book of Han,* 2328）.

Although both routes go in the opposite direction, they have a similar characteristic of running along the ridgelines; sometimes favouring those lower altitude areas, such as downhill, rivers or streams. However, it is a different story when it comes to exiting the mountain range. For the western route LCP, after leaving Li Shu zhang (梨樹掌), it gradually progresses onto Yingpan Shan (營盤山) (a mountain, which is over 1500 m) and continues to climb until it reaches just over 1800 m; which the LCP, then went down a 32° slope to enter the Ordos plain. Here, I question the plausibility of the western route, as Zhidao was a highway for military use to supply the northern frontier efficiently and quickly. Going down might be feasible, but no builder would consider that going up such a steep slope is either efficient or quick. On the other hand, the LCP for the eastern route presented with us a much more plausible path. After it climbs to the Madi Canal 麻地渠, the slope to the entrance of Ordos plain is between 8 to 10 degrees, which makes this section of the eastern route much more feasible for mobility in both directions.

In order to determine which LCP is more plausible to the actual location of the Zhidao, I took modern day roads into account. It is because of the meaning behind the name, Zhidao, gave us a significant indication. *Zhi* translates to "Direct" or "Straight" in English, meaning either the road is seen as very straight or is believed to be the most direct from one endpoint to another. Lu (1990) argued the latter explanation is more viable, as he believed the route must be the quickest and the most direct to lead from the heart of the empire to the Northern frontier. Taking this into consideration, the places that the route goes through must be convenient to travel with only gentle slopes. As modern roads tend to construct in areas with favourable gradients for cars, it can be said that the LCP, which is closest to the modern road, becomes more credible.

Comparing both LCPs to the modern road map, we can see that the western route runs either on top or close to those modern roads most of the time in the Ziwu mountain range. Whereas the eastern route follows or tries to get close to any rivers or streams. It indicates that despite the western route seeming a lot less direct than the eastern route, many areas that the western route goes through became a suitable location even for modern roads. A great example of using the modern road to aid our analysis is that when the LCP leaves the Ziwu regions, it follows slightly with the modern road, making the route go through Yingpan Shan more possible than one thought. As a result, Shi's proposed route is more plausible in the Ziwu mountain region, even though there is a lack of archaeological findings dating to the Qin-Han.

When it comes to the Ordos plain, both LCPs became relatively pointless. As the Ordos plain has a very constant slope, thus LCPs remain inaccurate, the fact that due to both routes can go anywhere. This drawback of LCP was explained by Pinto and Keitt (2009), where they argued that people tend to make decisions on where to go and what to do in less than optimal ways, even though they have significant knowledge of which is the least resistant route (Pinto and Keitt, 2009, p. 254). The Ordos Desert is an area that constantly changes, meaning it is merely possible to create the exact route without more known sites. In addition to this problem, the proxy that generated the cumulative cost surface is the slope. It meant, conceptually, it treats humans as water, making such an approach quite unreliable. It also meant that in relatively flat regions, such as the Ordos plain, it loses the ability to calculate the least resistance route accurately. As a result, I also use Tobler (1993) 's algorithm to generate a separate LCP, as it takes the hiking speed into account.

One might think the result for using Tobler's algorithm would be different from the slope analysis. However, it remains very similar to the respective LCPs that were generated from slope. In fact, Tobler's LCP for the western route further support the argument of being more plausible in the Ziwu region, as it runs even more closely to the modern roads. In contrast, both LCPs for the eastern route remain similar. The result becomes even harder to interpret when it gets into the Ordos plain, as neither sets of LCPs show any significant features. It is important to stress that this part of the Zhidao was believed to be unknown even to the contemporaries (Yang, 2005). Li and Liu (1991b) pointed out that several ancient cities were discovered close to the Zhidao, where they believed these were auxiliary buildings for military use. The hypothesis is that the people of Qin/Han would orientate with ancient maps from one terminus to another. Thus, there would be slight differences when travelling in the Ordos plain, as the only concern was getting to the next supply point, rather than travelling on the same route every time. Many ancient maps were discovered, particularly in graves, proving these devices assisted the people of Qin/Han in navigating across the empire (Tan, 1975).

Despite the drawbacks of least cost analysis, I also created two additional LCPs - one from analysing the slope, the other through Tobler's algorithm - without going through any of those previously mentioned sites. The result was fascinating, where both LCPs followed a similar route from Ganquan Palace to Jiuyuan. However, the most shocking is that both paths run westward, instead of eastward, following a similar pattern to Shi's route. A distinctive feature of these two LCPs is that despite numerous rivers and streams, both paths merely go along these natural features but always follow closely or on top of modern roads. The other interesting feature is that when both LCPs enter the Ordos plain, they naturally go through some sites. In fact, the LCP with Tobler's formula goes very close to the three known sites before arriving at Jiuyuan. However, we cannot look too deep on both routes in the Ordos region due to some of the above limitations of least cost analysis. As a result, further archaeological analysis is required in future research.

4   Conclusion

The following paper demonstrated the possibility of analysing Zhidao through least cost analysis. All of the LCPs that were generated, both from slope or Tobler's algorithm, are openings to an alternative approach for future scholarship. It is important to acknowledge that these LCPs, like other least cost models, do not fully capture all the possible variables when considering the plausibility of both routes. They only consider the topography of the landscape. Although I am favouring towards Shi's western route from my results, it is important to stress that further regional analysis is required to obtain a much more convincing conclusion. It is why I want to end by encouraging future research to consider integrating GIS into the research of Zhidao. Through this, there is greater potential to create a fuller understanding of past human movements across vast regions, particularly ancient China.

5　Appendix

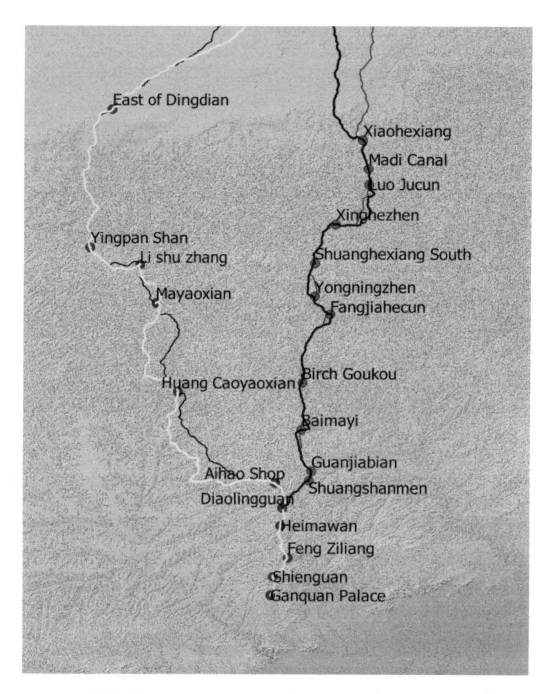

Map 1: LCPs in the Ziwu mountain range. **Western:** *Black LCP*: generated from elevation; *Yellow LCP*: generated with Tobler's algorithm; **Eastern:** *Red LCP*: generated from elevation; *Blue LCP*: generated with Tobler's algorithm.

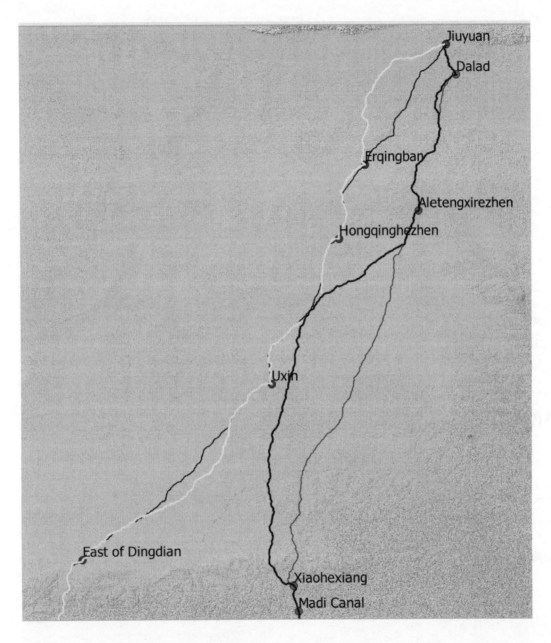

Map 2: LCPs in the Ordos plain. **Western:** *Black LCP*: generated from elevation; *Yellow LCP*: generated with Tobler's algorithm; **Eastern:** *Red LCP*: generated from elevation; *Blue LCP*: generated with Tobler's algorithm.

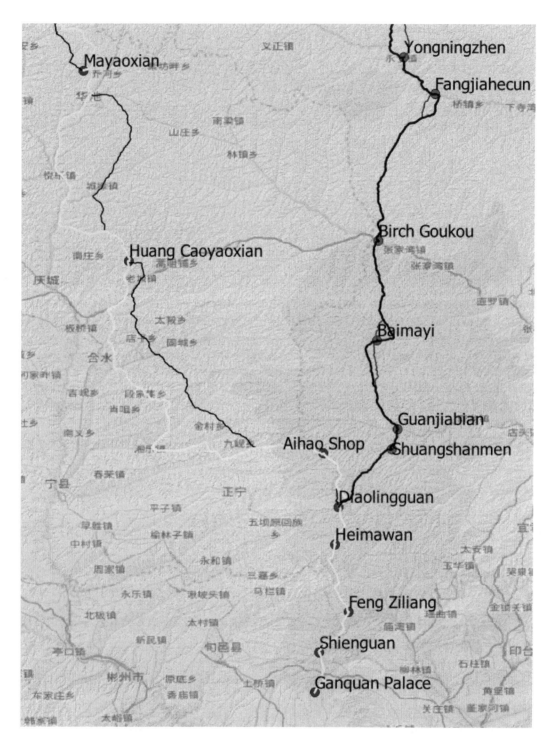

Map 3: LCPs with respect to modern road map **Western:** *Black LCP*: generated from elevation; *Yellow LCP*: generated with Tobler's algorithm; **Eastern:** *Red LCP*: generated from elevation; *Blue LCP*: generated with Tobler's algorithm.

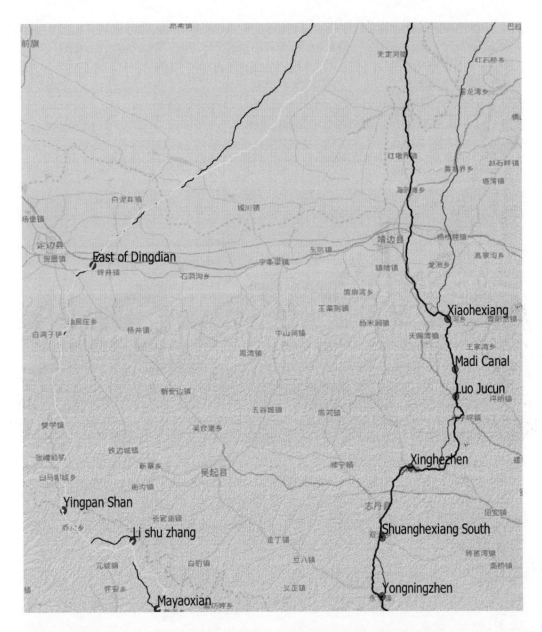

Map 4: LCPs with respect to modern road map **Western:** *Black LCP*: generated from elevation; *Yellow LCP*: generated with Tobler's algorithm; **Eastern:** *Red LCP*: generated from elevation; *Blue LCP*: generated with Tobler's algorithm.

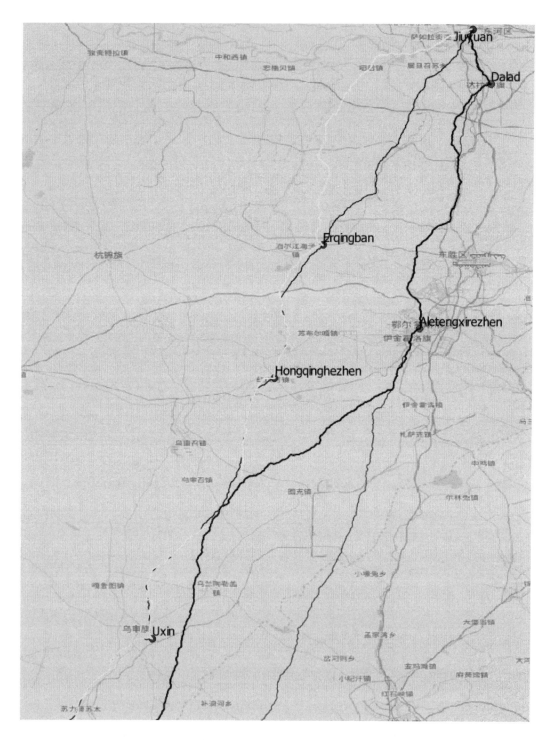

Map 5: LCPs with respect to modern road map **Western:** *Black LCP*: generated from elevation; *Yellow LCP*: generated with Tobler's algorithm; **Eastern:** *Red LCP*: generated from elevation; *Blue LCP*: generated with Tobler's algorithm.

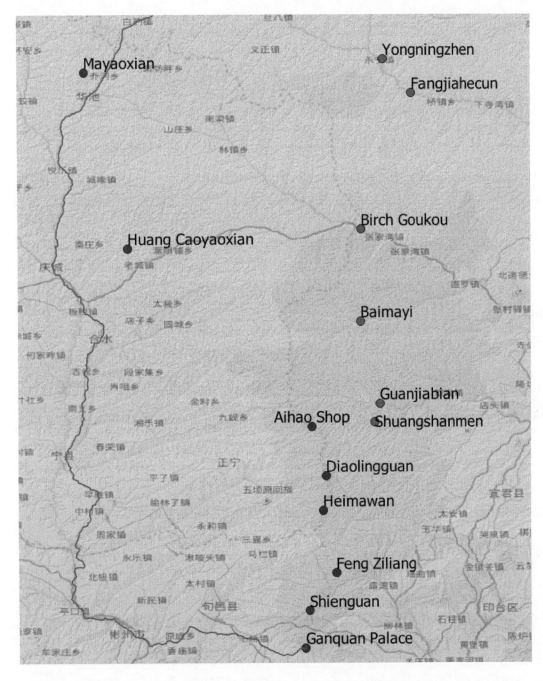

Map 6: LCPs with respect to modern road map. *Green LCP:* generated from elevation; *Brown LCP*: generated with Tobler's algorithm.

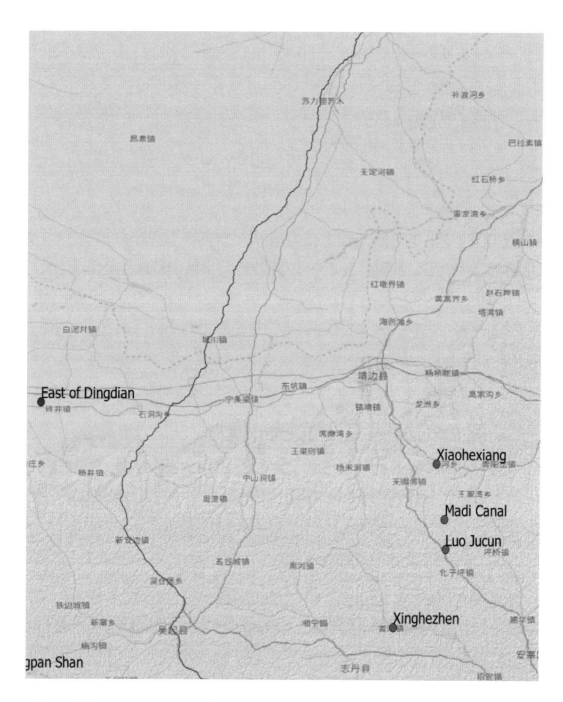

Map 7: LCPs with respect to modern road map. *Green LCP:* generated from elevation; *Brown LCP*: generated with Tobler's algorithm.

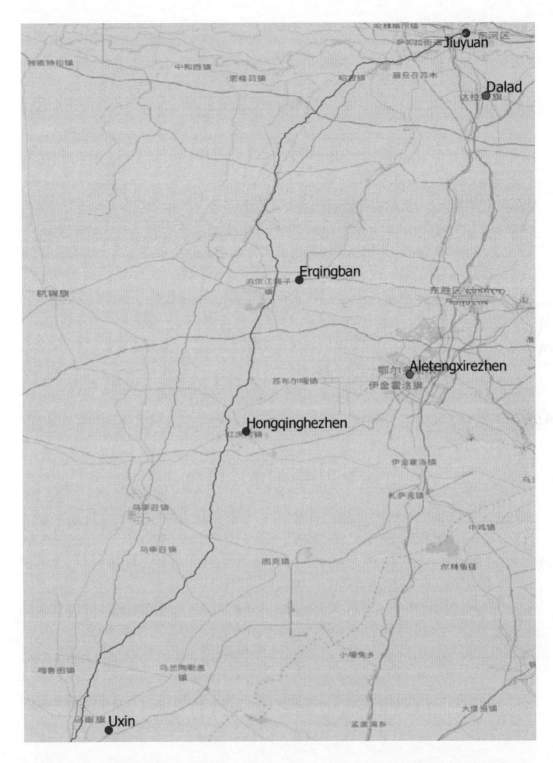

Map 8: LCPs with respect to modern road map. *Green LCP:* generated from elevation; *Brown LCP:* generated with Tobler's algorithm.

6　Bibliography

Ban, G. , edited by S. Yan, *Book of Han (《漢書》)* (Beijing: 中華書局 [Chunghwa Book] : 1962).

Sima, Q. , edited by S. Zhang, *Shiji (《史記》)* (Beijing: 中華書局 [Chunghwa Book] : 1963).

6.2　Modern publications

Bellavia, G. "Predicting communication routes", in Haldon, J. F. (ed.) *General Issues in the Study of Medieval Logistics: Sources, Problems, and Methodologies*. (Leiden: Brill Academic Publishers, 2006) : 185-198.

Bu, Z. , "Investigation of Qin Zhidao by Wu Zhilin (〈靳之林徒步考察秦直道記〉) ", *Liaowang (《瞭望》)* 43 (1984): 40-41.

Ceng, X. , "Investigation report of Qin Zhidao in Xunyi county (〈旬邑縣秦直道遺址考察報告〉)", *Wenbo (《文博》)* 3 (2006): 75-78.

Fabrega-Alvarez , "Moving without destination. A theoretical, GIS-based determination of routes (optimal accumulation model of movement from a given origin)", *Archaeological Computing Newsletter*, (2006) : 7-11.

Harris, T. , "Session 2 discussion: moving GIS: exploring movement within prehistoric cultural landscapes using GID", in *Lock, G. (ed.) Beyond the Map: Archaeology and Spatial Technologies*. (Omaha: IOS Press, 2000): 116-123.

Howey, M. , "Multiple pathways across past landscapes: circuit theory as a complementary geospatial method to least cost path for modelling past movement", *Journal of archaeological science2* 38 (2011)　2523-2535.

Ji, N. , "(Investigation reports of Qin Zhidao in Yan'an 1〈延安境內秦直道調查報告之一〉)", *Archaeology and Cultural relics (《考古與文物》)* 1 (1989) : 26-31.

Ji, N. , "Investigation report of Qin Zhidao in Yan'an 2 (〈延安境內秦直道調查報告之二〉)", *Archaeology and Cultural relics (《考古與文物》)* 5 (1991): 36-41.

Li, Y. and Shao, M., "The changes of plant diversity during natural restoration of vegetation in Ziwu ridge (〈子午嶺植被自然恢復過程中植物多樣性的變化〉)", *Journal of Ecology (《生態學報》)*, 24(2) (2004): 252-260.

Li, Z. , (1993) "Opinions on Qin Zhidao in Gansu (〈甘肅境內秦直道管見〉)", *Jounral of Humanities (《人文雜誌》)*, 3, pp. 93-96.

Li, Z. and Liu, D. , "*Investigation report of Qin Zhidao in Qingyang area, Gansu* (〈甘肅慶陽地區秦直道考察報告〉)", *Gansu Social Science* (《甘肅社會科學》) 3 (1991a): 79-82.

Li, Z. and Liu, D. , "Investigation of Qin Zhidao in Qingyang area, Gansu (〈甘肅慶陽地區秦直道調查記〉)", *Archaeology and Cultural relics*(《考古與文物》), 5, (1991b) : 42-46, 112.

Llobera, M., Fábrega-Álvarez, P. and Parcero-Oubiña, C. , "Order in movement: a GIS approach to accessibility", *Journal of archaeological science* 38 (2011): 843-851.

Lu, Z. , "Debate of Qin Zhidao' s Ambiguity (〈秦直道歧義辨析〉)", *Theories of Chinese Historical Landscape* (《中國歷史地理論叢》) 1 (1990): 89-105.

Nienhauser, W. H. , T*he Grand Scribe's Records: Volume I*. Bloomington: Indiana University Press ,1994 .

Orengo, H. and Livarda, A. , "The seeds of commerce: A network analysis-based approach to the Romano-British transport system", *Journal of archaeological science* 66 (2016) :21-35.

Pinto, N. and Keitt, T. , "Beyond the least-cost path: evaluating corridor redundancy using a graph-theoretic approach", *Landscape Ecology* 24 (2009): 253-266.

Rissetto, J. , "Using Least Cost Path Analysis to Reinterpret Late Upper Paleolithic Hunter-Gatherer Procurement Zones in Northern Spain", *Least Cost Analysis of social: Archaeological Case Studies*.(Salt Lake City: University of Utah Press, 2012)11-31.

Ross, J. G. , *You Don't Know China: Twenty-Two Enduring Myths Debunked.* , New York: Camphor Press, 2014.

Shi, N. , "Exploration of the Remains of Qin Shihuan's Zhidao(〈秦始皇直道遺蹟的探索〉)", *Journal of Shaanxi Normal University, Philosophy and Social Science edition* (《陝西師範大學學報》哲學社會科學版) 3 (1975a): 77-93.

Shi, N. , "Exploration of the Remains of Qin Shihuan's Zhidao(〈秦始皇直道遺蹟的探索〉)", Relics (《文物》) 10 (1975b): 44-54, 67.

Sun, X. , "Qin Zhidao investigation (〈秦直道調查記〉)", *Wenbo* (《文博》) 4 (1988): 15-20.

Tan, Q. , "A map of more than 2,200 years ago (〈二千二百多年前的一幅地圖〉)", *Relics* (《文物》) 2 (1975): 43-48.

Tobler, W. , "Three presentations on geographical analysis and modeling: Non-isotropic geographic modeling speculations on the geometry of geography global spatial analysis", *Speculations on the Geometry of Geography; and Global Spatial Analysis*, 93(1) ,1993.

Wang, F. , "Investigation of Qin Zhidao in Yulin (〈榆林境內秦直道調查〉)", *Wenbo* (《文博》) 3 (2005): 64-67.

Wang, Y., Cui, F. and Li, Y. , "The discovery of Qin and Han architectural sites in Ganquan section of Qin Zhidao, Shaanxi (〈陝西秦直道甘泉段發現秦漢建築遺址〉)", *Archaeology and Cultural relics* (《考古與文物》) 4, (2008) : 14.

Wang, Z. , *Qin Han archaeology of Transportation* (〈秦漢交通考古〉). Beijing: China social sciences press (中國社會科學出版社), 2015.

White, D. A. and Barber, S. B. , "Geospatial modeling of pedestrian transportation networks: a case study from pre-columbia Oaxaca, Mexico", *Journal of archaeological science* 39 (2012): 2684-2696.

White, D. A. and Surface-Evans, S. , *Least Cost Analysis of Social: Archaeological Case Studies.* (Salt Lake City: University of Utah Press., 2012)

Xin, D. , "Research on the Qin-Han Zhidao and the remains of the Zhidao (〈秦漢直道研究與直道遺蹟的歷史價值〉)", *Theories of Chinese Historical Landscape* (《中國歷史地理論叢》) 21(1), (2006): 95-107.

Xu, J. , "Study of Shi Nianhai and Qin Zhidao (〈史念海與秦直道研究〉)", *Yan'an Literature* (《延安文學》), 6: 91-95.

Yang, Z. , (2005) "The world first ancient Highway - Qin Zhidao (〈世界古代高速公路之首──秦直道〉)", *Inner Mongolia Cultural Relics and Archaeology* (《內蒙古文物考古》) 2(2010): 66-75.

Zipf, G. K. , *Human Behaviour and the Principle of Least Effort: An Introduction to Human Ecology*. Wesley: Addison, 1949.

國家文物局, *Atlas of Chinese cultural relics: Inner Mongolia Autonomous Region* (《中國文物地圖集：內蒙古自治區分冊》). Xi"an Map. Xi"an (2003).

漢官秩若干「石」定義考

趙善軒

香港　新亞文商書院

　　讀歷史者都應該知道，漢代的官制乃以若干石來定等級，由「秩百石」到「秩萬石」不等，石的數量愈多，即代表官位愈高。不但官員如此，後宮佳麗也如此排列等級，這已是讀史者的常識。本文要處理的是，到底石的內涵是什麼？過去史書並沒有作過定義，更遑論解釋，學者多抱著理所當然的心態，沒詳加研究。事實上，這個問題是不能不證自明，要需要作深入考證，其結論對我們理解先秦史、秦漢史有一定的說明。

一　漢代「石」之內涵

　　首先，此課題根本的問題是到底漢代「若干石」所指何意。過去，學者大多把關注放在「石」的讀音[1]，但對其內涵，卻極少作深入討論，至今仍未見有篇完整的論文疏理，目前史學界對石的定義並無太大爭議，但限於前人所見的史料有限，解釋往往過於簡單，而且重點多於在日常生活之中，而非關涉於制度安排，不足以理解官秩制度的流變。[2]反而西方學者的討論比較詳細，六十年代 Michael Loewe 已有專文討論，[3]文中提及官秩和糧食單位的石，應該理解為容量而非重量。八十年代則有 Hans Bielenstein，在其專著關於漢代官員工資一節中，批評前人將石看作是重量單位的觀點，並提出石作為容量更為合適。[4]雖然，前人已有相當的基礎，但是對於「石」的內涵，仍然只知結論，而不合其演變。本文認為，一旦我們確定「石」的內涵以及其使用方法，想必日後就可以對漢代社會經濟、官制等方面有更深入的理解。本文先以傳統史書入手，查看記

1　現時，若干石有兩大讀音，一派學者指民間石的讀音視為俗音，《康熙字典》的作者因輕視俗音，亦不把民間主流讀音編入書中，另一派學者指出石的正音與本字相同，以別於民間的讀法。民國以來，有些學者卻把民間讀法編入詞典。今天，不論是香港中文大學的《粵語審音配詞字庫》，抑或大陸學人常用的《漢典》，以及臺灣的《教育部重編國語辭典修訂本》，均沒用採用（二千）石的本音，反而注明是讀其俗音；兩岸的教科書讀本多對石注明應讀其俗音；馬彪指出，在漢代至少濱海一帶的人把石讀為儋，參見馬彪：〈量詞「石」究竟讀石還是讀和：中西學界計量單位詞讀音分歧的歷史考察〉，《山口大學文學會志》2014年2月，頁93。

2　吳承洛：《中國度量衡史》上海：商務印書館，1937年，頁104。

3　邁克爾・洛韋：《漢時期糧食測量》胡志明市，49：1-2, 1961.p61-95。

4　他比倫斯坦：《漢時代的官僚主義》英國：劍橋大學雷斯，1980年，頁125。

載漢代重量和容量單位的內涵，再附以出土文獻加以考證。先檢《漢書》〈律歷志第一上〉[5]（頁969）：

> 權者（重量），銖、兩、斤、鈞、石也……十六兩為斤。三十斤為鈞。四鈞為石。

又《漢書》〈律歷志第一上〉（頁967）：

> 量者，龠、合、升、斗、斛也……合龠為合，十合為升，十升為斗，十斗為斛，而五量嘉矣。

上引史書明確記載了石為重量單位，本來當無疑問。可是，上世紀末出土了不少西漢初年的文獻，對我們重新瞭解古代史有莫大說明。據《張家山簡》〈二年律令〉[6]載：

> 「馬牛當食縣官者，驛以上牛日芻二鈞八斤；馬日二鈞□斤，食一石十六斤，□□稟□。乘輿馬贏二稟一。、□（玄？）食之」421（C157）
> 「□十三斗為一石，□石縣官稅□□三斤。其□也，牢稟，石三錢。租其出金，稅二錢。租賣穴者，十錢稅一。採鐵者五稅一；其鼓銷以」437（F68）

上引的《張家山簡》〈二年律令〉，是為西漢初年的官方法律文獻，未經後人整理，最能反映當時的具體情況，故有其代表性，而《漢書》作者與漢初相距兩百年，所根據都是二、三手材料，不一定能反映現實，可信性也較低。按一般的理解，〈二年律令〉為呂后（西元前241年～前180年）二年所發布，部分條文為漢文帝（西元前203年～前157年）所廢止。第一條史料明確地指出，馬匹食一「石」的小數為斤，而斤是重量單位，故上文的石，應當為重量單位；第二條也清楚地注明，一「石」為十三斗，雖然未知其所載之內容，但斗既然是石的小數，顯然是容量單位，而非重量單位，即是說兩次出現的「石」一是重量，一是容量單位。由是觀之，早在西漢初年，法律上已經有「重量石」與「容量石」兩種用法，並且會同時出現。[7]然而，若僅得此史料，仍未足以確證此結論，加上上引的是日常生活的應用，也未能突顯與官秩之間的關係，故仍有繼續討論的必要。

　　至於西漢晚期劉向（西元前77年～西元前6年）所編的《說苑》，其載：

5　（漢）班固：《漢書》臺北：鼎文書局，1979年。

6　以下所用出土文獻引文均為香港中文大學，中國文化研究所「竹簡、帛書出土文獻計算機資料庫」光碟版，下同。

7　按照常識，若兩者發音與寫法完全相同，必然會產生無比混亂，如官吏收稅時說一石重量，結果對方卻交納一石的容量，而二者內涵又不可能完全相等，那定必會生出誤會，如果定義界定不清，則會在管治上造成不必要的交易成本，不利於管治。

律、度、量、衡、歷，其別用也。故體有長短，檢以度；《說苑》曰：「以粟生之，（十）〔一〕粟為一分，十分為一寸，十寸為一尺，十尺為一丈。」物有多少，受以量；《說苑》曰：「千二百粟為一籥，十籥為一合，十合為一升，十升為一斗，十斗為一斛。」量有輕重，平以權衡；《說苑》曰：「十粟重一圭，十圭重一銖，二十四銖重一兩，十六兩重一斤，三十斤重一鈞，四鈞重一石。」[8]

這裡同時又載「四鈞（120斤）重一石」和「十斗（100升）為一石」。由此可推出兩點：

一　西漢晚期也有明確記載，石有兩種不同定義，分別是容量的石與重量的石，而兩者同時出現在一段文字之中，此與出土文獻的記載相符，可推斷兩種定義均相當普遍地在日常生活中應用。

二　西漢晚期容量石的單位是十斗一石，此又與西漢初年〈二年律令〉所載十三斗一石有頗大出入，容量實際上相差了百分之三十。

其實，數十年前學者已注意到漢代的石還有大石、小石之分，兩者為不同單位，即除剩前後的分別，[9] 此與本文主旨無關，暫且不作處理。又檢司馬遷（西元前145年或西元前135年～前86年）《史記》〈滑稽列傳第六十六〉[10]（頁3197）云：

威王大說，置酒後宮，召髡賜之酒。問曰：「先生能飲幾何而醉？」對曰：「臣飲一斗亦醉，一石亦醉。」威王曰：「先生飲一斗而醉，惡能飲一石哉！其說可得聞乎？」

引文中的「一斗」與「一石」是相對的，由此推斷，二者本就是對應關係，當西漢的司馬遷記述戰國史事，已有「石」、「斗」皆屬於容量的旁證。既然如此，則暸解到漢代的容量石單位，乃是從前代承襲而來，而非無中生有。再參考為一九七五年十二月，湖北省雲夢縣城關睡虎地十一號墓出土的秦代竹簡，出土文獻記錄了當時的法律條文，包括戰國晚期至始皇帝時期的法律，而漢承秦制，包括職官制度在內，亦大抵根據秦製變化而成，故《睡虎地秦簡》是暸解西漢初年典章制度最直接的史料，尤其是地方行政制度的記述比之傳統史書更為全面，簡文如下：

粟一石六斗大半斗，舂之為粝米一石；粝米一石為鑿米九斗；九斗為毀（毇）米八斗。稻禾一石。有米委賜，稟禾稼公，盡九月，其人弗取之，勿鼠（予）。倉（120簡）

8　（劉宋）范曄：《後漢書》臺北：鼎文書局，1981年，〈律歷志上〉，頁2999。

9　馬彪：〈漢代「大石」「小石」新搜索〉，《亞洲歷史和文化》2015年3月，頁29-37。

10　（漢）司馬遷：《史記》臺北：鼎文書局，1981年。

上引的秦代的法律文書，明確記錄了小米（粟）的小數為斗（一斗為十升），而一石又六斗又大半斗的粟舂為糙米（粝米），一石粝米舂后成為九斗精米（毇）。可以肯定，秦代法律是以容量石來計算小米及其加工製成品，這是有法律基礎，已不只是民間習以為常的用法，漢承秦律，可知漢代以容量去計算糧食，乃是繼承秦制之上。

二　漢官秩「若干石」的內涵

漢代官員工資制度之內容，大致可分為四類：一為基本俸祿，以年計算為年俸，以月計算為月俸；一為力役，性質與近代高級官員由政府按級別提供秘書、警衛、司機、保姆數似，我們稱為力祿；一為土地，一般是對基本俸祿不足以代耕的補充，稱之為田祿，還有實物補貼的糵食製度。[11]如上文所言，秦漢時代，已使用容量去計算糧食的傳統，那麼漢代官秩中的「石」，到底是重量，還是容量單位？這裡涉及兩個基本問題，一是制度設計上，究竟石是指容量，還是重量？其二，是現實生活中收受俸祿之時，是以容量，還是重量支付？先檢班固（32年～92年）《漢書‧百官公卿表第七上》（頁721）：

> 縣令、長，皆秦官，掌治其縣。萬戶以上為令，秩千石至六百石。減萬戶為長，秩五百石至三百石。皆有丞、尉，秩四百石至二百石，是為長吏。（百石以下有斗食、佐史之秩，是為少吏。

同書同頁註文載：

> 師古曰：「漢官名秩簿云斗食月奉十一斛，佐史月奉八斛也。一說，斗食者，歲奉不滿百石，計日而食一斗二升，故云斗食也。」

前書注明了西漢時，官秩百石以下有「斗食」和「佐史」的官階，而「斗」既肯定為容量單位，上文已提及十斗為一石，十升為一斗，斗是容量單位，那麼百石以下既然是斗食，明顯是以容量單位計算，那麼可以用反證法來推論官秩百石也是指容量石，而「百石」以上的「千石」、「萬石」也應如此類推，這是制度設計上本來就是容量石的證據。然而，有否可能因為「官」、「吏」的分類方法不同，以重量石來計算高級官員，而容量斗來描述低級小吏呢？答案是否定的，其一，是因為秦代「百官皆吏」、「以吏治天下」，又奉行「以吏為師」，所有官員也是吏，官吏尚未進入分家的時代，此與後代不同。[12]其二，是「石」、「斗」不只用來描述官吏的級別，尚包括後宮的地位分級，又檢《漢書》〈外戚傳第六十七上〉（頁3933）：

11　陳仲安、王素著：《漢唐職官制度研究》北京：中華書局，1993年，頁327。

12　閻步克：〈爵、秩、品的不同名義、起源與意義〉，《中國文化》第40期，2014年，頁30。

漢興，因秦之稱號，帝母稱皇太后，祖母稱太皇太后，適稱皇后，（一）師古曰：「適讀曰嫡。後亦君也。天曰皇天，地曰後土，故天子之妃，以後為稱，取象二儀。」妾皆稱夫人。……美人視二千石，比少上造……五官視三百石（一五）師古曰：「五官，所掌亦象外之五官也。」順常視二百石。無涓、共和、娛靈、保林、良使、夜者皆視百石。（一六）師古曰：「涓，絜也。無涓，言無所不絜也。共讀曰恭，言恭順而和柔也。娛靈，可以娛樂情靈也。保，安也。保林，言其可安眾如林也。良使，使令之善者也。夜者，主職夜事。令音力成反。」上家人子、中家人子視有秩斗食云……

漢代後宮之中也是以「石」、「斗」來描述她們的等級，她們同樣有「萬石」、「千石」、「百石」的等級，至於身分地位低微的「家人子」就僅次於「百石」，也是以斗食來形容她們的等級。由此反推，這裡的「斗」是與上文指出的小米一樣，實在是「石」的小數，即後宮級別與百官的「若干石」一樣，其設計本已是石斗並用，可證官秩的若干石是容量，而非重量的另一重要證明。當然，又或者是後宮制度是承襲職官制度而來的，二者性質並無分別。簡而言之，早在西漢建立之初，設計官秩級別之時，已經用容量石來區別職位。

至於現實中使用石為單位時，是使用容量，還是以重量來支付予官吏呢？再檢出土文獻《居延漢簡甲乙編》，此乃記載了西漢中後期邊關軍官所得粟糧的實際境況：

尉史□伊粟三石三斗三升少十二月□□自取（1164簡）

當曲卒四人□食十六石二斗二升大又四斗（56簡）

卒蘇宜三石三斗三升少審登取卩（172簡）

卒馮長粟三石二斗二升壬辰自取（2657簡）

障令史張宣粟三石三斗三升少（193簡）

尉史郭橐粟三石三斗三升□（194簡）

尉史史承祿粟三石三斗（195簡）

郭令史任根粟三石三斗三升少□（335簡）

從上引文獻所見，漢代的基層軍官的用度，也是用「石」、「斗」、「升」三者並用，而「升」（十合為一升）、「斗」（十升為一斗）又是容量單位，而這裡的升、斗同是石的小數，即此「石」仍是容量單位，而非重量單位。即說明在漢代的歷史現實中，軍官所食用的「石」，也是指容量的石。上述糧食分配即是制度上的廩食，而廩食與奉（俸）錢均屬於官吏軍士的實際收入，在現代經濟學的理解，一切工作的報酬也屬於工資的構成，故二者同屬於廣義的工資，退一步說，即是不歸入工資，但也肯定屬於他們的實際收入。尚須注意，我們不能忽略廩食所發放的糧食，在物物交易的時代，是具有貨幣的功能，具有交換價值，故也應將此視之為工資。如上所述，西漢的工資支付在制度上的

設計，本來就是容量石，而實際上支付的也是容量石，漢代俸祿「名」和「實」本來就是合一，「虛」也如是，「名」也如是，從來都是指容量單位，而非重量單位。

　　既瞭解西漢的情況，那麼東漢又有何變化？再檢范曄（西元398年～445年）《後漢書》〈百官五〉（頁3632）：

> 百官受奉例：（一）古今注曰，建武二十六年四月戊戌，增吏奉如此，志例以明也。大將軍、三公奉，月三百五十斛。中二千石奉，月百八十斛。二千石奉，月百二十斛。比二千石奉，月百斛。千石奉，月八十斛。六百石奉，月七十斛。比六百石奉，月五十斛。四百石奉，月四十五斛。比四百石奉，月四十斛。三百石奉，月四十斛。比三百石奉，月三十七斛。二百石奉，月三十斛。比二百石奉，月二十七斛。一百石奉，月十六斛。斗食奉，月十一斛。

又同上書引《漢書音義》曰：

> 「斗食祿，日以斗為計。」佐史奉，月八斛。「〔三〕古今注曰……」凡諸受奉，皆半錢半谷。

又《後漢書》〈本紀第一下〉（頁77）：

> 詔有司增百官奉。

又同上書引《續漢志》曰：

> 大將軍、三公奉月三百五十斛，秩中二千石奉月百八十斛，二千石月百二十斛……。凡諸受奉，錢谷各半。

從上文可見，東漢官秩中「若干石」的實際折算，是用「斛」來支付月俸，而斛也是法定容量單位，東漢許慎（西元約58年～約147年）的《說文解字》載「一斛為十斗也」，此與前引西漢晚期劉向（西元前77年～前6年）《說苑》指「十斗為一石」的說法相同，即當時一斛，相等於一容量石。姜波據實物考古學的研究指出，「秦量單位有升、斗、桶或作「甬」、「甬」，漢代作「斛」，十升為一斗，十斗為一桶。」[13] 即是說「斛」是從「桶」變化而來，而桶、斛皆與容量石三者的內涵幾近相同，它們同屬容量單位，而且皆非始於漢代，而是其來有自，古已有之，彼此所容載的單位亦等同，只是稱呼不同而已，而趙曉君則指出：「（東漢）斛為法定單位，而石則是民間俗稱」。[14] 此可理解為，桶、斛、容量石，在某時期起已經是三位一體，合而為一，其意義也相同，只是到了某一時期起，為免混亂，增加不必要的交易成本，政府索性把它們合而為一，作出了明確

13　姜波：〈秦漢度量衡制度的考古學研究〉，《中國文物科學研究》2012年第4期（總第28期），頁28。

14　趙曉君：《中國古代度量衡制度研究》中國科學技術大學博士學位論文，2007年，頁101。

的法律界定，而「斛」就成為了最終的官方用法，但民間一時未完全適應，仍保留舊有用法，故當見到「斛」時，即仍以容量石來相稱，此謂「名」雖不同，而「實」合一。

實際上，東漢以「斛」為單位支付俸祿，此乃與秦漢以來，用容量石來計算小米一脈相承發展而來的傳統，只不過在此時把「石」，改為內涵相同的「斛」，其實只是換湯不換藥而已[15]，由此足以說明，東漢時按官秩高低而實際發放的俸祿，一如以往地是以容量作單位，此與西漢時期的分別不大，只是支付單位由容量「石」變為「斛」。然而，東漢授俸是按半錢半谷制實行，即是說部分俸祿是以現金支付。[16]

三　漢代以前授俸的記載

其實，目前也有其他史料，可以說明秦代政府亦都是以容量的石，支付官吏的薪俸。再檢出土文獻《睡虎地秦簡》以佐證：

> 隸臣妾其從事公，隸臣月禾二石，隸妾一石半；其不從事，勿稟。
> 小城旦、隸臣作者，月禾一石半石；未能作者，月禾一石。
> 小妾、舂作者，月禾一石二斗半斗；未能作者，月禾一石。
> 嬰兒之母（無）母者各半石；雖有母而其母冗居公者，亦稟之，禾月半石。
> 隸臣田者，以二月月稟二石半石，到九月盡而止其半石。（127簡）

原來秦代的法律上規定「賤役」為政府做工，其實際收入也是以容量的石來計算，上引文獻寫明支付單位為「石」，而之後乃以「斗」計算，即「斗」為「石」之小數，故「賤役」的月入，也是容量單位，此反映了秦代官府在制訂律法時，同樣考慮到當時實際環境，儘管文獻上的「石」，一直以來都是指重量單位，但平民百姓都是以容量來計算糧食多寡，故在設計制度時，考慮到現實環境，最後把「石」定義為容量單位，並清晰地寫在法律文書之中，足見秦代的「賤役」的收入與官員授俸祿時同以容量石來結算，雖然「賤役」未必納入官秩制度，如上所述，廩食或只屬於口糧類別，但是古代糧食也具有貨幣功能，糧食除了使用價值外，人們可以在剩餘的糧食交換，補充生活所需，故「賤役」的口糧與官吏的廩食一樣，也應歸類為廣義工資。

幸好有出土文獻以還原秦漢的史實，但歷史制度非無中生有，而是一步一步發展而來，那麼先秦時期的情況又到底如何？前後時期有沒有關連呢？這都是值得我們進一步討論，今檢《史記‧孔子世家第十七》（頁1905）

---

15 楊聯陞綜合了上世紀四十年代至五十年代的多篇文章，指前人認為米以石權，計粟以斛量。見氏著：〈漢代丁中、廩給、米粟、大小石之制〉，載《楊聯陞論文集》北京：中國社科出版社，1992年，頁3。

16 參看趙善軒：〈兩漢俸祿考〉，《江西師範大學學報》2010年2月，頁71-73。

> 孔子遂適衛……衛靈公問孔子:「居魯得祿幾何?」對曰:「奉粟六萬。」衛人亦
> 致粟六萬。

同書同頁又引《史記索隱》:

> 若六萬石似太多,當是六萬斗,亦與漢之秩祿不同。

承上的《史記正義》又曰:

> 六萬小斗,計當今二千石也。周之斗升斤兩皆用小也。

若《史記索隱》和《史記正義》的解釋為正確,則孔子(西元前551年～前479年)身處的春秋時代,也很可能是以容量的斗來折算,雖然索隱指出其與漢代體制不同,因漢代官秩以石計算,但春秋到秦漢時期,均是容量單位計算,可說是一脈相承。可惜,此條史料所載單位不詳,加上司馬遷與孔子時代距離又太遠,不能作準,而二家註解,更是相距孔子千餘年的唐代人所寫,單憑此條史料去考證東周的制度,說服力未免不足夠。

　　另一段相關的材料是與稍晚於孔子的墨子(生卒年不詳)有關,《墨子閒詁卷十二·貴義第四十七》載:「子墨子仕人於衛,所仕者至而反。子墨子曰:『何故反?』對曰:『與我言而不當。曰待女以千盆,授我五百盆,故去之也。』子墨子曰:『授子過千盆,則子去之乎?』對曰:『不去。』……」[17]這裡的盆與石斗一樣,同是容量單位。注引:「古『鎰』字皆作『溢』,無作『益』者,此言千盆、五百盆,皆謂粟,非謂金也。《荀子》〈富國篇〉,『今是土之生五穀也,人善治之,則畝數盆』,楊倞曰『蓋當時以盆為量』……〈富國篇〉又云『瓜桃棗李,一本數以盆、鼓』,鼓,亦量名。」從上引文可知,墨子時代至少在衛國,就已經用盆為單位來支付官員工資。據《周禮》〈考工記〉的記載,一盆相等於三十二豆(斗),即等於一百二十八升[18],即是一盆又相等於三石又二斗的容量石。由此觀之,在官秩制度發展過程中,至少在春秋以降,不論單位是斗、盆,還是石(容量),一直都是沿用容量來序等次以及作主要的支付方法,此當為主流的發展路徑。

　　至於戰國中晚期的情況,可再檢《戰國策》〈秦策·應侯謂昭王〉[19]:

> 應侯謂昭王曰:……其令邑中自斗食以上,至尉、內侍及王左右,有非相國之人
> 者乎?國無事,則已;國有事,臣必聞見王獨立於唐也。(頁198)

這可證明斗食之官,非始於漢代,而早在戰國既期已經實行了一段時間。其中,秦國就有斗食之官,這很可能在商鞅變法後,奠定官制的產物,此與上引《墨子》一書載墨子學生仕衛國一樣,也是同樣以容量受俸,以及序官位身分,只是單位上有盆、斗之別,

---

17　(清)孫詒讓著;孫以楷點校:《墨子閒詁》臺北:華正書局,1987年,頁409。

18　李亞明:〈《周禮·考工記》度量衡比例關係考〉,《古籍整理研究學刊》2010年1月,頁78-79。

19　(西漢)劉向集錄:《戰國策》上海:上海古籍出版社,1978年。

但本質並無差異，而漢承秦制，斗食同官秩若干石一併留傳下來，此為制度上設計斗、石並用，而在秦代官秩的設計中，石本為容量單位，至此應再無爭議。

再查史料，戰國晚期時的楚國，也是以容量單位來序官位，性質與上述史料一般，現檢《呂氏春秋》〈孟冬紀第十‧異寶〉[20]：

> 五員亡，荊急求之⋯⋯解其劍以予丈人，曰：「此千金之劍也，願獻之丈人。」
> 丈人不肯受曰：「荊國之法，得五員者，爵執圭，祿萬檐，金千鎰。昔者子胥
> 過，吾猶不取，今我何以子之千金劍為乎？」（頁551-552）

引文中的「祿萬襜」的「襜」應當是「檐」的通假字，直至到兩漢時代仍然流行使用，並流傳後世[21]，而檐本身也是容量單位[22]，可見戰國時的楚國與諸國般，也是以容量來

---

20 （戰國）呂不韋；陳奇猷校注：《呂氏春秋》上海：上海古籍出版社，2002年。

21 《史記》〈淮陰侯列傳〉頁2609「夫隨廝養之役者，失萬乘之權；守儋石之祿者⋯⋯」同書同頁注文載：《集解》晉灼曰「楊雄方言『海岱之閒名罃為儋』。石，斗石也。」蘇林曰：「齊人名小罃為儋。石，如今受鮭魚石罃，不過一二石耳。一說，一儋與一斛之餘。」《索隱》儋音都濫反。石，斗也。蘇林解為近之。鮭音胎。晉灼注解「儋石之祿」時，引了西漢晚年語言學家楊雄（西元前53～西元18年）《方言》一書，指濱海地區的人把「罃」讀為「儋」，即可理解為「罃」有兩種讀法，名詞時讀其本音，《說文解字注》注為「烏莖切」。作為量詞時則讀為「儋」。同時，注者又明確指出此石為「斗石」，以別於重量石，又是上文結論的旁證。即便如此，似乎只能解釋「罃」、「儋」音義相通，而不可推出時人把「石」讀為「儋」。東漢學者蘇林解釋較為詳細，他指「儋石之祿」，即是如今（東漢）盛載鮭魚的「石罃」，「罃」本為容器，前面的「石」，大概是說明以石為量詞的容器，蘇林指其容量不過重一兩石。筆者認為蘇林的說法有兩種解釋：一、重一兩石可能是已舂與未舂的分別，即一石是已舂數，而兩石是未舂數；二、可能一兩石只是約數而已，即大概一至兩石左右。又檢《史記》〈貨殖列傳〉第六十九（頁3253）：「通邑大都，酤一歲千釀，醯醬千瓨，漿千甔⋯⋯同書同頁註文載《集解》徐廣曰：「大罃缶。」《索隱》醬千甔。下都甘反。《漢書》作「儋」。孟康曰「儋，石罃。石罃受一石，故云儋石。上引史料又可再次證明「儋」、「罃」二字的音義皆通，而「石罃」這種容器又可稱為「儋石」，這是倒裝的用法，但是此仍未可判斷「石」可讀為「儋」，馬彪上文引清代考據學家桂馥（1736-1805）《說文義證》：「然則以石為擔，由來舊矣。詳其故，因儋受一石，遂呼石為儋。」

22 「儋石」二字自漢代以來已成為常用成語，表面上看來，石是指重量，而儋為容量，二字所指各有不同，但上文已考證出兩者量出的結果最後又會相同。事實上，「儋石」並用時，其意思已與本字無關，而成了「偏義複詞」，「儋石」並用時實指「財產」，此用法兩漢三國的史書屢見不鮮，「儋石」二字的指涉相同，性質一如國家、妻子、孝廋般為偏義複詞，即二字只有個特定意思，國家只是指國，妻子只是指太太，孝廋是指孝順云云。《漢書》〈敘傳第七十上〉頁4209：「思有禍福之萋，儋石之畜⋯⋯」；（晉）陳壽撰；（南朝宋）裴松之注；楊家駱主編：《三國志》臺北：鼎文書局，1980年，〈魏書‧辛毗楊阜高堂隆傳第二十五〉，頁708。「況今天下彫弊，民無儋石之儲⋯⋯」；《三國志》〈蜀書‧董劉馬陳董呂傳第九〉頁979：「二十餘年，死之日家無儋石之財⋯⋯」；《三國志》〈吳書‧王樓賀韋華傳第二十〉頁1468：「兵民之家，猶複逐俗，內無儋石之儲，而出有綾綺之服⋯⋯」明清之時，有說石可讀為儋，又有何根據？檢《漢書》〈蒯伍江息夫傳〉頁2159：「夫隨廝養之役者，失萬乘之權；守儋石之祿者，闕卿相之位。」同書同頁的注文載：應劭曰：「齊人名小罃為儋，受二斛。」晉灼曰：「石，斗石也。」師古曰：「儋音都濫反。或曰，儋者，一人之所負擔也。」上引注文指齊人把「小罃」讀為「儋」，我們可把「罃」理解為「罃」的同假字，二者音義相通，它本

描述官秩等級。又《史記》〈魏世家第十四〉（頁1840）：

> 且子安得與魏成子比乎？魏成子以食祿千鍾……

上文有戰國初期魏文侯（西元？～前396年）之弟魏成子（生卒年不詳）「食祿千鍾」的記載，戰國晚期至西漢初年集體寫成的《管子》〈小問〉[23]也有記載，其云：「客或欲見於齊桓公，請仕上官，授祿千鍾……」（頁806）上引文的鐘，實為鍾為鍾為鍾為通假字，兩者指涉相同。又，西晉時的杜預（西元222-285年），其注解《左傳》〈昭公三年〉條為「一鍾為六斛四斗」，而西晉時的斛，其與漢代的容量石的定義又相同，即每一千鍾，相等於漢代的六千四百石。[24]簡言之，假若《呂氏春秋》和《管子》的記載為真，春秋時的齊國，以及戰國時期的魏國，也是以容量單位授俸祿。《呂氏春秋》是戰國晚期的著作，其記當代之事，應當可信。然而，《管子》一書，大抵成於戰國晚期至西漢初年[25]，已經與管仲身處的時代相距數百年，它或許不能完全反映春秋時期的實際情況，但可推論出三種可能發生的情境：

一　　《管子》作者經過考證而得出春秋時齊國以容量授俸的史實；
二　　《管子》作者對春秋時代的推想，但他的識見必然與其身處時代所見所聞累積而
　　　　來，即是說佐證了戰國晚期以容量授俸為普遍情況，並影響了作者記述春秋史事；
三　　《管子》作者憑空想像，全無根據。

　　本文認為前二種可能均能證明本文的推論，而筆者認為「推理二」的可能性較大，因其與《戰國策》、《呂氏春秋》的記載相大抵契合，也是傳統文獻較常見的情況。觀乎諸多史料，先秦以來各國的俸祿，主要以容量序等級和折計支付。至此，大概完成了勾劃先秦至兩漢的官秩發展皆以容量受俸的歷史事實，即漢代官秩的石（容量），乃一脈相承地繼承了歷代俸祿的傳統。

　　總言之，從上述史料可見，先秦以來的官秩制度以至官吏兵役的實際收入，都是以容量作為單位，漢代不過是繼承了前代的制度安排而已。

是當時常見的容器，其大小因時因地而有不同，《墨子》有一罋為十升以上之記載，而東漢未年的注疏家應劭（約西元153-196年）指當時齊人把「小罋」稱為「儋」，而「儋」又剛好可容納「二斛」，正文已提到「斛」與「石」之義相同，二斛即等於兩石容量，而「儋」又為「擔」的通假者，音義又相同，本來「擔」作為名詞時就是指「擔挑」，而用於動詞則解為負載物件，唐代學者顏師古（西元581-645年）解釋「一儋」為量詞時，大概是一人所能承擔的重量，此重量又相等於一石。漸漸人們就把「罋」作為量詞時讀成「儋」，三字的音義從此就結合起來，不可分割。

23 李勉注譯；中華文化復興運動推行委員會、國立編譯館中華叢書編審委員會主編：《管子》臺北：臺灣商務印書館，1990年。
24 後來千鍾成為了成語，一般指俸祿很多，或糧食很多，《三國志》〈魏書‧任蘇杜鄭倉傳〉（頁505）也有「食千鍾之祿」之語。
25 參考趙善軒：《管子》香港：中華書局，2014年，〈導讀〉，頁3-8。

論劉楨《贈從弟詩》在漢魏六朝
贈答詩中的典範意義

伍梓均

上海　復旦大學古籍整理研究所

　　劉楨是「建安七子」之一，被（南朝）鍾嶸《詩品》評為「上品」詩人。同時代的曹丕，在〈又與吳質書〉云：「公幹有逸氣，但未遒耳。其五言詩之善者，妙絕時人」，[1] 可見劉楨擅長創作五言詩體創作，當中又以贈答詩為代表，《文選》在「贈答」類共收錄二十四位作家五十七題七十二首作品，其中共選建安詩人作品十七首，而劉楨是選詩最多的詩人，以此可推斷《文選》編者視劉楨為建安贈答詩歌創作的代表。

　　以劉楨贈答詩為個案的研究並不多見，研究者多以建安為整個時間段加以討論，[2] 其中偶然涉及劉楨《贈從弟詩》的詩史價值，比如梅家玲先生認為其詩在整個贈答詩傳統的形成和流變中具有一定的示範性意義，[3] 此論雖然揭示出劉楨《贈從弟詩》的獨特之處，但並沒有將其放置在漢魏六朝贈答詩的文本脈絡中加以審視，僅有隻言片語帶過，尚待進一步討論。

　　欲討論劉楨《贈從弟詩》的獨特性，需要首先言明《贈從弟詩》的特質為何。本文從文獻載錄的角度切入，發現劉楨這組贈答詩在後代的文獻載錄中，於詩歌分類上橫跨「贈答」與「詠物」二類，說明後世編者視其為具有詠物性質的贈答詩。本文以漢魏六朝的贈答詩為參照對象，透過比對《贈從弟詩》與其他贈答詩，揭示劉楨《贈從弟詩》的獨特之處及其在同類詩歌中的詩學地位。

一　從詩歌歸類看《贈從弟詩》的特殊性

　　劉楨《贈從弟詩》見於南朝《文選》，被視為「贈答」詩，同時還被唐代《藝文類聚》、《初學記》收錄，卻被視為「詠物」詩。這三個版本所載錄的情況表列如下：

1　魏宏燦校注：《曹丕集校注》合肥：安徽大學出版社，2009年，頁258。
2　江雅玲：《文選贈答詩流變史》臺北：文津出版社有限公司，1999年。
3　梅家玲：《漢魏六朝文學新論：擬代與贈答篇》北京：北京大學出版社，2004年，頁146。

	《文選》	《藝文類聚》	《初學記》
《贈從弟詩》其一「汎汎東流水」	卷二三「贈答」類，題作劉楨〈贈從弟〉，四韻八句，屬於贈答詩。		
《贈從弟詩》第二「亭亭山上松」	卷二三「贈答」類，題作劉楨〈贈從弟〉，四韻八句，屬於贈答詩。	卷八十八〈木部上‧松〉，題作劉楨〈詩〉，四韻八句，屬於詠物詩。	
《贈從弟詩》其三「鳳皇集南嶽」	卷二三「贈答」類，題作劉楨〈贈從弟〉，四韻八句，屬於贈答詩。	卷九十〈鳥部上‧鳳〉，題作劉楨〈詩〉，三韻六句，屬於詠物詩。	卷三十〈鳥部‧鳳第一〉，題作劉楨〈鳳皇詩〉，四韻八句，屬於詠物詩。

本節從文獻載錄的角度切入，揭示劉楨《贈從弟詩》如何橫跨「贈答」與「詠物」二類。

　　《文選》、《藝文類聚》及《初學記》皆有分類意識。《文選》以類相分，在其〈序〉言明：

> 凡次文之體，各以彙聚。詩賦體既不一，又以類分。類分之中，各以時代相次。[4]

《文選》選詩，李善注本和六臣注本分為二十三類，五臣注本分為二十四類，區別在於五臣注本另立歐陽建〈臨終詩〉為「臨終」類。《藝文類聚》由唐代歐陽詢負責編撰，是為方便檢索而創制的類書。其序文說道：

> 《流別》、《文選》，專取其文；《皇覽》、《遍略》，直書其事，文義既殊，尋檢難一。爰詔撰其事且文，棄其浮雜，刪其冗長。金箱玉印，比類相從，號曰《藝文類聚》。[5]

《藝文類聚》的編撰體例是「以類相從」，即可說明亦屬類書之列。且《藝文類聚》在編撰時曾參照蕭統所編《文選》，說明應當熟悉《文選》的分類標準。劉楨《贈從弟詩》三首在《藝文類聚》的歸屬與《文選》不同，或可視為是《藝文類聚》編者有意為之。《初學記》是唐玄宗李隆基時期所編撰的一部類書，主要供皇子們學習之用，《大唐新語》卷九曰：

> 玄宗謂張說曰：「兒子等欲學綴文，須檢事及看文體。《御覽》之輩，部帙既大，尋討稍難。卿與諸學士撰集要事並要文，以類相從，務取省便。令兒子等易見成

4　（南朝梁）蕭統編，（唐）李善並五臣注：《六臣注文選》北京：中華書局，2016年，頁4。

5　（唐）歐陽詢撰，汪紹楹校：《藝文類聚》上海：上海古籍出版社，1985年，頁27。

就也。」說與徐堅、韋述等編此進上，詔以《初學記》為名。[6]

且《四庫全書總目提要》曰：

> 其所采摭，皆隋以前古書，而去取謹嚴，多可應用。在唐人類書中，博不及《藝
> 文類聚》，而精則勝之。若《北堂書鈔》及《六帖》，則出此書下遠矣。[7]

《大唐新語》稱《初學記》的編撰體例為「以類相從」，與《藝文類聚》相似，故亦可知《初學記》為類聚，具有分類之意識。逯欽立先生在《先秦漢魏晉南北朝詩》輯校劉楨《贈從弟詩》三首時有按語曰：「第三首《初學記》作〈鳳凰詩〉，殊謬」，[8]但《初學記》既為皇子所編，以精細見稱，所著錄的詩歌題名和類屬與《文選》不同，當不是疏漏所致，或亦為編者的有意為之。

　　本文比對劉楨《贈從弟詩》在《文選》、《藝文類聚》和《初學記》類屬之不同，其立論的依據是《文選》、《藝文類聚》和《初學記》的編者對於某一個相同的類別有大致的理解，就本文而言，應當是三部書的編者對何為「贈答」類有一致的認定。若以《文選》卷二三至卷二六「贈答」類所錄詩歌為座標，檢視這些贈答詩在《藝文類聚》、《初學記》屬於何類，即可知悉三部書的分類標準是否一致。先說《藝文類聚》，其書卷三一〈人部十五‧贈答〉，明確指出有「贈答」一門，同時見於《文選》及《藝文類聚》「贈答」門的詩歌如下（以《文選》所錄的詩歌題目為例）：王粲〈贈蔡子篤詩〉、司馬彪〈贈山濤〉、張華〈答何劭詩〉、何劭〈贈張華〉、陸機〈贈馮文羆遷斥丘令〉和〈答賈長淵〉、潘岳〈為賈謐作贈陸機〉、潘尼〈贈陸機出為吳王郎中令〉、劉琨〈重贈盧諶〉、顏延之〈贈王太常〉、顏延之〈直東宮答鄭尚書〉、謝朓〈在郡臥病呈沈尚書〉、謝朓〈暫使下都夜發新林至京邑贈西府同僚〉和陸厥〈奉答內兄希叔〉，一共十四首。可見《文選》與《藝文類聚》對於「贈答」一類的入錄標準大致相同。至於《初學記》，雖然並無設置「贈答」門，但是有兩類與「贈答」直接相關。第一是界定贈答的情境，比如〈人部中‧離別第七〉，見於《文選》且見於《初學記》「離別」門的詩歌有陸機的〈為顧彥先贈婦〉和陸雲〈答兄機〉等；第二是說明贈答的對象，比如卷十一〈職官部上‧中書令第九〉有劉楨〈贈徐幹〉、卷十一〈職官部上‧侍郎郎中員外郎第八〉有陸機〈贈尚書郎顧彥先〉、卷十二〈職官部下‧侍中第一〉有傅咸〈贈何劭王濟並序〉等等。比對《文選》「贈答」類詩與《初學記》的入錄情況，亦可說明《文選》與《初學記》的編者同樣有一致的「贈答」類入錄標準。

6　（唐）劉肅撰，許德楠、李鼎霞點校：《大唐新語》北京：中華書局，1984年，頁137。

7　（唐）徐堅等著：《初學記》，《景印文淵閣四庫全書》臺北：臺灣商務印書館，1986年，第890冊，頁2。

8　逯欽立輯校：《先秦漢魏晉南北朝詩》北京：中華書局，2017年，頁371。

　　既證明《文選》與《藝文類聚》、《初學記》對於「贈答」類的理解大致相似，現在可依次說明說明《文選》、《藝文類聚》及《初學記》載錄劉楨《贈從弟詩》的情況。《文選》卷二三「贈答」類收錄劉楨《贈從弟詩》三首，其詩曰：

> 其一：汎汎東流水，磷磷水中石。蘋藻生其涯，華葉紛擾溺。
> 　　　采之薦宗廟，可以羞嘉客。豈無園中葵？懿此出深澤。
> 其二：亭亭山上松，瑟瑟谷中風。風聲一何盛，松枝一何勁！
> 　　　冰霜正慘淒，終歲常端正。豈不罹凝寒？松柏有本性。
> 其三：鳳皇集南嶽，徘徊孤竹根。於心有不厭，奮翅淩紫氛。
> 　　　豈不常勤苦？羞與黃雀群。何時當來儀？將須聖明君。[9]

「贈答」類的「贈答」指贈送酬答，贈答詩傳統上寫於離別之際，《漢書》〈段會宗傳〉：「子之所長，愚無以喻。雖然，朋友以言贈行，敢不略意」，顏師古注：「贈行謂將別相贈也。略意，略陳本意也」。[10]贈答詩最早可追溯至《詩經》，比如〈大雅・崧高〉和〈大雅・烝民〉，此二詩寫於送別之際，《文選》所錄建安時期王粲的〈贈蔡子篤詩〉、〈贈文叔良〉和〈贈士孫文始〉三篇，當是承此創作。但劉楨《贈從弟詩》三首並無述及離別之事，且呂延濟注曰：「公幹從弟，蓋尋究無名」，[11]贈答對象以及寫作時間皆不能確定。胡大雷先生認為劉楨此三首屬於贈答以作勸勵讚賞之列，其特點是「著眼點全在對方」，用作揄揚贈答對象，與此詩同類的還有曹植〈贈徐幹〉、〈贈丁儀〉、〈贈王粲〉、〈又贈丁儀王粲〉、〈贈丁翼〉，嵇康〈贈秀才從軍〉五首，陸機〈答賈長淵〉，潘岳〈為賈謐作贈陸機〉，潘尼〈贈河陽〉、〈贈侍御史王元貺〉，謝瞻〈答靈運〉、〈於安城答靈運〉，顏延之〈贈王太常〉，王僧達〈答顏延年〉，陸厥〈奉答內兄希叔〉，范雲〈贈張徐州稷〉、〈古意贈王中書〉。[12]《文選》把劉楨《贈從弟》歸為「贈答」類，且依照詩歌題目所示，可知劉楨三首《贈從弟詩》為贈答詩。

　　《藝文類聚》收錄《贈從弟詩》三首中的其中兩首。其二「亭亭山上松」入錄卷八八〈木部上・松〉，題作劉楨〈詩〉：

> 亭亭山上松，瑟瑟谷中風。*風聲*一何盛，松枝一何勁。
> *風霜*正慘淒，終歲*恆*端正。豈不罹*霜雪*，松柏有本性。
> （斜體字是與《文選》版本不同的異文，下同。）[13]

9　（南朝梁）蕭統編，（唐）李善並五臣注：《六臣注文選》，頁441。

10　（漢）班固撰，（唐）顏師古注：《漢書》北京：中華書局，1964年，頁3029。

11　（南朝梁）蕭統編，（唐）李善並五臣注：《六臣注文選》，頁441。

12　胡大雷：《《文選》詩研究》西安：世界圖書出版西安公司，2014年，頁248-249。

13　（唐）歐陽詢撰，汪紹楹校：《藝文類聚》，頁1513。

「松」門還收錄南朝梁代范雲〈詠寒松詩〉，賦作則有齊代王儉〈和竟陵王高松賦〉、齊代謝朓〈高松賦〉、梁代沈約〈高松賦〉，贊文又有宋代謝惠連〈松贊〉和戴逵〈松竹贊〉，這些作品都和松樹直接相關，把松樹作為描寫的對象。由是觀之，《藝文類聚》把《贈從弟詩》其二「亭亭山上松」歸為詠物詩無疑。《藝文類聚》同時還收錄《贈從弟詩》其三「鳳皇集南嶽」，位於卷九十《鳥部上·鳳》，同樣題作劉楨〈詩〉：

> 鳳皇集南岳，徘徊孤竹根。於心有不厭，奮翅淩紫氛。
> 豈不常勤苦，羞與黃雀群。[14]

「鳳」門還有南朝陳代張正見的《賦得威鳳棲梧詩》，賦作則有西晉傅咸的《儀鳳賦》〈序〉，是描寫鳳凰的作品，故與卷八八〈木部上·松〉一樣，劉楨詩既在卷九十〈鳥部上·鳳〉，故亦可被視為詠物詩。

　　《初學記》卷三十〈鳥部·鳳第一〉收錄《贈從弟詩》其三「鳳皇集南嶽」，題作〈鳳皇詩〉：

> 鳳皇集南岳，徘徊孤竹根。於心存不厭，奮翅騰紫氛。
> 豈不常辛苦，羞與雀同群。何時當來儀，要須聖明君。[15]

《初學記》「鳥」部「鳳」門，賦類收錄唐太宗文皇帝李世民〈鳳賦〉和晉人傅咸〈鳳皇賦〉，詩類收錄南朝陳代張正見〈賦得威鳳棲梧桐詩〉，這些詩賦都是以鳳凰為對象的詠物之作。《初學記》將劉楨詩置於卷三十，以及將其題作〈鳳皇詩〉，是認為此詩亦當屬於吟詠鳳凰的詠物之作。

　　值得補充的是，《藝文類聚》和《初學記》所收錄的劉楨詩在詩歌題名及篇幅上皆與《文選》略有不同，這是因為類書的編撰體例所致：如果所收錄的作品並非全篇屬於某類，則編者有可能對原作的篇幅加以刪改，以及改變原作的題目。以《藝文類聚》為例，其編撰體例是在一個類別下收錄詩歌，或者是抄錄全篇，或者是截取數句。詩歌篇幅的變化有時會導致詩歌題名變易，例如郭璞〈遊仙詩〉一首，見《文選》卷二一「遊仙」類，十四句：

> 翡翠戲蘭苕，容色更相鮮。綠蘿結高林，蒙籠蓋一山。
> 中有冥寂士，靜嘯撫清弦。放情淩霄外，嚼蕊挹飛泉。
> 赤松臨上游，駕鴻乘紫煙。左挹浮丘袖，右拍洪崖肩。
> 借問蜉蝣輩，寧知龜鶴年。[16]

14　（唐）歐陽詢撰，汪紹楹校：《藝文類聚》，頁1559。

15　（唐）徐堅等著：《初學記》，載董治安主編：《唐代四大類書》北京：清華大學出版社，2003年，頁1914。

16　（南朝梁）蕭統編，（唐）李善並五臣注：《六臣注文選》，頁400-401。

《藝文類聚》卷十九〈人部三‧嘯〉錄「綠蘿結高林」以下四句，題作（晉）郭璞〈詩〉。「嘯」，《藝文類聚》此類第一條引《雜字解詁》曰：「嘯，吹聲」，[17]所以這四句作為描寫嘯這個動作。同類詩文尚有（晉）成公綏〈嘯賦〉、（晉）桓玄〈與袁宜都書論嘯〉等。此外，《藝文類聚》卷七八〈靈異部上‧仙道〉引「中有冥寂士」以下二句，題作晉郭璞《遊仙詩》，同類尚有晉成公綏〈仙詩〉、晉庾闡〈遊仙詩〉等。從《藝文類聚》的兩處著錄來看，編者當知《文選》本郭璞〈遊仙詩〉為原題，在卷十九著錄時因為所援引的文句要符合「嘯」類，不能直接挪用〈遊仙詩〉之名，於是改為郭璞〈詩〉；當卷七八「仙道」類引錄郭璞詩時，與之相符，則可沿用〈遊仙詩〉之名。

　　綜上所述，透過比對《文選》、《藝文類聚》和《初學記》所載錄的《贈從弟詩》，可知《文選》將這組詩視為贈答詩，而《藝文類聚》和《初學記》則認為詩歌有詠物的部分，因此從文獻載錄的類屬可以推導出這樣一個結論：劉楨《贈從弟詩》是一組同時兼具詠物和贈答特質的詩歌。如果撇開《贈從弟詩》這個題目而言，劉楨這三首詩的文本內容確實與建安時期的詠物詩並無二致，比如其二「亭亭山上松」與繁欽的〈詠蕙詩〉比較：

> 蕙草生山北，托身失所依。植根陰崖側，夙夜懼危頹。
> 寒泉浸我根，淒風常徘徊。三光照八極，獨不蒙餘暉。
> 葩葉永凋瘁，凝露不暇晞。百卉皆含榮，己獨失時姿。
> 比我英芳發，鶗鴂鳴已哀。[18]

劉楨詩言松柏在風中依然聳立，強勁有力，即使面對風霜，也能夠保持端正的樣子，不會因外力的壓迫而改變本性。繁欽詩則是描寫蕙草生存環境的惡劣，以及刻畫蕙草在這種艱難環境仍然頑強生長。比對劉楨詩和繁欽詩，同樣側重說明植物生長的環境以及所遭遇的生存困難。繁欽〈詠蕙詩〉為詠物詩，而劉楨《贈從弟詩》其二「亭亭山上松」與之相似，也具有詠物的性質。前人早已言及劉楨詩長於詠物，張戒《歲寒堂詩話》說：

> 建安、陶（陶淵明）、阮（阮籍）以前詩，專以言志；潘（潘岳）、陸（陸機）以後詩，專以詠物。兼而有之者，李（李白）、杜（杜甫）也。言志乃詩人之本意，詠物特詩人之餘事。古詩、蘇（蘇武）、李（李陵）、曹（曹植）、劉（劉楨）、陶（陶淵明）、阮（阮籍）本不期於詠物，而詠物之工，卓然天成，不可復及。其情真，其味長，其氣勝，視《三百篇》幾於無愧，凡以得詩人之本意也。[19]

張戒雖然並不是僅僅針對《贈從弟詩》而言之，但確實揭示出劉楨詩有詠物的一面。

17　（唐）歐陽詢撰，汪紹楹校：《藝文類聚》，頁352。

18　逯欽立輯校：《先秦漢魏晉南北朝詩》，頁385。

19　（宋）張戒：《歲寒堂詩話》，載丁福保輯：《歷代詩話續編》北京：中華書局，1983年，頁450。

二　漢魏六朝贈答詩中的劉楨詩

劉楨《贈從弟詩》三首，之所以能夠在文獻編選上橫跨「贈答」和「詠物」二類，或者是因為詩歌採用比體的方法寫作。比如清代沈德潛《古詩源》說：「贈人之作，通用比體，亦是一格。」[20]陳祚明《采菽堂古詩選》也說：「三章皆比，言簡意盡。」[21]張玉穀在《古詩賞析》中甚至詳盡地說明每個句子如何用比：

> 首章以蘋藻比，慰清修之必見用也。首二，先述產地。三四，點出蘋藻，略表其形。五六，說其見重於人。七八，以圜葵襯托作結。
>
> 次章以松柏比，勉勁節之當特立也。首四，表松之不畏風也，卻疊用對舉句法。五六，於風外添出冰霜，點醒常能端正。七八，以有本性推原作結，添出「柏」字，愈見錯綜。
>
> 末章以鳳凰比，戒盛德之宜養晦也。首二，表其居處本極清高。中四，接敘不肯詭隨於世。七八，以期望聖明作收。
>
> 三章純乎用比，其體本乎《國風》。[22]

乃因劉楨《贈從弟詩》三首通篇用比，如若脫離「贈從弟」之名，則與詠物詩無異，這便是何以《贈從弟詩》三首能夠橫跨「贈答」與「詠物」兩個類別的原因。

這種通篇用比而近乎詠物的贈答詩寫作手法，在漢魏六朝贈答詩中頗為特殊。若以《贈從弟詩》其三「鳳皇集南嶽」為例，以鳳凰作比的寫法可追溯至《詩經》，但《詩經》之作並非用以贈答；在劉楨同時及以後，全篇以鳳凰作比在現存漢魏六朝贈答之作中並不多見。

劉楨在《贈從弟詩》其三「鳳皇集南嶽」以鳳凰稱讚從弟，鳳皇乃百鳥之皇，性格高潔，詩言鳳皇不與俗鳥同居，振翅高飛，《文選》呂向注云：「食此竹實，心有不足，喻非明時而食祿，奮翅羽，上出於人也」。[23]詩歌以聖君出現、鳳皇飛來作結，《論語》〈子罕〉何晏注引孔安國：「聖人受命則鳳鳥至，河出圖」，[24]《詩經》〈邶風・匏有苦葉〉：「人涉卬否，卬須我友」，《毛傳》：「人皆涉，我友未至，我獨待之而不涉」。[25]劉楨先以鳳凰比喻贈答對象從弟，也以此自勉。詩中最後二句為「何時當來儀，將須聖明君」，在立意上勸勉從弟等待良主賞識而高飛。以鳳凰作比可追溯至《詩經》，見〈大

20　（清）沈德潛：《古詩源》北京：中華書局，1977年，頁130。

21　（清）陳祚明評選，李金松點校：《采菽堂古詩選》上海：上海古籍出版社，2008年，頁205。

22　（清）張玉穀著，許逸民點校：《古詩賞析》上海：上海古籍出版社，2000年，頁217。

23　（南朝梁）蕭統編，（唐）李善並五臣注：《六臣注文選》，頁441。

24　（魏）何晏注，（宋）刑昺疏：《論語注疏》北京：北京大學出版社，1999年，頁115。

25　（漢）鄭玄箋，（唐）孔穎達疏：《毛詩正義》北京：北京大學出版社，1999年，頁144。

雅‧卷阿〉第七至第九章：

> 鳳凰於飛，翽翽其羽，亦集爰止。藹藹王多起士，維君子使，媚於天子。
> 鳳凰於飛，翽翽其羽，亦傅於天。藹藹王多吉人，維君子命，媚於庶人。
> 鳳凰鳴矣，於彼高岡。梧桐生矣，於彼朝陽。菶菶萋萋，雍雍喈喈。[26]

從詩歌內容來看，這是周王與群臣出遊卷阿之時，詩人賦詩稱頌周王之作。清代方玉潤《詩經原始》：「蓋自鳳鳴於岐，而周才日盛。即此一游，一時扈從賢臣，無非才德具備，與吉光瑞羽，互相輝映，故物瑞人材，雙美並詠，君顧之而君樂，民望之而民喜，有不期然而然者。」[27]其中第七至第九章，以鳳凰比周王，比百鳥比眾臣，鳳凰於空中展翅翱翔，百鳥緊隨其後，喻眾臣對周王的緊密擁護。鄭玄箋：「鳳凰之性，非梧桐不棲，非竹實不食」，[28]以此說明鳳凰的高傲品性，正與周王的美好品德相符。該詩其後說鳳凰與群鳥和諧相處，比喻君臣之交和衷共濟。〈卷阿〉一詩從內容立意來看，為頌詩，而非贈答詩。

　　與劉楨同時期的建安詩人邯鄲淳，有〈贈吳處玄詩〉一首以鳳凰作比並且用以贈答：

> 我受上命，來隨臨菑。與君子處，曾未盈期。見召本朝，駕言趣期。群子重離，
> 首命於時。餞我路隅，贈我嘉辭。既受德音，敢不答之。余惟薄德，既局且鄙。
> 見養賢侯，於今四祀。既庇西伯，永誓沒齒。今也被命，義在不俟。瞻戀我侯，
> 又慕君子。行道遲遲，體逝情止。豈無好爵，懼不我與。聖主受命，千載一遇。
> <u>攀龍附鳳，必在初舉</u>。行矣去矣，別易會難。自強不息，人誰獲安。願子大夫，
> 勉贊成山。天休方至，萬福爾臻。（底線為筆者所加，為詩中描寫鳳凰之處，下
> 同。）[29]

建安二十一年（西元216年），邯鄲淳歸曹植，《三國志》〈魏志〉卷二一〈王粲傳〉裴松之注引《魏略》：「會臨菑侯植亦求淳，太祖遣淳詣植。植初得淳甚喜，……而於時世子未立。太祖儻有意於植，而淳屢稱植材。由是五官將頗不悅」。[30]邯鄲淳在贈答詩中把將要效力的對象——曹植，比喻為龍鳳一般的祥瑞之物。邯鄲淳贈詩僅有一句「攀龍附鳳，必在初舉」把曹植比作鳳凰，全詩主體仍在於描寫與吳處玄的依戀之情、對即將赴任新職的盼望，雖有用鳳凰作比，卻非全篇。

　　在漢魏以後，兩晉南北朝的贈答詩也多有以鳳凰作比的寫法，這些作品比如有（西

26　同上註，頁1133-1136。

27　（清）方玉潤撰，李先耕點校：《詩經原始》北京：中華書局，1988年，頁522。

28　（漢）鄭玄箋，（唐）孔穎達疏：《毛詩正義》，頁1135。

29　逯欽立輯校：《先秦漢魏晉南北朝詩》，頁409。

30　（晉）陳壽撰，（南朝宋）裴松之注：《三國志》，頁603。

晉）傅咸的〈贈何劭王濟〉：

> 日月光太清，列宿曜紫微。赫赫大晉朝，明明辟皇闈。<u>吾兄既鳳翔，王子亦龍</u>
> <u>飛</u>。雙鷺游蘭渚，二離揚清暉。攜手升玉階，並坐侍丹帷。金璫綴惠文，煌煌發
> 令姿。斯榮非攸庶，繾綣情所希。豈不企高蹤，麟趾邈難追。臨川靡芳餌，何為
> 守空坻。橋葉待風飄，逝將與君違。違君能無戀，尸素當言歸。歸身蓬蓽廬，樂
> 道以忘飢。進則無云補，退則恓其私。但願隆弘美，王度日清夷。[31]

傅咸贈詩的對象是何劭、王濟，晉武帝咸寧中（西元227年前後），何劭與王濟相繼從散
騎常侍、國子祭酒晉升為侍中，傅咸作詩贈賀。全詩三十句，首四句稱頌晉朝一派祥
和，中八句稱讚二人才德兼備，末十六句寫自己的懷才不遇以及對二人的勸勉之情。據
贈詩之〈序〉，「二賢相得甚歡，咸亦慶之。然自限闇劣，雖願其繾綣，而從之末由。歷
試無效，且有家艱，心存目替。賦詩申懷以貽之」，[32]傅咸以鳳凰比喻何劭、王濟，實
引申出自我不平之意，故全詩僅有四句比作鳳凰，而非全篇用比。

東晉有劉琨的兩首贈答詩屬於此類：

> 虛滿伊何，蘭桂移植。茂彼春林，瘁此秋棘。<u>有鳥翻飛，不遑休息。</u>
> <u>匪桐不棲，匪竹不食。永戢東羽，翰撫西翼。</u>我之敬之，廢歡輟職。（劉琨〈答
> 盧諶〉第六章）
> 璧由識者顯，龍因慶雲翔。茨棘非所惒，翰飛游高岡。
> <u>餘音非九韶，何以儀鳳凰。</u>新城非芝圃，曷由殖蘭芳。[33]（劉琨〈重贈盧諶〉）

西晉永嘉五年（西元311年），盧諶隨乃父盧志投靠劉琨，頗得重視，任從事中郎。據陸
侃如先生《中古文學繫年》，劉琨〈答盧諶〉作於西晉建興四年（西元316年）。[34]建興四
年（西元316年），愍帝被俘，幽州刺史段匹磾力邀劉琨共保晉室，劉琨遂率眾入幽州。
盧諶隨劉琨入幽州，其後獲段匹磾延請做別駕，盧諶捨劉琨而高就別駕，分別之際二人
贈答，盧諶先有〈贈劉琨〉二十章，劉琨回贈〈答盧諶〉八章，第一首是這八章中的第
六章。第二首約寫於東晉建武元年（西元317年），劉琨作〈重贈盧諶〉，盧諶回贈〈答
劉琨〉，與第一首立意相同，且劃線部分皆以鳳凰比作盧諶，推斷或為同時之作。[35]劉琨

---

31 逯欽立輯校：《先秦漢魏晉南北朝詩》，頁607。

32 同上註，頁607。

33 同上註，頁852、883。按：第二首逯欽立先生輯校的《先秦漢魏晉南北朝詩》作盧諶〈重贈劉琨
詩〉，似不確。此詩見《藝文類聚》卷三一，汪紹楹《藝文類聚》整理本有案語曰：「按本詩系劉琨
下，則題不當云〈重贈劉琨〉，疑當作〈重贈盧諶〉，此有誤。馮惟訥《晉詩紀》遂改作盧諶詩。
然按詩義，乃劉答盧詩。疑非。」見（唐）歐陽詢撰，汪紹楹校：《藝文類聚》，頁551。

34 陸侃如：《中古文學繫年》北京：人民文學出版社，1998年，頁838-839。

35 劉文忠：〈盧諶、劉琨贈答詩考辨〉，《文史哲》1988年第2期。

以茨棘比喻自己所處的艱難處境，且沒有能夠吸引鳳凰來儀的音樂，就應當讓如同鳳凰的劉琨遠走高飛，劉琨在讚譽盧諶的同時，也是自傷所在的處境，故自我感懷的部分才是重點，因此亦非全篇用鳳凰作比。

南朝有梁代范雲的〈古意贈王中書〉一詩以鳳凰作比：

> 攝官青瑣闥，遙望鳳皇池。誰云相去遠，脈脈阻光儀。
> 岱山饒靈異，沂水富英奇。逸翮淩北海，搏飛出南皮。
> 遭逢聖明后，來棲桐樹枝。竹花何莫莫，桐葉何離離。
> 可棲復可食，此外亦何為。豈知鷦鷯者，一粒有餘貲。[36]

范雲贈詩以鳳凰比作王中書，即王融，而以鷦鷯自喻，《文選》劉良注曰：「鷦鷯，小鳥也。一粒，一米也。言食少而易有餘貲，以此喻己」，[37]故范雲以鳳凰比王融，亦意在顯示自己的羨慕之情。其時王融任中書郎，是南朝最炙手可熱的官職，且當時僅有二十五歲，可謂少年得志，故范雲有此寄託。縱觀全詩，范雲乃以鳳凰作比或為反襯如同鷦鷯的自己。

除上述五篇外，用鳳凰作比的詩作有西晉時期的潘岳〈為賈謐作贈陸機〉、陸機〈贈馮文羆遷斥丘令〉等等，由此可以窺見漢魏六朝以鳳凰作比的贈答詩並不在少數，然皆非全篇用比，劉楨詩在現存漢魏六朝贈答詩中處於早期，因此具有其典範意義。

三　結語

本文以建安時期的劉楨《贈從弟詩》三首為研究對象，辨析其在漢魏六朝贈答詩中的典範意義。《贈從弟詩》三首被南朝《文選》收錄時被歸為贈答詩，但在後來唐代的《藝文類聚》以及《初學記》中，卻被歸為詠物詩。這種文獻收編的情況或許揭示劉楨《贈從弟詩》同時具有「贈答」和「詠物」兩種詩學特質。究其原因，如同沈德潛、陳祚明和張玉穀等人所言，是全篇用比體的寫作手法所致。若將若將這種寫作手法置於現存漢魏六朝贈答詩的文本中加以審視，可以發現其具有極為顯要的典範意義，是全篇用比寫作的早期贈答詩之作。

---

36 逯欽立輯校：《先秦漢魏晉南北朝詩》，頁1544。

37 （南朝梁）蕭統編，（唐）李善並五臣注：《六臣注文選》，頁488。

嵇康〈聲無哀樂論〉中的聲情關係
及政治學指向[*]

張爍

北京　中國人民大學哲學學院

　　嵇康（224-263）聲論以〈聲無哀樂論〉與〈琴賦〉為代表。東晉名士王導更將「聲無哀樂」與「養生」「言盡意」並稱為江左三理。[1]「聲無哀樂」之論一出，遂成為六朝清談的重要議題。[2]六朝清談重在談玄論道，故而，「聲無哀樂」這一命題的價值關懷亦重在玄理面向。本文嘗試分析嵇康對聲情關係的相關思索，特別是借聲情關係分析嵇康對物我關係及生命本真、萬物本體[3]的思索。此點似為學界在闡發嵇康聲論時所未全面關注者。在對文本脈絡的理解方面，〈聲無哀樂論〉以秦客（代表《禮記・樂記》等儒家立場）和東野主人（代表嵇康立場）相互論辯的形式呈現，文本本身的格局稍顯零散，故而，筆者試圖以東野主人，即嵇康立場為主線，對〈聲無哀樂論〉加以同情之理解。具體而言，通過對儒家氣感類應哲學觀的批判和對儒家傳統「聲有哀樂」聲情關係的解構，嵇康主張「聲無哀樂」；通過反對「接物傳情」的物我關係和「人情－音聲」的聲情關係，嵇康重構了「心性－音聲」的新型聲情相須關係，指出一種借音聲修養心性的音聲工夫論；通過置換秦客儒家立場的樂教內涵，嵇康將真正意義的「樂之移

* 【基金項目】中國人民大學科學研究基金（中央高校基本科研業務費專項資金資助）項目（22XNH208）階段性成果。

1 《世說新語・文學第四》二十一則載：「舊云：王丞相過江左，止道聲無哀樂、養生、言盡意，三理而已。然宛轉關生，無所不入。」參見余嘉錫：《世說新語箋疏》北京：中華書局，2015年，頁232。

2 《南齊書・王僧虔傳》載：「僧虔宋世嘗有書誡子曰：……又才性四本，聲無哀樂，皆言家口實，如客至之有設也。」參見蕭子顯：《南齊書》北京：中華書局，2017年，頁662-663。另《文心雕龍・論說》載：「叔夜之辨聲，太初之《本玄》，輔嗣之《兩例》，平叔之二論：並師心獨見，鋒穎精密，蓋人倫之英也。」參見周振甫：《文心雕龍今譯》北京：中華書局，2013年，頁168。

3 這裡所謂「生命本真」、「萬物本體」皆是本體論層面的範疇。中國傳統思想所言之體即道體，既關涉宇宙論、本體論層面，探討存有的產生及其本質或本來面目，也關涉人生論、存在論層面，探討生命存在之根本境界。由此，體既是宇宙萬物創生之始，又指現象世界（經驗現實世界）之存有內在具有之本然狀態、本然體性，不同於西方哲學中脫離感性現象世界的抽象本體。魏晉玄學所論之體也非通常所理解的遠離世俗的玄遠之體。嵇康身處魏晉玄學的思潮下，其〈聲無哀樂論〉仍是中國傳統體用、天人、物我合一之文化心靈的產物，其中的音聲之體分為兩層涵義：一為通性，就生命本真及萬物本體的道體面向而言，體現出嵇康聲論的玄理性格；一為殊性，指音聲的單複、高埤、舒疾、猛靜等形式構成。

風易俗」視為一種自然而然的不教之教，從而接引先秦老莊精神，賦予樂教一種無為而治的政治新內涵。這樣的處理方式，或許較能梳理出〈聲無哀樂論〉文本的潛在理路，也較能呈現出嵇康批判儒家、接引先秦老莊精神的思想傾向。

一　「聲無哀樂」：嵇康對儒家傳統聲情關係的解構

儒家傳統「聲有哀樂」的聲情關係與儒家氣感類應的哲學觀相伴而行。自《易傳》的「陰陽交感而化生萬物」至〈樂記〉所代表的先秦儒家樂教模式，一直到兩漢以董仲舒為代表的囊括陰陽、四時、五行等的氣化宇宙圖式，先秦兩漢儒家氣感類應的哲學觀都以氣的交感類應來闡述萬物間的相互關聯。此誠如〈樂記〉所言：「倡和有應，回邪曲直各歸其分，而萬物之理各以類相動也。」[4] 儒家氣感類應的哲學觀為儒家傳統「聲有哀樂」的聲情關係奠定了思想基礎。〈聲無哀樂論〉中的秦客所秉承的正是儒家氣感類應的哲學觀與儒家傳統「聲有哀樂」的聲情關係。秦客認為音聲與哀樂的互動乃自然相應。人無所逃遁於此氣化互滲與類應感通：就音聲的創作而言，則「哀思之情，表于金石；安樂之象，形於管弦也。」[5] 就音聲的鑑賞而言，則「哀樂由聲」，即「聲使我哀，音使我樂」。

對於上述儒家氣感類應的哲學觀與儒家傳統「聲有哀樂」的聲情關係，嵇康持一種消解的立場。嵇康對儒家立場的消解亦伴隨著其對世人習以為常的「接物傳情」的物我關係與「人情－音聲」聲情關係的解構。嵇康在〈聲無哀樂論〉中反覆強調：「心之與聲，明為二物。」此處之心不過是喜怒哀樂、愛憎慚懼等人情。〈聲無哀樂論〉有言：「夫喜怒哀樂，愛憎慚懼，凡此八者，生民所以接物傳情，區別有屬，而不可溢者也。」《說文解字》云：「接，交也」。在嵇康看來，「接物傳情」是生民所接受和認可的心物結構。這種結構建立在心物二分及心物互動的基礎上。於此結構內，在鑑賞活動中，則人情受感於物，與物相應互動；在創作過程中，創作也不過是一種抒發人情，將人情賦予作品的活動。然而，以〈聲無哀樂論〉為代表，嵇康所要做的正是由音聲切入進而勘破世人習以為常的「接物傳情」的物我關係與「人情－音聲」的聲情關係。

不過，嵇康對儒家模式、常識思維的物我關係與聲情關係的消解只是一種存在方式的轉換，一種從氣感類應的哲學觀和「接物傳情」的物我關係向本然層面之物我關係的遞進複歸。換言之，「聲無哀樂」意謂「音聲本然無關於哀樂」。嵇康言「聲無哀樂」的反儒家和反常識提法並未否認「聲有哀樂」及「人情－音聲」的聲情結構在現象層面的運作活動。嵇康只是對這種運作方式本身提出了批評，對這種運作方式經俗儒妄記而神

4　（清）孫希旦：《禮記集解》北京：中華書局，1989年，頁1003。

5　本文所引〈聲無哀樂論〉等嵇康所撰文章，均引自戴明揚：《嵇康集校注》北京：中華書局，2015年版。下文不再標注。

秘誇大的傳說提出了質疑。譬如，嵇康指出「聲有哀樂」的創作模式，即將哀樂之人情賦予作品，如其言：「勞者歌其事，樂者舞其功。夫內有悲痛之心，則激切哀言。言比成詩，聲比成音。」嵇康亦指出了「國史明政教之得失，審國風之盛衰，吟詠情性以諷其上」在現象層面的正常運作，即統治者一定程度上借由含特定民情的音聲以瞭解當地的民情民風及社會政治狀況。然而，這種模式雖於現象層面存在卻非嵇康所認可，故而嵇康在〈聲無哀樂論〉中總是站在對秦客所代表的儒家立場相質疑的道家立場上去解構儒家模式及常識思維的物我關係與聲情關係。一方面，嵇康有言：「今用均同之情，而發萬殊之聲，斯非音聲之無常哉？」另一方面，其亦談道：「夫殊方異俗，歌哭不同；使錯而用之，或聞哭而歡，或聽歌而慼。」在嵇康看來，鑑賞過程中的「歡慼俱見」恰恰質疑了「聲有哀樂」聲情關係的合理性，如其所言：「假使鹿鳴重奏，是樂聲也；而令慼者遇之，雖聲化遲緩，但當不能便變令歡耳，何得更以哀耶？猶一爝之火，雖未能溫一室，不宜複增其寒矣。」也就是說，假使鹿鳴是含樂情的樂聲，為什麼會讓哀傷的人更加哀傷呢？由此，嵇康就上述兩方面解構了將哀樂賦予音聲的創作。

至於對由音聲上推其所含之人情的解構，嵇康則認為，鍾子之徒的善聽察之舉不過是因為「心悲者雖談笑鼓舞，情歡者雖拊膺諸嗟，猶不能禦外形以自匿，誑察者於疑似也。」由此，嵇康亦解構了單純由音聲上推其所含人情的合理性。至於經俗儒妄記而神秘誇大的傳說，譬如「師曠吹律，知南風不竟，楚師必敗」等，嵇康更是強烈質疑。在其看來，這些傳說根本不可能在現象層面運作，也很難顯現於歷史，實乃牽強附會。嵇康對上述傳說的質疑將音聲就此拉出了自先秦至兩漢儒家泛心性道德化以致過顯神秘的宇宙人生、社會政治體系。

經上所述，嵇康認為，音聲不應當含有哀情與樂情，哀樂不應當成為音聲之屬性，如其所言：「音聲之作，其猶臭味在於天地之間。其善與不善，雖遭遇濁亂，其體自若，而不變也。」嵇康所言音聲的善惡之性指的是內在於音聲的道體是否可以通過音聲顯現出來。內在潛藏之道體發而顯現於音聲，則音聲之屬性為善；內在潛藏之道體未能發而顯現於音聲，則音聲之屬性為惡。然而，不論音聲於現象層面是善還是不善，音聲就其體性的本然意義而言皆為善。[6]音聲之體為自然之和，即「音聲有自然之和」「聲音以平和為體」。[7]音聲的本然體性具有某種超越性，故而不變。嵇康在〈琴賦〉中亦有

6　音聲的性善並非部分學者所說的音聲形式主義之純美自律性質，而是指內在於音聲的道體可以通過音聲顯現出來。關於將音聲的性善理解為形式主義之純美自律性質，譬如牟宗三認為，嵇康主張，音聲的「善惡以和不和定」。音之和實為「韻律之和」。「『和』以韻律之度定，此即聲音之體性也。」參見牟宗三：《才性與玄理》桂林：廣西師範大學出版社，2006年，頁303。

7　這裡所謂「音聲有自然之和」、「聲音以平和為體」延續本文對音聲之體的一貫理解，取生命本真及萬物本體的道體涵義，意指音聲內在具有的玄學之自然和理。此觀點區別於牟宗三、曾春海、張節末等學者所秉承的客觀主義之純美論。客觀主義之純美論將音聲之和視為一種客觀的音樂本體。張節末指出，漢斯立克「《論音樂的美》（1854）以情感美學或內容美學為論敵，其著名論點是：『音樂

言：「余少好音聲，長而翫之，以為物有盛衰，而此無變，滋味有猒，而此不勌」。儘管以平和為體的音聲就其本然體性而言無關於哀樂之人情，然而「聲音以平和為體，而感物無常；心志以所俟為主，應感而發。」換言之，即便音聲以平和為本然體性，世人在鑑賞的過程中仍自抒發哀樂之人情。然而，在嵇康看來，產生和聲感人的錯覺並非因為和聲本身，如同「酒以甘苦為主，而醉者以喜怒為用。其見歡戚為聲發，而謂聲有哀樂，猶不可見喜怒為酒使，而謂酒有喜怒之理也。」然世人一聞和聲，便「心動於和聲，情感於苦言……夫哀心藏於內，遇和聲而後發；和聲無象，而哀心有主。夫以有主之哀心，因乎無象之和聲，其所覺悟，唯哀而已。豈複知吹萬不同，而使其自已哉。」《莊子‧齊物論》云：「子游曰：『地籟則眾竅是已，人籟則比竹是已。敢問天籟。』子綦曰：『夫吹萬不同，而使其自已也，咸其自取，怒者其誰邪！』」[8]暫先不論莊子「吹萬不同，使其自己」的本意，就嵇康的使用語境而言，嵇康的「吹萬不同」指音聲鑑賞中的「歡戚俱見」，「使其自已」則指音聲鑑賞中哀樂等人情實乃人自抒發。

　　正如嵇康所言：「聲俱一體之所出，何獨當含哀樂之理也？」此「一體」即音聲的本然體性。在嵇康看來，音聲可以有善惡之屬性，同時也可以有「單複」、「高埤」等一些形式節奏性的特徵。由此，受感者可以「躁靜」「專散」等與音聲相應。只不過世人常不止於躁靜之應。雖然「猛靜各有一和」，然而「和之所感，莫不自發」。世人常繼躁靜之應而自抒發哀樂之人情，而世人又常以為哀樂乃外物所感。實際上，哀樂不過是世人所自抒發，即所謂：「直至和之發滯導情，故令外物所感，得自盡耳。」故而，「批把箏笛，令人躁越」，「曲用每殊，而情隨之變」。此誠所以使人常感也。然而，「躁靜者，聲之功也；哀樂者，情之主也；不可見聲有躁靜之應，因謂哀樂者皆由聲音也。」換言之，在嵇康看來，躁靜才是音聲之功，哀樂之人情實乃人自抒發。「情之應聲，止於躁靜」也實非世人輕易所能做到。由此，「不能止於躁靜，自抒發哀樂之人情」便成了嵇康對儒家傳統和世人習以為常的「聲有哀樂」鑑賞模式的批判。

　　莊子在〈齊物論〉中批判世人「與接為搆，日以心鬭」[9]之存在方式的侷限性，指出世人「與物相刃相靡，其行盡如馳，而莫之能止」[10]的可悲性。嵇康承接先秦道家思想，尤其是莊學精神，借聲情關係這一切入點深入反思了經驗現實層面的物我關係，在承認其實存的基礎上對其展開猛烈批判。總之，嵇康勘破以〈樂記〉為代表的儒家傳統，力排俗見與眾論，通過對儒家氣感類應哲學觀的批判和對儒家傳統「聲有哀樂」聲

的內容就是樂音的運動形式』。這一見解和嵇康（224-263）《聲無哀樂論》這一論戰性論文中關於音樂『以單、複、高、埤、善、惡為體』的觀點幾乎表達著同一個意思。」參見張節末：《嵇康美學》杭州：浙江人民出版社，1994年，頁139。

8　（清）郭慶藩：《莊子集釋》北京：中華書局，1961年，頁49-50。

9　（清）郭慶藩：《莊子集釋》北京：中華書局，1961年，頁51。

10　同上註，頁56。

情關係的解構，通過反對「接物傳情」的物我關係和「人情－音聲」的聲情關係，其提出了「聲無哀樂」的主張。

二　「心性－音聲」：嵇康〈聲無哀樂論〉對聲情關係的重構

嵇康在〈聲無哀樂論〉中有一較難解之處，其談到「和有樂」的相關問題：

> 夫曲用每殊，而情之處變，猶滋味異美，而口輒識之也。五味萬殊，而大同於美；曲變雖眾，亦大同於和。美有甘，和有樂；然隨曲之情，盡於和域；應美之口，絕于甘境。安得哀樂於其間哉？然人情不同，自師所解，則發其所懷。若言平和哀樂正等，則無所先發，故終得躁靜。若有所發，則是有主於內，不為平和也。

嵇康於此提出「曲變雖眾，亦大同於和」「和有樂」且「隨曲之情，盡於和域」。對於「和有樂」，吉聯抗在譯註《嵇康・聲無哀樂論》時以為「和有樂」當為「樂有和」，即「音樂中有和」。[11]然而，筆者認為，「和有樂」的表述更貼合嵇康此處的核心要旨。嵇康於此處所要表明的不僅是「聲無哀樂」，更進一步指向在音聲鑑賞過程中可能導向的盡於和域之樂。這種樂超越了哀樂等私情之糾纏，實為某種和域（體道所達至的至和之理境）[12]所呈現之和心、和情、和樂。嵇康在〈答難養生論〉中的相關表述可與此處所言「美有甘，和有樂」相互印證。其談道：「以大和為至樂，則榮華不足顧也；以恬澹為至味，則酒色不足欽也。」換言之，在其看來，「美有甘，和有樂」即味有至甘，情有至樂。恬澹之至甘超越了世人一般意義的甘苦之味，似有老子「淡乎其無味」[13]之意蘊，而大和之至樂也超越了世人一般意義的哀樂之情。由此，無哀樂的音樂境界與恬和淵淡的養生境界之間便形成某種互證或互涉。蕭馳亦指出，嵇康無哀樂的音樂境界、怡神的養生境界與其夷曠恬和的詩作自生命情調而言是同一的境界，皆體認出莊子擺脫生存困境的「攖寧」，皆是非遁世之士不能品味的「至樂」。[14]

關於無哀樂的音樂境界，〈聲無哀樂論〉有言：

> 雖人情感於哀樂，哀樂各有多少。又哀樂之極，不必同致也。夫小哀容壞，甚悲而泣，哀之方也。小歡顏悅，至樂而笑[15]，樂之理也。何以明之？夫至親安豫，

11　吉聯抗：《嵇康・聲無哀樂論》北京：人民音樂出版社，1964年，頁42-44。

12　此誠如謝大寧所言：「所謂的『和域』、『太和』所描述的，並不是指音樂之客觀的和諧性，而是指一種主體自足無待之境界。」參見謝大寧：《歷史的嵇康與玄學的嵇康──從玄學史看嵇康思想的兩個側面》臺北：文史哲出版社，1997年，頁203。

13　（三國魏）王弼：《老子道德經注》北京：中華書局，2011年，頁91。

14　蕭馳：〈嵇康與莊學超越境界在抒情傳統中之開啟〉，《漢學研究》，2007年第1期。

15　據戴明揚校注：「『心愉』吳鈔本作『而笑』，是也。此正與上文『而泣』相對。」筆者認為，此處

> 則恬若自然，所自得也。及在危急，僅然後濟，則抃不及儛。由此言之，儛之不
> 若向之自得，豈不然哉？至夫笑噱，雖出於歡情，然自以理成，又非自然應聲之
> 具也。此為樂之應聲，以自得為主；哀之應感，以垂涕為故。

嵇康以「父母有疾」的情感狀態與「至親安豫」的恬和自得為喻，試圖啟發秦客內省，從而使秦客超越哀樂並了悟和樂。在嵇康看來，一般的哀樂之人情無所謂度與分。然而，合乎自然之和心、和情、和樂則意味著哀感與歡樂皆合乎時宜而各得其度、各得其分，即「哀樂正等」。《淮南子·說林訓》言：「至樂不笑」[16]。然而，世人通常只識得因歡樂而笑噱與因哀感而垂涕的差異，卻未識得哀樂相生，即哀樂各得其度、各得其分而合乎自然之大同。「是以觀其異，而不識其同；別其外，而未察其內耳。」於嵇康而言，這才是真正的「不知哀而不識樂」。

與〈聲無哀樂論〉此段類似的部分亦出現在〈答難養生論〉中。嵇康談道：

> 苟得意有地，俗之所樂，皆冀土耳，何足戀哉？今談者不睹至樂之情，甘減年殘
> 生，以從所願……故以榮華為生具，謂濟萬世不足以喜耳。此皆無主於內，借外
> 物以樂之；外物雖豐，哀亦備矣。有主于中，以內樂外；雖無鍾鼓，樂已具
> 矣……且父母有疾，在困而瘳，則憂喜並用矣。由此言之，不若無喜可知也。然
> 則無樂豈非至樂耶？

由上可知，嵇康的聲論與養生論有著顯而易見的契合性。這種契合性也進一步說明了將以〈聲無哀樂論〉與〈養生論〉為代表的文本展開關聯性研究的必要。劉綱紀指出：「嵇康的美學思想集中表現在他的《聲無哀樂論》中，其直接的理論基礎是嵇康的養生論。嵇康是從他對社會人生的看法，特別是從他的養生觀點來看待音樂的。」[17]〈聲無哀樂論〉中的音樂境界指向無哀樂的超越之境。嵇康的養生境界亦呈現了同一生命情調下的恬和淵淡。這一養生境界的恬和淵淡體現為聖人「物物而不物於物」的「有主於中，以內樂外」的至樂之情。相反，世人則呈現為在塵世中「物於物」的攀緣之舉，呈現為「無主於內，借外物以樂」的疲於奔命之態。

在嵇康這裡，無論是無哀樂的音樂境界的達成還是恬和淵淡的養生境界的達成都暗含了某種工夫論在其中。結合本文第一部分所述，儒家傳統的「聲有哀樂」和常識思維下「人情－音聲」的聲情關係都指向音聲與哀樂的二分及音聲與哀樂間的互動關係。然而，嵇康則認為，音聲本然無關於哀樂。換言之，音聲就應當是音聲，哀樂就應當是哀

「至樂心愉」比「至樂而笑」更貼合文意。若「而笑」與「而泣」對應，也當為「小歡顏悅，甚歡而笑，至樂心愉」與「小哀容壞，甚悲而泣」間的對應。換言之，歡樂到一定程度則由「顏悅」而「笑」，悲哀到一定程度則由「容壞」而「泣」。然而，至樂只是心愉、自得，並非必須顯現為笑噱。

16 何寧：《淮南子集釋》北京：中華書局，1998年，頁1175。

17 李澤厚、劉綱紀：《中國美學史（第二卷）》北京：中國社會科學出版社，1984年，頁205。

樂。不要總試圖使人心與音聲產生互動，不要總在互動中加深人心與音聲的分別。這裡音聲與哀樂的判然二分反映了嵇康對物我關係的某種主張，即其主張以「以物觀物」的狀態處理物我關係。「以物觀物」也就是不以人心強行與外物互動，不在互動中加深人心與外物的分別。「觀」是視覺隱喻下的典型表述。然而「以物觀物」的「觀」卻不僅是視覺意義的「看」，更是一定意義的由現象通達覺解的「直觀」。雖然嵇康在〈聲無哀樂論〉中並未更深入地闡發其所理解的「以物觀物」之內涵，然而，結合嵇康的其他文本和整體思想可知，其所言「以物觀物」離不開心性的修養工夫，是一種基於合乎自然之心性工夫對物我關係的處理方式。合乎自然之心性工夫需要「心性物化」的「順、從之養」，非積學所能至，實為一種世人成聖體道的工夫修養。關於世人可否經由心性工夫成聖體道，嵇康一方面在〈養生論〉中承認神仙「似特受異氣，稟之自然」，另一方面，其亦肯定了與神仙天資不同的世人有陶練修養而成聖體道的可能性。這種力求合乎自然之心性工夫在〈難自然好學論〉中便體現為與六經抑引不同的「順、從人性」之「養」。不過，「順、從人性」並不是放任世人在世的情性。嵇康在〈答難養生論〉中認為，世人在世的狀態，所謂「接物傳情」的狀態只是「猶木之有蠍，雖木之所生，而非木之宜也。」正如木有蠍的現狀不是木之宜與木的本然狀態一樣，在嵇康看來，世人在世的存在方式也不是人之宜與人的本然狀態。

上述「心性物化」，「以物觀物」的工夫修養實可借生活中的一切外物之觀而證得。然而，日常生活中瑣事瑣物過多。世人既沒有駕馭瑣事瑣物的心胸，又不主動修養心性，故而，由瑣事瑣物極易生出種種煩惱。譬如世人極易為妙音所感，美色所惑。然而，妙音、美色就其本然體性而言並非淫邪，如嵇康在〈聲無哀樂論〉中所言，「淫之與正同乎心」而已。這樣，音聲皆以平和為本然體性。若人聆音聲而漸得「無所先發」，「止於躁靜」，其便於音聲之翫中漸得「心性物化」，「以物觀物」的工夫。以心性工夫應對音聲，聆樂者則能即音聲而離音聲，滌哀樂而達和心。人心則趨於合乎自然之和心。操器而聽者之心漸趨於和心，其所為之音聲亦得以趨於自然而漸非人為之偽。由此，翫音聲之人便於音聲之翫中得神氣之養，情志之和。音聲亦於此過程中得以「導養神氣，宣和情志」，如嵇康〈琴賦〉所言：（音聲）「可以導養神氣，宣和情志」。嵇康所謂音聲「導養神氣，宣和情志」即音聲發揮其躁靜之功。這一功用的發揮主要在於人心的主動超越與提升。在人心主動超越和提升的過程中，音聲只是自然而然地「導養神氣，宣和情志」。《荀子·正名篇》也有：「心平愉，則色不及傭而可以養目，聲不及傭而可以養耳」。[18]可見，哪怕「色不及傭」、「聲不及傭」，只要人心平愉，具體感性事物皆可發揮其養人之功。由此，在嵇康看來，以人心的主動超越與提升為前提，一切音聲皆有養人之功。嵇康的「和聲」概念也當泛指一切音聲，而不僅限於指至和之音聲或至樂。

---

18 王天海：《荀子校釋》上海：上海古籍出版社，2016年，頁926。

　　綜上，嵇康一方面反對「接物傳情」的物我關係和「人情－音聲」的聲情關係，另一方面，其或受老莊從人情中掙脫超拔，「滌除玄鑒」、「心齋坐忘」而忘情於物我的提點，由此思想脈絡的承接，嵇康重構了「心性－音聲」的新型聲情相須關係，指出了一條借音聲修養心性，滌哀樂而返自然的實踐路徑。以吳冠宏為代表的學者亦談及嵇康聲論中的工夫義。相關研究對筆者頗有啟發。吳冠宏指出，和樂似道，宣發眾情。[19]然而，筆者不認同似道之至樂有「宣發眾情」之功。音聲只有躁靜之功。眾情則是人自抒發。只有人在聆音聲過程中心如明鏡般不加分別，「心性物化」、「以物觀物」而不濫生哀樂之情感，即所謂「無所先發」「止於躁靜」，音聲才能發揮其躁靜之作用。

三　嵇康〈聲無哀樂論〉中聲情關係的政治學指向

　　在〈聲無哀樂論〉中，針對秦客的前七處問難，嵇康已然在前七處應答中構建了一種「心性－音聲」的新型聲情相須關係。這種新型聲情相須關係的政治指向性在〈聲無哀樂論〉的最後一處應答中表現得尤為明顯。嵇康獨標「聲無哀樂」對治於儒家傳統「聲有哀樂」的聲情關係，卻於〈聲無哀樂論〉末段「樂之移風易俗」的相關表述上顯得模棱兩可。嵇康首揭「夫言移風易俗者，必承衰弊之後也」，卻也似有承認樂可移風易俗的表述：「大道之隆，莫盛于茲，太平之業，莫顯於此。故曰：移風易俗，莫善於樂。」之後又言「至八音會諧，人之所悅，亦總謂之樂。然風俗移易，不在此也。」對於〈聲無哀樂論〉末段「樂之移風易俗」的相關部分，學界爭論頗多。有學者認為，嵇康此處贊同樂可移風易俗；有學者認為，嵇康此處對「樂之移風易俗」持反對立場；另有部分學者認為，嵇康完全是在詭辯；還有一些學者承認了嵇康聲論的局部矛盾性。筆者認為，解決上述爭議的關鍵在於重新檢視東野主人的最後一處應答，釐清嵇康關於「樂之移風易俗」三處表述中代詞的真正意指。譬如「夫言移風易俗者」究竟所指為何？「大道之隆，莫盛于茲，太平之業，莫顯於此」中的「茲」和「此」指代什麼？「然風俗移易，不在此也」中的「此」又意謂如何？

　　有鑒於此，筆者試圖重新檢視〈聲無哀樂論〉末段的問難與應答，透過嵇康貌似含混的言辭顯現出其對「樂之移風易俗」的真實態度。秦客的最後一處問難提出：「仲尼

19　吳冠宏雖談道：「嵇康認為聲音真正的作用不在『情感』層次而在『躁靜』的面向，因此若擴大此一層次之『情』的角色，則未必可視為〈聲論〉的立場。」（參見吳冠宏：《魏晉玄義與聲論新探》臺北：里仁書局，2006年，頁198。）然而，其所構建的〈聲無哀樂論〉的三層聲情關係仍將至和之音聲的「發滯導情」視為通達躁靜之純然平和所必經的一個在至和之音聲引導下的疏泄淨化步驟。由此，至和之音聲的「發滯導情」，「使心滌『情』任『氣』，遂有『隨曲之情，盡於和域』之妙」。（參見吳冠宏：《魏晉玄論與士風新探——以「情」為綰合及詮釋進路》臺北：花木蘭文化出版社，2009年，頁90。）

有言：移風易俗，莫善於樂。即如所論，凡百哀樂，皆不在聲，即移風易俗，果以何物耶？」於最後一難，秦客搬出孔子這面大旗，展現出儒家傳統「聲有哀樂」聲情關係關乎現實層面的外王格局。

　　東野主人試圖就秦客的上述問難予以應答。試看東野主人答難的第一部分：

> 夫言移風易俗者，必承衰蔽之後也。古之王者，承天理物，必崇簡易之教，禦無為之治……默然從道，懷忠抱義，而不覺其所以然也。和心足於內，和氣見於外；故歌以敘志，儛以宣情。然後文之以采章，照之以風雅，播之以八音，感之以太和；導其神氣，養而就之；迎其情性，致而明之；使心與理相順，氣與聲相應……故凱樂之情，見於金石；含弘光大，顯於音聲也。若此以往，則萬國同風……大道之隆，莫盛于茲，太平之業，莫顯於此。故曰：移風易俗，莫善於樂。樂之為體，以心為主。故無聲之樂，民之父母也。

遵循上下文的意義承轉，嵇康首句「夫言移風易俗者，必承衰蔽之後也」，應指秦客所理解的移風易俗已然不是真正意義的移風易俗，只是古之治世衰弊後的某種移風易俗。嵇康此處「夫言移風易俗者」直指秦客及其所代表的儒家立場的「樂之移風易俗」。通過對秦客儒家立場的移風易俗與真正意義的移風易俗的區別和澄清，於不知不覺中，嵇康悄然置換了秦客儒家立場的樂教內涵，將真正意義的「樂之移風易俗」引向了契合先秦老莊思想的無為而治，一種自然而然的不教之教。

　　談及古之治世，嵇康滿懷憧憬。其在〈難自然好學論〉中有言：「洪荒之世，大樸未虧，君無文於上，民無競於下，物全理順，莫不自得。飽則安寢，饑則求食，怡然鼓腹，不知為至德之世也。」嵇康言「古」，言「古人」，言「古之治世」雖涉及歷史時間維度，但也只是表達一種對理想狀態、聖人先王及理想治世的嚮往而已。在其看來，於古之治世的理想狀態下，人人皆能「心性物化」、「以物觀物」而通於無，故而常無知而「不覺其所以然」、「不知為至德之世」。嵇康在〈答難養生論〉中亦指出，在理想治世狀態下，之所以有君臣，原是因為君王「不得已而臨天下」。君王「由身以道，與天下同於自得……雖居君位，饗萬國，恬若素士接賓客也。雖建龍旂，服華袞，忽若布衣之在身。故君臣相忘於上，蒸民家足於下。」嵇康此一思想接引先秦老莊精神。老子《道德經・第十七章》指出：「太上，下知有之」。[20] 林希逸云：「太上，言上古之世也。下，天下也。上古之時，天下之人但知有君而已，而皆相忘於道化之中。」[21]《莊子・天地》也有類似說法：「至德之世，不尚賢，不使能；上如標枝，民如野鹿；端正而不知以為義，相愛而不知以為仁，實而不知以為忠，當而不知以為信，蠢動而相使，不以為

---

20 熊鐵基、陳紅星主編：《老子集成（第四卷）》北京：宗教文化出版社，2011年，頁503。
21 熊鐵基、陳紅星主編：《老子集成（第四卷）》，頁503。

賜。是故行而無跡，事而無傳。」[22]老莊認為，上古理想治世，百姓只知有一個統治者。統治者不是舵手，只是「標枝」。於此理想治世，君自然，民亦自然。

稽康承接先秦老莊思想，其指出，唯有在此理想治世，人的心性自得修養而體和，才有「和心足於內，和氣見於外」，才有「凱樂之情，見於金石；含弘光大，顯於音聲」。由此，也才有至和之音聲的「導其神氣，養而就之；迎其情性，致而明之；使心與理相順，氣與聲相應」。換言之，至和之音聲「使心與理相順，氣與聲相應」主要源於「心性－音聲」之聲情相須關係。至樂躁靜之功的發揮也必須以和心應之為前提。這種至樂對心性自然而然的導養才是稽康所理解的真正意義的「樂之移風易俗」。由此，「大道之隆，莫盛於茲，太平之業，莫顯於此」中的「茲」和「此」便指向了自然而然的不教之教這一無為而治的道家政治理想。

在此音聲的理想國度裡，至樂乃和心的直接開顯，故而「樂之為體，以心為主。」而若得和心，音聲等形式便沒有那麼重要了，故而稽康又言「無聲之樂，民之父母也。」實際上，聖人作樂雖為創作卻並非人出自一定目的而為的人為的創作，更是某種意義的「經由」聖人而作樂。這種聖人作為道之傳聲筒的看法在劉勰的《文心雕龍·原道篇》中亦有體現，所謂「道沿聖以垂文」[23]即如此。「沿」便是「經由」之意。

再看東野主人答難的第二部分：

> 至八音會諧，人之所悅，亦總謂之樂。然風俗移易，不在此也。夫音聲和比，人情所不能已者也。是以古人知情之不可放，故抑其所遁；知欲之不可絕，故因其所自。為可奉之禮，制可導之樂。

類似的段落亦出現在〈聲無哀樂論〉的第一處答難中：

> 及宮商集比，聲音克諧。此人心至願，情欲之所鍾。古人知情不可恣，欲不可極，因其所用，每為之節。使哀不至傷，樂不至淫。因事與名，物有其號。哭謂之哀，歌謂之樂，斯其大較也。

稽康指出，至樂並非「宮商集比，聲音克諧」，其也不包含「和比」「雜比」之類。繼至樂及真正意義的「樂之移風易俗」之後的「八音會諧，人之所悅」，儘管「亦總謂之樂」，然而，這樣的音聲已然不是真正意義的經由聖人而作之樂，其更像是某種先王聖人有意為之的「入禮之樂」，更像是某種政治規範層面對人情的合理管控。「入禮之樂」同禮一樣，其作用在於以禮樂教化人情，以致影響風俗政治。於是，真正意義的風俗移易便不在於此了。吳冠宏對「風俗移易，不在此也」之「此」有所解釋，其談道：

22　（清）郭慶藩：《莊子集釋》北京：中華書局，1961年，頁445。

23　周振甫：《文心雕龍今譯》北京：中華書局，2013年，頁14。

「若將『風俗移易，本不在此』之『此』解為承衰弊之後的移風易俗，則可以使第一段
與第二段之間形成理解的互涉與交融，如此『移風易俗』遂有兩義，其一為最初的表層
指涉，乃承衰弊之後先王用樂之道的俗義，其二則為正本清源的深層揭示，著力於回歸
樂心會通之自然無為的理境。」[24]筆者對此深表贊同。

　　綜上，通過置換秦客儒家立場的樂教內涵，嵇康將真正意義的「樂之移風易俗」視
為一種自然而然的不教之教。由此，嵇康承接先秦老莊一脈，通過反對世俗人文的活動
而開展出自身的人文向度。

　　可以說，音聲是嵇康的摯愛，亦是其關涉人與世界關係，關涉自己內心世界的一個
重要的視窗和媒介。嵇康聲論背後的物我關係內涵、音聲工夫論向度及無為而治的政治
面向，也都開顯出了〈聲無哀樂論〉的藝術價值和生命關懷。

---

24 吳冠宏：《走向嵇康——從情之有無到氣通內外》臺北：國立臺灣大學出版中心，2015年，頁167。

教育學視域下的《文心雕龍》
理論體系探論[*]

郭晨光

北京師範大學漢語文化學院

　　《文心雕龍》成書於南朝的齊梁時期，全書共五十篇，圍繞其成書時間、思想內容、結構體系、專題範疇等問題，學術界進行了全面、深入的探討，並形成了一門堪比「紅學」的系統之學——「龍學」。有關《文心雕龍》一書的性質，有文學理論、文章學、藝術哲學、美學、文體論、子書、寫作理論專著等多種說法，其中以古代文學理論、文章學和寫作理論專著為主要意見。[1]《文心雕龍》成書至今約一千五百年左右，但成為一門「顯學」，還是近幾十年以來的事，離不開今人大規模的深入研究。經過長時間的研究熱潮之後，「《文心雕龍》幾乎都被後人研究殆盡」、「『龍學』已經走到盡頭了」[2]，在某種程度上揭示了近些年產生突破性成果的客觀困境。如果拋開傳統的文藝學或美學等視角，從一個全新的領域來研究此書，肯定會得出一些新的結論，給「龍學」研究開拓更廣闊的天地。《文心雕龍》蘊含著豐富的文學教育思想，圍繞寫作設置的教學文體、指導寫作的教學方法，及文學人才的教育理論等，有著精闢的論述，足以堪稱一部結構嚴密、體系完備的寫作教學理論專著和文學人才的「教育學」。[3]

---

[*] 基金項目：國家社科基金後期資助項目「魏晉南北朝擬詩研究」階段性成果（批准號：18FZW054）。

[1] 代表如王運熙、楊明、牟世金、戚良德等先生均認為其為古代文學理論、古代文論巨著；范文瀾、羅宗強等先生認為其是一部文章學的理論著作；王運熙其後又在〈《文心雕龍》的宗旨和結構〉一文中修正此書性質為「論述作文之法」，載《復旦學報》1981年第5期、潘新和、林杉、萬奇等先生從指導寫作角度，將其認定為寫作理論專著。

[2] 李平：〈二十世紀中國《文心雕龍》研究的回顧與反思〉，載《文藝理論與批評》1999年第5期。

[3] 「龍學」研究者很少重視《文心雕龍》在中國文學教育史上的地位和價值。孫培青、李國鈞：《中國教育思想史》第一卷《劉勰的教育思想》提出此觀點，然並未展開論述。李軍：〈五、六世紀世界文學教育史上的一枝獨秀——劉勰《文心雕龍》教育理論初探〉，載臺灣《孔孟月刊》第32卷第8期。付心知：〈劉勰文學教育思想初探〉，載《番禺職業技術學院學報》2003年第1期。各種古代語文教育史中大多一筆帶過，似乎只有張隆華《中國古代語文教育史》設專題討論。

一　「體大而慮周」的寫作教學理論體系

　　《文心雕龍》的理論結構體系，被清人章學誠目為「《文心》體大而慮周」、「《文心》籠罩群言」之作。[4] 很多學者傾向於其為「寫作學」理論體系，其著眼點在於讀者、學生接受、學習寫作的主體，從劉勰自身角度看，作為此書的作者，談「為文之用心」，側重在指導教學的一方。有關《文心雕龍》的創作目的，劉勰自述曾做過兩個夢：「予生七齡，乃夢彩雲若錦，則攀而采之。齒在逾立，則嘗夜夢執丹漆之禮器，隨仲尼而南行；旦而寤，乃怡然而喜。大哉，聖人之難見也，乃小子之垂夢歟！自生人以來，未有如夫子者也。」（〈序志〉）第二個夢「執丹漆之禮器，隨仲尼而南行」，舉著代表儒家正統禮樂制度的紅色禮器，跟隨孔子向南而行。象徵自己把儒家文化從齊魯大地（劉勰為山東莒縣人）帶到當時代表「正朔」的南朝。可以說，他有意識的追隨孔子，在這片土地上傳播雅正思想和文風，成為一名教育家和導師，《文心雕龍》是有明確的教學定位和內容，其教學理論體系如下：

> 蓋文心之作也，本乎道，師乎聖，體乎經，酌乎緯，變乎騷，文之樞紐，亦云極矣。若乃論文敘筆，則囿別區分；原始以表末，釋名以章義，選文以定篇，敷理以舉統。上篇以上，綱領明矣。至於割情析采，籠圈條貫：摛〈神〉、〈性〉，圖〈風〉、〈勢〉，苞〈會〉、〈通〉，閱〈聲〉、〈字〉；崇替於〈時序〉，褒貶於〈才略〉，怊悵於〈知音〉，耿介於〈程器〉；長懷〈序志〉，以馭群篇。下篇以下，毛目顯矣。位理定名，彰乎大〈易〉之數；其為文用，四十九篇而已。（〈序志〉）

　　據劉勰的自述，學術界對其理論體系傾向於四分法：上篇：「文之樞紐」從〈原道〉至〈辨騷〉五篇；「綱領」從〈明詩〉至〈書記〉二十篇屬於「論文敘筆」的文體論；下篇：〈神思〉至〈程器〉二十四篇為「剖情析采」部分，有學者認為又可從〈神思〉到〈總術〉十九篇「創作論」以及從〈時序〉到〈程器〉五篇「鑑賞批評論」。最後是總綱性質的〈序志〉。[5]

　　首先看「文之樞紐」，也是寫作教學的第一個理論模組，具體包括〈原道〉、〈徵聖〉、〈宗經〉、〈正緯〉、〈辨騷〉五篇，且至於全書前五，可見其重要程度。首先提出一系列問題，即寫作本體問題的指導思想，解決的是寫作教學最根本性的問題：用什麼指導寫作？寫作的總原則是什麼？以及優秀作品的標準又是什麼？等等。對此劉勰給出了答案，其中〈原道〉、〈徵聖〉、〈宗經〉三篇關係尤為密切，道、聖、經三位一體。為文

4　（清）章學誠撰、呂思勉評：《文史通義》上海：上海古籍出版社，2012年，頁55。

5　祖保泉：〈對《文心雕龍》文學理論體系的思考〉，載《《文心雕龍》解說》合肥：安徽教育出版社2009年，頁983。

必須「本乎道」:「玄聖創典,素王述訓,莫不原道心以敷章,研神理而設教,取象乎《河》、《洛》,問數乎蓍龜,觀天文以極變,察人文以成化;然後能經緯區宇,彌綸彝憲,發輝事業,彪炳辭義。道沿聖以垂文,聖因文而明道」,「道」是本源於自然的「神理」;「聖」是「道」和「文」之間的仲介,是深得道心的「睿哲」,又是「經」的寫作主體,「文」則是聖人著述的經典。作文必須以聖人製作的「五經」為楷模。聖人的文章體要、雅正,具備「六義」:「一則情深而不詭,二則風清而不雜,三則事信而不誕,四則義貞而不回,五則體約而不蕪,六則文麗而不淫。」(〈宗經〉)涵蓋情深、風清等六種優點。後世各類文體、文章都要從經典中汲取思想、語言和形式作為「養料」,「稟經以制式,酌雅以富言」。可以說,這三篇是《文心雕龍》的教學理論體系的邏輯起點,其中〈宗經〉不僅是「文之樞紐」之「樞紐」所在,並且貫穿於各類文體寫作的全過程。

接下來〈正緯〉、〈辨騷〉兩篇,緯書與經典關係密切,相傳為解經之作。相對於「六經彪炳」,緯書就像鏡子的「反面」——「虛偽」、「深瑕」、「僻謬」、「詭誕」。南朝人喜用緯書作為博學的標誌,「蓋讖緯之說,宋武禁而不絕,梁世複又推崇。其書多托始仲尼,抗行經典……疾其『乖道經典』,正所以足成〈徵聖〉、〈宗經〉之義也,故次之以〈正緯〉。」[6]若不先「正緯」,勢必影響「宗經」。但緯書的某些形式、文辭仍有可取之處,「事豐奇偉,辭富膏腴,無益經典,而有助於文章」,應當「芟夷譎詭,采其雕蔚」。〈辨騷〉闡明《騷》對《詩》經的承繼,對其思想內容有褒有貶,肯定「驚采絕豔,難與並能」的藝術手法,把楚辭作為「純文學」的典範。在「徵聖」、「宗經」後,把「楚辭」作為儒家權威其後附立的文學經典,並給人指出了學習的方向。相對儒家經典的封閉傾向,文學經典則是開放的,「永遠預期著新讀者的需求、新文類的形成,新傑作的出現以及新範疇的規則。」[7]有關〈辨騷〉歸屬總論還是文體論?學界一直存有爭議。由於楚辭崇高的文學地位,劉勰擴大了經典的範圍,試圖在文學教育中平衡儒家經典和文學經典,使文學作品有成為經典的可能。楚辭雖與〈明詩〉以下二十篇有過渡性質,實際上並不能歸於一類。

「文之樞紐」的五篇,以前三篇為主,後兩篇為輔,都是正式介入寫作教學之前須首先回答的問題,探討寫作本體問題的總論,也是劉勰的總論教學設計。

再看「綱領」部分,從〈明詩〉至〈書記〉二十篇「論文敘筆」是全書的理論基石。從〈明詩〉到〈雜文〉十篇是論「有韻之文」,從〈史傳〉到〈書記〉十篇敘「無韻之筆」,《文心雕龍》討論了三十三種文體:詩、樂府、賦、頌、贊、祝、盟、銘、箴、誄、碑、哀、吊、雜文、諧、隱、史傳、諸子、論、說、詔、策、檄、移、封禪、

6　劉永濟:《《文心雕龍》校釋》北京:中華書局,2007年,頁38。
7　孫康宜:《文學經典的挑戰》上海:百花洲文藝出版社,2002年,頁27-30。

章、表、奏、啟、議、對、書、記等[8]。具體從四個不同維度,「原始以表末,釋名以章義,選文以定篇,敷理以舉統」(〈序志〉),探討古今文體發展演變、名稱釋義、作家作品及寫作規範。有學者認為「論文敘筆」是一部「分體文學史」或「分體寫作(史)論」[9]。其實,從上古至今的各類文體作為豐富的教學資源,是劉勰有意識的按照一定體例編寫的「教學文體(知識)」,也是本書的第二個內容模組,具體如下:

第一,寫作需以「辨體」、「識體」為先,要準確「定體」,才能「得體」。「文體是指一定的話語秩序所形成的文本體式」[10],是寫作實踐中必須遵守的秩序和法則。「文莫先於辨體」[11]。中古時期的文體分類濫觴於曹丕《典論》〈論文〉的「四科八體」,陸機〈文賦〉分為十類,摯虞《文章流別論》至少探討十二類等。隨著時代、社會的發展,文體也在新生、演變,分類不是絕對的,有些甚至尚未完全定型。辨體」、「識體」是閱讀、寫作的首要條件,然而卻並不容易。劉勰摒棄了枯燥的理論說教,運用科學、規範的編撰方法,按照文體組元,如祝盟、銘箴、誄碑、哀悼、諧隱、論說、詔策、檄移、章表、奏啟、議對等,既有共性特徵,又有其獨立的形貌、屬性。論述細緻入微,多有精闢之論。培養接受主體的文體意識,掌握不同文體的寫作規律和標準樣式,準確「定體」,寫作時才能潛移默化指導、運用,即「得體」。更重要的是,劉勰的「文體觀」並非是靜止、固化的,而是有較大的靈活自主性。體有各式,要「隨事立體」(〈書記〉)「因情立體,即體成勢」(〈定勢〉)如哀、吊、誄、碑等「有韻之文」,是民間日常的實用性哀祭文,祝、盟、律、令、法、制、譜、籍、簿、錄是官府事務文書,詔策、封禪、章表、奏啟、議對又屬宮廷專屬應用文體。在不同的場合施用不同的文體,實現體與用的合一。

第二,文體在演變過程中形成的「交叉文體」兼有文學文體和實用文體的「兩棲」屬性,將其納入教材,發掘和重視其不可替代的教學價值。如頌、贊均具備歌頌功德、褒獎讚揚的政治功用,誄文敘述死者德行,體制像傳記;其辭運用韻語,又似頌。這些文體所占比重不大,卻蘊含著巨大的教學價值,在政治、日常生活中用途廣泛。劉勰選擇的教學內容不是虛擬的、脫離社會實踐的「偽文體」,而是指向實際生活情境的「真實文體」、「實用文體」。劉勰認為每種文體都有一定的體制和規範,不宜違背。如〈頌贊〉單列馬融〈廣成頌〉、〈上林頌〉,認為其典雅似賦體、郭璞注《爾雅》的讚語「義美兼惡」;〈誄碑〉列曹植〈文帝誄〉最後用大量文字陳述自己等,這些「訛變」就是過

8　有的篇章還論及其他有關文體,連同亞文體和一筆帶過的文體,《文心雕龍》論述的文體達八十五種之多,僅《書記》就列舉二十四種筆劄。

9　潘新和:〈選《文心雕龍》寫作學專著之真面目——走出龍學研究的「文學理論」誤區〉,載《福建師範大學學報》1997年第2期。

10　童慶炳:《文體與文體的創造》昆明:雲南人民出版社,1994年,頁20。

11　(明)吳納著、于北山校點:《文章明辨序說》,北京:人民文學出版社,1998年版。

於追求文學、藝術性，沒把握好「度」（文的「大要」、「大體」），產生了隨意性強而難以規範的文體，遠離了寫作要求。對教學而言，是需要加以引導和避免的，也是在教學過程中容易被忽視或遮罩的。

第三，教學文體除知識、學習等屬性外，還具有情感和價值觀等方面的特質。「文體折射出作家、批評家獨特的精神結構、體驗方式、思維方式和其他社會歷史、文化精神。」[12]遵循文體規律展開教學，不僅有利於寫作活動的順利進行，而且透過調動自身理解、情感和想像等審美要素，實現情感和價值觀的綜合提升。如〈詮賦〉「風歸麗則」觀點，提倡揚雄「詩人之賦」，批評「麗淫」作品「無實風軌，莫益勸誡」、〈銘箴〉「貴乎慎德」，強調作者的品德對人們起著慎重德行的作用、〈奏啟〉「雖有次骨，無或膚浸」，可以有深入至骨的揭發，但不能讒言害人等。《文心雕龍》所提倡的文體都具備雅正的「文德」，寫作主體的德行和修養也由內而外的滲透其間。寫成的文章也就外化為作者的情感和價值觀的生命符號。

總之，劉勰強化文體觀念而有意識改變陳舊、不合時宜的教學方法，對當時的教學理念無疑是一場革命。他設置的「教學文體」妥善處理了「實用性」和「價值性」的和諧統一。可以說，這些「教學文體」組成了一部「文學教材」，兼有知識、學習以及倫理與社會學等方面的本質特徵。作為一部教材，兼具全方面的價值，才能發揮更大的功用。

最後再看從〈神思〉至〈程器〉為「剖情析彩」部分，又可細分為從〈神思〉到〈總術〉「創作論」以及從〈時序〉到〈程器〉「鑑賞批評論」。這也是第三個內容模組，被認為是寫作方法泛論，是打通各體文章，從篇章字句等一些共同性問題來談論寫作方法。[13]如果說「論文敘筆」是告訴人們「是什麼」、「寫什麼」，那麼「剖情析彩」則是指導「怎麼寫」。從〈神思〉到〈總術〉十九篇綜合論述了寫作的全過程和諸多技法，從寫作前的運思開始，結構、篇章、剪裁、糾錯、綴合、辭藻、聲律、比興、誇張、用典、練字等方方面面。當時也有一些指導寫作的理論，但多為一些簡單的概括性步驟，且跟不上文體發展的時代形勢。[14]如陸機〈文賦〉為文之「用心」在於「如何『放言其遣詞』，乃是把文章寫好、寫美的問題」[15]，關注點在「形式技巧」等純文學寫作技法。受南朝重形式文風的影響，時人「多欲練辭，莫肯研術」（〈總術〉），片面追

---

12 童慶炳：《文體與文體的創造》昆明：雲南人民出版社，1994年，頁21。

13 王運熙：〈《文心雕龍》的宗旨和結構〉，載《復旦學報》1981年第5期。

14 「近代之論文者雖多」，從東漢桓譚、魏文帝曹丕到西晉二陸，整整十家文論著作沒有一篇稱得上是成功的。它們要麼「各照隅隙，鮮觀衢路」要麼「未能振葉以尋根，觀瀾而索源。不述先哲之誥，無益後生之慮。」（〈序志〉）

15 戚良德：〈《文心雕龍》對〈文賦〉的繼承〉，載《《文心雕龍》與當代文藝學》臺北：中央編譯出版社，2012年，頁113。

求綺麗新穎的辭藻，不肯鑽研寫作的原理、技法。針對學生不會亦不願寫，老師也不會教的寫作現狀，亟待加強實操性的「（文）術」，即用什麼樣的語言秩序編織文本及一系列的程式性步驟來「籠圈條貫」（〈序志〉），要將寫作過程分為可控可分解的流程模式：

第一，劉勰對寫作教學有著連續性的全域式的關照，按照「分－總」之組織體系架構教學實踐。「剖情析彩」部分的展開涵蓋了「前寫作－寫作－後寫作」的全過程。〈神思〉是臨文前的知識儲備、起草前作者的運思及應有的精神狀態。〈體性〉提出臨文前寫作主體「才」、「氣」、「學」、「習」等素養，以及文章八種風格與作者性情之關係。〈風骨〉承續〈體性〉，論述剛健的文風。《通變》闡明文章發展的總趨勢和時代風格，要求「參伍因革」、〈定勢〉強調「因情立體」、「即體成勢」，〈情采〉講「情」與「采」之關係。可以說，從〈體性〉到〈情采〉基本屬寫作風格論，包括文體風格、時代風格的變遷及理想風格論等。〈鎔裁〉論剪裁浮詞，又是對上一篇〈情采〉的補充。接下來論述具體的修辭、用語等技法，如〈聲律〉、〈章句〉、〈麗辭〉、〈比興〉、〈誇飾〉、〈事類〉、〈練字〉、〈隱秀〉。主流文壇崇尚聲律、辭藻等技法，〈聲律〉、〈麗辭〉、〈誇飾〉、〈隱秀〉多為純文學作品採用。〈指瑕〉指摘文章中的毛病，寫作過程中或完成後不可避免要潤色修改。

接下來《養氣》、《附會》、《總術》是「對自〈神思〉至〈指瑕〉各篇所論問題的補充、協調與總結。」[16]〈養氣〉「清和其心，調暢其氣」，保持良好的精神狀態才能文思暢通，是對〈神思〉的承續和發揮。〈附會〉講內容、文辭的連綴聚合，是對前面諸多寫作細節的補充。最後一篇〈總術〉總結前面的「為文之用心」，只有掌握「術」，才能「乘一總萬，舉要治繁」。

第二，〈時序〉、〈物色〉、〈才略〉、〈知音〉、〈程器〉，被通常認為是寫作活動完成後的鑑賞和批評。其實也是以接受主體為中心的教學活動過程。又可分為幾個小的層次：〈時序〉、〈物色〉兩篇開頭為四言四句，是內容句法對稱的姊妹篇。實際上，面對提供的寫作教學內容無法滿足實際教學需要，劉勰善於利用和拓展課堂內外的教學資源，首先是以往的文學遺產和人文知識，〈時序〉把三皇五帝至南北朝「九代之文」精挑細選，作為優質的寫作資源。還有各地區蘊藏著豐富的自然、地理等資源納入進來。〈物色〉論文學和自然景物之關係，「山林皋壤，實文思之府庫」，感動作家的「文心」，也是為文構思的寶庫；並認為屈原的成功，很大程度上得到了「江山之助」。其實劉勰「善用」的寫作資源很廣，如〈正緯〉奇特絢爛的典故、〈樂府〉各地的「土風」及河南、河北、山東黃河流域以及江左地區的地域文化資源，等等。〈知音〉談作為接受主題的讀者要成為合格的「知音」的條件，也是以讀者為中心的寫作教學。完整的寫作過程離不開讀者的接受和交流。也是讓作為接受主體的讀者從順從的接納，到主動參與教

16 黃霖：〈《文心雕龍》：中國第一部寫作心理學論著〉，《河北學刊》2009年第1期。

學活動的轉變。最後〈才略〉、〈程器〉談寫作主體的才能與品德。

　　綜上，從「論文敘筆」到「剖情析采」體現了劉勰教導寫作的全過程，對於初學者還是已有一定寫作經驗的人均有裨益。近代不良的寫作風氣，「辭人愛奇，言貴浮詭，飾羽尚畫，文繡鞶帨，離本彌甚」（〈序志〉）後人受崇尚新奇、浮華文風的影響，即便有一些模糊的「文體感」，但在這種自然學習狀態下的寫作，只能是離根本越來越遠，發展到謬誤浮濫的地步。面對此種現象，導師的指導顯得尤為重要，劉勰將科學、規範的文體知識（論文敘筆）教給學生，使其形成清晰的「文體意識」；接下來教導其完整的寫作程式、策略方法，使其透過大量的練習實踐，在頭腦中形成自覺、強烈的「文體圖式」，從而指導寫作，達到體與用、知與行的合一。在文體層級轉化的過程中，最終落實到在具體文章、文體的完整、連貫。擺脫「棄術任心」（〈總術〉）、盲目重複的實踐而臻於完善。

　　更重要的是，劉勰還自覺轉變自身的角色身分，躬身示範在寫作過程中如何發揮導師作為引路人的重要作用？導師首先是寫作的「示範者」，應有能力且善於寫作，《文心雕龍》就是用優雅精緻的駢文寫成，體現了教學活動的藝術性。導師還應是寫作過程的「指導者」，在教材和教法缺乏的相對缺乏的條件下，應指導學生在寫作前完成知識儲備、養成良好的學習習慣、寫作過程中善於思考，寫作後的修改和反思等環節，還要幫助學生找到適合自己風格和學習方向，「摹體以定習，因性以練才」（〈體性〉），是自由學習的促進者。最後還要善於利用、開發課堂內外的教學資源，拓展學生的知識結構，是學習資源的建設者。可以說，劉勰在兩千多年前身體力行的示範和建議，對今天的教師教學仍有重要的啟發價值。

二　《文心雕龍》文學人才教育思想的理論建構

　　《文心雕龍》呈現出「雜文學」、「大文學」理論視野，涵蓋了純文學寫作和實用寫作等各類文體，其對應的寫作主體也是「文」、「筆」兼擅的知識群體，而與今天所謂的「文人」概念有所不同。劉勰的教學理論體系不僅研究寫作的整體過程，而且透過積學、養氣、修德等培養寫作主體，使其形成高尚的人格和修養。他對寫作主體的素養提出了一系列主張，系統建構了文學人才的教育思想。核心是將論文和論人緊密結合，追求「文德合一」的思想。劉勰所謂的「文德論」兼有兩種涵義，「〈原道〉『文』作為一種德行，與天地並生意義重大；〈程器〉指文人的道德、文章。」[17] 本節所論「文德」主要指後者：

　　首先，他在〈才略〉、〈程器〉等篇，集中評價了一百多位元作家、作品的才華得

---

17 夏靜：《中國古代文學思想史上的「文德」論》，《文藝研究》2017年第10期。

失、風格特點，從正反兩個方面，客觀審視了古今文人在品行「疵咎實多」，首要指出培養品德、修為的重要性。〈程器〉不厭其煩的列舉了司馬相如、揚雄、馮衍、杜篤、班固、馬融、孔融、禰衡、王粲、陳琳、丁儀、路粹、潘岳、陸機、傅玄、孫楚等種種劣跡，造成誤解固然受曹丕文人「不護細行」的偏見。緊接著又用屈原、賈誼、鄒穆、枚乘、黃香、徐幹皆因美好的文采和品德彪炳千秋。差別即在於一些人「雕而不器」、「文德分離」、「重文輕德」。針對「文與德」分的不良傾向，劉勰繼承了孔子「據於德，游於藝」、「先識器而後文藝」教育思想，〈才略〉、〈程器〉論述文人的「才」與「德」，提出「貴器用而兼文采」觀點，既重視品德、實用又兼顧文采。《文心雕龍》大多數篇目都涉及作家的道德與作品之關係，如「太上立德，其次立言。君子之處世，疾名德之不章。唯英才特達，則炳曜垂文，騰其姓氏。懸諸日月焉」（〈諸子〉）以德為先，德才兼備，才能使文章流芳百世。〈祝盟〉「夫盟之大體，必序危機，獎忠孝，共存亡，戮心力，祈幽靈以取鑒，指九天以為正，感激以立誠，切至以敷辭，此其所同也。」內容、情感要真實、純正，盟誓的雙方要謹守承諾。其中盟的寫作要領，「忠信可矣，無恃神焉」，強調寫作主體的人品和態度。可以說，「『文』無不與『德』契合貫穿。」[18]

　　其次，在德才兼備的基礎上，強調要具備政治才幹，「達於政事」，實現自身的理想抱負，成為國之棟樑。劉勰反對「文人無行」說法，原因在於「將相以位隆特達，文士以職卑多誚」，列舉管仲、吳起、陳平、周勃、灌嬰等高官、武將的反面事例，「文人無行」論實乃缺乏政治地位導致[19]。劉勰強烈的入世精神和事功之心，是建立在對歷代才子悲慘境遇的認知上，「揚、馬之徒，有文無質，所以終乎下位」（〈程器〉）他感慨「或練治而寡文，或工文而疏治」（〈議對〉），兼有文采和治國之術的人實在是太少了。因此他提出「學文達於政事」的觀點，強調文章要「有補於時政」，為現實政治、軍國大事服務。實際上，要獲得成功除了主觀上的學習、努力外，還受時機、時代等客觀條件影響，「崇文之盛世，招才之嘉會」，「貴乎時」即古人看重時代的原因。面對寫作主體之間「性各異稟」（〈才略〉），如何培養文德統一和治國之術的「通才」？劉勰給出了自己的思考和答案：

　　第一，在學童開始學習時要養成良好的習慣，首先要學習雅正的體制，選擇適合自身學習的相應文體、風格，以養成習慣，根據各自性情來鍛鍊文采。六朝時期流行「才行論」，貴族家庭特別強調早期教育的重要性，認識到兒童與成年在天賦、才能上的不同，「凡童少鑒而志盛，長艾識堅而氣衰」（〈養氣〉）因而要「學慎始習」，「必先雅制」（〈體性〉）「宜正體制」（〈附會〉）兒童開始學習寫作要慎重，須從雅體開始，「尋根討葉，思轉自圓」，「典雅、遠奧、精約、顯附、繁縟、壯麗、新奇、輕靡」八種風格，根

---

18 錢鍾書：《管錐篇》，北京：生活‧讀書‧新知三聯書店，2007年。

19 中古時期對於「文人無行」的批評不絕於耳，如北齊楊遵彥《文德論》「古今辭人，皆負才遺行，澆薄險忌」，（隋）顏之推《顏氏家訓》〈文章〉以「自古文人，多陷輕薄」批評三十六位文人的品德等。

據自己天分來選擇學習方向，「摹體以定習，因性以練才」，是文章寫作的指南。習得雅正文體之後即便根據一己喜好選擇「新奇」、「輕靡」之體，也能寫出「麗而不淫」的文章。在具體寫作技巧上，〈附會〉談到注意情志、事義、辭采、聲律等，選用合適的，去掉不妥的，使文章恰到好處，即「綴文之恆數」。這些都是對兒童、初學者學習寫作提出的要求和建議。

　　第二，透過「徵聖宗經」修懿文德和「練武」、「習武」，昭明「軍國」結合起來，做到文武兼備。「瞻彼前修，有懿文德」（〈程器〉）正式標舉「修懿文德」思想，那麼透過何種途徑修懿文德？「氣以實志，志以定言，吐納英華，莫非性情」（〈體性〉）文章的體式、文采源於作者的性情。性情的養成是接榫各要點之關鍵，即師法聖哲之心。《文心雕龍》多次提及修德與聖人之關係，如「陶鑄性情，功在上哲」（〈徵聖〉）「勵德樹聲，莫不師聖」（〈宗經〉）儒家心性的養成和宗經之間也有必然關係，「典雅者，鎔式經誥，方軌儒門者也」（〈體性〉）「八體」之首即「典雅」，對應的是寫作主體背後文質彬彬的君子心性，需要「習經」、「體經」才能獲得，「論文必征於聖，窺聖必宗於經」（〈徵聖〉），君子心性的意義在於「既有君子自身的意義，又兼向文人心性意義的方向轉換。」[20]「徵聖宗經」是為寫作「打底色」的工程。文人可以完全從自身出發，「各師成心，其異如面」，寫作追求辭藻聲律的美文。創作出的文章內部必定體現著儒家仁義道德的真善美，外部呈現為色澤聲韻之美至高的文學理想，才是「表裡必符」、「情文統一」的佳作。另外，還要「練武」、「習武」，「文武之術，左右惟宜」（〈程器〉）南北朝時期用兵頻繁，需要大量文韜武略的實幹家，劉勰發展了孔子「修文德」以安天下的思想，提出「攡文必在緯軍國，負重必在任棟樑」（〈程器〉）能為軍國大事寫作公文，擔負重任的棟樑，才是「梓才之士」。

　　此外，劉勰特別看重文學的社會使命和現實意義，最能體現文章社會價值的當屬公文。「唯文章之用，實經典枝條，五禮資之以成，六典因之致用，君臣所以炳煥，軍國所以昭明。」（〈序志〉）公文的作用即完成各種禮儀、實施政務、明確君臣關係、昭明軍國大事。[21]公文主要指政府在處理政治、軍事、經濟、人事等政務所產生和使用的文書形式，在文辭、形式、使用場合等方面都有嚴格要求。《文心雕龍》幾乎網羅了當時所有的公文，主要包括祝、盟、檄、移、譜、籍、簿、錄、律、令、法、制等「官府（軍事）事務文書」，以及詔、策、封禪、章、表、奏、啟、議、對等「宮廷專用文體」。劉勰用大篇幅探討了公文寫作規範以及公文人才素養：

　　第一，《文心雕龍》確立了公文文體與純文學文體在寫作要求以及審美風格上的區

---

20 李智星：〈鎔鑄君子與文人作家──劉勰〈宗經篇〉的心性教育〉，《哲學分析》2015年第3期。

21 在此我們使用「公文」而非「應用文」概念。應用文根據用途可分為私人應用文和公務應用文，《文心雕龍》中有些也與政務相關，如哀辭、吊文、誄文、碑文等哀祭文體，符、契、券、疏等經濟類文書，也是在民間生活、工作中經常使用的文書，不是純粹意義上的公文。

別。「章、表、奏、議，則准的乎典雅」、「符、檄、書、移，則楷式於明斷」（〈定勢〉）相對「詩」、「賦」之「清麗」，「連珠、七體」之「巧豔」，公文文體以「典雅」、「明斷」為標準，那麼怎樣達到這些要求呢？「典雅者，鎔式經誥，方軌儒門者也。」、「精約者，核字省句，剖析毫釐者也」（〈體性〉）章、表、奏、議，是「經國之樞機」，和其他文體一樣，都需要「徵聖」、「宗經」。「詔、策、章、奏，則《書》發其源」（〈宗經〉），《尚書》作為儒家經典之一，主要是君主任命官員或賞賜諸侯頒布的政令。在〈議對〉、〈封禪〉、〈奏啟〉、〈章表〉、〈詔策〉提出仿效《尚書》中「典、謨、訓、誥、誓、命」六種文體。況且很多下行公文，表達的是政權組織、皇帝或當權者的意志（「王言」），所以要「典雅中正」，有肅清風化政治教的職責。另一方面，公文寫作要「精約」，即簡明扼要、刪繁就簡，剖析精細入微，「標以顯義，約以正辭，文以辨潔為能，不以繁縟為巧」（〈議對〉）「精約」、「辨潔」是公文的寫作規範和審美要求，也是與純文學作品的區別所在。簡明扼要的前提是表達完整、表述準確，「貴乎經要，意少一字則義闕，句長一言則辭妨」（〈書記〉）此外，公文寫作並不排斥文學性的表現手法、技巧，如劉勰讚賞賈誼〈論積貯疏〉、晁錯〈言兵事疏〉，使用漢賦誇張等手法，達到了實用性和文學性的完美統一。如果不能兩全，只要能切中要害，即便文采有所損失，也是無傷大雅的。〈議對〉載傅咸懂治國之策，但其議文「屬辭枝繁」，杜欽對策「略而指事，辭以治宣，不為文作」略於指事，但文辭為治國而非文采，也不失為優秀的公文。〈詔策〉載孔融任北海相時，教令「麗而罕施」，與地方實際不符而無法施行。從正反兩面說明公文文體的美學價值在於其實用性。缺乏繁縟的套話、空話、虛浮濫語，追求耿介氣質、剛柔相濟的行文風格，能在政治、軍事工作中高效的解決實際問題，其崇尚實用的特質也起到了積極作用。

　　第二，由於公文的崇高地位和實用文風，劉勰對公文人才素養上提出了更高、更特殊的要求。從曹丕《典論》〈論文〉「蓋文章，經國之大業，不朽之盛事」開始，劉勰認為公文「經國之樞機」、「政事之先務」，把公文抬到關乎國家社稷的高度。公文「作為社會的神經系統和資訊通道，它滲透到社會生活的各個領域，與人類生活的各個層面發生種種聯繫，扮演者多重角色，具有多重屬性。」[22]除了德才兼備、文武雙全以外，公文人才素養的要求更加具體、特殊：

　　（一）由於公文與現實的密切關係，各類公文官吏要博聞強識，廣泛參與社會生活。「強志足以成務，博見足以窮理」（〈奏啟〉）「故實於前代，觀通變於當代」（〈議對〉）才能參酌古例觀察變化，正確的處理今事。晁錯的對策文名次超越眾人居首位，即「驗古明今，辭裁以辨，事通而贍」。另外，「郊祀必洞於禮，戎事必練於兵，佃谷先曉于農，斷訟務精於律」（〈議對〉），要通曉禮儀、軍事、農事、法律等所屬的行業，瞭

22　胡元德：《古代公文文體流變》揚州：廣陵書社，2012年，頁1。

解社會時事，有處理實際事務的能力。劉勰反對「不達政體，舞文弄筆」作法，以及「非迂緩之高談」、「非刻薄之偽論」，反對文采蓋過實際，高談闊論以及虛偽刻薄的議論。然而要做到這些並不容易，劉勰感慨「難矣哉，士之為才也！或練治而寡文，或工文而疏治」（〈議對〉），更何況「有司之實務，而浮藻之所忽也。然才冠鴻筆，多疏尺度」（〈書記〉）各級文書主管必須處理的工作，往往被追求浮華文采的作者所忽略。作為文壇的執筆之士，須「思理實焉」，思考如何處理這類具體實務。

（二）由於各類公文的寫作規範和施用場合不同，其背後反映著寫作主體更加細緻、嚴格、個性化的品行要求。「修祠立誠，在於無愧」（〈祝盟〉），強調盟誓雙方的誠信。「雖本國信，實參兵詐」（〈檄移〉），本於國家信用的同時增加了權謀詐術。彈劾的奏文「不畏強禦，氣流墨中，無縱詭隨，聲動簡外，乃稱專席之雄，直方之舉」（〈奏啟〉），不畏強權、不放縱狡詐善變之人，才是作為檢察官的方正之舉；「雖有次骨，無或膚浸」，可以深入至骨的揭發，但不能讒言害人。「不專緩頰，亦在刀筆」（〈論說〉），不僅和顏悅色的表達，在必要時候也應該犯顏直諫等。可以看出，作為一名公文官員，除了兼具德才兼備、文韜武略以外，對外用兵作戰，針對敵人，可以「譎詭以馳旨，煒曄以騰說」，用誇張的表現手段、兵不厭詐之術傳播自己的主張。對內要為國、為君主盡忠，不計較個人代價得失，敢「批逆鱗」。還要智勇雙全，有膽有謀，范睢、李斯的上書都「順情入機，動言中務」，才能「功成計合」，不僅保護自己，還使計謀能被順利採納。另外，在聲討他人罪行時要「三驅馳網」，就事論事，客觀公正，盡可能網開一面。

三　《文心雕龍》文學人才教育思想與時代淵源

上文詳論有關劉勰文學文學人才教育的思想，一方面，它的提出與魏晉南北朝分裂時期（西元220-589年）的人才標準、人才競爭有密切關係。「人才思想在這一時期發展到了一個巔峰，是中國古代人才學的理論構建期。」[23]另一面，隨著當時公共知識的定型和主流文風的變化，士人群體發生了複雜的分化，劉勰的人才教育思想理論體系的形成，深層也是由於相應知識主體（特別是文書之士）的社會地位和身分的變化。以下分而言之：

首先，分裂時期社會環境，為人才成長、流動和競爭帶來了便利條件。各地的割據政權為了在軍事行動中立於不敗之地，想盡一切辦法招賢納士、籠絡人才。其中曹操率先統一北方，曹植曾言「吾王於是設天網以該之，頓八紘以掩之，今悉集茲國矣」（〈與楊德祖書〉）從某種程度上看，其霸業的取得就是各地人才投身曹營的經過，也對分裂時期人才選拔政策產生了深遠影響。相對漢代舉孝廉、賢良方正等注重品行的人才政

---

23 余興安、顏成普：《中國古代人才思想源流》北京：黨建讀物出版社，2017年，頁84。

策，曹操提出「唯才是舉」的用人觀，「負污辱之名，見笑之行，或不仁不孝而有治國用兵之數；其各舉所知，勿有所遺」，把「才能」、「績效」放在首位，在處理德行與才能兩者關係問題上更注重後者。[24]他的公文一掃漢代以前公文寫作的「繁縟」，奠定了「簡約」、「精約」的特色。〈求賢令〉、〈封功臣令〉只有七十多字，篇幅較短，文辭簡練，體現了對公文寫作實用特徵的把握，被魯迅稱為「改造文章的祖師」。此外，這一時期還出現了劉邵《人物志》、葛洪《抱樸子》等人才素質論，以及著名的「才性之辨」爭論，都昭示著亂世中對人才理論的自覺思考。

　　永嘉十年（西元311年），匈奴攻陷長安，晉室南渡，司馬氏在建鄴建立了東晉，隨後的南朝宋、齊、梁、陳四個朝代，政權更迭頻繁，但局勢基本穩定。北方經歷了五胡十六國的混亂時期，北魏鮮卑族於西元四三九年統一北方，與南朝（劉宋）正式形成對峙，雙方經歷了數十次大小規模的戰爭，互有勝負，勉強維持著對峙局面。北魏經過孝文帝（西元467-499年）的改革，社會出現了一個繁榮發展時期。當時南北雙方都在極力爭奪「正朔」地位，胡族佔據代表正統的中原，但文化上並不占優勢。蕭梁（西元502-557年）是南朝享國最久的朝代，武帝登祚之後，致力於文治，「製造禮樂，敦崇儒雅，自江左以來，年踰二百，文物之盛，獨美於茲」（《南史》〈梁本紀中〉）北齊高歡曾說：「江東復有一吳兒老翁蕭衍者，專事衣冠禮樂，中原士大夫望之以為正朔所在。」（《北齊書》〈杜弼傳〉）取得文化偉業，以禮樂仁義思想化育天下，才是「正朔所在」。劉勰（西元465-520年）生活在齊梁之際，《文心雕龍》的成書於大約於齊末梁初，[25]劉勰一方面強調「練武」、「習武」，正值軍人用武之時，強大的軍事實力才能結束對峙，完成統一；另一面把亂世推崇的「才德兼備」人才政策改為「德才兼備」，以「德」為先，試圖恢復兩漢大一統時期極為重視德行的人才評估標準。「於是朝野歡娛，池台鐘鼓。裡為冠蓋，遂成鄒魯」（庾信〈哀江南賦〉）喻家家戶戶像孔、孟故鄉那樣的文教昌盛之地。雖有誇張溢美之嫌，側面也透露了教化的效果。《文心雕龍》的成書正當其時，從某種程度說，也是有意識順應國家規範教育的趨勢，塑造國家盛世文化的標準。

　　其次，隨著晉室南下的還有超過一百萬人口的中原士族和人才，與江左士族構成了門閥政治的基礎。世家大族看重學術文化對於維持門第的重要性，逐漸形成了一套士族人才評價標準：需要儒道兼綜，學習儒家經典和《老》、《莊》等玄學著作，追求放達、清談，不攖世務，以及「以文學相尚」（《南史》〈王承傳〉）談玄和作詩稱為士族身分的顯著標誌。同時，隨著公共知識的發展、定型，知識階層的構成可分為文儒之士和文書之士，其身分和社會地位也在不斷重新界定。「各種程式化公私文牘退出『文學』和

24　曹操也並非完全不強調「道德」，他曾頒布〈修學令〉，提倡仁義禮讓之風。與選賢任能的政策有著
　　不同施用環境，分別用於治世和亂世，並不矛盾。

25　有關《文心雕龍》的成書時間，學界一直存有爭議。本文取羅宗強：〈劉勰的生平和《文心雕龍》的
　　成書〉一文的說法，載《魏晉南北朝文學思想史》北京：中華書局，2006年，頁188。

『文章』之列，昭示了現在的公共知識結構和整個知識系統中，什麼是高端學問，什麼只是低層的技術性知識。而知識系統的這種分化，勢必伴隨著相應知識主體的社會身分和地位之別。」[26]擅長經學和詩賦易於賦閑而難以獲得生計，且透過世代相傳、婚姻關係、政治參與等區別於其他群體，成為門閥政治的點綴。這類知識群體也佔據了仕途結構和官僚隊伍，如「文義之事，此是士大夫以為伎藝欲求官耳」（《南史》〈始安王遙光傳〉）「世俗以此相高，朝廷據此擢士」（《隋書》〈李諤傳〉）。

　　南朝人有明確的「文筆」意識（「文筆之辨」），從《文心雕龍》「論文敘筆」的排列順序上說，先論文後敘筆，「有韻之文」以詩、賦、樂府等純文學文體為先，其身分、社會地位自然相應的也高於擅筆之人。「當時自是閭裡年少，貴遊總角，罔不摛落六藝，吟詠情性」（裴子野〈雕蟲論〉）「（鐘）嶸觀王公縉紳之士，每博論之餘，何嘗不以詩為口實」（鐘嶸《詩品》），詩賦等純文學文體成為長幼貴賤追慕的「高端學問」，大量公、私文書簿錄工作卻很少有文人、士大夫願意從事，被劉勰譏為「才冠鴻筆，多疏尺牘」，即便文壇巨匠也看不懂日常應用的尺牘。更嚴重的是，士族文人崇尚清談，不攖世務，已經危害到整個社會的正常運轉，「梁朝全盛之時，貴遊子弟，多無學術，至於諺云：『上車不落則著作，體中何如則秘書。』無不薰衣剃面，傅粉施朱，駕長簷車，跟高齒屐，坐棋子方褥，憑斑絲隱囊，列器玩於左右，從容出入，望若神仙」（《顏氏家訓》〈勉學〉）「自晉宋以來，宰相皆以文義自逸，敬容獨勤庶務，為世所嗤鄙。」（《梁書》〈何敬容傳〉）士族子弟多不尚事務、脫離實際。

　　值得注意的是，梁初武帝的一系列人才政策與前代相比發生了明顯變化，重儒崇學，恢復了政局變動時開時停的國子學，且在官吏選拔上，延續前代看重門第身分的同時重視寒門後學的才能。《敘錄寒儒詔》載：「寒門後品，並隨才試吏，勿有遺隔。」（《梁書》〈武帝中〉）從某種程度上打破了士庶之間的隔閡，依照德才選用官吏，像劉勰一樣的寒門庶族重新看到了希望，據《梁書》〈本傳載〉「勰早孤……家貧不婚娶」，曾做過「中軍臨川王宏引兼記室」、「除仁威南康王記室，兼東宮通事舍人」，即文書之類的工作。文書之士「與兩漢以來知識、政治和社會系統的變遷相適應，存在著地位相對於文儒之士不斷跌落，身分則愈益接近於各種技術者的演變和定型過程。」[27]整個社會有大量的公、私文翰和相關工作，需要有實際事務能力且有一定文化水準的人員從事，其人員構成也多為寒門子弟，地位遠低於文士和儒生。同樣，公文也卑於詩賦。[28]

　　鑒於此，《文心雕龍》大部分篇幅探討了公文文體和寫作方法。劉勰在〈書記〉篇列舉了二十四種公文，「雖藝文之末品，而政事之先務」，在藝術上無甚可取，但是維持

---

26 樓勁：《魏晉南北朝隋唐時期的知識階層》蘭州：蘭州大學出版社，2017年，頁19。

27 樓勁：《魏晉南北朝隋唐時期的知識階層》蘭州：蘭州大學出版社，2017年，頁14。

28 劉勰早年受時代影響，也崇尚浮華文風，他的第一個夢「夢彩雲若錦，則攀而采之」到第二個夢「執丹漆之禮器，隨仲尼而南行」，即反映了從崇尚華美的南朝文風到儒家正統思想的變化。

國家、整個社會運轉的重要工具，並非低端的筆劄賤技。對應的知識群體「言既身文，信亦邦瑞，翰林之士，思理實焉」（〈書記〉）「既其身文，且亦國華」（〈章表〉）「豈無華身，亦有光國」（〈程器〉），優秀的公文不僅反映作者個人的品德、文采，還是國家的祥瑞和榮耀。劉勰對當權者提出了訴求，呼喚重視這類人群，提高他們的社會地位。同時，還對士大夫、貴族階層表達了一定的期待，試圖引導他們從事文書寫作、參與社會管理。他以劉楨、張華為例，劉楨「文麗而規益，子桓弗論，故世所共遺，若略名取實，則有美於為詩矣」（〈書記〉），文采華麗而易於規勸，但被人忽視。如不考慮名聲看實際，箋記比詩寫的好。張華〈三讓封公表〉「理周辭要，引義比事，必得其偶」（〈章表〉），而世人只推崇他的〈鷦鷯賦〉，沒有顧及章表。可以說，以往的文壇巨匠並非不善筆劄之輩，而是被人忽略的緣故。更重要的是，顯赫一時的文人前輩不僅長於公文，還兼備軍事、政治能力。「劉放、張華，互管斯任，施令發號，洋洋盈耳」、「溫嶠文清，故引入中書」（〈詔策〉）西晉劉放、張華先後主管詔書，在中書省任職。東晉溫嶠文筆清新，而被引入中書省。特別是劉放，「魏之三祖」詔命中有關徵召告喻之文，多出其手。被王鳴盛評為「皆魏之謀主也，運籌決勝，攻績卓然。」（《三國志集解》）

　　總之，劉勰的文學人才教育理念有著鮮明的理性和實踐精神。對兩類寫作群體有著不同的針對性，透過掌握日常、工作生活中的各類文體而應用於寫作實踐。對於貴族階層來說，指導其成為一名合格的、文質彬彬的士大夫，為社會政治和倫理建設服務。對於寒門庶族來說，公文寫作的意義顯然更大，不僅可以養家糊口[29]，還能由此躋身仕途而可致身顯達，施展理想抱負。透過「徵聖」、「宗經」充實、淨化寫作主體的內在生命，「既防止無德行教養的寒人一味苟進媚事，又阻止不學無術的貴族子弟尸位素餐」[30]，體現了劉勰對於寫作主體人文精神和命運的思考和關懷，從而賦予了寫作生命本體論的意義。

29　（隋）顏之推言：「廝猥之人，能以書拔擢者多矣。」（《顏氏家訓》〈雜藝〉）

30　（日）宮川尚志《六朝史研究・政治社會篇》，日本學術振興會，1956年，頁387。

平選試判、科目選與平判入等
——唐代吏部銓選科目選設置問題考辨[*]

李忠超
浙江師範大學人文學院

　　禮樂美學思想制度化、經典化的意義不是成為律文條令、教條和「永恆不變」、萬世師法的規訓準則。禮之所尊尊其義，禮樂美學制度、經典的創設是施行禮義，實現禮樂治世。以經學為例，隋唐禮樂美學制度經典化滲透在對經學經義的現實制度履踐中。經義不是必然保守的，禮也非一勞永逸的。禮樂美學經典化經學義理闡釋與禮制實踐按照「時間性」原則，強調「以時為大」。「現在的時世和往昔不同，但是所變換的知識外表的粗跡，至於內在的經義是亙千載而沒有轉變的，所以古未必可廢。所著重的在善推闡，假使能夠發揮他的精義，忽略他的粗跡，那麼以前種種未必無補於現在。」[1]

　　我們現在對禮學以及禮樂制度統治社會、管理國家日常運作的設想，帶有一種「歷史性遺留」的偏見。事實上，在古代社會政治生活秩序中，禮的治世功能的一直在發揮，且相當程度上起到了較為積極的作用。從上古至秦漢，從漢末到南北朝，下迄隋唐，禮一直努力適應時代大變遷，並隨之改變，維護當時的社會穩定。[2]

　　「唐代官員銓選有書判的考核專案，注重培養和考察士子『臨政治民』的綜合能力，判文分為『擬判』、『案判』、『雜判』三種類型，禮的因素是判文的一個基礎特徵，尤其是擬判多依據禮文而擬定問題，這種訓練看似是一種考試模擬，實質上卻是用禮的合理性設定在假設中達到觸類旁通的效用。」[3]試判考試作為唐代銓選注官的重要科目和標準化、規範化制度實踐比較集中體現在吏部科目。比較著名的是吏部的兩大科目選，宏辭、拔萃科，此外尚有「平判入等」一科，此科是否是吏部科目選歷來爭議頗多。實際上，宏辭、拔萃兩科的設置時間、考試性質及與制科的關係也頗為雜亂，因此，本文的必須先理清一些基本的問題，我們就從選部舊制平選身言書判考談起。

---

* 基金項目：中國禮樂美學與制度文明的創構研究，國家社會科學基金重大招標專案（17ZDA015）。

1 章太炎：《經義與治事》，收入章念馳編訂：《章太炎全集演講集》（上）上海：上海人民出版社，2015年，頁455。

2 參見郭超穎：〈《儀禮》禮義研究的幾個問題〉，《文化中國》2020年第2期，頁65-75。

3 同上註。

一　選部舊制「平選」

選部，即隋唐吏部。《通典》卷十九〈職官一〉載：「後漢改為吏曹，主選舉，又為選部。魏為吏部。宋嘗置兩員。大唐嘗改為司列太常伯，又嘗為天官。」[4] 又《通典》卷二十二〈職官四〉曰：「（後魏）五尚書。其後亦有吏部、初曰選部。……後周無尚書。隋有吏、禮、兵、刑、戶、工六部尚書。大唐尚書與隋同。」[5] 隋代制度因革北魏，唐承隋制，隋唐吏部即選部，主官員的銓選遷轉、考課評定。《新唐書》卷四十六〈職官志〉「吏部」條注：

> 武德五年（西元622年）改選部曰吏部，七年省侍郎。貞觀二年（西元628年）復置。龍朔元年（西元661年）改吏部曰司列，主爵曰司封，考功曰司績。武后光宅元年（西元684年）改吏部曰天官。垂拱元年（西元685年）改主爵曰司封。天寶十一載（西元752年）改吏部曰文部，至德二載（西元757年）復舊。[6]

唐代吏部之名雖然幾經更迭，然始終是掌銓選之責。吏部銓選舊制常選，一年一選，每年十月為期，又稱冬集銓選。[7]《新唐書》卷四十五〈選舉志下〉曰：

> 每歲五月，頒格於州縣，選人應格，則本屬或故任取選解，列其罷免、善惡之狀，以十月會於省，過其時者不敘。其以時至者，乃考其功過。[8]

五月頒布格於州縣，州府送解，十月三十日到省，貢舉考試貢生隨朝集使十月二十五前會於京師。又《全唐文》卷三九〇獨孤及〈唐故朝議大夫高平郡別駕權公神道碑銘並序〉載：

> 初，選部舊制，每歲孟冬以書判選多士。[9]

獨孤及所言「書判選」多士是指吏部銓選舊制以書判方式考核，這也是吏部傳統的考核之法。「書判選」是身、言、書、判考選簡稱，因屬吏部常平調選，又稱「平選」。選部平選一直就有，如《唐會要》卷七十四〈選舉部上〉載開耀元年，尚書右僕射劉仁軌奏曰：「謹詳眾議，條目雖廣，其大略不越數途。多欲使常選之流，及負譴之類，遞立

4　（唐）杜佑，王文錦，王永興，劉俊文，徐庭雲，謝方點校：《通典》北京：中華書局，1988年，頁484。

5　（唐）杜佑：《通典》，頁602-603。

6　（宋）歐陽修，宋祁等：《新唐書》北京：中華書局，2000年，頁781。

7　貞觀二年，侍郎劉林甫言：「隋制以十一月為選始，至春乃畢。今選者眾，請四時注擬。」十九年，馬周以四時選為勞，乃復以十一月選，至三月畢。同上註，頁771。

8　同上註，頁769。

9　（清）董誥等編；孫映逵點校：《全唐文》太原：山西教育出版社，2002年，第3冊，頁2353。

年限，如令赴集。」[10]常選之流即吏部平常選調。姚合〈送賈暮赴共城營田〉：「上國羞長選，戎裝貴所從。」吳清河注「長選」曰：「常選，也稱平選，指按例參加調選。」[11]

又《冊府元龜》卷第六百三十一〈銓選部（三）・條制第三〉載：

> 四年正月，中書門下奏：伏准元和二年制告，舉薦縣令等，前後勅文非一，有司難於遵守。今旨中外所舉縣令，並依表狀，十月三十日到省。省司精加磨勘，依平選人例，分入三銓注擬。平選人中，有資考事蹟人才與縣令相類，即先注擬，時集望停。從之。……故稍復舊制焉。[12]

此條是唐憲宗元和四年（西元809年），平選常調是選部舊制依然存在，既然是舊制就說明吏部平選始終存在。

選部舊制平選的標準是：身、言、書、判。據杜佑《通典》卷十五〈選舉三〉載：

> 其擇人有四事：一曰身，取其體貌豐偉。二曰言，取其詞論辯正。三曰書，取其楷法遒美。四曰判。取其文理優長。四事可取，則先乎德行；德均以才，才均以勞。其六品以降，計資量勞而擬其官；五品以上，不試，列名上中書、門下，聽制勅處分。凡選，始集而試，觀其書判；已試而銓，察其身、言；已銓而注，詢其便利，而擬其官。[13]

身，取體態、形貌；言，取文詞、辯才；書，觀書法、遒美；判，擇文采、明理。「乃考核資緒、郡縣鄉里名籍、父祖官名、內外族姻、年齒形狀、優劣課最、譴負刑犯，必具焉。」[14]舉選人家狀之一年齒形狀，見《南部新書・乙》云：「吏部常式，舉選人家狀，須云：『中形，黃白色，少有髭。』或武選人家狀，云：『長形，紫黑，多有髭。』」[15]其四者以德行為先，即身、言先於書、判。古代選舉制度以德、行、身、言最為重要，書、判只是參考。《唐六典》卷第二〈尚書吏部〉稱「身言書判」四事擇其良，又「以三類觀其異：一曰德行，二曰才用，三曰勞效。德鈞以才，才鈞以勞。其優者擢而升之，否則量以退焉。所以正權衡，明與奪，抑貪冒，進賢能也。」[16]不過選部考試最重要觀其試判。因為，「凡選，始集而試，觀其書判；已試而銓，察其身、言」去吏部冬選、送解之前，先在州府鄉里進行書、判之試；合格後，吏部銓選，察身、

10　（宋）王溥撰；牛繼清校證《唐會要校證》西安：三秦出版社，2012年，上下冊，頁1147。
11　（唐）姚合撰：吳清河校注《姚合詩集校注》上海：上海古籍出版社，2012年，上冊，頁18。
12　（宋）王若欽等編，周勳初校訂：《冊府元龜》南京：鳳凰出版社，2006年，第7冊，頁7290。
13　（唐）杜佑：《通典》，頁360。
14　同上註。
15　（宋）錢易撰；黃壽成點校：《南部新書》北京：中華書局，2002年，頁24。
16　（唐）李林甫等撰，陳仲夫點校：《唐六典》北京：中華書局，1992年，頁27。

言。「每年天下舉人來秋入貢者，今年九月，州府依前科目，先起試其文策，通者注等第訖，試官、本司官、錄事、參軍及長吏連押其後。其口問者，題策後云口問通若干。即相連印縫，並依寫解為先後，不得參差。」[17]送解之前考試在鄉里舉行，還要分置等第，由官員押送。

　　吏部銓選屬於常調平選，察身、言，考試判。選部舊制所謂平選中有試判試，即指此。判是吏部考試專項，唐代進士及第後參加關試獲得春關「出身」憑證，也要考試判二條，不過比較簡短。吏部銓選常調也考試判二條，比關試難度大。此外，流外入流試判兩條；吏部科目選平判科、書判拔萃科也要試判，書判拔萃試判三條。[18]杜佑《通典》卷十五〈選舉三〉云：

> 初，吏部選才，將親其人，覆其吏事，始取州縣案牘疑議，試其斷割，而觀其能否，此所以為判也。按：顯慶初，黃門侍郎劉祥道上疏曰：「今行署等勞滿，唯曹司試判，不簡善惡，雷同注官。」此則試判之所起也。後日月寖久，選人猥多，案牘淺近，不足為難，乃采經籍古義，假設甲乙，令其判斷。既而來者益眾，而通經正籍又不足以為問，乃征僻書、曲學、隱伏之義問之，惟懼人之能知也。佳者登於科第，謂之『入等』；其甚拙者謂之『藍縷』，各有升降。選人有格限未至，而能試文三篇，謂之『宏辭』；試判三條，謂之『拔萃』；亦曰『超絕』。詞美者，得不拘限而授職。[19]

從整體而言杜佑這段記載揭示了：吏部試判考試的緣起；考試內容的歷史演變；考核之後依等級評定入等。

　　吏部試判起初僅為了觀選人之能否，「始取州縣案牘疑議，試其斷割」；但伴隨著，「後日月寖久，選人猥多」、「既而來者益眾」選人增多的現實，吏部試判才逐漸成為了單獨的科目選。杜佑的這段材料最不引人注目的便是：試判考試不斷變化是為了解決唐代選人逐漸增多處境的現實問題，脫離了這一語境便會忽視吏部設置科目選的重要背景。這個過程大致如下：

　　唐代吏部選拔官員的重要標準是考察文吏處理事務的能力，即章太炎所說的治事能力。最初的考核，是拿州縣的案牘有疑問、爭議的讓考生試斷，以此作為判斷治事能力、處理政務的依據，也就是拔萃科書／試判雛形。不過，杜佑在此按曰，顯慶年間，黃門侍郎劉祥道上疏，如「今行署等勞滿」只是如同法曹斷案，而不以善惡為准，是為試判之始。問題是，選人增多，能夠作為案例考試的判牘畢竟有限，等到所有的案件都

17　（唐）杜佑：《通典》，頁423。

18　王勳成：《唐代銓選與文學》北京：中華書局，2001年，頁295-296。

19　（唐）杜佑：《通典》，頁361-362。

用光了，剩下淺顯的、難度低的，就不足以衡量考生治事能力。於是，有人就想出了從經典古籍尋古義，模擬出題，令考生決斷的方法。可是依舊擋不住每年來應選的人數多，題庫刷爆了也未能徹底解決，只好再從經典古籍中尋找偏僻、冷門的書，用義理複雜、隱含曲折的問題來為難考生，進行考問，就害怕考生中有刷題量大的，能夠知曉答案。透過這樣的案牘書判考策，成績優秀登科的，「平選」判「入等」；稍差的謂之「藍縷」。之後，才又針對選任格限不到，試詞賦三篇謂「宏辭」；試判三條，謂之「拔萃」，亦曰「超絕」。詞美者，得不拘限而授職。杜佑在按語中還透露出的一個資訊是，唐代的書判考試的出題依據時從經典古籍中來的，以符合經義標準的題目來考察官吏的治事的能力，正是本文所論主旨。此外本文還重點明確：

第一，杜佑此條按注指出了「入等」、「宏辭」、「拔萃」三者的差別。案牘書判考試佳者而登科第的謂之「入等」，還是屬於吏部常規銓選常調，即「平選」入等。平選考試判，成績佳者入等，極易同吏部為補充「循資格」選人格限未至、選未滿而設科目選「平判科」入等混淆。

第二，吏部銓選舊制平選常調與科目選的區別是選人範圍。吏部科目選「選人有格限未至」的試文三篇謂之宏辭，試判三條謂之拔萃或超絕。選未滿、格限不至試判，是吏部科目選。格限已滿的選人參加案牘書判考試，是平選。而之所以會出現這種情況是因為唐代科目選設置在「循資格」之後，科目選選人範圍是作為」循資格」的補救措施出現的。

第三，循資格確立守選制度，在科目選宏辭、拔萃、平判科入等設置後，吏部舊制科目常選銓調與科目選並存。選部「科目」見下表一：

表一

考試科目	選人資格	考試內容	設置時間
選部舊制平選	不限年格的六品以下前資官、有出生身的	試判	循資格守選制前 開元十八年（西元730年）四月十三日前
選部舊制平選	守選期滿，格限至六品以下前資官、有出身的	試判	循資格守選制後 開元十八年四月十三日後
科目選宏辭	守選未滿、格限未至	試文三篇	循資格守選制後 開元十八年孟冬十月
科目選拔萃	守選未滿、格限未至	試判三條	開元十八年冬
科目選平判	守選未滿、格限未至	試判	開元二十四年（西元736年）

　　第四，吏部常選平調身、言、書、書判，試判考、書判考，或者即便被誤稱作平判**考考試內容皆是設甲問乙**。這既不能作為平選試判的區別特徵，也不能作為科目選書判拔萃、平判科的區別特徵。因為，所有的考試判的科目內容都是如此，只不過科目選試判考試從平選試判考演變而來。科目選的區別特徵是選人資格，書判拔萃是試判三道。

　　綜上所述，選部舊制「平選入等」包含了兩層涵義：**一是平選考判**，即「*乃采經籍古義，假設甲乙，令其判斷*」，是在開元十八年（西元730年）設立科目選之前統一試判考目，屬常調常選；**二是入等**，即「置等第」、「判入等」這其中包括：平選入等，如杜佑所論吏部選官都是以試判作為標準，採用案牘文書試判的方法進行考試，佳者等第入等；科目選入等，如試文三篇，謂之宏辭科，試判三條，謂之拔萃科，平判科入等，即「平判入等」。因為選人多，其雜亂無序，需要按等級授官。依據考試的成績評定甲乙丙丁等級，謂之「入等」。一言以蔽之，入等不是科目選「平判入等」特有，而是對吏部銓選考試的統一稱呼。

二　循資格

　　唐代設置「循資格」是為了解決選部銓選面臨的問題。唐代選部為了順利進行銓選先後制定三大措施：**分等第；糊名制；「循資格」**。

　　這些舉措是因唐代舉選制度面臨的現實問題，選人多。從當時的現實出發首選要解決如何選拔考試的問題，以案牘文判的方式考察以禮樂經義治事能力，平選入等是最為合適的。唐代選人的真實情況與規模據杜佑《通典》載：

> 按格、令，內外官萬八千八十五員。而合入官者，自諸館學生以降，凡十二萬餘員。弘文、崇文館學生五十員，國子、太學、四門、律、書、算凡二千二百一十員，州縣學生六萬七百一十員；兩京崇玄館學生二百員，諸州學不計；太史曆生三十六員，天文生百五十員，太醫童、針、祝諸生二百一十一員，太葡萄篋生三十員；千牛備身八十員，備身二百五十六員，進馬十六員，齋郎八百六十二員；諸三衛監門直長三萬九千四百六十二員；諸屯主、副千九百八十四員；諸折沖府錄事、府、史千七百八十二員，校尉三千五百六十四員，執仗、執乘每府六十四員，親事、帳內一萬員；集賢院御書手一百員；翰林藥童數百員；諸臺、省、寺、監、軍、衛、坊、府之胥吏，及上州市令、錄事，省司補授者約六千餘員。其外文武貢士及應制、挽郎、輦腳、軍功、使勞、征辟、奏薦、神童、陪位，諸以親蔭並藝術百司雜直，或恩賜出身受職不為常員者，不可悉數。大率約八、九人爭官一員。

　　選人的數量過於龐大，按照案例書判的方式，有多少都不夠用。針對京城選人過多

的情況吏部想要黜落選人，減輕壓力就非常能夠理解。吏部後期為了絞盡腦汁為難選人而設置偏題、怪題，無取人之意即於此有關。「長名」黜落選人解決了「應選者暫集，遠近無聚糧之勞；合退者早歸，京師無索米之弊。」[20]即便設立州縣等級之差（入等，設置等級）增加闕官，根本不能「解決」的龐大的選人數量，「循資格」創立顯得尤為必要。

（一）分等第：裴行儉「長名姓曆榜」，確立州縣等級

　　唐高宗總章二年（西元669年），裴行儉任主持選部，設「長名傍」。《通典》卷十五〈選舉三〉：「自高宗麟德以後，承平既久，人康俗阜，求進者眾，選人漸多。總章二年，裴行儉為司列少常伯，始設『長名姓曆榜』，引銓注之法，又定州縣官資高下升降，以為故事。其後莫能革焉。」[21]龍朔元年（西元661年），改吏部為司列，司列少常伯，即吏部尚書。面對唐代銓選選人多，闕官少的情況設置「長名榜」只能解燃眉之急。每年云集京師的人太多，加上吏部考試與科舉時間趕在一起，人數更多。長名榜公布吏部當年被放選人的姓名，只有駁落、黜放的選人才會上榜。《封氏見聞記》卷三〈銓曹〉：「高宗龍朔之後，以不堪任職者眾，遂放出長榜之冬集，俗謂之『長名』。」[22]不堪任職的參選人，放其名於冬集長榜，因為人數多，俗稱「長名」。長名榜，是黜落選人之榜，放長名榜的選人要離開京師。《南部新書・乙》載：「吏部故事，放長名榜，舊語曰：『長名以前，選人屬侍郎；長名已後，侍郎屬選人。』」[23]長名放榜後，侍郎入榜，成為選人。又《朝野僉載》卷四記載更為明確：

> 唐崔湜為吏部侍郎貪縱，兄憑弟力，父挾子威，咸受囑求，贓汙狼籍。父把為司業，受選人錢，湜不之知也，長名放之。其人訴曰：「公親將賂去，何為不與官？」湜曰：「所親為誰？吾捉取鞭殺。」曰：「鞭即遭憂。」湜大慚。[24]

崔湜這段故事被司馬光引入《資治通鑑》卷第二百九唐紀二十五中宗景龍三年（西元709年），胡三省注：「高宗總章二年，裴行儉始設長名榜，凡選人之集於吏部者，得者留，不得者放。宋白曰：長名榜定留放，留者入選，放者不得入選。」[25]王勳成認為此段胡三醒注語焉不詳，實則不然。縱然，胡三省用「留」、「放」容易在語言理解上造成

20　（宋）王溥：《唐會要校證》，頁1147。

21　（唐）杜佑：《通典》，頁361。

22　（唐）封演撰；趙貞信校注：《封氏見聞記校注》北京：中華書局，2005年，頁21。

23　（宋）錢易：《南部新書》，頁24。

24　（唐）張鷟撰；趙守儼點校《朝野僉載》北京：中華書局，1979年，頁95。

25　（宋）司馬光編著，（元）胡三省音注：《資治通鑑》北京：中華書局，2013年，第9冊，頁5555。

誤解。但胡三省不可能看不懂司馬光引的這則故事：崔湜任吏部侍郎，縱容親眷貪腐。父親崔挹收納選人賄賂，卻被放長名榜。黜選之人找到崔湜質問他的親認為何拿錢卻不辦事，不給予官職。崔湜問是哪個親人所為，我捉拿鞭殺！答曰，不能鞭殺，否則您就要因喪父丁憂。崔湜聽後大慚。顯然這則故事再清楚不過說明長名榜是黜落選人榜。胡三省的得者留，是留下參加選部考核，不是留長名榜，不得者放在長名。宋白的定留放，留下來的入選部參加書判或科目選考核，放榜長名者不參選部考核。總之，長名榜的設立是為了減少冬集選部選人過多的現實問題。

　　杜佑《通典》卷十五〈選舉三〉載：「初州縣混同，無等級之差，凡所拜授，或自大而遷小，或始近而後遠，無有定制。其後選人既多，敘用不給，遂累增郡縣等級之差，郡自輔至下凡八等，縣自赤至下凡八等。其折沖府亦有差等。」[26]州縣混同，無等級制差，且沒有定制。總章二年（西元669年），裴行儉確立州縣八個等級。《新唐書》卷四十五〈選舉志下〉：「復定州縣升降為八等，其三京、五府、都護、都督府，悉有差次，量官資授之。」[27]這樣的劃分雖然增加了闕官名額，卻不能真正解決問題。確立州縣等級之後，選部按照試判等級授官，即杜佑《通典》「入等」：「一經及第人，選日請授中縣尉之類；判入第三等及蔭高，授上縣尉之類。兩經出身，授上縣尉之類；判入第三等及蔭高，授緊縣尉之類。用蔭止於此。其以上當以才進。四經出身，授緊縣尉之類；判入第三等，授望縣尉之類。五經，授望縣尉之類；判入第二等，授畿縣尉之類。」[28]不過吏部入等最早始於何時確切日期無法考。《舊唐書》卷九十九〈張九齡傳〉：「九齡以才鑒見推，當時吏部試拔萃選人及應舉者，咸令九齡與右拾遺趙冬曦考其等第，前後數四，每稱平允。」[29]《舊唐書》卷九十九〈嚴挺之傳〉：「及與起居舍人張烜等同考吏部等第判」[30]

　　唐代等第觀念從貢士、選官送解之前就已經開始設置，《唐摭言》有「置等第」條；貞觀年間王師明考策浮華子弟等第為下，舉朝不知所以；《唐令拾遺》五十三「唐代」條：諸試貢舉人，皆卯時付策，當日對了，本司監試，不訖者不。考畢，本司判官，將對尚書定第。[31]等第觀念反映了禮樂美學秩序等級制度在社會生活中的具體實踐，這種可具體操作的劃分等級定考次，在武后以暗考形式出現。

26　（唐）杜佑：《通典》，頁362。

27　（宋）歐陽修，宋祁等：《新唐書》，頁771-772。

28　（唐）杜佑：《通典》，頁424。

29　（後晉）劉昫等：《舊唐書》北京：中華書局，2000年，頁2908。

30　同上註，頁2102。

31　（日）仁井田陞，栗勁等編譯：《唐令拾遺》長春：長春出版社，1989年，頁269。

（二）糊名定等制的設立，是為了解決選部考核公平取人的問題

　　唐代銓選試判有等級之別，《唐六典》卷第二〈尚書吏部〉云：「每試判之日，皆平明集於試場，識官親送，侍郎出問目，試判兩道。或有糊名，學士考為等第。或有試雜文，以收其俊乂。」[32]平選試判之日，吏部侍郎出問目，即判目，案牘書判兩道，以糊名考為等第。

　　吏部設等第早已有之，至少在武后臨朝設糊名考前。《新唐書》卷四十五〈選舉志下〉：「然是時仕者眾，庸愚咸集，有偽主符告而矯為官者，有接承它名而參調者，有遠人無親而置保者。試之日，冒名代進，或旁坐假手，或借人外助，多非其實。雖繁設等級、遞差選限、增譴犯之科、開糾告之令以過之，然猶不能禁。大率十人競一官，餘多委積不可遣，有司患之，謀為黜落之計，以僻書隱學為判目，無複求人之意。而吏求貨賄，出人升降。至武后時，天官侍郎魏玄同深嫉之，因請復古辟署之法，不報。」[33]武后光宅元年（西元684年）改吏部曰天官，天官侍郎即吏部侍郎。唐代選人多，賢愚一貫，有冒名頂替，旁坐假手，多非其實。儘管，設立了等級，遞差選限，加大了懲罰力度，依舊不能禁止。最終為了讓選人不通過，吏部試判出題以僻書隱學為判目，無複求人之意。這也佐證了杜佑「既而來者益眾，而通經正籍又不足以為問，乃徵僻書、曲學、隱伏之義問之，惟懼人之能知也。」之語。值得留意「繁設等級、遞差選限」是在武后臨朝確立糊名之前，已經確立了等第。

　　冒名代進，或旁坐假手，或借人外助，多非其實的問題在武則天臨朝後更加突顯。《通典》「及武太后臨朝，務悅人心，不問賢愚，選集者多收之，職員不足，乃令吏部大置試官以處之，故當時有『車載』、『斗量』之謠。又以鄧玄挺、有唐以來，掌選之失，無如玄挺者。時患消渴疾，選人因目為『鄧渴』，作鄧渴詩以謗之。許子儒為侍郎，無所藻鑒，委成令史，依資平配。其後，諸門入仕者猥眾，不可禁止，有偽立符告者，有接承他名者，有遠人無親而買保者，有試判之日求人代作者，如此假濫，不可悉數。武太后又以吏部選人多不實，乃令試日自糊其名，暗考以定等第。糊名自此始也。」[34]糊名並未形成嚴格的制度，是因為政策的制定本身是為了解決現實問題。糊名停廢反映了唐代銓選制度在具體實踐中不斷完善，然而銓選的公平性不如收攬人心的重要性。《新唐書》卷四十五〈選舉志下〉：

> 初，試選人皆糊名，令學士考判，武后以為非委任之方，罷之。而其務收人心，士無賢不肖，多所進獎。長安二年，舉人授拾遺、補闕、御史、著作佐郎、大理

32　（唐）李林甫等：《唐六典》，頁27。

33　（宋）歐陽修，宋祁等：《新唐書》，頁772。

34　（唐）杜佑：《通典》，頁363-364。

評事、衛佐凡百餘人。明年，引見風俗使，舉人悉授試官，高者至鳳閣舍人、給事中，次員外郎、御史、補闕、拾遺、校書郎。試官之起，自此始。時李嶠為尚書，又置員外郎二千餘員，悉用勢家親戚，給俸祿，使厘務，至與正官爭事相毆者。又有檢校、敕攝、判知之官。神龍二年（西元706年），嶠復為中書令，始悔之，乃停員外官釐務。[35]

武后廢除糊名實際上是想收買人心，於是濫授官員。長安二年（西元702年）武后授官百餘人，次年（西元703年）又施行了「試」官便是體現了這點。在校書郎前加一個試字成為「試校書郎」形成與正品官相爭，選制之亂可見一斑。[36]不過，需要指出《新唐書》武后試官之日為長安二年（西元701年）蓋誤[37]，《資治通鑑》卷第二百五唐紀二十一「則天順聖皇后中之上」則認為是長壽元年（西元692年）。[38]又見杜佑《通典》卷十九〈職官一〉載天授二年（西元690年）：

> 天授二年（西元690年），凡舉人，無賢不肖，咸加擢拜，大置試官以處之。試官蓋起於此也。試者，未為正命。凡正官，皆稱行、守，其階高而官卑者稱行，階卑而官高者稱守，階官同者，並無行、守字。太后務收物情，其年二月，十道使舉人，並州石艾縣令王山耀等六十一人，並授拾遺、補闕。懷州錄事參軍崔獻可等二十四人，並授侍御史。並州錄事參軍徐昕等二十四人，並授著作郎。魏州內黃縣尉崔宣道等二十二人，並授衛佐、校書、御史等。故當時諺曰：「補闕連車載，拾遺平鬥量。杷（《通鑑》「權」）推侍御史，碗（《通鑑》）（中華書局點校本、四庫家藏本「椀」）脫校書郎。」（胡三省注語出張鷟）試官自此始也。[39]

試官不是正命之官，正官稱行、守。神龍二年（西元706年）又贈員外官二千人。李嶠任中書令又增加大量外官。見《通典》〈職官一〉又載：

> 神龍二年（西元706年）三月，又置員外官二千餘人。國初，舊有員外官，至此大增，加兼超授諸闊官為員外官者，亦千餘人。中書令李嶠，初自地官尚書貶通州刺史，至是召拜吏部侍郎。嶠志欲曲行私惠，求名悅眾，冀得重居相位，乃奏請大置員外官，多引用勢家親識。至是，嶠又自覺銓衡失序，官員倍多，府庫由

---

35 （宋）歐陽修，宋祁等：《新唐書》，頁772。

36 詳見王勳成：《唐代銓選與文學》、賴瑞和：《唐代基層文官》。

37 試官設立的時間有三種不同的說法，杜文玉先生證明《新唐書》是錯誤的，但司馬光和杜佑分別有兩種觀點，有待辨析。杜文玉：〈論唐代員外官與試官〉，《陝西師範大學學報（哲學社會科學版）》1993年第3期，頁90-97。

38 （宋）司馬光編著，（元）胡三省音注：《資治通鑑》北京：中華書局，2013年，第8冊，頁5423。

39 （唐）杜佑：《通典》，頁471-472。

是減耗也。於是遂有員外、員外官，其初但云員外。至永徽六年，以蔣孝璋為尚藥奉御，員外特置，仍同正員。自是員外官復有同正員者，其加同正員者，唯不給職田耳，其祿俸賜與正官同。單言員外者，則俸祿減正官之半。檢校、試、攝、判、知之官。攝者，言敕攝，非州府版署之命。檢校者，云檢校某官。判官者，云判某官事。知者，云知某官事。皆是詔除，而非正命。逮乎景龍，官紀大紊，復有「斜封無坐處」之誦興焉。

除員外官外又增非正命檢校、試、判、知官，官員之濫可見。不過，判官後來也是受到限制，並且也要參加銓選。

（三）「循資格」是總結歷代選部經驗，試圖徹底解決選人多，闕官少的問題

唐代選官需要解決「選人多，闕官少」的問題，無論是畫分等級，增加闕官，還是糊名考試保證公平性，都不能解決根源性問題。這也便催生了唐代的守選制度的產生，守選即等候吏部銓選期限，王勳成《唐代銓選與文學》提出進士及第守選。[40]唐代吏部科目選的設立即與」循資格」守選制有關。

《新唐書》卷一百八〈裴光庭傳〉：

> 初，吏部求人不以資考為限，所獎拔惟其才，往往得俊乂任之，士亦自奮。其後士人狠眾，專務趨競，銓品枉撓。光庭懲之，因行儉長名榜，乃為，無賢不肖，一據資考配擬；又促選限盡正月。[41]

吏部的科目選設定的背景是唐代的「選人多」，尤其在」循資格」設立之後，選限未滿之人需要參選的現實。科目選設置的目的是照顧「選人有格限未至」、「選未滿」的選人，是」循資格」的補救措施。

《資治通鑑》卷二〇一「唐高宗總章二年」條云：「（唐高宗總章二年）是歲，司列

40　王勳成的守選制問題只能用於解釋開元十八年後中晚唐的情況，初盛唐守選制度存在與否存在考辨的空間，尤其是王氏以「貞觀九年敕」為例證已經被考證為「貞元九年」那麼明經減選一說就站不住腳。審慎地說，王先生提出的守選制學術價值極高，筆者贊同中晚唐守選制度成熟一說，初盛唐守選制度問題還有待學界進一步研究。詳細參閱初盛唐守選制文獻有：陳鐵民;李亮偉〈關於守選制與唐詩人登第後的釋褐時間〉，《文學遺產》2005年第3期，頁113-125、166。王勳成:〈初盛唐是否存在守選制說〉，《蘭州大學學報》2006年第5期，頁92-97。楊向奎:〈唐代守選起始時間考〉新疆師範大學碩士論文，2009年7月。譚莊:〈初盛唐及第進士守選制說指疵〉，《寧波大學學報（人文科學版）》2011年第3期，頁57-60。陳鐵民先生與王勳成的質疑與回應可見前兩文，王勳成史料考辨問題見楊向奎、譚莊兩位學者。

41　（宋）歐陽修，宋祁等:《新唐書》，頁3265。

少常伯裴行儉始與員外郎張仁禕設長名姓曆榜，引銓注之法。又定州縣升降、官資高下。其後遂為永制，無能革之者。」在此之前州縣升降、官資高下是不確定的，裴行儉定為永制。司馬光之後簡略介紹了唐代的銓選之法，並以「人有格限未至，而能試文三篇，謂之『宏辭』，試判三條，謂之『拔萃』，入等者得不限而授。」[42]定評。「顯然，在司馬光看來科目選的形成與『長名榜』的形成有很大的關係，說明『長名榜』的設置就是用試判來彌補優秀選人以及定州縣等級造成士人遷轉艱難的問題，也可以進一步證明郭元振咸亨四年（西元673年）『判入高等』，就是平判入等科及第，已經屬於吏部科目選性質。」[43]司馬光的這段話實際上出自杜佑《通典》卷十五〈選舉三〉：「自高宗麟德以後，承平既久，人康俗阜，求進者眾，選人漸多。總章二年（西元669年），裴行儉為司列少常伯，始設『長名姓曆榜』，引銓注之法，又定州縣官資高下升降，以為故事。其後莫能革焉。」[44]唐高宗時制定「長名姓曆榜」是因為「選人漸多」，科目選的形成與此現實有關。

繼而，杜佑說道：「至玄宗開元中，行儉子光庭為侍中，以選人既無常限，或有出身二十餘年而不獲祿者，復作『循資格』，定為限域。凡官罷滿以若干選而集，各有差等，卑官多選，高官少選，賢愚一貫，必合乎格者乃得銓授。自下升上，限年躡級，不得逾越。久淹不收者，皆荷之，謂之『聖書』。雖小有常規，而掄材之方失矣。」[45]「循資格」的設置源自崔亮，「此起於後魏崔亮停年之制也。其有異才高行，聽擢不次，然有其制，而無其事。有司但守文奉式，循資例而已。」[46]崔亮的「停年格」實際上不論選人之賢愚，一律按照年資敘官。

> 及崔亮為吏部尚書，乃奏為格制，官不問愚賢，以停解日月為斷，雖複官須此人，停日後者終不得取；庸才下品，年月久者則先擢用。時沉滯者皆稱其能。……自是賢愚同貫，涇渭無別。魏之失才，從亮始也。[47]

平心而論，崔亮面臨的問題是武人崛起參選的壓力，所謂不論賢愚，是為了堵住武人抱怨，以此穩定朝政，才會造成因噎廢食。「今勳人甚多，又羽林入選，武夫崛起，而不解書計，唯可弩前驅，指蹤捕噬而已。忽令佩組乘軒，求其烹鮮之效，未嘗操刀，而使劓割。又武人至多，官員至少，不可周溥。設令十人共一官，猶無官可授，況一人冀一官，何由可不怨哉？吾近面執，不宜使武人入選，請賜其爵，厚其祿。既不見從，是以

42　（宋）司馬光編著，（元）胡三省音注：《資治通鑑》，第8冊，頁5330。

43　金瀅坤、于瑞：〈唐代吏部平判入等科與選舉研究〉，《學術月刊》2014年第11期，頁141-153。

44　（唐）杜佑：《通典》，頁361。

45　（唐）杜佑：《通典》，頁361。

46　同上註。

47　同上註，頁338-339。

權立此格,限以停年耳。」[48]崔亮不是不知道這樣處理的弊端,只是不讓武人參選沒有被皇帝批准,不得如此行事。崔亮不論賢愚的選人,不能簡拔人才,這種停年格的辦法行不通。但要解決選人多的問題,還要借鑑此法,因此設置了「循資格」。「各有差等」體現了裴行儉「長名姓曆榜」政策、「卑官多選,高官少選,賢愚一貫」則是崔亮「停年格」之法,制度沿革歷代損益,有唐一代集大成,可見一斑。《資治通鑑》卷第二百二十三唐紀二十九「玄宗開元十八年(西元730年)」條云:

> (開元十八年四月)乙丑,以裴光庭兼吏部尚書。先是,選司注官,惟視其人之能否,或不次超遷,或老於下位,有出身二十餘年不得祿者;又,州縣亦無等級,或自大入小,或初近後遠,皆無定制。光庭始奏用,各以罷官若干選而集,謂罷官之後,官高者選少,卑者選多,無問能否,選滿即注,限年躡級,毋得逾越,非負譴者,皆有升無降;其庸愚沈滯者皆喜,謂之「聖書」,而才俊之士無不怨歎。宋璟爭之不能得。光庭又令流外行署亦過門下省審。

胡三省注:「經選凡幾,各以多少為次而集於吏部。」[49]司馬光把裴光庭「循資格」設立的時間準確到開元十八年四月十三日。[50]崔亮「停年格」的策略並不能解決選人多,闕官少的問題,每年累積下來的選官數量基數大,創立「循資格」本在減輕每年選人云集的情況,只允許守選期滿的參選。

　　「循資格」根本的原則是:「凡官罷滿以若干選而集」、「必合乎格者乃得銓授」。這樣對那些格限未至,選未滿的有才華人而言就過於絕情。這種不問能否,選滿即注的方式沿襲了崔幹「停年格」之弊。所以宋璟竭力反對,但這對於整個唐代銓選工作而言,無疑是提升了效率。因為,才幹能力的考核需要一個能服眾的基準線,在選人多、請托嚴重的風氣之下,這種考核實際上屬於書生之願。因此為了網開一面,才有了吏部科目選的設置。

三　科目選

　　吏部以分科考試的方式來簡拔官員,按照評定等級注擬授官。科目選中最為人熟知的是宏辭、拔萃二科。(宋)王讜《唐語林》卷八,一〇二七條:

> 隋置明經、進士科,唐承隋,置秀才、明法、明字、明算,並前六科。主司則以考功郎中,後以考功員外郎。士人所趨,明經、進士二科而已。及大足元年(西

48　同上註。

49　(宋)司馬光編著,(元)胡三省音注:《資治通鑑》北京:中華書局,2013年,第9冊,頁5682。

50　胡三省注:「按《長曆》,是月乙卯朔。」同上註。

元701元），置拔萃，始於崔翹。開元十九年（西元731元），置宏辭，始於鄭昕。開元二十四年（西元736元），置平判入等，始於顏真卿。[51]

《唐語林》這段材料被徵引的最多，但問題也最多。首先，這則材料表明了唐代舉選制度承接隋而來。隋朝設置明經、進士科，唐延續並增至六科。主考也是因襲前代。但緊接著王讜才說，唐代分別於大足元年（西元701年）、開元十九年（西元731年）、開元十四年（西元726年）設置拔萃、宏辭、平判入等三科，似乎可以確信唐代吏部科目有此三科。

其次，王讜這段話表明了一個非常重要的問題，**隋唐舉士與選官是一體的**。舉選制度，貢舉舉士經歷了考功郎中、考功員外郎、禮部侍郎主考的轉變，吏部在平時還要負責銓選工作，因此舉選在唐代至少是兩個部門參與其中。

最後，王讜的材料存在爭議性的解釋。畢竟《唐語林》是宋代的筆記小說，其材料記載的真實性需要審慎對待。王讜只是說大足元年，置拔萃科，卻沒有指明其性質。根據王勳成的考證，《唐會要》卷十六〈貢舉部·制舉科〉、《冊府元龜》卷六四五〈貢舉部·科目〉皆視大足元年的拔萃科和開元十九年的宏辭科為制舉類。我們不需要重複王勳成考證，但有一點需要指出，拔萃科凡是署名書判拔萃必然屬於吏部科目選，因為吏部試判不試策。後人之所以會混淆，類似是把制舉的博學宏辭科簡稱宏辭科。王勳成認為《唐語林》大足元年設置拔萃科，有誤。其實不然，不是王讜所記有誤，而是後人理解有差異。王讜此言並未言及拔萃具體性質，前後並無制舉、科目選的語境，只是後人以為吏部書判拔萃科就是王讜說的大足元年的制舉拔萃科。[52]

（一）吏部科目選宏辭科、拔萃科、平判科

王讜《唐語林》大足元年（西元701年）的拔萃科問題，王勳成在《唐代銓選與文學》中已經糾正，不重複其觀點，只說結論，王勳成考釋書判拔萃科設於開元十八年（西元730年）。[53]劉後濱《唐前期文官的出身與銓選》認為拔萃科比較複雜，依舊視作原出制科，始於大足元年（西元701年）。[54]大足元年（西元701年）的拔萃科是制舉的觀點還見吳宗國，「久視、大足時，拔萃科仍是制科的一種，或者說，作為科目選的拔萃科還處在發育之中，尚未從制科中分離出來。」[55]王勳成考證大足元年（西元701年）的拔萃科，全名是拔萃出類科，屬於制舉，後人混淆吏部科目選

51 （宋）王讜撰；周勳初校證：《唐玉林校證》北京：中華書局，1987年，頁713。

52 王勳成：《唐代銓選與文學》北京：中華書局，2001年，頁274。

53 同上註，頁276。

54 劉後濱《唐前期文官的出身與銓選》，收入吳宗國《盛唐政治制度研究》上海：上海辭書出版社，2003年，頁355。

55 吳宗國：《唐代科舉制度研究》北京：北京大學出版社，2010年，頁90。

書判拔萃，與把博學宏辭簡稱宏辭科類似。然而，制舉試策不試判，吏部試判不試策是涇渭分明的。制舉不會有書判拔萃的名目，有拔萃出類、超拔群類制舉科，但都考試策。吏部設置了書判拔萃，制舉沒有必要再仿照吏部科目，皇帝制科等級最高，吏部也不敢僭越。因此，按照王勳成論述書判拔萃從制舉演變就不能成立。

　　博學宏辭科的設置從側面印證了這點，「開元十九年（西元731年），置宏辭，始於鄭昕。」《登科記考》卷七博學宏辭科下注曰：「按唐之博學宏辭科，歲舉之。」歲舉即每年都舉行，自然是常舉、常選。《冊府元龜》卷六四五、《唐會要》卷七十六卻把這年的博學宏辭科放在制舉類顯然是錯誤的。[56]吳宗國認為吏部科目選宏辭科是始開元十九年（西元731年），不過王勳成更進一步推究應為開元十八年（西元730年）孟冬十月。[57]《全唐文》卷三九〇獨孤及〈唐故朝議大夫高平郡別駕權公神道碑銘並序〉載：

> 至開元十八年，乃擇公廉無私工於文者，考校甲、乙、丙、丁科，以辨論其品。
> 是歲，公受詔與徐安貞、王敬從、吳鞏、裴朏、李宙、張烜等，十學士參焉。凡
> 所升獎，皆當時才彥，考判之目，由此始也。[58]

科目選宏辭、拔萃的設置的可以確定為開元十八年（西元730年）冬十月。

　　接著看（宋）王讜《唐語林》說：「開元二十四年（西元736年），置平判入等，始於顏真卿。」這則材料只是給定了開元二十四年（西元736年）這個時間節點，並未指出平判入等的性質，我們甚至不清楚，王讜所謂的平判入等是不是科目選？我們的結論是：開元二十四年（西元736年），置平判（科）入等，顏真卿參加了吏部新增科目選平判科。

　　《舊唐書》顏真卿本傳云：「開元中，舉進士，登甲科。」《新唐書》載其：「開元中，舉進士，又擢制科。」新舊《唐書》不同之處在於，《新唐書》載顏真卿在進士及第之後，又參加了制科。制科非常舉，進士科是常舉。殷亮〈顏魯公行狀〉曰：「開元二十二年進士及第登甲科。二十四年吏部擢判入高等，授朝散郎秘書省著作局校書郎。天寶元年秋，扶風郡太守崔琇舉博學文詞秀逸。玄宗御勤政樓，策試上第。以其年授京兆府醴泉縣尉。」行狀記載其開元二十二年（西元734年）進士及第登甲科對應的是《舊唐書》。[59]開元二十四年（西元736年）吏部擢判入高等，顯然指吏部的科目選入等，對應王讜所言，開元二十四年（西元736年），似乎置平判入等就

56　王勳成：《唐代銓選與文學》北京：中華書局，2001年，頁277。

57　同上註，頁279。

58　（清）董誥等編；孫映逵點校：《全唐文》，第3冊，頁2353。

59　有學者認為《舊唐書》顏真卿中「登甲科」指的是「平判入等」，恐非。筆者按：〈顏魯公行狀〉載其開元二十二年進士及第登甲科，對應《舊唐書》本傳。顏真卿進士及第登甲科時間是開元二十二年，開元二十四年是吏部擢判入高等（平判科入等），所以《舊唐書》顏真卿中「登甲科」不可能是「平判入等」。進士及第甲科禮部設置的等第，禮部擢判高等是吏部設置高等，兩者不可混淆。金瀅坤、于瑞：〈唐代吏部平判入等科與選舉研究〉，《學術月刊》2014年第11期，頁141-153。

應為吏部擢判入高等之事。殷亮行狀也確定了《新唐書》「又擢制科」指顏真卿天寶元（西元742年）年參加了博學文辭秀逸的制科。不過，《全唐文》卷三九四令狐峘〈光祿大夫太子太師上柱國魯郡開國公顏真卿墓誌銘〉載：「弱冠進士出身，尋判入高第，授秘書省校書郎。天寶初制策甲科，作尉醴泉。」[60]「制策」是制舉試策，佐證了《新唐書》、〈顏魯公行狀〉記載的顏真卿天寶元（西元742年）年參加制舉考試。行狀與墓誌銘中載顏真卿天寶初制策甲科，任京兆府醴泉縣尉。然，殷亮行狀與令狐峘墓誌銘對於顏真卿判入高等之後授予官職記載不同。殷亮說是授「朝散郎秘書省著作局校書郎」，令狐峘則說「秘書省校書郎」。朝散郎，文散階從七品上，應該是顏真卿進士及第後散階銜。著作局隸屬秘書省，《唐六典》載秘書省有校書郎是八人[61]，著作局有校書郎二人，同為正九品上。殷亮是顏真卿表兄殷寅之子，[62]按照令狐峘墓誌顏真卿所任校書郎應具體為殷亮「秘書省著作局校書郎」，可補賴瑞和之論。

　　總之，顏真卿應是：開元二十二年（西元734年），進士及第登甲科；開元二十四年（西元736年）才參加吏部銓選擢判入高等，授予朝散郎秘書省著作局校書郎；天寶元年，試策博學文詞秀逸，擢上第，授京兆府醴泉縣尉。唯一符合王讜《唐語林》的只有〈顏魯公行狀〉這則史料。不過，這也能夠證明開元二十四年（西元736年）吏部科目選有「平判科」入等。開元十八年（西元730年）後，吏部設置科目選宏辭、拔萃科，開元二十四年（西元736年），又設置平判科，始顏真卿。但學界對平判科的存在還是存在有疑慮茲舉例證之：

> 今本點校《冊府元龜》卷第六百三十九〈貢舉部（一）·總序〉云：「又有吏部科目，曰宏辭拔萃，平判官皆吏部主之。……其吏部科目，吏部貢舉，皆各有考官。」[63]應句讀為「又有吏部科目，曰宏辭、拔萃、平判，官皆吏部主之。」此處三者並列即同為吏部科目選之意。吳宗國先生注平判官（應為平判入等），沒有把官字放入後一句，顯然和下文「皆各有考官」不通。[64]

60　（清）董誥等編；孫映逵點校：《全唐文》，第3冊，頁2374。

61　賴瑞和認為秘書省校書郎為十人，參考賴瑞和《唐代基層文官》北京：中華書局，2008年，頁18。《唐六典》秘書省卷第十「校書郎八人」條注：據《通典》職官八〈諸卿中〉「秘書省校書郎」條、《舊唐書》〈職官志〉、《唐會要》卷六十五秘書省並同六典，《新唐書》〈百官志〉作「十人」。（唐）李林甫等撰，陳仲夫點校《唐六典》北京：中華書局，1992年，頁306。筆者按：秘書省、著作局皆有校書郎，且都是正九品上，著作局隸屬秘書省，依《通典》、《舊唐書》、《唐會要》、《唐六典》載秘書省校書郎八人，著作局校書郎二人，只有《新唐書》在校書郎十人之數，因此本文取八人之數。

62　殷亮，字仲容：《新唐書》〈藝文志〉卷五十八載「殷亮《顏氏家傳》一卷」；殷仲容《顏氏行傳》一卷」，（宋）歐陽修，宋祁修：《新唐書》，頁970。《宋史》〈藝文志〉卷二百三載「殷亮《顏杲卿家傳》一卷又《顏真卿行傳》一卷」。（元）脫脫等：《宋史》北京：中華書局，2000年，頁3409。

63　（宋）王若欽等編，周勳初校訂：《冊府元龜》南京：鳳凰出版社，2006年，第8冊，頁7382。

64　吳宗國：《唐代科舉制度研究》，頁89。

　　吏部科目選平判科入等，還見於元稹。元稹是明二經及第，守選七年參加吏部科目選平判科[65]。〈酬翰林白學士代書一百韻並序〉「八人稱迴拔，兩郡濫相知。」元稹注：「同年八人樂天拔萃登科，予平判入等。」[66]白居易貞元十九年拔萃登科，元稹與之同年，此處「平判入等」應為「平判科」入等。〈酬哥舒大少府寄同年科第〉云：「前年科第偏年少，未解知羞最愛狂。九陌爭馳好鞍馬，八人同著彩衣裳。」元稹注：「同年科第：宏辭呂二炅、王十一起、拔萃白二十二居易、平判李十一複禮、呂四穎、哥舒大恆、崔十八玄亮、逮不肖，八人皆奉榮。」[67]元稹區別了宏辭、拔萃、平判三科，顯然吏部科目選是存在平判科的。有學者把白居易的書判拔萃科及第稱判科，這樣的說法只能讓問題更加含混。判科是吏部所有試判考試科目的概括，不應該限定在某一個科目上。吏部考試以試判為主的科目皆是判科。[68]

　　《舊唐書》卷一百六十六〈元稹傳〉：「稹九歲能屬文，十五兩經擢第。二十四調判入第四等，授秘書省校書郎。」[69]二十四調判入第四等，是參加吏部科目選平判科入第四等。徐松《登科記考》把列元稹拔萃科入等，乃誤。下注曰，《侯鯖錄》載〈元微之年譜〉，貞元十八年（西元802年）微之年二十四，中書判拔萃第四等，授校書郎。〈唐才子傳〉：「元稹擢明經，書判入等。」[70]年譜稱書判拔萃第四等是錯誤的，才子傳中的書判入等應解釋為平判科入等。

（二）吏部科目選遴選人員資格

　　「有官階出身者，吏部主之；白身者，禮部主之。」[71]守選制度確立後，選部銓選考試選人分為：一選限已滿的前資官、有出身者。考試內容為案牘文判觀其能，屬平調平選；二是「選限未至」、「選未滿」的前資官、有出身者。沒有循資格限選、限期之前，都應平選試判考。循資格設立後，「選限未至」、「選未滿」的前資官、有出身者參加科目考，考試內容是吏部開元十八年新設科目選宏辭、拔萃、平判科。此外，詞美者，不拘限制，司馬光所引不全即省略了這句。區別兩者典型的標誌是「選限」之期，這與唐代「循資格」關係非常之密切。可以說，吏部科目選的創設正是因為「循資格」的設立出現了問題而採取的補救措施。

65 唐代明經及第分為兩種，一是選拔最佳者補國子監，三年後入選聽集；一是按照吏部常調銓選，先當蕃上下後守選。元稹守選是據王勳成推論暫定七年。王勳成：《唐代銓選與文學》，頁56-57。

66 （唐）元稹撰；冀勤點校：《元稹集》全2冊（北京：中華書局，1982年，頁116。

67 同上註，頁180。

68 金瀅坤：〈唐代書判拔萃科的設置、沿革及其影響〉，《廈門大學學報（哲學社會科學版）》2016年第5期，頁41-53。

69 （後晉）劉昫等：《舊唐書》，頁2947。

70 （清）徐松撰；趙守儼點校：《登科記考》中冊（北京：中華書局，1984年，頁565。

71 （宋）王若欽等編：《冊府元龜》第8冊，頁7382。

　　王讜《唐語林》記載顏真卿一事，是因為他進士及第守選未滿，直接參加了吏部常調科目選。

　　中唐進士及第必須守選，一般是三年。開元二十二年、二十三年、二十四年（西元734-736年），顏真卿進士及第應該守選滿三年才能參加吏部銓選。這裡涉及到如何理解「選人有格限未至」、「選未滿」的涵義問題。《通典》卷十五〈選舉三〉：

> 選人有格限未至，而能試文三篇，謂之「宏辭」；試判三條，謂之「拔萃」，亦曰「超絕」。詞美者，得不拘限而授職。[72]

選人中有選格所規定的參選期限尚未到者，是指「選人有格限未至」。

　　《新唐書》卷四十五〈選舉志下〉：

> 選未滿而試文三篇，謂之「宏辭」；試判三條，謂之「拔萃」，中者即授官。
> 守選年數還未滿者，是指「選未滿」。

　　現存典籍中關於唐代博學宏辭、書判拔萃最早的記載不是《唐語林》；「格限未至」、「選未滿」之語也非出自司馬光《資治通鑑》云：「人有格限未至，而能試文三篇，謂之『宏辭』，試判三條，謂之『拔萃』，入等者得不限而授。」司馬光之語是轉自杜佑且表述不完整。[73]原文出自杜佑《通典》卷十五〈選舉三〉。之所以再次提及是因在討論科目選平判科選人資格時需要重新審視這則史料。

　　顏真卿既然未滿三選，就屬於「選未滿」。參選吏部科目選試判二條，應平判科，所以王讜說「平判入等」始自顏真卿。宋代科舉考試後是要守選的，《宋史》卷一五八〈選舉志〉「進士、制舉，三選」。王讜顯然知曉這一制度，而顏真卿守選未滿三年應吏部選，所以才會特意留筆。那麼，由此推論，吏部科目選的設置應在開元二十四年（西元736年）之前，是針對類似顏真卿這樣「格限未至」、「選未滿」的人而設置的。

　　劉禹錫〈唐故相國李公集紀〉載：「公諱絳，字深之，趙郡人。在貢士中傑然有奇表。既登太常第，又以詞賦升甲科。授秘書省校書郎、歲滿從調，有司設甲乙問以觀決斷，複居高品。」[74]又《舊唐書》卷一六四〈李絳傳〉云：「絳舉進士，登宏辭科，授秘書省校書郎。秩滿，補渭南尉。」[75]李絳貞元八年（西元792年）進士及第，後又參加了制舉宏辭科詞賦考試，升甲科，授予秘書省校書郎，任職滿後入吏部銓選常調，即參加杜佑所說「乃采經籍古義，假設甲乙，令其判斷」的吏部科目考試，有司設甲乙問以觀決斷，李絳複居高品，補渭南縣尉。有學者描述為「李絳貞元八年

72　（唐）杜佑：《通典》，頁361-362。

73　詳見金瀅坤、于瑞：〈唐代吏部平判入等科與選舉研究〉，《學術月刊》2014年第11期，頁141-153。

74　（唐）劉禹錫撰，卞孝萱校訂：《劉禹錫集》卷19（北京：中華書局，2000年，頁224。

75　（後晉）劉昫等：《舊唐書》，頁2920。

（西元792年）進士及第，同年宏辭科及第後，又參加了科目選，『有司設甲乙問以觀決斷』，且選限已滿，應當指代平判入等科。」[76]這樣的表述邏輯有問題，李絳是先進士及第，同年參加制舉宏辭科，任校書郎秩滿後，又參加吏部書判常選。平判入等並非指吏部科目選，而是代指吏部以案牘、書判、文判的方式考察官吏，擢佳秀者「入等」的考試辦法。李絳是正常秩滿的情況下入吏部常選參加案牘文判考試，不同於「選限未至」的參加吏部科目選宏辭試詞三篇、拔萃試判三條的考試。

又張說〈兵部尚書代國公贈少保郭公行狀〉稱郭元振：「十八擢進士第，其年判入高等，時輩皆以校書、正字為榮，公獨請外官，授梓州通泉尉。」[77]開元十年（西元722年），張說作此行狀。郭元振咸亨四年（西元673年），擢進士第，其年判入高等。有學者認為「判入高等」即「平判入等」。[78]唐代舉選結合，參加吏部銓選常調的選人範圍是：進士及第有出身的、選限已滿的前資官、選限未滿的前資官。郭元振是進士及第，按制需要守選三年，才可以應吏部常選。郭元振不可能在同一年不參加守選，逕直在進士及第後，立刻參加吏部銓選常調，唐代進士及第不守選罕例恐不會在制度體系完備的開元年間發生。張說所言「判入高等」應為「制入高等」之誤。因為，高宗咸亨四年（西元673年）吏部尚無「書判拔萃」科。王定保《唐摭言》卷三〈今年及第明年登科〉曰：「郭代公，十八擢第，其年冬，制入高等。」[79]郭元振（西元656-713年）《舊唐書》本傳「封代國公」[80]，稱郭代公，徐松《登科記考》載擢第為唐高宗咸亨四年（西元673年）[81]，是年冬集銓選，應制舉。王勳成判斷行狀所言後人「判入高等」或是後人傳抄之訛。[82]

即便武后時期所設試官，也需要參加吏部平選，〈考課令〉「內外官」條集解：然則，判官亦得考，師不依之。[83]又《唐會要》卷七十九〈諸使下・諸使雜錄下〉載：

（大和三年）其年（西元829年）十二月，中書門下奏：「伏准五月八日勅節文，諸道、諸使奏判官，所奏雖官資相當，並請限曾任正官經六考以上者，比擬監察、侍御史；九考以上者，與比擬殿中侍御史；以上節級各加三考。如曾諸色登

76　金瀅坤、于瑞：〈唐代吏部平判入等科與選舉研究〉，《學術月刊》2014年第11期，頁141-153。

77　（唐）張說撰；熊飛校注：《張說集校注補遺》北京：中華書局，2013年，頁1587-1588。

78　金瀅坤、于瑞：〈唐代吏部平判入等科與選舉研究〉，《學術月刊》2014年第11期，頁141-153。

79　（五代）王定保：《唐摭言》，陶敏主編《全唐五代筆記》西安：三秦出版社，2012年，第4冊，頁2819。

80　（後晉）劉昫等：《舊唐書》，頁2063。

81　（清）徐松撰；孟二冬補正：《登科記考補正》北京：燕山出版社，2003年，頁70。

82　王勳成：《唐代銓選與文學》，頁281。金瀅坤在二○一六年修正了自己的觀點，也認為郭元振是制舉入等。詳見金瀅坤〈唐代書判拔萃科的設置、沿革及其影響〉，《廈門大學學報（哲學社會科學版）》2016年第5期，頁41-53。

83　（日）仁井田陞，栗勁等編譯：《唐令拾遺》，頁243。

科，超資授官者，不得在此限。所奏憲官，特置考限，以防僥倖，深合至公。然節文之中，或有未盡。臣等再四商量，如京六品以上清資官、並兩府判官，及進士出身，平判入等，諸色登科授官人，不在此限。其在使府及監察已上者，亦任准元和七年（西元812年）八月二十二日勅節文，依月限處分。餘望准前勅施行。」依奏。[84]

諸道、使奏薦的判官，需要曾任一定考數才能擬定新職，在京六品以上的清流官、兩府判官以及進士出身，平判入等不在此列。由此可確定此「平判入等」非平選，而是吏部科目選平判科不在此限，因為上文已經說除此外的判官入選參考當時吏部平選常調。

四　選部舊制平選與科目選書判拔萃科、平判科的區別

（一）區別科目與科目選

循資格設立守選制度後，科目選為彌補其選人之弊出臺。因此，此時需要區別選部「科目」與「科目選」的差異，這一問題學界尚未討論。首先，由表一可知，開元十八年（西元730年）之前選部舊制僅有一個身言書判的試判科目，此科目選人資格尚未有選限設置；開元十八年（西元730年）後，選部舊制就存在了舊制科目與新科目選並立的情況。舊制試判銓選常調是「平選」考試判，是吏部一直就有的科目；新制科目選「平判科」入等考試判是針對選限制未至、選未滿的選人。新制科目選設立後，舊制平選負責考判選限滿、格限至的選人，因為守選制度確立後，平選考試判的選人資格發生了變化。這也就導致了在開元十八年（西元730年）後，存在科目與科目選的差異，區別方式是看選人資格。

其次，選部舊制平選極易同書判拔萃科、平判科入等混淆。避免混淆二者的方法是：一是明確選部舊制平選常調，在時間上相繼存在。二是區別選人資格範圍。以循資格設立出現問題，科目選設立的時間點開元十八年（西元730年）前後作為參照。選部舊制身言書判平選常調一直存在，且以案牘、書判試判作為考試內容。循資格創立前，守選制度建立前，選限滿與未滿的前資官，進士及第者都要參加平選。開元十八年（西元730年）後，針對彌補循資格選人之弊端，科目選設立。區別科目選與平選的方法是基於參選人員資格，有兩條即「選限未至」和「選未滿」。

最後，科目與科目選的差異，並未引起重視的原因是學界把科目選的平判科入等當作了選部舊制平選科入等。科目選平判科性質歸屬最為複雜。如果平判科是科目選，科目選有選人資格設置，平判科也必然有選人資格限制性要求。「舉凡吏部主持的科目，

84　（宋）王溥撰；牛繼清校證《唐會要校證》上下，頁1239。

諸如宏辭、拔萃、平判入等以及後來設立的三禮、三傳、三史等，皆可以稱之為吏部科目。而平判入等是從選人所試判中評出佳者登於科第。選人是透過正常銓選的程式參加試判的，因此不能稱之為科目選。」[85]吳宗國先生接著又繼續闡釋科目選選人資格許可權問題。從選人試判中評出佳者登於科第應是對所有吏部考試而言，而非特指平判入等，宏辭、拔萃皆是入等之意。吳宗國先生既然承認選人透過正常銓選程式參加試判，也就表明了在科目選限制選人資格同時存在一般性試判常調平選，而這一點恰恰是被忽視了的。正是因為忽視了在科目選出臺後同時存在著一個一直存在的選部的舊制身言書判的試判考，才會造成學界對平判入等認識混亂、表述雜糅。

未區別科目與科目選的例證：

一、金瀅坤〈唐代書判拔萃科的設置、沿革及其影響〉一文在文章開頭就明確提出了平判入等科、書判拔萃科、博學宏辭科是「科目選」。〈唐故相州成安縣主簿張府君墓誌〉載張個：

> 其年十四，以明經擢第，自孝廉郎解褐相州成安主簿。其第一年，顧其當曹主吏，有繩糺法無罳；第二年，佐長庸議，上更無私；第三年，臺閣食聲，思與輯穆。如是惠□廣物，清節苦心，決黷聽殷，行修聞遠，三考如雪，四人備恩，德輔中朝，聲揚河北。未三二年，以清狀減考，見許赴集，於前年冬十月銓授筆硯書判，高出萬人，拭目於時。吏部簡闕，制命俟行，豈謂坐對金門，輶軒不就。以天寶十載正月三日不起，微疾返真於長安客舍，春秋卅有二。[86]

金瀅坤文章認為，張個卒於天寶十年（西元751年），其天寶八年（西元749年）滿三考，參加吏部銓選試判考試，考慮到有萬人參加應該是選限已至的平判入等科，而非選限未至的書判拔萃科。[87]這已經同作者在開頭表述矛盾了，既然平判入等是科目選就一定有選限要求，而如果張個是參加沒有選限的平判入等，就不會是科目選而只能是吏部舊制沿革下來的一般常調銓選試判考。這一條例證足可以證明吏部科目與科目選並未被學界充分討論。

二、學界目前較早區別科目與科目選的是黃正建先生一九九二年〈唐代吏部科目選〉一文「簡稱〈科目選〉」。[88]〈科目選〉一文首先區別了科目與科目選的差異，並且在選人資格上進行了清晰的論證，尤其在處理《冊府元龜》「平判，官皆吏部主之」時

85 吳宗國：《唐代科舉制度研究》，頁89。

86 浙江大學圖書館古籍碑帖研究與保護中心《中國歷代墓誌資料庫》[DB/OL]網址：〈http://csid.zju.edu.cn/tomb/stone/detail?id=8a8fbda74ca22703014ca229326c09e7&rubbingId=8a8fbda74d093780014d26ff2fab09fa〉瀏覽日期：2020年10月31日。

87 參見金瀅坤：〈唐代書判拔萃科的設置、沿革及其影響〉，《廈門大學學報（哲學社會科學版）》2016年第5期，頁41-53。

88 黃正建：〈唐代吏部科目選〉，《史學月刊》1992年第3期，頁24-27。

句讀也符合筆者研判。只是可惜文章並沒有深入就科目選與科目問題進行探討尤其後世在對《通典》「平判入等」作為平判科入等還是平選試判入等陷入認識混亂之際，就非常有必要把這一問題徹底說清楚。

（二）「平判入等」問題辨析

非要說「平判入等」是吏部科目選，也只能指吏部舊制「平選」試判考試入等。因為當時吏部對所有選人只有一個選拔標準，都參加書判，那時「循資格」、守選制、科目選也沒有創立，可以勉強說「平判」入等。但絕不能斷然認為吏部沒有科目選「平判科」入等或者認為科目選平判科就是選部舊制平選試判考，學界對這一問題認識混亂表現為兩種觀點。

第一種觀點，把選部舊制的平選，當作了科目選中的平判科入等，把「平判入等」這個四個字理解成只要憑試判考試入等之意。認為選部舊制的身言書判考、試判考試的平調「平選」是開元二十四年（西元736年）自顏真卿始的「平判入等」。「然則吏部常調銓選試判實即『平判』，『平判入等』則是指參加吏部常選試判成績達到『入等』的標準。」[89]堅持這一說法的依據史料是杜佑《通典》卷十五〈選舉三〉，只不過卻把這則史料的選部舊制平選「入等」試判佳者同科目選「平判入等」混淆。換言之，這是把後者科目選「平判」科試判二條「平判入等」，當作了前者選部舊制平選身言書判考，試判二條。吳宗國先生認為平判入等是從試判發展而來的，杜佑《通典》卷一五〈選舉三〉為例證之，隨即又說平判入等即選人試判佳者就有欠周全。玄宗開元十五年（西元727年）敕：「今年吏部選人，宜依例糊名試判，臨時考等第奏聞。」這條材料只能說明糊名試判還沒有形成制度，卻不能說明平選試判考等第沒有形成制度，需要下敕臨時處分。[90]區別平選考試入等，與平判科入等，在入等問題的方法，已經前道及：先看時間，再看選人資格。

《唐會要》卷七十五〈選舉部下〉：

> 元和三年（西元808年）正月，吏部奏：「准去年六月勅，元和元年（西元806年）下文狀人，但有續關，即便注擬。元和二年（西元807年）下文狀人，均待有兩季下續關，至冬末合收用者注擬。伏以非時選集，見在無多，待關多年，艱辛轉甚。其元年二月十三日巳前下文狀，應未得官人，並請依當年平選得選留人例，一時注擬。其十月以後，及今年下文狀人，如元勅即與處分，亦請准前注

89 陳勤娜：〈唐代「平判入等」考辨〉，《華南師範大學學報（社會科學版）》2015年第1期，頁185-188、192。

90 吳宗國：《唐代科舉制度研究》，頁92。

擬。其餘並請待注平選人畢，有闕相當，便與注擬。如無闕相當，即請許待續闕。」勅旨：「依奏。」[91]

其年三月，勅：「秘書省、弘文館、崇文館、左右春坊、司經局校書郎、正字，宜委吏部，自今平流選人中，擇取志行貞進、藝學精通者注擬。」[92]

這兩條記載中元和三年（西元808年）正月吏部奏提及「非時選人」、「平留選人」即說明元和時吏部銓選分為定期舉行的時選，和臨時性的「非時選」。三月敕文中則明確了「平流選人」。在《唐會要》卷六十五〈秘書省〉中詔書記載更加詳細：

> 元和三年三月，詔：「秘書省、弘文館、崇文館、左春坊司經局校書、正字，宜委吏部，自今以後，於平留選人中，加功訪擇。取志行貞退，藝學精者注擬。綜覆才實，惟在得人，不須限以登科及判入等第。其校書、正字限考，入畿縣尉、簿，任依常格。」[93]

不同的是「平流選人」在元和三年（西元808年）詔書中的寫作「平留選人」，當為選部舊制常調平選。選人旨在得人，取其才實，「不須限以登科及判入等第」此處的「判入等第」容易造成語言上的誤解。一是把「判入等第」理解成「平判入等」，又加之把「平判入等」理解成了「平選」入等；另一種是把「判入等第」理解為「平判科」、或書判拔萃，判入等。這兩種解釋都欠缺具有說服力的證明，這是語言歧義造成的。「判入」可以理解為吏部專項考試「判」的通稱；也可作「列」入之意。在沒有新的證據材料佐證前，穩妥的解釋「判入等第」涵義是：根據吏部銓選列入等第，包含了平選以及科目選書判拔萃、平判科入等。

總之，〈唐代「平判入等」考辨〉作者持此論的核心觀點是：「常規銓選既稱『平選』，在『平選』中的試判便可稱『平判』。」[94]《新唐書》卷一百一十八〈韋見素傳〉載：「（韋見素）遷文部侍郎，平判皆誦於口，銓敘平允，官有丐求，輒下意聽納，人多德之。」[95]這樣的說法極易同科目選「平判科」入等混淆。持此論更進一步則是徹底否定了吏部科目選「平判科」的存在，因此也就否定了《冊府元龜》史料的真實性。[96]大

91　（宋）王溥撰；牛繼清校證：《唐會要校證》（上下）西安：三秦出版社，2012年，頁1170。
92　同上註。
93　（宋）王溥撰；牛繼清校證：《唐會要校證》（上、下）西安：三秦出版社，2012年，頁961。
94　陳勤娜：〈唐代「平判入等」考辨〉，《華南師範大學學報（社會科學版）》2015年第1期，頁185-188+192。
95　（宋）歐陽修，宋祁等：《新唐書》，頁3383。
96　作者在處理《冊府元龜》平判科史料時又承認了其科目選性質。據《唐會要》卷五十四〈省號上・中書省〉載：（太和三年）其年五月，中書門下奏：「內外常參官改轉。伏以建官蒞事，曰賢與能，古之王者，用此致治，不閒其積日以取貴，踐年而遷秩者也。況常人自有常選，停年限考，式是舊規。然猶慮拘條格，或失茂異，遂於其中設博學宏辭、書判拔萃、三禮、三傳、三史等科目以待

概是注意到這種含混所以在處理《唐語林》顏真卿「置平判入等」時，作者解釋說：「這裡的『置』可能是指『置科』，亦即開元二十四將『平判入等』確定為一個銓選『科目』。大抵『平判入等』有一個由非科目到科目的過程，至杜佑、元稹之時，則已成為更加穩定而規範的科目。」[97]選部銓選一直以來存在平選試判之目，科目選特設平判科，是針對「循資格」之弊為滿足選人資格許可權問題增設，這是我們需要明確指出的。

　　第二種觀點，相較第一種而言是截然對立的。這種觀點承認了吏部科目選存在平判科，但卻又忽視了選部舊制平選試判的存在，混淆了科目選平判科與平選入等，如認為顏真卿「登甲科」指的是「平判入等」。我們已經指出的李絳宏辭及第之後參選問題。[98]除此之外平判科入等、平選入等、書判拔萃入等還需要具體考辨以下幾個例子：

　　《舊唐書》卷一百六十六〈白居易傳〉：

> 貞元十四年（西元798年），始以進士就試，禮部侍郎高郢擢升甲科，吏部判入等，授秘書省校書郎。元和元年四月，憲宗策試製舉人，應才識兼茂、明於體用科，策入第四等，授盩厔縣尉、集賢校理。[99]

　　作者在〈唐代吏部平判入等科與選舉研究〉中說：「似乎《舊唐書》〈白居易傳〉把『吏部判入等』，與拔萃科等同，其實『判入等』就是『平判入等』科，不能視作拔萃科。」[100]這句話值得探討。《舊唐書》所記有錯，錯在白居易吏部判入等、授予校書郎的時間不是「貞元十四年」，而是與元稹同年「貞元十九年（西元803年）」。上文元稹詩中已經說了，他同白居易八人一同「榮養」。元稹〈白氏長慶集序〉：「貞元末，進士尚馳競……樂天一舉擢上第。明年，中拔萃甲科。是公〈性習相近遠〉、〈求玄珠〉、〈斬白蛇〉等賦，及百道判，新進士競相傳於京師。」[101]白居易是進士、拔萃同登科，即貞元十八年先進士及第，十九年又參加「選未滿」的科目選拔萃科，而非平判科，其書判考試的百道判詞也為新進士爭相傳閱。又以《新唐書》卷一百一十九〈白居易傳〉證之：

> 貞元中，擢進士、拔萃皆中，補校書郎。元和元年（西元806年），對制策乙等，

之。今不限選數聽集，是不拘年數、考數，非擇賢能之術也。」又承認平判科存在。（宋）王溥撰；牛繼清校證：《唐會要校證》（上、下）西安：三秦出版社，2012年，頁792-793。蓋在選部舊制平選試判理解上等同於平判入等。詳見陳勤娜：〈唐代「平判入等」考辨〉，《華南師範大學學報（社會科學版）》2015年第1期，頁185-188+192。

97　同上註。

98　作者在處理史料未進行足夠的辨析張說〈兵部尚書代國公贈少保郭公行狀〉脫「代」字；長名榜問題，也未能指出司馬光評定之語徵引不全、出自杜佑《通典》。

99　（後晉）劉昫等：《舊唐書》，頁2956。

100　金瀅坤、于瑞：〈唐代吏部平判入等科與選舉研究〉，《學術月刊》2014年第11期，頁141-153。

101　（唐）元稹撰；冀勤點校《元稹集》（全2冊）北京：中華書局，1982年，頁554。

調盩厔尉，為集賢校理，月中，召入翰林為學士。[102]

《新唐書》所載白居易進士、拔萃皆中，然後補校書郎，時間在貞元中。《舊唐書》錯在時間上，學者稱其把「『吏部判入等』同拔萃科混為一談。判入等就是平判入等科」有待詳細探討。[103]白居易〈養竹記〉寫道：「貞元十九年春，居易以拔萃選及第，授校書郎。」[104]貞元十九年（西元803年）白居易以拔萃選及第是真實的，至於之所以產生錯訛，或因把「拔萃」當作了「佳者」入等，認為這是一種誇張的表述，於是把「判入等」理解成「平判入等」科。如〈唐代「平判入等」考辨〉作者說，《舊唐書》卷一百八十七下〈張巡傳〉曰：「（張巡）舉進士，三以書判拔萃入等」[105]這種表述不夠準確，認為張巡是三次參加「平判」皆入等。如果張巡是以書判入等，尚可以解釋為這位學者所認為的吏部平選即平判入等；或解釋為前一學者的平判科入等。但書判後有拔萃二字，認為是等同於佳者誇張的表述顯然違背史實。從以上這兩種觀點可以看出學界對選部舊制平選、吏部科目選平判科的認識存在嚴重的誤讀和混淆。

〈唐代吏部平判入等科與選舉研究〉一文對〈唐故朝議郎前守蓬州刺史樂安孫府君墓誌銘並序〉中的解釋也不夠周全：

> （孫謔）高祖府君諱遜，英拔間出，年十八，應制擢科，授越州山陰縣尉，滿秩從調，判居三等。時有司考覆，公精以為妙絕，升二等送，超拜左拾遺……曾祖府君諱宿……判入高等，授祕書省校書郎……大父府君諱公器，抗志耽學，應書判超絕登第，授京兆府鄠縣主簿……烈孝府君諱簡，擢進士第，判入殊等，授祕書省正字。時南場所試，為搢紳推最，歌諷在口，繇此時人號為制判家。[106]

論文作者說：

> 從有號稱「制判家」的孫氏家族試判情況來看，有判居三等、升二等、判入高等、書判超絕、判入殊等五種不同的稱法，判居三等符合平判入等科有甲、乙、丙、丁四等之第丙等，即平判入等，判入高等和判入殊等，應該是平判入等科的甲等、或乙等，而書判超絕科在表述上與其他三者有明顯的區別，就是書判拔萃科。需要特別說明的是孫遜先是以「滿秩從調，判居三等」，即平判入等丙科及第，但因試判「妙絕」，被有司「升二等送」，擢為拔萃科。[107]

102　（宋）歐陽修，宋祁等：《新唐書》，頁3406。

103　金瀅坤、于瑞：〈唐代吏部平判入等科與選舉研究〉，《學術月刊》2014年第11期，頁141-153。

104　（唐）白居易撰；謝思煒校注：《白居易文集校注》北京：中華書局，2011年，頁263。

105　（後晉）劉昫等：《舊唐書》，頁3331。

106　周紹良：《唐代墓誌彙編》上海：上海古籍出版社，1992年，頁2548。

107　金瀅坤、于瑞：〈唐代吏部平判入等科與選舉研究〉，《學術月刊》2014年第11期，頁141-153。

孫逖「滿秩從調，判居三等。時有司考覆，公精以為妙絕，升二等送。」作者從入等的情況倒推存在一個問題，選部舊制的平選也是入等的。《通典》載趙匡〈選舉議〉曰：

> 宏辭拔萃，以甄逸才；進士、明經，以長學業；並請依常年例，其平選判入第二等，亦任超資授官。[108]

趙匡所謂的依常年例，即說按照選部舊制，平選如果試判入第二等，可以超資授官。對照孫譓祖父孫逖而言，《全唐文》卷三三七收顏真卿〈尚書刑部侍郎贈尚書右卜尉孫逖文公集序〉稱：「年未弱冠而三擅甲科。」[109]孫逖（西元696-761年），《唐會要》卷七十五〈藻鑒〉云：「開元八年（西元720年）七月，王邱為吏部侍郎，拔擢山陰尉孫逖。」[110]《舊唐書》卷一九〇〈文苑中·孫逖傳〉載：「開元初，應哲人奇士舉，授山陰尉。遷秘書正字。十年，應制登文藻宏麗科，拜左拾遺。」[111]《新唐書》卷二百二〈孫逖傳〉：「年十五（西元711年），……舉手筆俊拔、哲人奇士隱淪屠釣及文藻宏麗等科。開元十年（西元722年），又舉賢良方正。玄宗禦洛城門引見，命戶部郎中蘇晉等第其文異等，擢左拾遺。」[112]

表二

時間	方式	性質	等第	授官	出處
景雲二年（西元711年）	三登甲科	制舉			全唐文
開元八年（西元720年）	吏部侍郎	選部		王邱拔擢山陰尉	唐會要
開元初	哲人奇士舉	制舉		山陰尉 秘書正字	舊唐書
開元十年（西元722年）	賢良方正	制舉	其文異等	擢左拾遺	新唐書
開元十年（西元722年）	文藻宏麗	制舉			登科記考 舊唐書

〈常無名墓誌〉卻是「開元十年，舉文藻弘麗。遂上皇王之盛，下借周漢之喻，……與孫逖同入第二等。」[113]墓誌與《舊唐書》均載孫逖為開元十年（西元722年），舉文藻弘麗，其文異等即第二等，《新唐書》開元十年（西元722年）賢良方正應誤。

108　（唐）杜佑：《通典》頁426。

109　（清）董誥等編；孫映逵點校：《全唐文》，第3冊，頁2030。

110　（宋）王溥撰；牛繼清校證：《唐會要校證》（上下），頁1165。

111　（後晉）劉昫等：《舊唐書》，頁3432。

112　（宋）歐陽修、宋祁等：《新唐書》，頁4409。

113　（清）徐松撰；趙守儼點校：《登科記考》，上冊，頁237。

　　孫逖十八歲制舉授山陰尉，他就是應該屬於趙匡所論的這種情況，秩滿參加選部舊制平選，初判為三等，有司考覆以為妙絕，升入二等，超拜左拾遺即超資授官。因此判居三等未必就一定是平判科入第三等，而很可能是趙匡所言的選部舊制平選入三等，後升入二等，這也才符合超拜的邏輯。作者誤認孫逖先是以「滿秩從調，判居三等」，即平判入等丙科及第，但因試判「妙絕」，被有司「升二等送」，擢為拔萃科。更是把孫逖從一個平判科變成了拔萃二等，也就說按照作者的推論他參加的是吏部科目選平判科，被判入三等，卻被認為妙絕，又擢為二等，認為是拔萃科。作者這種解釋路徑對照趙匡之論選部舊制顯然不合理，合理的解釋是孫逖參加的是選部舊制平選，因為平選也考試判，也分等級。

> 孫逖曾祖父孫宿，判入高等，授秘書省校書郎。
> 烈孝府君諱簡，擢進士第，判入殊等，授秘書省正字。時南場所試，為搢紳推最，歌諷在口，繇此時人號為制判家。

判入高等、判入殊等，也不一定是作者所說平判入等的四個等級甲乙丙丁中的甲或乙等。因為，選部舊制也有等級。趙匡既然說了「並請依常年例，其平選判入第二等」常年平選肯定有第一等，平選也是試判，這個被另一作者誤認為「平判」的可不是科目選平判入等。要說明清楚這點我們必須明確一點試判考試是吏部專門考試，在銓選制度實踐中雖然重視身、言，不過身言僅僅是道德言行上的軟體，人人言殊，其衡量的標準不能做到可視化。

　　趙匡推崇書判、試判考試就是因為能夠突顯政治行政事務處理能力，也就是考治事能力。要知道有唐貢舉制度在趙匡時已經是漏洞百出，趙匡舉出其弊端，指陳得失，目的就是要改變風氣，他之所以積極宣導選舉中以試判為先也是基於對經學精義的新認識。趙匡選舉人條例中[114]為我們提供了如下線索：

> 請令所在，審加勘責，但無渝濫，並准出身人例，試判送省。
> 限十月內到，並重試之訖，取州試判。
> 東都選人，判亦將就上都，考定等第，兼類會人數。
> 諸以廕緒優勞、准敕授官者，如判劣惡者，請授員外官。待稍習法理，試判合留，即依資授正員官。

　　趙匡選舉人條例不限前資官及選人選限都可以聽集，但無論是正品正命還是領試官、員外官，都准許參吏部冬集，不過都要經過一定的檢驗考覆，方能注擬授官。試判送省、取州試判、試判就上都，考定等第、試判合留之語充分說明了在唐代選制中存在

114　（唐）杜佑：《通典》，頁421。

州試判、省試判一般性考判，這就是選部舊制平選以及平選試判也要分等第。具體等第見下條：

> 不習經史，無以立身；不習法理，無以效職。人出身以後，當宜習法。其判問，請皆問以時事、疑獄，令約律文斷決。其有既依律文，又約經義，文理弘雅，超然出群，為第一等；其斷以法理，參以經史，無所虧失，粲然可觀，為第二等；判斷依法，頗有文彩，為第三等；頗約法式，直書可否，言雖不文，其理無失，為第四等。此外不收。但如曹判及書題如此則可，不得拘以聲勢文律，翻失其真。故合於理者數句亦收，乖於理者詞多亦舍。其倩人暗判，人間謂之「判羅」，此最無恥，請榜示以懲之。[115]

趙匡沒有否定經史立身的重要性，只不過他更看重能夠在制度運行框架內靈活治理能力的展現。法理的執行需要借助官吏的判案能力，重用這樣人的才能讓整個帝國制度運行得到保障。趙匡對法律條文的經學義理內涵的重視，以及文學表達的雙重要求體現為第一等；稍微差的也是以能夠參校經史，文理可觀為第二等；第三等就是能夠依照法律條文，教條行事卻稍有文采；最後第四等能夠顧及法律條文，未必理解法律中的禮樂治道精神，卻能夠做到道理不失，言語表達雖欠缺，但也尚可。趙匡的選舉標準的制定總結下來是：法律條文；法理精神；文采典雅，即第一等的律文、經義、文理三條。趙匡要求曹判出判目、評閱考卷也要遵循這些，不能以聲勢文律為限而失其真。[116]律文、經義、文理三者之中趙匡最為看重是經義標準，這也是試判考試的精髓所在，「故合於理者數句亦收，乖於理者詞多亦舍。」趙匡看重經義與中唐啖助、陸淳新《春秋》學興起有關，這一點會專門討論。趙匡所言的試判等級不是「平判入等」的等級，而是選部一般性常選的等級劃分。

〈唐代吏部平判入等科與選舉研究〉作者認為吏部銓選以書判最為重要，察其身、言為副，未能區別送解之前先考書、判，冬集吏部察身、言時，才考案牘、書判、試判之目；吏部書判不是最為重要的。中國古代選官的標準一直都是以德行為先，這從《唐會要》卷六十九〈縣令〉、《唐會要》卷七十五〈選舉部下〉、《通典》〈選舉〉中馬周、杜如晦、魏徵、陳子昂、沈既濟、魏玄同、劉嶢、張九齡、宋昱等人的奏文中可以見出。唐代贊成吏部書判選人的比較突出的是趙匡〈選舉議〉：「今所試之判，不求浮華，但令直書是非，以觀理識，於此既蔽，則無貌、言，斷可知矣。書者，非理人之具，但字體不至乖越，即為知書。判者，斷決百事，真為吏所

115　（唐）杜佑：《通典》，頁425。

116　〈唐代吏部平判入等科與選舉研究〉認為「平判入等考試存在『拘以聲勢文律，翻失其真』的情況，本木倒置。」忽視了原文語境中趙匡是針對曹判和書題而言。金瀅坤、于瑞：〈唐代吏部平判入等科與選舉研究〉，《學術月刊》2014年第11期，頁141-153。

切，故觀其判，則才可知矣。彼身、言及書，豈可同為銓序哉！」[117]趙匡對身、言不重視，以為書判為要，其實僅是支流。在儒家禮樂美學以修身為本的語境中，德行始終是第一位的。但自古選才的問題實際上是文學與吏道、儒與吏之間的博弈。杜佑卻評論說：「文詞取士，是審才之末者；書判，又文詞之末也。」[118]顯然杜佑是以儒者自居，不屑吏道，而趙匡則以中唐新《春秋》學為圭臬，力求開風氣之先，所重的乃是吏才，側重實用主義。儒家保守的道德理想主義情懷在杜佑一派文人而言，自然是無法容忍以書判方式敘階，此君子不能為也。所以馬端臨才會如此評論兩漢以來的儒與吏的衝突：「後世儒與吏判為二途，儒自許以雅，而詆吏為俗，於是以剸繁治劇者為不足以語道；吏自許以通，而誚儒為迂，於是以通經博古為不足以適時。而上之人又不能立兼收並蓄之法，過有抑揚輕重之意，於是拘謭不通者一歸之儒，放蕩無恥者一歸之吏，而二途皆不足以得人矣。」[119]

五　平判科入等登科情況辨析

〈唐代吏部平判入等科與選舉研究〉一文認為：「平判入等科實行之初，大概是吏部設置的最早科目選科目的緣故，倍受士人崇尚，在開元以前競爭還是很激烈，非進士、明經出身平判入等很困難。」平判入等不是吏部設置最早的科目選，作者認定的平判入等比開元二十四年（西元736年）早的證據是咸亨四年（西元673年）的郭元振。而王勳成已經指出郭元振是制舉入高等。此外作者舉平判入等登科情況原文如下：

一　顏元孫光宅二年（西元685年）進士及第。《全唐文》卷三四〇顏真卿《唐故通議大夫行薛王友柱國贈秘書少監國子祭酒太子少保顏君碑銘》云：「君諱惟貞……少孤，育舅殷仲容氏，蒙教筆法。家貧無紙筆，與兄以黃土掃壁本石畫而習之，故特以草隸擅名。天授元年，糊名考試，判入高等……又選授洛州溫縣、永昌二尉，每選皆判入高科。侍郎蘇味道以所試示介眾曰：『選人中乃有如此書判！』嗟歎久之。」[120]天授元年糊名考試，判入高等。並不能確定此判即吏部科目選，也有可能是平選試判。同樣，選授洛州溫縣、永昌，每選皆判入高科，更有可能是平選常調。

二　宋璟調露二年（西元671年）進士及第，長壽三年（西元694年）從調「判入高等」。《全唐文》卷三四三顏真卿〈有唐開府儀同三司行尚書右丞相上柱國贈太尉廣

117　（唐）杜佑：《通典》，頁427。

118　同上註，頁456。

119　（元）馬端臨：《文獻通考》第5冊《史部選舉考卷》第八，濟南：山東畫報出版社，2004年，頁177。

120　（清）董誥等編；孫映逵點校：《全唐文》，第3冊，頁2049。

平文貞公宋公神道碑銘〉載，宋璟調露二年（西元671年）及第，「長壽三年從調，判入高等。」從調，應為從選部常調平選試判入高等，而非吏部科目選入高等，彼時尚無吏部科目選平判科。[121]

三　常無名景雲三年（西元712年）進士及第，當年登拔萃科，補益州新都尉；開元十年（西元722年），擢鄠縣尉，秩滿，判入第三等，授萬年尉。〈大唐故尚書禮部員外郎贈中書舍人工部侍郎太子賓客常府君墓誌銘並序〉：「府君諱無名，字無名，……既冠，進士擢第，其年拔萃登科，補益州新都尉。開元十年，舉文藻弘麗。遂上皇王之盛，下借周漢之喻，……與孫逖同入第二等，擢鄠縣尉。……秩滿。判入第三等。自周隋已來，選部率以書判取士，海內之所稱服者，二百年間，數人而已，又居其最焉。復以常資，授萬年尉。」[122] 開元十年，常無名與孫逖開應制舉文藻弘麗，同為二等。[123]《唐尚書省郎官石柱題名考》卷二十〈禮部員外郎〉常無名注：「《唐才子傳》張子容，開元元年常無名榜進士。」《唐摭言》卷十三：「無名子書劉公先翰，有常無名判云：『衛侯之政由寧氏，魯侯之令出季孫。』豈以經對史耶！」[124]《登科記考》卷五：「景雲三年，常無名，狀元。」徐松注：「考常袞〈叔父故禮部員外郎墓誌銘〉：『諱無名，河內溫人，既冠，進士擢第。其年拔萃登科。』按：拔萃科即此年之手筆俊拔、超越流輩科也。是進士擢第在此年。」[125]

　　常無名景雲三年（西元712年）進士及第，是年參加制舉手筆俊拔、超越流輩科，即〈常府君墓誌銘〉中拔萃登科是制舉，補益州新都尉。開元十年（西元722年）秩滿，從調判入第二等，是選部平選常調，非吏部科目選平判科。平判科入等釋褐情況，如果僅憑判入高等、判入等和判入高第登科作為依據是不夠充分的。平判作為吏部科目選的標誌是針對選限未至和選未滿設置的，這可以作為一個識別項。

四　馮萬石聖曆元年（西元697年）進士及第，開元十三年（西元725年）考判入第，十六年（西元728年）又入第。馮萬石。萬石，聖曆初，第進士。大足初，中嫉惡科。神龍初，中才高位下科。景雲中，中懷能抱器科。開元初，重考及第。六年，中超群拔類科。十三年，考判入第。十六年，又入第。二十六年，中文詞壯麗科。凡九登科選。[126]

121　同上註，頁2063。

122　胡戟、榮新江：《大唐西市博物館藏墓誌》北京：北京大學出版社，2012年，頁629。

123　徐松寫作文藻宏麗科（清）徐松撰；趙守儼點校：《登科記考》，上冊，頁237。

124　（清）勞格、趙鉞；徐敏霞、王桂珍點校：《唐尚書省郎官石柱題名考》北京：中華書局，1992年，頁849-850。

125　（清）徐松撰；趙守儼點校：《登科記考》，上冊，頁157。

126　出自《全唐文》，（清）董誥輯、版本：清嘉慶內府刻本、頁4779。

五　張秀明景雲二年（西元711年）進士，開元八年（西元720年）考判入等，十九
　　年（西元731年）又考判入等。張秀明。開元十八年（西元730年），拔萃科。
　　徐松《登科記考》注：「《廣卓異記》引《登科記》：『秀明開元十九年考判入
　　等。』」開元十九年，拔萃科。徐松《登科記考》注：「《廣卓異記》引《登科
　　記》，張秀明開元十九年考判入等。」[127]金瀅坤、于瑞兩位學者認為徐松所注
　　拔萃科乃平判科入等之誤。

　　　　不過，〈唐代吏部平判入等科與選舉研究〉一文卻以此為例說：「平判入等
科也是士人由門蔭出身獲得員外官、試官，轉成正員官重要途徑。」李邧不是
透過吏部科目選平判科入等，而是書判拔萃科，作者之所以錯認識在此處又把
科目選的平判入等當作了吏部就制平選試判之平判，又重走了〈唐代「平判入
等」考辨〉一文的舊路。

　　　　總之，在處理「平判入等」這一問題〈唐代吏部平判入等科與選舉研究〉一文的疏
忽太多，有些材料的使用並不足以支撐其論點；而〈唐代「平判入等」考辨〉一文則是
含糊不清，對科目選平判科與平判入等、選部平選更是左右搖擺不定。金瀅坤、於瑞文
章最後列舉了二十六人平判入等與釋褐情況重新考訂如下：

1　孔戡、高鉩、趙璘

　　　　《舊唐書》卷一百五十四〈孔戡傳〉：「舉明經登第，判入高等，授秘書省校書
郎。」[128]《新唐書》卷一百六十三〈孔戡傳〉：「擢明經，書判高等，為校書郎」。[129]
從兩則史料看，以「判入高等」作為「平判入等」標誌不妥，孔戡更有書判拔萃入
高等的可能。同樣，判入等也是如此。《舊唐書》卷一六八〈高鉩傳〉：「鉩，元和
初進士及第，判入等，補秘書省校書郎。」[130]又見《大唐王屋山上清大洞三景女道士
柳尊師真宮志銘》趙璘「以前進士赴調，判入高第，為秘書省校書郎。」[131]進士及第
後稱前進士，赴吏部平選常調，試判入高第，而未必是科目選平判科入高第。

2　崔郾

　　　　《舊唐書》卷一五五〈崔郾傳〉：「郾字廣略，舉進士，平判入等，授集賢殿校書
郎。」[132]史料中明確「平判入等」除了顏真卿還有此條。

127　（清）徐松撰；趙守儼點校：《登科記考》，上冊，頁259。

128　（後晉）劉昫等：《舊唐書》，頁2787。

129　（宋）歐陽修，宋祁等：《新唐書》，頁3899。

130　（後晉）劉昫等：《舊唐書》，頁2987。

131　周紹良：《唐代墓誌彙編》，頁2202。

132　（後晉）劉昫等：《舊唐書》，頁2800。

3　宋華、張季友、李蟾

宋華，「判入高等。」[133]

張季友，韓愈〈唐故尚書虞部員外郎張府君墓誌銘〉：「尚書虞部員外郎安定張君，諱季友，字孝權。……孝權與餘同年進士……選為河南府文學。去官，徐州使拜章請為判官，授協律郎。……試判入高等，授鄂縣尉。」[134]金瀅坤、於瑞把張季友歸入平判科入高等釋褐值得探討。韓愈清楚寫道，在參加吏部試判考前，張孝權已經有過從官的經歷，他與韓愈同年進士及第，選為河南府文學才是其釋褐之官。

李蟾，《唐代墓誌彙編》太和○五八〈唐故朝議郎守尚書比部郎中上柱國賜緋魚袋隴西李府君墓誌銘〉：「年未弱冠，以經明遊太學，忽不樂，乃修文學舉進士，頗以行藝，流譽於士友之間。元和六年，登太常第，方以詞賦擅美就科選於天官，無何故尚書孟公自給中撫俗制東，開幕序賢，首膺辟命，授試秘書省正字，充觀察推官。」[135]詞賦擅美就吏部科選未必是平判入等選。

4　李朏、鄭昕

李朏，《唐代墓誌彙編》天寶二七一〈唐故朝散大夫太子左贊善大夫隴西李府君墓誌銘並序〉：「弱冠進士擢第，吏曹考判，又登甲科，……請授晉陵郡武進縣主簿。」[136]吏部考判這不是確切指向平判科。

鄭昕，《白居易集》卷四十二〈故滁州刺史贈刑部尚書滎陽鄭公墓志銘並序〉：「公即秘書第三子，好學攻詞賦，進士中第，判入高等。始授鄖城尉。」[137]好學詞賦，及第後判入高等，也未必是平判科。

5　李鏞、鄭群、孫簡、李虛中、李商隱

李鏞，《舊唐書》卷一五七〈李鏞傳〉：「大曆中舉進士，又以書判高等，授秘書正字。」[138]書判高等，可能是書判拔萃，或一般銓選試判考。

鄭群，韓愈〈唐故朝散大夫尚書庫部郎中鄭君墓誌銘〉：「以進士選，吏部考功所試判為上等，授正字。」[139]《韓愈全集校注》按：《志》云募以長慶元年（西元

133　（唐）顏真卿；（宋）留元剛：《顏魯公文集》版本：景上海涵芬樓藏明刊本、卷之四、頁47。

134　（唐）韓愈撰；屈守元、常思春主編：《韓愈全集校注》北京：中華書局，1996年，第4冊，頁2082。

135　周紹良：《唐代墓誌彙編》，頁2137。

136　同上註，頁1721。

137　（唐）白居易撰；謝思煒校注：《白居易文集校注》，頁216。

138　（後晉）劉昫等：《舊唐書》，頁2822。

139　（唐）韓愈撰；屈守元、常思春主編：《韓愈全集校注》，第4冊，頁2475。

821年）卒，年六十，則大曆四年（西元769年）華年僅八歲，文注所據《登科記》乃誤本。王儔注即糾正文注之誤，說同樊氏，二家當有所據。此謂鄭群既登進士第，複應吏部考功選舉之宏辭拔萃科試。《新唐書》〈選舉志下〉云：「凡試判登科謂之『入等』。甚拙者謂之『藍縷』。選未滿而試文三篇，謂之『宏辭』；試判三條，謂之『拔萃』。中者即授官。」[140]

孫簡，〈唐故朝議郎前守蓬州刺史樂安孫府君墓誌銘並序〉見上文。

李盧中，韓愈〈大唐故殿中侍御史隴西李府君墓誌銘並序〉：「進士及第，試書判入等，補秘書正字。」[141]這裡的試書判入等，更有可能是選部科目選書判拔萃科入等而非平判科入等。

李商隱，〈請盧尚書撰曾祖妣志文狀〉：「曾孫商隱，以會昌二年（西元842年）由進士第判入等，授秘書省正字。」[142]未必是平判科入等。

6　楊敬之、蕭鍊（作為筆誤）、袁不約、韋辭、元積、韋溫

楊敬之，《新唐書》卷一百六〈楊敬之傳〉：「敬之字茂孝，元和初，擢進士第，平判入等，遷右衛冑曹參軍。」[143]或未平判科入等。

蕭鍊〈唐故天德軍攝團練判官太原府參軍蕭府君墓誌銘〉：「後以選敘參於吏部，書判入暗等。授太原府參軍。」[144]書判或為書判拔萃。

崔弘禮，《新唐書》卷一百六十四〈崔弘禮傳〉：「崔弘禮字從周，及進士第，平判異等。」[145]或未平判科入等。

袁不約，「不約，字還樸，長慶三年鄭冠榜進士。大和中，以平判入等調官。」[146]或未平判科入等。

韋辭，《舊唐書》卷一百六十〈韋辭傳〉：「少以兩經擢第，判入等，為秘書省校書郎。」[147]判入等表述不能指向平判科入等。

元積，見上文。

韋溫，《舊唐書》卷一百六十八〈韋溫傳〉：「年十一歲，應兩經舉登第。釋褐太常寺奉禮郎。以書判拔萃，調補秘書省校書郎。」[148]書判拔萃考非平選科試判。

140 同上註，頁2478。

141 （唐）韓愈撰；屈守元、常思春主編：《韓愈全集校注》，第4冊，頁1958。

142 （唐）李商隱原著；劉學鍇，余恕誠：《李商隱文編年校注》，頁791。

143 （宋）歐陽修，宋祁等：《新唐書》，頁3871。

144 周紹良：《唐代墓誌彙編》，頁1950。

145 （宋）歐陽修，宋祁等：《新唐書》，頁3925。

146 （元）辛文房撰；徐明霞校點：《唐才子傳》瀋陽：遼寧教育出版社，1998年，頁81。

147 （後晉）劉昫等：《舊唐書》，頁2870。

148 同上註，頁2981。

7　余從周、韋冰、韋輅、孫成、李邿

余從周，《唐代墓誌彙編》大中〇六〇〈唐故尚書刑部員外郎會稽餘公大夫河南方氏合祔墓誌銘〉：「以明經為鄉里所舉。再舉登上第，既益嗜學，其探賾淵奧，性得懸解，諸生皆不如君。君既歸江上，遂取前人之善為詞判者，習其言，循其矩，無幾而所為過出前人。複持所志詣有司請試，有司考其言，拔萃居第四等，因授秘書省正字。」[149]余從周拔萃居第四等，更有可能是書判拔萃試判考。

韋冰，《唐代墓誌彙編續集》大和〇〇二〈唐故同州錄事參軍京兆韋府君墓誌銘並序〉：「一舉明經上第，既會常調，判入高等，受太子正字。」[150]

韋輅，《大唐西市博物館藏墓誌》四四二號〈唐故平盧軍節度副使侍御史內供奉賜緋魚袋韋府君墓誌銘並序〉：「聞天官有取士科，甄較書判，且雅好之。因複下帷，琢磨覃思。而天與機格，才調高逸，剖析是非，叩擊清越，雖老於是者，咸稱伏焉。一戰而名動搢紳，再試而首冠甲乙。授京兆府參軍。秩滿赴調，又判入高等。」[151]

孫成，《唐代墓誌彙編》貞元〇二六〈唐故中大夫守桂州刺史兼御史中丞充桂州本管都防禦經略使招討觀察處置等使上柱國樂安縣開國男賜紫金魚袋孫府君墓誌銘並序〉載：「髫歲崇文館明經及第，參調選部，年甫志學，考判等第，竦聽一時，解褐授左內府兵曹參軍。」[152]常調，判入高等、赴調，判入高等、參調選部，考判等第的表述更符合一般銓選的特徵。

李邿，韓愈〈唐故中大夫陝府左司馬李公墓志銘〉載：「公諱邿，……以朝邑員外尉選，魯公真卿第其所試文上等，擢為同官正尉。」[153]李邿是以非正命員外官朝邑縣尉的身分參加吏部常選，顏真卿試書判拔萃舉上第，擢其為同官正命縣尉。而這一條史料證據還見《韓愈全集校注》條下注：

孫汝聽云：「試書則拔萃屬藋等。」樊汝霖云：「魯公顏真卿為史部侍郎。」按：書判拔萃為吏部主試，第者授官。徐松《登科紀考》卷十寶應二年（西元763年）拔萃科載李邿，云：「按魯公於寶應二年三月改史部侍郎、八月除江陵尹、充荊南節度觀察處置使，則李邿拔萃在是年。」[154]

以上例證不足以充分證明判入等可以作為平判科的標識。不過在唐代平選的概念在發生變化，中晚唐科目選試判入仕快，是文人解褐授官起家之良選，或許讓科目選試判考成為一般銓選的主流，成為新的平選。

149 周紹良：《唐代墓誌彙編》，頁2295。
150 周紹良：《唐代墓誌匯續編集》上海：上海古籍出版社，2001年，頁880。
151 胡戟、榮新江：《大唐西市博物館藏墓誌》，頁951。
152 周紹良：《唐代墓誌彙編》，頁1855。
153 （唐）韓愈撰；屈守元、常思春主編：《韓愈全集校注》，第4冊，頁2455。
154 同上註，頁2458。

六　結論

第一，唐代選部舊制一直存在平流／留、常／長選的銓選平調製度。選部舊制平常調選以身、言、書、判考為取才標準，書判即選部試判考。判，一直以來都是選部遴選人才的具體方法。選部舊制平常調選試判考，不能簡稱為「平判」。一旦簡稱平判就會同吏部科目選「平判科」、「書判拔萃科」試判考混淆。學者陳勤娜認為平選試判即平判入等，簡稱平判，把吏部科目選平判入等理解成了選部舊制平選試判考，並且混淆了書判拔萃科與其定義的「平判」，對吏部科目選平判科也是語焉不詳。金瀅坤、於瑞兩位學者認為選部舊制存在平判入等，而且是開元以前吏部科目選的唯一科目。這個觀點沒有區別科目與科目選的差別，吏部科目選是針對選人格限未至或選未滿來設置的。在科目選設置之前，選部舊制規定選人都要參加平選試判。在科目選設置之後，吏部選調科目總共可分為：平選試判、科目選試判兩大類。此時平選試判參與者為選限滿的選人。這種差別的原因是循資格設置了守選制度。守選制度存在之前，選人冬集選部都要參加平選試判。守選制度存在後才有了選限和選未滿，也就才有科目選的設立，科目選本身就是為了彌補循資格守選之弊而設立的。

第二，後世之所以對「平判入等」認識混亂不堪，是因為唐代在確立守選制度後，吏部設置科目選之際就產生了兩種性質的試判。平選試判在唐代經歷了一次吏部選人資格的調整，未有循資格守選制度之前，所有選人不限制選期參選平調。循資格守選制度確立後，選人資格被限制，選限滿的去參加平選常調試判考，選限未滿的參加選部「網開一面」新增的科目選。這兩種性質的選調都是以試判為主，所以一旦簡稱平判入等，非常容易同科目選「平判科」入等混淆。實際上，這種混淆在《新唐書》〈選舉志下〉云：「凡試判登科謂之『入等』。甚拙者謂之『藍縷』。選未滿而試文三篇，謂之『宏辭』；試判三條，謂之『拔萃』。中者即授官。」就已經發生，《新唐書》已經把所有試判登科都稱「入等」實際上已經等於說「平判入等」，但這同杜佑《通典》的記載不符。這種混亂還體現在唐代末期，《舊唐書》卷十九上〈懿宗本紀〉：「（咸通五年）三月，以兵部郎中高湜、員外於懷試吏部，平判選人。」[155]這裡的平判選人顯然不是指具體的吏部科目選，而是就選部統一「試判」考性質而言。又《新唐書》卷一百一十八〈韋見素傳〉：「遷文部侍郎，平判皆誦於口，銓敘平允，官有丐求，輒下意聽納，人多德之。」[156]此處的平判也是就選部試判一般性而言，不能指認為平判科入等考試。簡稱平判選人，後人如果不深究其源頭，以此認為是平選，就完全掩蓋了唐代循資格守選制前後的選部遴選選人資格的變化。實際上，王鳴盛正是如此，王勳成業已經指出以其為代表的古人對「選未滿」是未得參加選部之遴選的誤解。

155　（後晉）劉昫等：《舊唐書》，頁445。

156　（宋）歐陽修，宋祁等：《新唐書》，頁3383。

　　第三，科目選是吏部專門為辟舉特殊人才開闢的通道，卻是守選已滿的前資官、有出身的人參選。同屬選部選人，既有條件參加選部平常銓選，又可以參加吏部為學有專長的人早日脫穎而出設置的科目選；不能同時參加，兩者必居其一。陳勤娜認為「屬於吏部銓選的科目習慣上稱之為『科目選』」這個說法不准確，顯然這並沒有區分科目與科目選。我們可以明確的是在循資格守選制度確立後，吏部增加科目選之際，選部依然存在的常調銓選，即平選。平判入等問題認識混亂、表述雜糅可以總結為：一是把選部舊制平選試判入等當成杜佑所稱「入等」，因為平選也有試判，於是曲解成「平判入等」。實際上平判入等是指選部科目選平判科入等，科目選區別一般科目——平選，對選人有資格限制。二是把「平判入等」中入等解釋為僅有平判科能入等，實際上吏部科目皆有等級，這正是杜佑「入等」的真實涵義。由此以判入等、判入高等、判入高第作為平判科識別標識便有不妥，這裡會把科目選設立後還存在的一般銓選試判「平選」誤認為科目選平判科入等。

　　第四，平選這一概念在整個唐代是變動的。在開元十八年前，平選指選部舊制試判常調銓選。開元十八年後相繼設置了科目選宏辭、拔萃、平判三科，由此文人入仕、內外流文官遷轉都以科目選為最佳的入仕解褐、遷轉的最佳途徑。經由科目選入仕，進士及第、明經出身者不必拘守選期限，六品之下文官也不必受制循資格的選數資例，科目選備受青睞由此可見。因此，在科目選在中晚唐之後便成為文人入仕、內外流官遷轉的「平選」，取代了原先選部試判考平調銓選。

　　《歐陽詹文集》第八卷〈與鄭相公書〉自言：「五試於禮部方售，鄉貢進士四試於吏部，始授四門助教。」自注：「詹兩應博學宏辭不售，一平選被駁，又一平選授助教。」[157]歐陽詹四次應試吏部方得官，其自稱兩應博學宏辭不第，一平選被駁，又一平選授助教。歐陽詹自注表明他所應的博學宏辭已經被稱為平選，成為文人入仕的一般性選擇。不過清人王鳴盛說：「平選」疑即應書判拔萃舉，澹與昌黎同登進士第，其再舉宏辭不中，與昌黎同，其後昌黎蓋一應平選，不中，不再應，惟上書求薦，而詹則以再平選得之。[158]王鳴盛對於書判拔萃與宏辭科的認識是混亂的，平選不是書判拔萃之舉，歐陽詹已經說了是博學宏辭；而且這個時候所稱平選已經是泛指吏部科目選常調銓選。

　　綜上所論，唐代選部常調銓選制度平選、循資格、科目選的宏辭、拔萃、平判科問題積極錯綜複雜。但有一點不容否認在選舉制度沿革上，吏部選人以試判為主，儘管以判取才備受爭議。判，只是作為書吏才能的體現，卻未必能夠代表禮樂美學治道中君子儒的價值追求，所以，唐代選人標準之爭的背後實質上是禮樂美學治道中儒與吏、文與法的衝突，詳細討論這點需要另文專論。

157　（清）王鳴盛撰、陳文和主編：《嘉定王鳴盛全集》北京：中華書局，2010年，第6冊，頁1120。
158　同上註。

試以〈杜子春〉談〈烈士池〉中國化

洪天一

新加坡國立大學中文系

　　《大唐西域記》〈烈士池〉[1]（下簡稱〈烈士池〉）作為一個典型的印度宗教故事，以其情節的曲折離奇、內蘊的豐富多彩在中國本土產生了巨大影響。其後數年間，〈烈士池〉多次在中國被再創作。而在眾多再創作品中，名氣較盛、為後世改寫較多者，當為李復言《續玄怪錄》卷一中的〈杜子春〉[2]（一說為牛僧孺所作）。這種多次的改寫重構，實際上是印度宗教故事中國化的過程，而在這個過程中，不可避免地產生了情節與主旨的遊移。本文將透過比較〈烈士池〉、〈杜子春〉兩則，探尋〈烈士池〉中國化的痕跡。

一　〈烈士池〉在唐代的再創作

　　相比於中國的再創作，〈烈士池〉在篇幅上較短，語言也具有明顯的印度色彩（如「婆羅門」等詞語的使用）。整篇故事主要以隱士煉丹為主線索，透過隱士視角和烈士自述補充，推動情節發展：隱士為煉丹尋訪心性堅定之人，在遇到走投無路的烈士後，對其多次照拂資助，使得烈士對其感恩戴德，俯首聽命。隱士按照仙術煉丹，希望烈士「一夕不聲」，卻在天將破曉時聽到烈士喊叫，因此失敗。在隱士責問時，烈士坦言自己在幻境之中遇到諸多引誘，在被殺轉世之後仍一言不發，因受到妻子的殺子威脅，不得已才出言阻止。整篇故事以隱士失敗歡息，烈士「感恩，悲事不成，憤恚而死」告終。

　　透過文本的比對，可以發現，從〈烈士池〉到〈杜子春〉的轉變並不是一蹴而就的。儘管後世多以〈杜子春〉為藍本進行再創作，但〈杜子春〉並非是唯一一篇承襲自〈烈士池〉的唐代作品。年代更早的相似作品包括段成式《酉陽雜俎》續集卷四《貶誤篇》中的〈顧玄績〉[3]、薛漁思《河東記》中的〈蕭洞玄〉[4]、裴鉶《傳奇》中的〈韋自東〉[5]等。透過文本對比，不難發現這四篇作品都含有相當的道教元素。唐代道教文化盛行，而〈烈士池〉中隱士希冀的「僊術」乃「長生之術」，這與道教煉丹修仙所求的

1　（唐）玄奘、辯機原著，季羨林等校注：《大唐西域記校注》北京：中華書局，1985年，頁576-578。

2　（宋）李昉：《太平廣記》卷16北京：中華書局，1986年，頁109-112。

3　（唐）段成式，許逸民：《酉陽雜俎校箋》北京：中華書局，2015年，續集卷四，頁1676-1677。

4　（宋）李昉：《太平廣記》卷44北京：中華書局，1986年，頁276-278。

5　（宋）李昉：《太平廣記》卷356北京：中華書局，1986年，頁2820-2822。

長生不老不謀而合，因此，從四篇作品的主人公都以煉丹求仙為目的，只是其中各有細節不同。

　　從整體上而言，〈顧玄績〉幾乎可以看做是〈烈士池〉的中國化譯本，其篇幅主旨皆與原作相似，同時附〈烈士池〉在其文後。而〈蕭洞玄〉無論是從內容還是敘述上都與〈杜子春〉相近，但和〈顧玄績〉相比，已經擴充了相當的內容和細節，從文化上更接近中國本土的道教故事（如主角之一名為「終無為」）。而這四篇故事中成書最晚的〈韋自東〉[6]幾乎脫離了〈烈士池〉原有的情節，在歷經演變後出現了文人化的趨勢，變成了另一個相似的故事：主人公在守丹的幻境中不必緘口，也並未歷經生死轉世，在經歷過怪物恐嚇與美女色誘後，因不識道士真偽而失敗，其主要矛盾與〈烈士池〉相去甚遠。這三篇作品與〈杜子春〉的具體比較可見下表：

篇名	敘述視角	主角結識過程	幻境遇險歷程	主題	結局
顧玄績	以幻境為分界，進入幻境前以顧玄績為敘述視角，進入後以「烈士」角色為敘述視角	顧玄績結識「烈士」，逐漸熟落贈金→「烈士」疑惑，顧玄績望其守丹，並一提出丹成可一同成仙→「烈士」感恩答允，與顧玄績上山	鐵騎呵斥要求避讓→遇到「若王者」被斬殺→轉世生於大賈家，娶妻生三子→因不開口被妻子「第殺其子」	「真情」與「成仙」的對立；出現幻境演變為夢境的趨勢	「烈士」夢醒，見到丹鼎盡毀（無顧玄績表現）
蕭洞玄	隨著故事的演進在蕭洞玄與終無為之間推移，基本可以平分秋色	蕭洞玄得秘訣尋「同心者」→見終無為折臂不改色，與之結交→蕭洞玄帶終無為上山，二人同修二三年	見道士、群仙→見女子調戲→見猛獸咆哮→見去世的親屬長輩→見夜叉、黃衫人、二手力，被帶到平等王府邸→見獄中受罪者，後轉生於長安貴人家→成婚一年後妻子殺兒	「真情」與「成仙」的對立；人生如夢，萬物虛空	兩人「相與慟哭」，此後「更鍊心修行。後亦不知所終」
杜子春	以杜子春為主要敘述視角	杜子春揮霍破產，茫然時遇見老人→老人贈厚金於杜子春——杜子春將所	見大將軍帶數百人逼問性命→見毒禽猛獸→見大雨雷電洪流——再次見將	「真情」與「成仙」的對立；人生如夢，萬物虛空	道士歎息，認為杜子春仍容於世間「所未臻者，愛而

6　〈韋自東〉作者裴鉶，生卒年不詳，唐僖宗乾符五年（西元878年）官至成都節度副使，晚於〈顧玄績〉、〈蕭洞玄〉、〈杜子春〉創作時間範圍，因此可以斷定其成書時間亦晚於其他三篇。

篇名	敘述視角	主角結識過程	幻境遇險歷程	主題	結局
杜子春		得揮霍一空→老人再次贈金→杜子春發憤謀生，再富之後故態復萌→老人三次贈金→杜子春「於名教復圓」後「唯叟所使」	軍與牛鬼蛇神，折辱其妻→被將軍斬殺，魂魄到閻羅殿受折磨→轉生為縣丞之女，體弱多病→成婚後生育一子→孩子被丈夫殺害		已」；杜子春愧恨而歸
韋自東	以韋自東為主要敘述視角	韋自東獨自斬殺夜叉後名聲大噪→道士慕名求「剛烈之士」為其在煉丹洞外相守，願意事成之後分藥於韋自東→韋自東踴躍應允，與道士一同上山	見巨虺，以劍擊之後化霧→見女子，又以劍擊之後消失→見一道士駕鶴而來，為慶賀丹成向韋自東誦詩，韋自東信以為真「釋劍而禮之」	虛實難辨	道士慟哭，韋自東悔恨不已。此後韋自東與道士皆不知所終

透過文本比對，不難發現〈韋自東〉與原作及其他三篇主旨立意相去較遠，大致已經演變為另一個含有大量道教元素的志怪故事。而由於〈杜子春〉作者未有定論，今天很難從斷定〈顧玄績〉、〈蕭洞玄〉、〈杜子春〉三篇故事的產生時間，也無直接證據證明三篇故事之間有無相互影響。但段成式寫明其作品源於〈烈士池〉，而非〈蕭洞玄〉或〈杜子春〉，至少可知其並未受後兩篇作品影響。此外，〈烈士池〉中的「僊術」原本只是隱士所求，而非烈士所求。但在〈顧玄績〉中變成了可使兩人一同「相期於太清」的飛升之術，顧玄績的「烈士」也變成了修仙的成員之一。而蕭洞玄亦與無為共同揣摩丹藥秘訣，一同修煉二三年，希望「攜手上升」，二人已然一同走上修仙之路。而杜子春則幾乎被老人雀屏中選（吾之藥成，子亦上仙），師徒一般引導指教，可見自〈顧玄績〉以來，「烈士」的角色定位產生了一定變化。因此，在情節上大致可以推斷出〈杜子春〉直接或間接地受到了〈顧玄績〉的影響。而〈蕭洞玄〉無疑在情節方面極大地豐富了原作，在撰寫了蕭洞玄和終無為人物背景的同時，也極大地豐富了二人結識的過程，這與〈杜子春〉中描摹杜子春生平起落有一定相似。且無為歷經幻境，與杜子春一般見到猛獸、鬼怪、親眷等，因此即使無法判斷〈蕭洞玄〉與〈杜子春〉成書先後，也可以推測這兩篇故事之間存在一定的關聯。

二　敘事結構與人物變化

　　值得肯定的是,〈杜子春〉在情節上極大地豐富了原版作品,而敘述視角的轉變無疑起到了相當的作用。誠然,李復言可能不是這一轉變的首創,但這一轉變最終的完善與傳播主要見於〈杜子春〉。〈烈士池〉的敘述以隱士的修行為主,烈士在幻境中的經歷為補,在這樣的敘述中,讀者和隱士一起聽到烈士「先發聲叫」,在隱士詢問之後才簡略地知曉個中原委。而〈杜子春〉將杜子春轉為主角,通篇以杜子春的經歷為主視角,使讀者與杜子春一同進入幻境,歷經肉體折磨、妻子受苦、轉世投胎及親兒被殺種種,使得情節更為跌宕,增加了故事的離奇感與曲折性,突出了故事的主旨。這樣的安排不管是作為文學作品還是宣教作品,都突出了較為可觀的故事性。

　　烈士為人所騙,受到隱士接濟之後感恩涕零,在幻境中見到的事情與自己的親身經歷緊密相關,未能成功幫助隱士成仙後「悲事不成,憤恚而死」,其個體的故事相對簡短,整個故事的矛盾在於「成仙」與「真情」的對立。〈杜子春〉保留了烈士在幻境中轉世投胎,親兒被殺的情節,並在此基礎上加上杜子春潦倒的背景,以及三次遇到老人慷慨解囊後終於看破富貴、與老人一同求仙問道的前提,從情節上讓杜子春經歷了俗世欲望的試煉,也從人物上豐富了杜子春的形象轉變。同時,相比於〈烈士池〉的描寫,李復言著重刻畫了杜子春經歷的種種磨難,從地獄的折磨到妻子受辱再到杜子春重新轉世重生,無不增添細節筆墨。而杜子春轉世為啞女的種種艱辛,也讓人如臨其境,體會到幻境虛實難辨。至此,「人生如夢」的主題與〈烈士池〉「歷幻奇遇」在〈杜子春〉中得到了疊加與融合,這正是〈烈士池〉中國化的重要表現。

　　在敘述視角的轉變之後,主人公形象也在中國化的過程中產生了變化。儘管烈士結識隱士、杜子春結識老道的機緣都與現實生活中的物質幫助有關,但在〈烈士池〉中,烈士在進入幻境之前並沒有表現出對現世物質、金錢等的放棄,相反,對隱士屢次的接濟的感恩之心才是他進入幻境的機緣,即「屢求效命,以報知己」。誠然烈士更看重隱士的知己之恩,且俗世的身外之物不足與其結尾「悲事不成,憤恚而死」的痛苦相當,但烈士在接受隱士的接濟時並沒有表現出遁世之意,更沒有修煉的志向。杜子春則相反,他不似烈士那般出身貧苦勤勤懇懇,而是「少落魄,不事家產。然以心氣閒縱,嗜酒邪遊,資產蕩盡,投於親故,皆以不事事之故見棄」,這類遊手好閒的敗家之人在中國的文化背景中通常是被見棄的,他們多是中國故事中的「反派」或「反面教材」。他在遇到老人接濟之後,第一次揮霍了老人給的錢財,第二次奮發圖強後又故態復萌,再次落魄之後看破紅塵,利用老人給的錢財救助孤孀,是在個人「於名教復圓」的前提下,他做好了「人間之事」,再去紅塵之外,「唯叟所使」。從人物而言,李復言筆下的杜子春相比於烈士多了「出世」的一個過程,這和敘述視角的轉換有關,同時也更符合了中國文人先入世功成名就,後出世修仙求道的「口味」。

　　相應地，敘述視角的轉變使得〈烈士池〉中的隱士與〈杜子春〉中的老人分化開來，相比於隱士，老人並不只想與杜子春合作，他更多地在〈杜子春〉中扮演了「伯樂」的角色。儘管由於敘述視角的不同以及情節的需要，老人在尋找其所需的「烈士」的過程中沒有像〈烈士池〉中的隱士那樣「營求曠歲」，原文也幾乎沒有明確表明杜子春是老人挑選出來的人，但他一次又一次地贈金於杜子春，允許他大肆揮霍，旁觀他建功立業，又引導他幫助鰥寡孤獨，使他看清金錢誘惑，這些足以表明老人是在一遍遍地考驗他，希望能引導他成為同道中人。儘管隱士和老人都需要一個「烈士」助其修煉，但該角色的形象由印度故事中的主導者變成了中國式的指引者，成仙在這裡變成了兩人共同追求的「事業」，烈士的報恩也變成了杜子春的求道。這種角色定位的轉化與中國傳統的「受試成仙」主題產生了一定重合，以至於明代《醒世恆言》〈杜子春三入長安〉中出現了杜子春拜老人為師、一心求道，並最終與妻子一同得道的情節。這樣的轉變，無疑是李復言筆下老人形象中國化的體現。隱士是在求仙路上需要烈士合作的修行者，而老人則是有心幫助杜子春認清金銀名利，引領他求仙問道的指路人。

　　同時，儘管烈士與老人最終都沒有成功，但這種結局並不意味著問題出在他們挑選「烈士」的眼光上。隱士對於烈士的挑選具有「信勇昭著」的標準，他遇到勤勞樸實卻平白受辱的烈士，聽過他的故事之後，確定此人心性可靠、耐力非常，於是選中了烈士。而在〈杜子春〉敘述視角的轉變之後，我們無從查看老人是否與隱士一樣，有仙術指引的標準，但他贈金予杜子春時，原文多次描寫杜子春的「愧」，可知其並非貪婪成性的無恥之徒。且在經歷了三次收金的大起大落後，杜子春已經有了明顯的改變，不僅主動放棄紅塵隨老人入山，還安排照顧鰥寡孤獨，足見其善良仁義、知恩圖報，這一行為已經超越絕大多數凡夫俗子。隱士和老人最終失敗，不在於他們挑選的眼光，而在於人心情感是人最難捨棄之物。誠如老人所說，「仙才之難得」，能泯滅一切不通人性之人才能飛升成仙，但能捨棄本能情感的人少之又少，不到最後一步，恐怕終究難以辨別。當捨棄心中至情成為了成仙的必要條件，哪怕是杜子春這種棄絕世間絕大多數欲念、經歷大起大落的「人才」，也無法將人性情感的血肉從自己身上剔除。因此他不是仙，只是人，「猶為世界所容」。

三　主題的延續與轉變

　　無論是〈烈士池〉還是〈杜子春〉，這兩則故事的重點都在於烈士／杜子春幫助修道者「成仙」的過程中歷經的幻境。而幻境的高潮部分又在於烈士／杜子春轉世後其生養的孩子被殺，故事的主旨也在這一部分顯露。在歷經幻境的過程中，杜子春所經歷的苦難無疑超過〈烈士池〉中的烈士。結合老人引導杜子春拋卻身外之物的前文，可以大體看出作者保留了〈烈士池〉烈士所處幻境中苦難逐漸加深的過程，這其中或許有李復

言為故事增添戲劇性的可能，但從整體上可大致反映出作者在對成仙前各類苦難難度的排序。只不過李復言筆下的幻境並不從世俗誘惑開始，而是從現實世俗社會中的金錢開始，在杜子春經歷老人三次贈金看破紅塵後，再寫幻境中生死，並一步一步將故事的矛盾引導至「真情」與「成仙」對立的矛盾高潮。

烈士所處的幻境從僱主前來求和慰謝開始，這是烈士受辱之後的心結，也代表了他和人間的牽絆。烈士由於「感荷厚恩」選擇「忍不報語」，被僱主所殺，但他為報恩生死不計，繼而轉世為人。相對於烈士，杜子春在這裡的試煉的情況更為慘烈，不但要面對千乘萬騎的呵叱和刀劍，還要經受「猛虎、毒龍、獫猊、獅子、蝮蛇萬計」和「大雨滂澍，雷電晦暝」。此後他的妻子在他面前被用剉碓「從腳寸寸剉之」，不論其妻如何哀求咒罵，他仍舊一言不發。在這裡可以看出，李復言視肉體折磨、杜子春妻子受苦為世俗利益之外的第二層幻境考慮，肉體上的折磨以及生死的威脅是直觀的、令人恐懼的痛苦，但也只止於皮囊肉身。妻子在一定意義上可以理解為杜子春塵世間的牽絆，相比於烈士受到道歉卻不能開口，這種痛苦很明顯更令人難以忍受。

在轉世的試煉中，〈杜子春〉同樣在〈烈士池〉的基礎上擴充了許多細節性的內容。〈烈士池〉寥寥數語寫烈士轉世生而為人，只有在出生時「備經苦」，其後便寫其老年憐子性命，不得已發聲。而杜子春的轉世投胎也並不如烈士一般順暢，他受「熔銅、鐵杖、碓搗、磑磨、火坑、鑊湯、刀山、劍林之苦」，也並未發聲。投胎時杜子春由於一言不發被視為「陰賊」，「不合得作男身，宜令作女人」。男子犯錯使其轉變為女子，這種懲罰可見於宣教佛經，如《舊雜譬喻經》（三七）載：「昔阿那律已得羅漢，眾比丘中顏容端正，有似女人。時獨行草中，有輕薄年少，見之謂是女人，邪性泆動，欲干犯之。知是男子，自視其形，變成女人，慚愧爵毒，自放深山，遂不敢歸，經踰數年。」[7]但李復言將杜子春轉世生為女子是否受此影響，已經無從考究。透過比對〈顧玄績〉、〈蕭洞玄〉，並聯繫上下文，筆者認為杜子春轉世從男變女，又生於地位相對較低的「縣丞」之家，應該是李復言為突顯杜子春轉世之苦故意為之。此外，由於中國古代女子承擔著「相夫教子」的責任，且母親懷胎十月，一朝分娩，辛苦異常，因此在世俗的主流印象之中，母子之間的親情似乎比父子之間更為緊密。李復言將杜子春轉世為女，也許是為後文出現母見子亡時的痛呼情節合理鋪墊。〈烈士池〉中，烈士因自顧年邁，心疼幼子，忘記了自己身處幻境之中，最終敗下陣來。而〈烈士池〉中的「若不語者，當殺汝子」的威脅，變成了〈杜子春〉中「乃持兩足，以頭撲於石上，應手而碎，血濺數步」。猝然而來的現實，使得杜子春沒有時間思考，這增添了杜子春試煉的難度。到此為止，杜子春已經歷了生、病、死等苦，卻仍然沒有忍受住心中至情，正如老道所說：「吾子之心，喜怒哀懼惡欲，皆能忘也。所未臻者，愛而已。」因此杜子春「猶為世界

7　網址：〈http://tripitaka.cbeta.org/T04n0206_002〉，瀏覽日期：2021年7月1日。

所容」，非成仙之才。

　　兩篇故事中的主角都不同程度地經歷人間各種各樣的「苦」，這樣層層迭進，使得最終的矛盾突出出來，只不過杜子春所受的折磨更多，其後發聲驚叫的高潮情形更為突出。但相比於〈烈士池〉，杜子春在進入幻境之前，多出了老人著重強調「萬苦皆非真實」的情節，在情愛與成仙矛盾的基礎上，進一步闡發了「人生如夢，萬物虛空」的主題。這與佛教「遊戲人生」的觀念相似，即人生的終極目的在於跳脫輪回，而萬物本性皆空，因此因緣所生一切皆為空無，種種欲望不過是阻礙人解脫的誘惑。唯有看破誘惑、滅絕欲望，才能從人生這一場「遊戲」中勝出。〈杜子春〉中的幻境隱喻了人世的「空」，但在這「空」之中，他忍受了肉體折磨、生死轉世，但仍然無法割捨愛子，以至於理智崩壞，大夢醒時全盤皆輸。這不僅僅是杜子春為人母的舐犢情深，更是其「不忍人之心」的體現。親眼看到無辜孩童的生命受到威脅後，愛子和不忍人之心，都是作為人的杜子春的本能。李復言描述杜子春轉世受苦生子，種種不易既是在寫杜子春歷幻的苦難，又在為其情感與理智的衝突鋪墊。看到妻子受盡酷刑，他尚能克制住自己的同情，忍受指責與心痛；但面對幼子無辜被殺，他作為人本能的「惻隱之心」占了上風，無法分辨幻境虛實，因而出口破「戒」。正如孟子所言，惻隱之心是仁之端，倘若無惻隱之心，則非人也。杜子春「所未臻者，愛而已」，無法割捨一切，因此他仍然是人非仙，為世界所容。

　　因此，從烈士到杜子春，故事的主題仍然在延續，即人心中最真摯的情愛是無法捨棄的；而它又在中國發生了改變，對幼子本能的不忍人之心，正是為人之「仁」與仙的區別，即使知曉萬物虛空，所見非真，但杜子春看到孩子被殺，心中的底線被觸碰，此時「成仙」與「真情」的對立，是杜子春心中的底線。不管是壓抑自我還是情難自禁，都說明他心中不忍，人情未泯。〈烈士池〉拋出了修行與舐犢的兩難，而〈杜子春〉則坦言，即使明白人間一切痛苦羈絆皆非真實，也無法捨棄為人之仁，既無法捨棄為人之仁，為人間所容，那麼成仙之事又何必強求。

四　餘論

　　〈杜子春〉的創作基本為〈烈士池〉的中國化定型，並在後世的發展中與「人生如夢」、「受試成仙」等一系列主題融合，在傳播與演化中大放異彩。而其中日本作家芥川龍之介以唐傳奇〈杜子春〉改寫的童話〈杜子春〉，無疑是文本流傳至日本後本土化的代表作品。

　　芥川龍之介的改編具有相當的個人特色，芥川龍之介自己也認為日版〈杜子春〉的絕大多數內容是自己的原創，但從情節內容的流變看來，除卻個人風格、童話體裁的影響，其絕大多數內容與唐傳奇〈杜子春〉一致，最明顯的變化在於芥川龍之介將故事的

主要矛盾從孩子轉移到了母親身上。孩童無辜可憐令人不忍，而母愛的堅定與犧牲同樣令人動容，於是經受萬般磨難之後的杜子春難以忍受，喊出了聲。而杜子春破戒後，鐵冠子（唐版〈杜子春〉的老人）非但沒有責怪，反而坦言如果杜子春沒有在幻境之中出聲，就會殺了他。而結局中老人將杜子春送往「桃花源」，開始了全新的生活。

　　透過情節比對不難發現，日版〈杜子春〉的核心思想已經和唐版〈杜子春〉、〈烈士池〉相去較遠，主旨情節從對仙道的追求轉移到了對人生與人性的思考。修仙前試煉的目的不在於考驗杜子春是否是仙才，而在於幫助杜子春尋找為人的意義。世間金錢往來的虛偽讓杜子春心灰意冷，而母愛的偉大將他重新拯救。相比原版〈烈士池〉和唐版〈杜子春〉，日版已經不再考慮成仙與為人的對立、人生如夢的虛空亦或是為人基本的「不忍人之心」，杜子春在這裡承載了著芥川龍之介的寄託，他將自己生活的希望寄託在稀缺的母愛上，幻想母愛的光芒可以將他從冷漠虛偽的世界中拯救出來。但悲哀的是，他其實比任何人都明白，杜子春所希冀的生活，恐怕很難在真實的世界裡實現。情感的彌補可以得到一時之間的滿足，卻不足以長久地與芥川龍之介筆下的生存困境抗衡。即使母愛真的拯救了杜子春，他也只能抱著避世的態度，棲身於可望不可即的「桃花源」。

論杜甫律詩的錯綜敘述結構

應山紅

北京　中國人民大學國學院

　　杜甫大大開拓了律詩題材，使律詩無事不可入，無意不可達，有極高的藝術成就和價值，其創造的律詩範式影響後世，甚至難有人超越。胡震亨高度評價杜甫律詩「縱橫變幻，盡越陳規，濃淡淺深，動奪天巧。百代而下，當無複繼」[1]。胡應麟亦稱讚杜甫律詩敘事：「述情陳事，錯綜變化，轉自不窮。」[2]兩人都注意到了杜甫律詩敘事錯綜變化特點。「錯綜」，在修辭學中指打亂正常的句法語序使文句錯落有致的表現手法，如杜詩中的「拗句」。胡應麟提到的「錯綜」除句法錯綜外，還應指敘事結構的錯綜。朱庭珍《筱園詩話》卷一直接用「錯綜」評杜詩敘事結構特點「往往敘事未終，忽插論斷，論斷未盡，又接敘事；寫情正迫，忽入寫景，寫景欲轉，遙接生情。大開大合，忽斷忽連，參差錯綜，端倪莫測」，可謂一語中的。雖然是對杜甫五古大篇的評價，對其律詩也完全適用。

　　杜甫錯綜敘事結構，使律詩篇章各部分之間相互穿插、紛紜雜陳，擺脫律詩體制板滯束縛，極大地擴充了律詩的表達容量，開拓律詩表現功能，促使律詩趨於成熟，具有較高研究價值，而學界對此關注較少，這一問題仍有較大的研究空間。

一　律詩敘事的多重困境

　　初唐律詩絕大多數為應制體，題材多為宮廷侍宴陪遊，聲華競逐，藻麗相尚，注重景物的描寫和意象、意境的鎔鑄，敘事較少。開元天寶時代，非應制律詩逐漸增多，題材也擴大到送別、訪客、述懷、雜感、隱逸、登臨等私人生活的表現範圍，然應制餘風仍存，雖脫離繁縟的塗澤氣息，仍重在抒懷達意，正如柴紹炳所稱：「『唐初律詩』取其聲調穩葉、氣色鮮華。……篇多應制，金粉習勝，臺閣氣多，體則襲而少變，響亦凝而未流。……『杜甫』大抵謝膚澤而敦骨力，厭俳儷而尚矜奇，勢取矯屬，意主樸真，沉著有餘，流麗不足。」[3]除了律詩發展尚處於早期階段、仍受前朝影響外，與律詩自身

1　（明）胡震亨：《唐音癸籤》上海：上海古籍出版社，1981年，頁91。

2　（明）胡應麟：《詩藪》上海：上海古籍出版社，1979年，頁79。

3　（清）柴紹炳：〈杜工部七言律說〉，收入《四庫全書存目叢書：〈柴省軒文抄〉》北京：四庫全書存目叢書編纂委員會，1997年，卷4，頁210、219。

體裁限制也不無關係：

　　一是格律限制律詩敘事的線性發展。律詩講究平仄、黏對，要求每聯上下句之間加強對應聯繫，使得律詩一聯之間空間排列、語意平列則相對加強，上下句的敘事時間延續性和邏輯發展延續性就必然減弱。對仗更加重了這種趨勢，中間兩聯對仗，出句對句之間語意平行、結構保持一致，橫向聯繫大大增強，上下句語意順承延續關係則進一步弱化。美國漢學家高友工先生在《律詩的美學》中認為：「一般的讀法是直接向前的，而對偶結構的閱讀常常將讀者的注意力引向一邊，要求他注意對應的相鄰詩行。向前推進的運動由於回看及旁觀而中止，產生一種回顧的、旁向的運動，徘徊於一個封閉的空間，形成一個圓圈。這種形式，或者更確切地說，這種閱讀形式，能夠用來對在詩中描述『空間性』與『迴環性』作出最充分的說明。」[4]從讀者的角度指出，律詩的對偶結構是一種來回旁觀的、迴環的結構，這種結構對描摹造境具有天然優勢，而對需要「直線向前」敘事延展性有消極影響，不利於流暢地展開故事情節。

　　二是字數限制敘事的展開。除了排律，一般律詩只有四聯八句，絕句只有四句，如果按照古詩的平鋪直敘，則故事往往還沒開始，篇幅上已經結束。排律對詩人要求極高，非才力深厚不可做。

　　和不講平仄聲律、對仗的古詩相比，律詩無法像長篇古詩有足夠的篇幅夠保持敘述的連貫性和順敘敘述，也無靈活的結構，敘事的延展性上遠遠不如古詩。即便唐中有詩人律詩中有關涉到敘事部分，但一來所敘事件較為簡單，很難有線性進程發展，敘事節奏緩慢「語滯」。劉熙載道：「少陵以前律詩，枝枝節節為之，氣斷意促，前後或不相管攝，實由於古體未深耳。」指出杜甫之前的律詩「枝枝節節」「氣斷意促」「前後不相管攝」，敘事進展緩慢，前後難以連敘的弊端。

　　而杜甫律詩大開大合，開闔變化無所不宜，就在於「杜子美獨辟畦徑，寓縱橫排奡於整密中，故應包含一切」，縱橫排奡即是錯綜敘述結構，在律詩板滯的形式中，參差變化，曲盡其妙，極尺水興波之能事。從而大到軍國大事，小到貧婦撲棗，皆可納入律詩表現範圍。

　　什麼是錯綜敘述結構？錯綜敘述，是迴避平鋪直敘的敘述方式，而這種敘述所採取的結構即為錯綜敘述結構。杜甫律詩中的錯綜敘述結構主要為時空倒錯和視角轉換。

二　時空倒錯──多線重組的網狀結構

　　時空倒錯分為時空交錯和時空倒置。時空交錯，是把不同空間，或者不同時間的兩條或多條情節線單線拆散，進行雙線或多線重組，頻繁交替展現，形成敘事網狀結構，

4　高友工：《美典：中國文學研究論集》北京：生活・讀書・新知三聯書店，2008年，頁245。

增強律詩敘述的縱向進程，傳達複雜幽微情緒，使得事件表述波瀾起伏。

（一）時空交錯

　　杜甫律詩採取雙管齊下、甚至多管齊下的復線結構，把不同空間事件進行錯綜對比，敘述複雜事件。如記敘廣平王率領眾將討賊的事件的〈喜聞官軍已臨賊境二十韻〉。至德二年（西元757年），廣平王李淑率領二十萬大軍，直逼長安城，討伐叛賊。杜甫聽聞此消息，心情振奮，作詩稱頌官軍英勇之勢。戰爭形勢紛雜，如何敘述這一複雜事件？杜甫透過不同空間來敘述戰爭事件，以長安城為中心，從城外到城內劃分三個戰爭空間：一是長安城外，「胡虜潛京縣，官軍擁賊壕。鼎魚猶假息，穴蟻欲何逃。帳殿羅玄冕，轅門照白袍。秦山當警蹕，漢苑入旌旄。路失羊腸險，雲橫雉尾高。五原空壁壘，八水散風濤。今日看天意，遊魂貸爾曹。乞降那更得，尚詐莫徒勞」，寫官軍兵臨城下，從鳳翔到西京一路破竹之勢；二是將空間聚焦在戰爭爆發處香積寺，「元帥歸龍種，司空握豹韜。前軍蘇武節，左將呂虔刀。兵氣回飛鳥，威聲沒巨鰲。戈鋋開雪色，弓矢尚秋毫。天步艱方盡，時和運更遭。誰云遺毒螫，已是沃腥臊」，敘「元帥」廣平王、「司空」郭子儀、「前軍」李嗣業、「左將」僕固懷恩聯合進軍的陣勢；三是長安城內，「睿想丹墀近，神行羽衛牢。花門騰絕漠，拓羯渡臨洮。此輩感恩至，羸俘何足操。鋒先衣染血，騎突劍吹毛。喜覺都城動，悲憐子女號。家家賣釵釧，只待獻春醪」，暢想官軍攻入京城、百姓盼望的場面。三個空間層層遞進，展現戰爭行程進展。在三個空間內，又分成敵我兩個陣營，描摹敵軍潰敗之狼狽、官軍進兵之威力，透過敵敗我勝反覆對照，製造對立的緊張氛圍，運用空間的錯綜變化，敘述出官軍與叛賊之間戰爭開始、爭鬥激烈、勝利在望的戰爭進程。《全唐風雅》評此詩「此篇鋪敘斡旋，筆力有餘，意有難接，即有故事點綴，如鸞膠續弦，不費纖力，此所以為難能也」，此詩敘述轉接流暢，斡旋不費力，就在於用時空的錯綜轉換，來巧妙代替敘述的起承轉合、邏輯線性關係。又如：

　　〈喜達行在所三首〉其二
　　愁思胡笳夕，淒涼漢苑春。
　　生還今日事，間道暫時人。
　　司隸章初睹，南陽氣已新。
　　喜心翻倒極，嗚咽淚沾巾。

此詩原注「自京竄至鳳翔」，長安被安祿山叛軍佔據，杜甫從長安逃離，千辛萬苦奔往肅宗所在地鳳翔。從「死去憑誰報」的冒死逃亡，到被授予「左拾遺」的官袍加身，人生體驗可謂冰火兩重天。這首詩透過長安、鳳翔兩個場景的錯綜對照，以長安的淒涼氛圍和行在的新氣象作對比，複以慶倖生還和喜極而泣分別作兩層呼應，透過時空錯綜交

替的結構，巧妙敘述了杜甫困居長安、冒死逃亡、喜達行在的一系列經過，淋漓抒發杜甫逃亡後驚喜、激動、後怕等複雜情緒，曲盡其意。

除空間錯綜外，杜甫律詩還善於時間錯綜穿插來敘事，借助今昔對比的轉折關係，記敘事件的前因後果、人生起落，增強律詩敘事的歷史縱深感，深化敘事的主旨立意。需要說明的是，與「今昔對比」這一常見表現手法不同的是，時間錯綜不是簡單的一次性對比，而是貫穿全詩始終，透過古今來回交錯達到敘事的效果，層次結構更複雜，意旨也更渾厚。〈諸將〉五首是杜甫著名七律組詩，感懷吐蕃入寇、回紇擄掠、亂後民困、貢賦不修、鎮蜀失人的五個朝廷事件，借助今昔之時的錯綜穿插，表達對當朝時弊的洞鑒和謀慮的深廣，被視為杜甫的「七律聖處」[5]。〈諸將〉其一敘吐蕃之事，廣德元年安祿山入寇，玄宗狼狽棄京奔蜀，安祿山叛軍兵不血刃攻入長安。漢朝是唐以前國祚最長、國力最盛的朝代，唐代詩人常以漢朝自比本朝，以漢喻唐，此詩即一例。全詩圍繞「陵墓」展開，透過漢唐兩朝古今錯綜融雜，讓人分不清何者為唐事，何者為漢事，以漢對唐進行補充、對現狀進行警示。首聯「漢朝陵墓對南山，胡虜千秋尚入關」，將漢朝和唐朝進行古今對舉，一個「尚」有微妙的時間轉折，漢朝陵墓被盜，但是唐朝賊寇「尚」且剛入關，仍有迴旋餘地。接著，頷聯「昨日玉魚蒙葬地，早時金碗出人間」，以「昨日」、「早時」時間詞連用，誇張陵墓被盜時間之短暫，突顯濃烈的侮辱意味。這一聯雖聚焦漢朝陵墓被焚燒盜竊事件，卻緊承「胡虜千秋尚入關」，兩句相連，極易讓讀者產生前朝即是今時的感覺。雖未直接言明，卻已暗示安祿山入關後唐朝皇陵的下場。「見愁汗馬西戎逼，曾閃朱旗北斗殷」，「見」通「現」，表示現在，「曾」則指向過去。透過今和昔的一衰一盛、一敵強我弱一敵弱我強的形勢，產生強烈的對比。「見愁汗馬」為「西戎入犯之促數」（錢謙益注），這裡借西戎多次侵犯的事典，代指唐朝在廣德元年和永泰元年兩度被攻的史實。「曾閃朱旗北斗殷」，以漢喻唐，借漢代朱旗絳天回憶唐王朝隆盛時期軍力的強大。面對今日衰微，仇敵進逼的慘澹之狀，遙想先朝強盛，克敵揚威的盛況。尾聯落回到唐代，「多少材官守涇渭，將軍且莫破愁顏」，「且莫」一詞暗示上下句形成一個意義的對照，對將士提出保持戒備、不要懈怠的懇切警示。

杜甫部分排律，既有時間錯綜，又有空間錯綜，所敘事件也更加複雜。如《夔府述懷四十韻》中「賊壘連白翟，戰瓦落丹墀。先帝嚴靈寢，宗臣切受遺。恆山猶突騎，遠海競張旗。田父嗟膠漆，行人避蒺藜」，分別戰爭場面和朝野景象進行交替呈現：「賊壘」一聯以城壘和戰瓦對舉的畫面描繪官軍攻城破賊的勝利場景，「先帝」一聯用君臣對仗交代肅宗對郭子儀臨終托孤事件，「恆山」聯用地名對仗表明河北戰火未熄的形勢，「田父」聯展開百姓為誅求和戰亂所苦的形景，跨越了四個歷史時段。又以古鑒今，引出當前形勢「總戎存大體，降將飾卑詞。……廟算高難測，天憂實在茲。」分別

5　邵子湘說：「〈秋興〉〈諸將〉同是少陵七律聖處：沉實高華，當讓〈秋興〉；深渾蒼郁，定推〈諸將〉。」

從叛將、外寇、朝廷三方面評述代宗幸陝這場大亂的事實和原因。

（二）時空倒置

杜甫律詩還善於利用時空倒置，以旋繞深曲之筆，往復逆折而上。時空倒置是層層倒敘，和一般的「倒敘」不同，敘述事件的高潮、關鍵點不提前點出，而放置尾聯，在層層鋪墊後才合盤托出，增加敘述懸念、傳達平鋪直敘難以表述的幽微意蘊。

〈歸雁〉

聞道今春雁，南歸自廣州。

見花辭漲海，避雪到羅浮。

是物關兵氣，何時免客愁。

年年霜露隔，不過五湖秋。

〈歸雁〉記述了雁過嶺南這一特殊事件。南方少霜露，以往大雁南飛不過五湖，而今卻異常飛往廣州。古人認為秋有蕭殺之象，大雁越過嶺南，恐有兵事之兆。黃生《杜詩說》卷五評此詩「章法層層倒卷，矯變異常」，點出此詩採用一層一層倒敘的特殊章法。按事情的發展順序來說，應先有大雁「年年霜露隔，不過五湖秋」，繼而朝局動盪，殺氣上達於天「是物關兵氣，何時免客愁」，大雁受天地感應飛往嶺南「見花辭漲海，避雪到羅浮」，大雁南歸廣州的消息傳到詩人耳中「聞道今春雁，南歸自廣州」。但杜詩入手便劈空而來「聞道今春雁，南歸自廣州」，只說特異現象，而不點名其要害之處，勾引起讀者好奇。透過一層層倒敘、渲染，直到尾聯才把最關鍵處「年年霜露隔，不過五湖秋」托出，雖是淡語，卻達到觸目驚心的效果，也讓雁過嶺南這一簡單事件以最少的篇幅，敘述得懸念十足、意味深長。

〈歷歷〉也採用時空倒置，以結轉承起為起承轉結：

〈歷歷〉

歷歷開元事，分明在眼前。

無端盜賊起，忽已歲時遷。

巫峽西江外，秦城北斗邊。

為郎從白首，臥病數秋天。

杜甫臥病峽中，回憶開元之事，歎其自盜起至今不覺歲時已經屢易，如果按照正常敘事的順序，這首詩應當為「為郎從白首，臥病數秋天。巫峽西江外，秦城北斗邊。無端盜賊起，忽已歲時遷。歷歷開元事，分明在眼前」這樣表述不僅語言寡淡，也無法傳達作者想表達之意。而透過時空倒置，增加了敘述的錯綜變化，感慨盡數融入尾聯的荒涼秋意中。

三　視角轉換——迴圈勾連的環形結構

　　杜甫律詩尤其是寄贈律詩，常常轉換視角，透過個人與他人視角的交替變化來推動敘事的發展。杜甫充分利用句與句、聯與聯之間的承接呼應關係，透過敘述視角的錯綜交替，形成迴圈勾連的環形結構，將自身與他人的際遇交織相應，展現杜甫與友人的聚散離合、人生難測的身世之感。

〈哭臺州鄭司戶蘇少監〉
故舊誰憐我，平生鄭與蘇。存亡不重見，喪亂獨前途。
豪俊何人在，文章掃地無。羈遊萬里闊，凶問一年俱。
白首中原上，清秋大海隅。夜台當北斗，泉路著東吳。
得罪臺州去，時危棄碩儒。移官蓬閣後，穀貴沒潛夫。
流慟嗟何及，銜冤有是夫。道消詩興廢，心息酒為徒。
許與才雖薄，追隨跡未拘。班揚名甚盛，嵇阮逸相須。
會取君臣合，寧銓品命殊。賢良不必展，廊廟偶然趨。
勝決風塵際，功安造化爐。從容拘舊學，慘澹闖陰符。
擺落嫌疑久，哀傷志力輸。俗依綿穀異，客對雪山孤。
童稚思諸子，交朋列友于。情乖清酒送，望絕撫墳呼。
瘧病餐巴水，瘡痍老蜀都。飄零迷哭處，天地日榛蕪。

　　這首排律是杜甫驚聞故友鄭虔、蘇源明去世消息後作。詩歌前半段以三人生涯為線索交替敘述，在視角的錯綜轉換中敘述杜甫與鄭虔、蘇源明的交往、分別到各自流落的線性進程。首八句寫自己與蘇、鄭二人的交誼及分離後聞其噩耗之經過，接下來十句分別敘述蘇、鄭的不幸遭遇，「道消詩興廢……慘澹闖陰符」十四句追憶二人生前的事蹟，最後十二句寫自己流落異地，有遙致哀悼之意，意脈流轉自如。前半部分寫鄭、蘇二人遭遇，排列極盡錯綜。開頭突兀而起，寫鄭、蘇憐我，末尾寫己哭蘇、鄭，互相呼應。第二段分寫蘇、鄭二人的不幸，「白首」句寫蘇，「清秋」句寫鄭，「夜台」句寫蘇，「泉路」句寫鄭，呈「蘇—鄭—蘇—鄭」的交錯相對、隔句相應的結構；接著轉換句式，兩句一組，對應關係倒置，「得罪臺州去，時危棄碩儒」緊承上句，寫鄭落罪到臺州，「移官蓬閣後，穀貴沒潛夫」敘蘇之貶官至邊隅，呈「鄭—鄭—蘇—蘇」結構，以蘇為結尾，呼應第二段以蘇為開頭的結構，首尾相合。鄭司戶與蘇少監的生與死，命運的動盪和變化，在這種密集的對仗和呼應中交織呈現，形成了迴環往復、錯綜排列的敘述結構。

〈送韋書記赴安西〉
夫子欻通貴，雲泥相望懸。

　　白頭無藉在，朱紱有哀憐。

　　書記赴三捷，公車留二年。

　　欲浮江海去，此別意蒼然。

〈送韋書記赴安西〉也是視角錯綜的迴環結構。杜甫送別友人，此時兩人身分迥然不同，韋即將就任，而杜甫卻要隱居，此詩圍繞兩人際遇差別，透過視角來回騰挪，穿插對比。首句「夫子欻通貴」寫韋，「雲泥相望懸」合寫兩人身分懸殊，「白頭無藉在」寫杜，「朱紱有哀憐」又提韋書，「書記赴三捷」承上文寫韋即將赴任，「公車留二年」「欲浮江海去」寫杜甫即將隱居，結句「此別意蒼然」又回到韋身上，正與起句相呼應，首尾迴環。浦起龍注評此詩：「通首如羅文然。」所謂羅文，即指先呼後應，有起必承，而應承之次序與起呼之次序適反的章法結構。浦起龍已經看到這首詩以視角的錯綜，形成迴圈鉤鎖的環形結構，其實

　　此外，杜甫透過不同視角敘述，展現事件的多面性，簡單事情更豐富立體。以〈又呈吳郎〉為例：

　　〈又呈吳郎〉

　　堂前撲棗任西鄰，無食無兒一婦人。

　　不為困窮寧有此？只緣恐懼轉須親。

　　即防遠客雖多事，便插疏籬卻甚真。

　　已訴徵求貧到骨，正思戎馬淚盈巾。

杜甫寫給借住草堂的親戚吳郎，囑託他不要阻止西鄰老婦打棗。首聯「堂前撲棗任西鄰，無食無兒一婦人」，以杜甫的視角向吳郎介紹西鄰「無食無兒」只能打棗充饑的困窘狀況，從西鄰的角度為她辯解「不為困窮寧有此」，又從吳郎角度解釋西鄰「只緣恐懼」，勸他對西鄰親切一些。接著回過頭來從西鄰角度說老婦人誤會、防備吳郎「雖多事」，為吳郎開脫後又轉說吳郎「便插疏籬卻甚真」。最後，回到杜甫視角，「已訴徵求貧到骨，正思戎馬淚盈巾」。嚴格來說，〈又呈吳郎〉是杜甫憐憫鄰居婦人向吳郎求情的勸說詩，不能當做敘事詩來看，但不可否其中飽含濃郁的敘事成分。隨著杜甫視角來回轉換，在敘述迴圈勾連中，把事件的來龍去脈漸次向讀者展開。視角轉換下，故事意脈迴環勾連，比平鋪直敘表達出更多的層次轉折，表達更起伏有致。

　　由上可知，杜甫律詩透過視角轉換，以錯綜鋪排畫面的方式呈現原本是線性的事件，尤其是人物生涯的起伏與時代的跌宕。在整體結構上，詩人有意選取兩條或多條對照呼應的線索貫穿全詩，使其交織往復，既能將複雜豐富的內容連綴其中，又透過多視角對應，使簡單時間呈現多面性，極大地擴充了律詩的敘事功能。

四　餘論

　　杜甫律詩採用錯綜敘述結構，使得律詩變化多端，跌宕生姿。北宋范溫曾言「古人律詩亦是一篇文章，語或似無倫次，而意若貫珠。」[6]杜甫律詩即是如此。葉燮《原詩》指出杜甫詩中的錯綜變化而不失主心骨，「變化而不失其正，千古詩人，惟杜甫為能。高岑王孟諸子，設色止矣，皆未可語以變化也。」[7]變而有序，正是杜甫高於盛唐諸家之處。杜甫律詩時空變化、視角轉變，卻不顯散亂零碎，毫無隱晦之弊端，給人具體明晰、錯中有致之感，在於兩點，一是有統一的思想主旨、情感傾向。劉熙載《藝概》〈詩概〉卷二點出杜詩：「律詩主意拿得定，則開合變化，唯我所為。少陵得力於此」，所謂「主意拏得定」，即是有一致的主旨和情感傾向。二是開合呼應相對完整，有起必承。以杜甫〈送司馬入京〉為例，「群盜至今日，先朝忝從臣。歎君能戀主，久客羨歸秦。黃閣長司諫，丹墀有故人。向來論社稷，為話涕沾巾」，律詩首聯一般用來破題、點題，「群盜至今日，先朝忝從臣」起得突然，「群盜」句、「先朝」句上下意思並無聯繫，且兩句僅僅只「先朝忝從臣」句點「送司馬入京」題。頷聯、頸聯皆僅承「先朝」句。而到尾聯「向來論社稷，為話涕沾巾」，方呼應首句，才知「論社稷」「涕沾巾」全是寇盜頻仍，首尾呼應完整。

　　總之，杜甫透過運用時空倒錯的網狀結構和視角轉換的環形結構，增強律詩敘述的縱向進程，代替線性敘事，擴大律詩的表達容量，使得事件表述波瀾起伏，立意的深曲和容量遠超前人。

6　郭紹虞：《宋詩話輯佚》北京：中華書局，1980年，頁318。
7　葉燮：《原詩　一瓢詩話　說詩晬語》北京：人民文學出版社，1979年，頁19。

陰陽五行思想對唐長安城規畫
及政事生活的影響[*]

王聰

北京　中華女子學院文化傳播學院

　　古代的皇都作為帝王的居所，被視為王氣的彙聚之地，往往有著重要的象徵意義。班固〈兩都賦〉言道：「其宮室也，體象乎天地，經緯乎陰陽。據坤靈之正位，倣太紫之圓方。」對此，李善解釋道：

> 《七略》曰：王者師天地，體天而行，是以明堂之制，內有太室，象紫微宮，南出明堂，象太微。《春秋元命苞》曰：紫之言此也。宮之言中也。言天神圖法，陰陽開閉，皆在此中也。《周易》曰：坤，地道也。揚雄〈司命箴〉曰：普彼坤靈，倖天作制。……[1]

即建造宮室須取象天地，東西南北合乎陰陽之法，皇宮要選在地靈中正之位，宮室的位置、形制還要與天上的太微垣、紫微垣相對應。而唐代的長安城是捨棄了漢代的長安城遺址，在隋代大興城的基礎上建立起來的[2]，隋唐兩代君主在設計之初，即致力於「體象乎天地，經緯乎陰陽」。妹尾達彥在其論著《長安的都市規畫》中，將長安城稱為「宇宙之都」，認為長安城是隋唐的君臣依據當時的宇宙觀念規畫建立起來的，其中滲透進大量的傳統文化理念：皇城與天上星系相對應的天文思想，作為王朝禮儀中心的禮制觀念，遵照《周易》乾卦六爻的建築佈局方案，注重方位、時間、色彩與功能對應關係的

---

*　基金項目：國家社會科學基金重大項目「中國古代都城文化與古代文學及相關文獻研究」（18ZDA 237）；校級科研課題「陰陽五行思想視域中的隋唐政治與文學」（010109/ZKY209020238）。

1　高步瀛著：《文選李注義疏》北京：中華書局，1985年，頁77。

2　「隋代重新統一中國後，在西漢長安東南營建新都。隋文帝楊堅命令當時著名的建築家宇文愷負責規畫設計和督造，於開皇二年（西元582年）六月開始興建，第二年三月就遷入新都宮城，定名大興城。大興城的面積達八十三平方公里，大約是現在西安城（明清時所建）的七倍多，規模之大是前所未有的。唐建國後，仍建都在這裡，改名長安城。唐代對長安城的規畫佈局沒有大的變動，僅有局部修建和擴充。唐代經濟文化的繁榮，以及對外貿易往來之頻繁，較隋代大有發展，長安也隨著成為當時世界上最大最繁榮的國際城市。」參見自然科學史研究所主編：《中國古代科技成就》北京：中國青年出版社，1978年，頁567-568。

陰陽五行原理，等等。[3]這些思想往往雜糅在一起，而本文將重點闡述隋唐統治者如何借助陰陽五行思想來突顯長安城的正統性與權威性。

一　長安城設計理念──體象乎天地，經緯乎陰陽

長安城以朱雀大街為中軸線，呈左右對稱結構，意在突出其左右對稱、陰陽平衡的設計理念。

唐長安城從北向南依次看來，主要分為宮城、皇城、羅城。宮城由中、西、東三部分構成，中間是「太極宮」，又稱「西內」或「大內」，以太極殿為中心，是帝王日常辦公起居之所；右側為陽，對應的是供太子居住的東宮；左側為陰，對應的是安置宮女學習技藝的掖庭宮。宮城的南面是皇城，也稱子城，是中央官署區。三省六部中的門下省與中書省分別設置在太極殿的東西兩廊，以便於輔助帝王處理政務，兩省在建築佈局、人員設置方面皆呈現出對稱屬性。再往南，在承天門的兩側均衡分布各種禮儀朝堂和宮殿，在東南、西南兩個位置分別對應設立太廟和太社。圍在宮城和皇城東南西三面的是外郭城，也稱「羅城」，即居民生活區，由多個整齊劃一的坊組成，朱雀大街左側劃歸為萬年縣，右側劃歸為長安縣。其中，諸多功能性建築皆呈對稱分布，如左側「都會市」（東市）與右側「利人市」（西市），左側文廟（祭祀孔子）與右側武廟（祭祀太公），左側禪林寺與右側寶國寺，左側興善寺與右側玄都觀，等等。這樣，由北至南，由宮廷到裡坊，通過人為的規畫形成了一個陰陽平衡的城市佈局。

長安城在城門的佈置和數量上，頗受陰陽五行學說的影響。《周禮》〈考工記〉言：「匠人營國，方九里，旁三門。國中九經九緯，經涂九軌，左祖右社，面朝後市。」[4]〈考工記〉在城市建設中，很強調三、五、七、九這些數字。因為，在陰陽五行學說中，奇數對應著陽，偶數對應著陰。[5]國家各級城郭、宮室皆以奇數為節，而長安城在營建之時，即頗為注重數的陰陽屬性和等級意義。如長安城的城門按照《周禮》的形制，無論是外郭，還是皇城、宮城，東、西、南、北四個方位，多設三座城門。外郭城南面的正門明德門設有五個門道，與有三個門道的皇城南門朱雀門、宮城的承天門遙相呼應。而要面聖，一般需經歷五道宮門[6]，符合尚「五」的傳統，與《尚書》〈洪範〉第

3　妹尾達彥言：「所建都城應為建在地上的宇宙之鏡的天文思想；所建都城應為王朝禮儀之舞臺的禮的思想；《周禮》中所載中國古已有之的理想都市的範式；以及陰陽五行思想；《易經》中判定土地是否適合王者居住的風水思想等等。」參見（日）妹尾達彥著，高兵兵譯：《長安的都市規畫》西安：三秦出版社，2012年，頁141。

4　（清）阮元校刻：《十三經注疏・周禮注疏》北京：中華書局，1980年，頁2005-2006。

5　《繫辭上傳》云：「天一地二，天三地四，天五地六，天七地八，天九地十。」

6　《周禮・天官・閽人》「閽人掌守王宮之中門之禁」漢鄭玄注：「鄭司農云：『王有五門，外曰臯門，二曰雉門，三曰庫門，四曰應門，五曰路門。路門一曰畢門。』玄謂雉門，三門也。」孫詒讓正

五疇強調君主的「皇極」存在著內在的聯繫，孫詒讓認為這樣的設置是「法五行」，象徵人間的最高統治。白居易在太和元年（西元827年）創作的〈登觀音臺望城〉記述了官員上早朝的情形：「百千家似圍棋局，十二街如種菜畦。遙認微微入朝火，一條星宿五門西。」詩中出現的「五門西」即指大臣要朝見天子的宮城所在，以「五門西」代指宮城為當時習見的用法，「王有五門」的傳統思想在唐代有著廣闊的認知基礎。

　　此外，長安城的宮殿、城門等的命名也在很大程度上借鑑了陰陽五行的原理。陰陽作為一種思想，起於《周易》，長安城皇宮的命名主要參照了《周易》「太極生兩儀，兩儀生四象」的理論。將原隋朝的核心宮殿大興殿更名為太極殿，「太極」在《周易》中指宇宙的混沌狀態，是萬物化生之始。而從天文星占的角度考慮，在北極的星宿中，太極宮位於「昊天上帝」居所紫微宮最中央的位置，所以，將人間帝王日常辦公之所命名為太極殿，是天子的重要象徵。在太極殿的北側坐落著兩儀殿，「兩儀」化生於太極，是從太極中化生出來的天地陰陽二氣。五行中的木、火、土、金、水在方位上分別對應著東、南、中、西、北，在顏色上分別對應著青、赤、黃、白、黑，季節上分別對應著春、夏、季夏、秋、冬。在陰陽的歸屬上，春夏、東南屬陽，秋冬、西北屬陰。宮城的正北門與皇城的正南門分別命名為玄武門和朱雀門，直接以「四象」的南北二星宿命名，在方位、顏色、甚至功能屬性上分別對應著五行的水和火。外郭城東面中間的正門命名為春明門，對應時間上為正春；南面偏東城門命名為啟夏門，對應時間上為初夏；西面中間的正門命名為金光門，因為西方在五行中對應著金。宮城內有獻春門、宜秋門，以春、秋命名分別對應著南北兩個方位。此外，長安宮城位於南面中央的正門承天門，曾有昭陽門、廣陽門、順天門之稱，既象徵承天之命，又取陽盛之意。

　　「因為五行是方位、色彩、時間、事物等的象徵，所以會影響到都市規畫的細節。」[7]因此，也往往直接、間接地影響到朝廷的政務和百姓的日常生活。長安城的一些功能性質的場所往往對應著不同的陰陽五行屬性。如刑部、大理寺和御史臺為當時的三大司法機關，大理寺是中央的審判機關，負責審理中央百官犯罪及京師徒刑以上案件，同時設立拘押犯人的大理寺獄。而《風俗通義》言：「廷者，陽也，陽尚生長。獄者，陰也，陰主刑煞。故獄皆在廷北，順其位。」[8]在陰陽五行觀念中，廷為官府，官府為布政之所，屬陽；獄為囚犯之所，屬陰。所以，按照陰陽的順序，往往前廷後獄，監獄設置在官府的北面。故唐代的大理寺獄設在大理寺的北面以順應其陰陽屬性。又如〈考工記〉言「面朝後市」，即按照周禮的傳統，都城佈局要「前為朝廷，後為市肆」，因為政事對應著陽，商業對應著陰，周代的王城皇宮位於中央，市在皇宮之後，位於北

義：「《玉海・宮室》引《三禮義宗》雲：天子宮門有五，法五行，曰皋門、曰庫門、曰雉門、曰應門、曰路門。」

7　（日）妹尾達彥著，高兵兵譯：《長安的都市規畫》，頁153。

8　（漢）應劭撰：《風俗通義校注》北京：中華書局，1981年，頁585。

側。只是,《論語》〈為政〉言「為政以德,譬如北辰,居其所,而眾星拱之」,以眾星環繞北辰的天象象徵中央的大一統統治。且自東漢起,北極信仰愈發根深柢固,三國時期魏即第一次將太極殿作為了王都宮城的正殿,而唐朝長安城的宮城佈局也要與北辰相對應。所以,皇宮建造在長安城的最北側,象徵北極星在人間的投射,這樣,市場即無法再置於宮殿之北。但是,集市的頗多特性也是與陰陽五行原理存在內在聯繫的。對此,妹尾達彥指出:

> 按照陰陽思想,市和商業屬於陰性,因此法令規定,市場的營業時間限於在陰性的下午,開市必須以正午的鑼聲為准,收市以日落前七刻(約日落前一個半小時)的鑼聲為準。
>
> 人們認為,屬於陽性的政務要在上午進行,屬於陰性的商業行為要在下午進行,如若不然,陰陽的秩序就會被打破,宇宙的運行就會發生障礙。因此,擔當政治運行核心力量的五品以上高官,被禁止進入市場,高官家中都是由奴僕到市場採購商品的。[9]

　　五行思想在政事上還有一些創造性的應用。如武則天時期設立的匭,即將五行的屬性與顏色、方位等相對應,便於監察官員,上下溝通。據《封氏聞見記》載,「則天垂拱元年,初置匭。匭之制,為方函,四面各以方色。東曰延恩匭,懷材抱器,希于聞達者投之。南曰招諫匭,匡政補過,裨於政理者投之。西曰申冤匭,懷冤受屈,無辜受刑者投之。北曰通玄匭,進獻賦頌,涉于玄象者投之。……初置匭有四門,其制稍大,難於往來。後遂小其制度,同為一匭,依方色辨之。」[10] 後來,這一制度在唐代沿襲下來[11]。而匭之方位與顏色,皆依據五行的分類思想而來,四方分別對應著除中央土外的四種顏色、屬性,配合著行使不同的政治職能,成為監理朝政的一種有效方式。

　　長安城在規畫之初,即本著「體象乎天地,經緯乎陰陽」的宏大構思,將連接天人的陰陽五行思想融入到具體的都城布局、建築形制、街坊數目、乃至宮殿城門的命名中,並且直接間接地影響到朝廷政務和百姓生活。正如康震所言,「隋唐長安城以天下

9　(日)妹尾達彥著,高兵兵譯:《長安的都市規畫》,頁154-155。

10　(唐)封演:《封氏聞見記》卷四〈匭使〉,頁32。另《新唐書》亦載此事,「武后垂拱二年,有魚保宗者,上書請置匭以受四方之書,乃鑄銅匭四,塗以方色,列於朝堂:青匭曰「延恩」在東,告養人勸農之事者投之;丹匭曰「招諫」,在南,論時政得失者投之;白匭曰「申冤」,在西,陳抑屈者投之;黑匭曰「通玄」,在北,告天文、秘謀者投之。」見《新唐書》卷47〈百官志二〉,頁1206。

11　「(武后垂拱二年)以諫議大夫、補闕、拾遺一人充使,知匭事;御史中丞、侍御史一人,為理匭使。其後,同於一匭。天寶九載,玄宗以「匭」聲近「鬼」,改理匭使為獻納使,至德元年復舊。寶應元年,命中書門下擇正直清白官一人知匭,以給事中、中書舍人為理匭使。建中二年,以御史中丞為理匭使,諫議大夫一人為知匭使;投匭者,使先驗副本。開成三年,知匭使李中敏以為非所以廣聰明而慮幽枉也,乃奏罷驗副使。」見《新唐書》卷47〈百官志二〉,頁1206-1207。

居中的建築統領觀念，高度凝縮代表著大一統王朝的廣袤國土，既形象地闡釋了中央與地方的政治等級從屬關係，又包蘊著君臨天下、宇內統一的大一統思想，在莊嚴宏偉的建築形式當中寄寓了嚴肅深刻的皇權象徵主題」[12]。

二　陰陽五行思想在唐祭祀中地位的弱化

　　儘管初盛唐時期，天文、曆法、都城建造、政治生活等皆有意無意地承襲了陰陽五行思想，有些乃至轉化為思維方式、思想觀念等。但是，並不意味著唐人對陰陽五行的全然接收，而是有著自身獨立的思考，尤其當傳統理論與現實情境發生矛盾時，深信者不免質疑，審慎者又心持戒懼，在祭祀、政事中皆呈現出逐漸弱化的趨勢。

　　在唐代，最主要的祭祀禮儀是冬至日這一天，在圜丘祭祀昊天上帝，對五帝、日月、眾星辰的祭祀皆成為昊天上帝的從屬或輔助。漢代時，陰陽五行思想居於主流位置，所以對五帝的祭祀頗為重視。《禮記》〈大傳〉言：「禮，不王不禘，王者禘其祖之所自出，以其祖配之」，對此，鄭注曰：「王者之先祖皆感大微五帝之精而生，蒼則靈威仰，赤則赤熛怒，黃則含樞紐，白則白招拒，黑則汁光紀，皆用正歲之正月郊祭之。」[13]因為鄭玄認為，王者的先祖皆出於五帝，所以要祭祀對應的五帝，以其祖配之，且時間為重要的正歲之正月，但是到了唐代，對五帝的祭祀則漸漸轉化為一種時令的輪轉。

　　唐初的時候，尚用明堂來專門祭祀五帝。到了高宗武后時期，對五帝的重視便有所降低，只有昊天上帝稱為「天」，「五帝」只允許稱「帝」[14]，到了玄宗時期，在一些重大的祭祀中不再以五帝作為配祭，而只剩下單獨的五郊之祭了[15]。在程式上，祭祀五帝與圜丘祭天、明堂大饗基本一致，包括齋戒、陳設、省牲器、鑾駕出宮、奠玉帛、進熟等流程，但在規模上卻小得多，主要于立春、立夏、季夏、立秋、立冬這幾個時令來祭祀五方上帝（青帝靈威仰、赤帝赤熛怒、黃帝含樞紐、白帝白招拒和黑帝葉光紀），五人帝（春太昊、夏神農，季夏軒轅，秋則少昊，冬顓頊），五官（木正句芒，火正祝融，金正蓐收，水正玄冥，土正后土）。而五帝的祭祀祝文亦頗為形式化，少有新意，

---

12 康震：《長安文化與隋唐詩歌》西安：陝西人民教育出版社，2008年，頁234。

13 《禮記正義》卷第34〈大傳〉，《十三經注疏》，頁1506。

14 「永昌元年九月，敕：『天無二稱，帝是通名。承前諸儒，互生同異，乃以五方之帝，亦謂為天。假有經傳互文，終是名實未當。稱號不別，尊卑相渾。自今郊祀之禮，唯昊天上帝稱天，自餘五帝皆稱帝。』」（唐）杜佑：《通典》北京：中華書局，1988年，卷43〈禮典三·郊天下〉，頁1197。

15 《貞觀禮》：「孟夏雩祀五方上帝五人帝五官於南郊。」《開元禮》：「立春日祀青帝於東郊，乙太昊配，句芒、歲星、三辰、七宿從祀；立夏日祀赤帝於南郊，炎帝配，祝融、熒惑、三辰、七宿從祀；季夏日祀黃帝于南郊，軒轅配，后土、鎮星從祀；立秋日祀白帝於西郊，少昊配，蓐收、太白、三辰、七宿從祀；立冬日祀黑帝於北郊，顓頊配，玄冥、辰星、三辰、七宿從祀。（元）馬端臨：《文獻通考》，影印文淵閣《四庫全書》，第611冊，頁793-794。

以立春東郊祭祀青帝為例：

> 維某年歲次某月朔日，子開元神武皇帝臣某，敢昭告於帝太昊氏：爰始立春，盛
> 德在木，用致燔燎於青帝靈威仰。惟帝布茲仁政，功葉上玄，謹以制幣犧齊，粢
> 盛庶品，備茲明薦，配神作主，尚饗。[16]

對五帝的祭祀，只是在某種程度上完成傳統的天人溝通儀式，以及對應不同節令祈盼風
調雨順的含糊概念，已完全不同於漢代的核心位置。金子修一認為：

> 貞觀禮依從鄭玄學說，在正月祈穀的祭祀中祭感生帝，在雩祀和明堂則祭五帝。
> 然而，顯慶禮否定了鄭玄學說，在以上所有的祭祀中，均以昊天上帝為祭祀的對
> 象。進而在開元禮上否定了鄭玄學說，而祭祀上帝，在這一點上是繼承了顯慶
> 禮，但另一方面，已在實行而不需廢除為理由採用了貞觀禮，這可以說是一種折
> 中的立場。但是開元禮雖然雖強調「二禮並行」，但如後所述，雩祀、明堂都把
> 五方帝置於從座，並且在有關明堂的引用文中寫有「上帝之與五帝，自有差等，
> 豈可混而為一乎」，與顯慶禮相同，堅持對上帝和五帝加以區別的立場，這一點
> 是不可忽視。」[17]

周善策指出：「唐代前半期的朝廷非常相信儀式與天地萬物之間的關聯性，有意經由儀
式來操控自然與人事。」[18]唐前期的祭祀經歷了高宗封禪、武后設立明堂、玄宗創建三
大禮等過程，對傳統的禮制進行了大幅度的變革，不斷強調皇帝在祭祀中的主體位置，
已儼然成為「從皇帝視角出發的全新的天人關係」[19]。而僅就對「五帝」的祭祀來說，
這種國家層面祭祀重要性的減弱，從側面反映出「五行」作為一種政教觀念在逐漸淡
化，儘管君主在突顯自身皇位正統性的時候，明裡暗裡強調「五德終始」理論。

　　貞觀十一年（西元869年），大雨，太宗謂侍臣曰：「朕之不德，皇天降災，將由視
聽弗明，刑罰失度，遂使陰陽舛謬，雨水乖常。」岑文本則提出「惟願陛下思而不息，
則至道之美與三、五比靈斯，億載之祚與天地長久。雖使桑穀為妖，龍蛇作孽，雉雊於
鼎耳，石言于晉地，猶當轉禍為福，變災為祥，況雨水之患，陰陽恆理，豈可謂天譴而
系聖心哉？」[20]唐太宗儘管多次公開反對祥瑞，但因「雨水之患」而自責，認為是「朕

16　（唐）杜佑：《通典》卷110〈禮典七十・吉禮二・皇帝立春祀青帝於東郊〉，頁2857。

17　（日）金子修一：〈關於魏晉到隋唐的郊祀、宗廟制度〉，見劉俊文主編：《日本中青年學者論中國史
　　六朝隋唐卷》上海：上海古籍出版社，1995年，頁362-363。

18　周善策：〈封禪禮與唐代前半期吉禮的變革〉，《歷史研究》2015年第6期，頁72。

19　周善策：〈封禪禮與唐代前半期吉禮的變革〉，頁76。

20　岑文本建言最後提到，「臣聞古人有言：『農夫勞而君子養焉，愚者言而智者擇焉。輒陳狂瞽，伏待
　　斧鉞。』太宗深納其言。」見《貞觀政要》卷10〈災祥〉，頁290-292。

之不德，皇天降災」，可見唐初為政理念方面仍深受天人感應思想的影響。而岑文本一方面鼓勵唐太宗繼續仁德善政，造福於民，強調君主的德政能變災為祥；另一方面，認為雨雪等自然災害是恆定的陰陽規律，不應視為上天的譴責而勞君主憂心，依據實際情況選擇性地接受或否定陰陽災異與君主道德間的聯繫。

　　唐朝的君臣對於自然災異多持戒懼態度，一旦有雨雪、地震、山崩等災害發生，通常修德、修政、祈禳、救災同時進行，甚至認為前三者直指災異根源，其作用遠大於救災本身。在唐玄宗時期發生了一次大規模的蝗災，嚴重危害稼穡，百姓「燒香禮拜，設祭祈恩，眼看食苗，不敢靠近」，大臣多認定「蝗是天災」，「殺蟲太多，有傷和氣」，「除既不得，為害更深」。面對日益蔓延的蝗災，朝廷上下皆寄希望於修德祈禳，無人提出真正有效的救災舉措，而作為當時的宰相，姚崇力排眾議，堅持驅蝗救災，對此《舊唐書》姚崇本傳有詳細記載：

> 開元四年，山東蝗蟲大起，崇奏曰：「《毛詩》云：『秉彼蟊賊，以付炎火。』又漢光武詔曰：『勉順時政，勸督農桑，去彼螟蜮，以及蟊賊。』此並除蝗之義也。蟲既解畏人，易為驅逐。又苗稼皆有地主，救護必不辭勞。蝗既解飛，夜必赴火，夜中設火，火邊掘坑，且焚且瘞，除之可盡。時山東百姓皆燒香禮拜，設祭祈恩，眼看食苗，手不敢近。自古有討除不得者，只是人不用命，但使齊心戮力，必是可除。」乃遣御史分道殺蝗。汴州刺史倪若水執奏曰：「蝗是天災，自宜修德。劉聰時除既不得，為害更深。」仍拒御史，不肯應命。崇大怒，牒報若水曰：「劉聰偽主，德不勝妖；今日聖朝，妖不勝德。古之良守，蝗蟲避境，若其修德可免，彼豈無德致然！今坐看食苗，何忍不救，因以饑饉，將何自安？幸勿遲回，自招悔吝。」若水乃行焚瘞之法，獲蝗一十四萬石，投汴渠流下者不可勝紀。
>
> 時朝廷喧議，皆以驅蝗為不便，上聞之，復以問崇。崇曰：「庸儒執文，不識通變。凡事有違經而合道者，亦有反道而適權者。昔魏時山東有蝗傷稼，緣小忍不除，致使苗稼總盡，人至相食；後秦時有蝗，禾稼及草木俱盡，牛馬至相噉毛。今山東蝗蟲所在流滿，仍極繁息，實所稀聞。河北、河南，無多貯積，倘不收穫，豈免流離，事系安危，不可膠柱。縱使除之不盡，猶勝養以成災。陛下好生惡殺，此事請不煩出救，乞容臣出牒處分。若除不得，臣在身官爵，並請削除。」上許之。
>
> 黃門監盧懷慎謂崇曰：「蝗是天災，豈可制以人事？外議咸以為非。又殺蟲太多，有傷和氣。今猶可複，請公思之。」崇曰：「楚王吞蛭，厥疾用瘳；叔敖殺蛇，其福乃降。趙宣至賢也，恨用其犬；孔丘將聖也，不愛其羊。皆志在安人，思不失禮。今蝗蟲極盛，驅除可得，若其縱食，所在皆空。山東百姓，豈宜餓

殺！此事崇已面經奏定訖，請公勿復為言。若救人殺蟲，因緣致禍，崇請獨受，義不仰關。」懷慎既庶事曲從，竟亦不敢逆崇之意，蝗因此亦漸止息。[21]

儘管我們今天都有的普遍常識是，災異發生後，及時有效的救災舉措才是遏制災害蔓延的現實保障，但是通過材料可見，當時大部分人更加認同修德祈禳的方式，而姚崇在面臨巨大的思想和輿論壓力的情況下提出驅蝗主張，《全唐文》收錄其文二十四篇，其中有四篇與驅蝗一事有關，分別是〈請遣捕蝗疏〉、〈答捕蝗奏〉、〈報倪若水捕蝗牒〉、〈答盧懷慎捕蝗說〉，前兩篇是呈遞給唐玄宗的捕蝗主張和解除唐玄宗顧慮的果決答覆，後兩篇是對意見不合的下屬和僚佐的痛斥與回絕。可見，當時陰陽災異思想影響甚深，而姚崇能夠克服眾人的拘忌，以理性的視角看待災異與政事之間的關聯。

　　除捕蝗之外，《舊唐書》另記載了唐玄宗將幸東都、太廟屋壞一事，宋璟、蘇頲等皆認為「災異之發，皆所以明教誡。陛下宜增崇大道，以答天意，且停幸東都」，而姚崇對此的意見卻是

> 太廟殿本是符堅時所造，隋文帝創立新都，移宇文朝故殿造此廟，國家又因隋氏舊制，歲月滋深，朽蠹而毀。山有朽壤，尚不免崩，既久來枯木，合將摧折，偶與行期相會，不是緣行乃崩。且四海為家，兩京相接，陛下以關中不甚豐熟，轉運又有勞費，所以為人行幸，豈是無事煩勞？東都百司已作供擬，不可失信於天下。以臣愚見，舊廟既朽爛，不堪修理，望移神主於太極殿安置，更改造新廟，以申誠敬。車駕依前徑發。[22]

此處，宋璟、蘇頲等皆認為「太廟屋壞」是上天對帝王行為的一種警戒，而姚崇以年久朽壞的自然之理破解了徵應之說，並且從「不可失信於天下」的角度，強調贏得百姓的信任，方為政事之首。

　　儘管姚崇也寫過〈奉和聖制龍池篇〉、〈請宣示豫州鼎銘符瑞奏〉[23]等宣揚符瑞思想

21　《舊唐書》卷96〈姚崇傳〉，頁3023-3025。另外，對於姚崇主張驅蝗一事，唐代的一些筆記小說中也有記載，如（唐）鄭綮《開天傳信記》「開元初，山東大蝗。姚元崇請分遣使捕蝗埋之。上曰：『蝗，天災也。誠由不德而致焉。卿請捕蝗，得無違而傷義乎？』元崇進曰：『臣聞《大田》詩曰「秉異炎火」者，捕蝗之術也。古人行之于前，陛下用之于後。古人行之，所以安農。陛下用之，所以除害。臣聞安農非傷義也，農安則物豐，除害則人豐樂。興農去害，有國家之大事也。幸陛下熟思之。』上喜曰：『事既師古，用可救時，是朕心也。』遂行之。時中外咸以為不可，上謂左右曰：『吾與賢相討論已定，捕蝗之事，敢議者死。』是歲，所司結奏捕蝗蟲凡（缺）百（缺）餘萬石，時無饑饉，天下賴焉。」說明此事在當時影響之大、傳播之廣，而人事戰勝天災的成功，以有力的實踐否定了當時甚囂塵上的陰陽拘忌。

22　《舊唐書》卷96〈姚崇傳〉，頁3025-3026。

23　如〈請宣示豫州鼎銘符瑞奏〉言：「聖人啟運，休兆必彰，故化馬為龍，預流謠頌，秀為天子，早著冥符。臣等今見薛謙光所獻東都鼎銘，大聖天后所制，其文云：『上元降祉，方建隆基。豫州處天下之中，所以遠包四海。』」

的詩文，以當時人信服的天命思想為唐玄宗的正統性輿論造勢，但其知識與思想能夠突破陰陽拘忌，處理政事注重客觀實效，以理性的認知與實踐撼動天人關係的絕對權威。

三　唐人對陰陽五行觀念的審視與辨析

早在陰陽五行為主流思想的漢代，即有人對之提出過質疑，如王充著《論衡》以「氣」為宇宙生成的依據，駁斥董仲舒的「天人感應」思想，否認天地與人之間的內在關聯，通過不斷辨析得出「夫天地合氣，人偶自生也」，「夫人不能以行感天，天亦不隨行而應人」等觀點，進而否定「君權神授」，指出君主的道德、朝政的治理與自然界的奇異變化無關，揭示祥瑞災異說之虛妄[24]。儘管《論衡》被視為「異書」，王充本人也被批評為「問孔刺孟」、「訾毀先人」；但其以「氣」為核心的宇宙觀卻能對當時政治權力加護的陰陽五行學說提出質疑，撼動了「天人感應」學說的理論基礎，成為「疾虛妄」、「譏世俗」的先鋒和表率。而經過了漢代大一統的覆滅和南北朝的思想衝擊與交匯，初盛唐時期陰陽五行思想漸趨衰落，文人的認知與信仰層面呈現出一種思想衰落過程的徘徊與掙扎。

隋唐之際，陰陽五行之「道」逐漸呈現出沒落的趨勢，但陰陽五行之「術」無論在宮廷還是在民間，卻逐漸流傳開來。尤其，《日書》、《宅書》等一些卜日、卜居的數術之書頗為流行，導致世俗拘忌甚多，下至普通百姓，上至朝廷官員，多依此道，有些甚至直接影響到了唐初的朝廷決策。如《貞觀政要》記載：

> 貞觀五年，有司上書言：「皇太子將行冠禮，宜用二月為吉，請追兵以備儀注。」太宗曰：「今東作方興，恐妨農事，令改用十月。」太子少保蕭瑀奏言：「准陰陽家，用二月為勝。」太宗曰：「陰陽拘忌，朕所不行。若動靜必依陰陽，不顧理義，欲求福佑，其可得乎？若所行皆遵正道，自然常與吉會。且吉凶在人，豈假陰陽拘忌？農時甚要，不可暫失。」[25]

按照當時人的習俗，在舉行重大典禮之前，往往要事先占卜吉日，皇太子的冠禮自然少不了這樣的程式，但在《貞觀政要》的這則記載中，陰陽家占卜出的吉日明顯與農事時間衝突，而太宗則站在國家政令的立場，認為「農時之要」顯然重於「陰陽拘忌」，文中所記蕭瑀的奏言或許能代表當時大部分人對陰陽家的態度，惟陰陽家占卜結果是瞻，在強烈的忌憚心理下選擇順從。但是太宗卻能一反流俗，堅定地認為「吉凶在人」。並

---

24 需要指出的是，王充亦受到時代的侷限，在否定漢儒理論基礎的同時，自身陷入「時」、「數」的歷史宿命觀，認為「世之治亂，在時不在政；國之安危，在數不在教。賢不賢之君，明不明之政，無能損益」(《論衡》〈治期〉) 以看待自然的視角審視人類社會的歷史發展過程。

25 （唐）吳兢：《貞觀政要》卷8〈務農〉，頁238。

且，這種「陰陽拘忌」不但影響到了政治的決策，有時甚至影響人情感的自由抒發，引起了太宗的強烈不滿。《貞觀政要》記載：

> 貞觀七年，襄州都督張公謹卒，太宗聞而嗟悼，出次發哀。有司奏言：「准陰陽書云：『日在辰，不可哭泣。』此亦流俗所忌。」太宗曰：「君臣之義，同于父子，情發于中，安避辰日？」遂哭之。[26]

重臣張公謹去世，有司因為《陰陽書》「日在辰」的判斷而不允許太宗哭泣。縱使流俗中人人嚴守陰陽書的禁忌，但這絕不是一向殺伐果斷的太宗能夠忍受的事情。所以，在經歷了幾次這種流俗的拘忌之後，「太宗以《陰陽書》近代以來漸致訛偽，穿鑿既甚，拘忌亦多。遂命才與學者十余人共加刊正」[27]，最終，在呂才等人的努力下，依據傳統的陰陽理論，「削其淺俗，存其可用者」，於貞觀十五年（西元642年），完成了一百卷的《陰陽書》整體工作。可惜《陰陽書》今已不存，《全唐文》收錄呂才〈敘宅經〉、〈敘祿命〉、〈敘葬書〉三篇，〈敘宅經〉中言指出卜宅之文雖殷周之際早已有之，但唐初流行的「五姓」卜宅之法毫無根據，「直是野俗口傳」。〈敘祿命〉中認為卜筮者高談祿命，目的在於「以悅人心」、「以盡人財」，並舉出歷史上「祿命不驗」的五大例證揭示「命祿說」之虛誕。〈敘葬書〉言：「葬者，藏也」，從傳統「禮」學的角度否定蔔擇年月日時而葬的做法，認為「喪葬之吉凶，乃附比為妖妄」[28]。雖然目前只能見到此三篇，但從三篇頗為一致的說辭中可見，呂才對一些出現較晚的數術理論所持的懷疑態度，尤其對「事不稽古，義理乖辟」之術的反對。

呂才雖然是《陰陽書》的主要修撰者，但卻是按照太宗的指示來辦事，因此，呂才的《陰陽書》，在某種程度上，可視為太宗在位期間，對當時混亂駁雜的陰陽流俗的一次整頓和清理，以國家的行政權力為依託，從知識和文化層面徹底否定「漸致訛偽，穿鑿既甚，拘忌亦多」的社會流俗。因此，《陰陽書》的修撰可視作皇權意志下學者治學的產物，從陰陽五行之術歷史沿革的學理層面否定了當時甚囂塵上的休咎徵應。

劉知幾在武后、玄宗執政期間皆擔任史官一職，其重要史論著作《史通》著重於史書體例章法的思考與評析，其中〈書志〉篇論述了其對專記徵應之事的〈五行志〉的看法。劉知幾批評〈五行志〉記述陰陽災異存在任意遷就、狀物不實、占論歧迕等問題[29]，

26　《貞觀政要》卷6〈仁惻〉，頁194。

27　（五代）劉昫：《舊唐書》卷79〈呂才傳〉，頁2720。

28　參見《全唐文》卷160，頁1640-1643。

29　參見《史通》「若乃采前文而改易其說，謂王劄子之作亂，在彼成年」，「又品藻群流，題目庶類，謂莒為大國，萩為強草，鷲著青色，負蠻非中國之蟲」，「且每有敘一災，推一怪，董、京之說，前後相反」三段，劉知幾認為〈五行志〉的撰寫存在「斯皆不憑章句，直取胸懷。或以前為後，以虛為實；移的就箭，曲取相諧；掩耳盜鐘，自雲無覺。詎知後生可畏，來者難誣者邪」，「如斯詭妄，不可殫論。而班固就加纂次，曾靡銓擇，因以五行編而為志，不亦惑乎」，「言無准的，事益煩費，豈

認為「古之國史，聞異則書，未必皆審其休咎，詳其美惡也」「有異不為災，見於《春秋》，其事非一」，從史學源頭出發質疑祥瑞災異徵應，並且以具體歷史事件舉例辨析「異」「恆」，指出「江壁傳于鄭客，遠應始皇；臥柳植于上林，近符宣帝。門樞白髮，元后之祥，桂樹黃雀，新都之讖。舉夫一二，良有可稱。至於蜚蜮蟱蟊，震食崩坼，隕霜雨雹，大水無冰，其所證明，實皆迂闊……皆持此恆事，應彼咎徵，吳穹垂譴，厥罰安在？探賾索隱，其可略諸」[30]。「探賾索隱」出自《周易》〈繫辭上〉，「探賾索隱，鉤深致遠，以定天下之吉凶，成天下之亹亹者，莫大乎著龜」，商周時期對「探賾索隱」之事相當的嚴肅重視，而劉知幾卻說「其可略諸」，認為「蜚蜮蟱蟊，震食崩坼，隕霜雨雹，大水無冰」是日常生活中比較常見的「恆事」，不屬於咎徵的範疇，因此不必附會深求，反對〈五行志〉虛說遊詞之弊，以及在史書撰寫中過分的陰陽拘忌。

劉知幾在對〈五行志〉駁斥的過程中，呈現出複雜矛盾的思想傾向。他承認祥瑞災異的存在，肯定「災祥之作，以表吉凶，此理昭昭，不易誣也」，並且認為「梓慎之占星象，趙達之明風角，單颺識魏祚於黃龍，董養征晉亂於蒼鳥」等方術讖緯「肇彰先覺，取驗將來，言必有中，語無虛發」。但是，他開始對天道人事的關係提出質疑，認為「吉凶遞代，如盈縮迴圈，此乃關諸天道，不復系乎人事」，反思「天道遼遠，禪灶焉知？日食不常，文伯所對」，認為天道不是人力所能窺視干預的。並且在《史通・書事》談道：「桓、靈受祉，比文、景而為豐；劉、石應符，比曹、馬而益倍。」[31]指出史書對祥瑞的記載並非依託於君主德行，很多時候是「主上所惑，臣下所欺」，甚至出現「德彌少而瑞彌多，政愈劣而祥愈盛」等與陰陽五行理論相悖的情況，指出有些君主為了鞏固自己的正統地位而有意捏造祥瑞，故相當一部分的祥瑞並不可信，尤須差別對待，以辨真偽。儘管在劉知幾看來，天道「愚智不能知，晦明莫之測」，但「周王決疑，龜焦著折；宋皇誓眾，竿壞幡亡；梟止涼師之營，鵩集賈生之舍」這些都是「妖災著象，而福祿來鐘」的歷史事實[32]，即有時縱使出現了預示災禍的咎徵，但是通過人為的審慎與修德，也能夠將之轉化為祥瑞。並進一步指出「蓋晉之獲也，由夷吾之慁諫；秦之滅也，由胡亥之無道；周之季也，由幽王之惑褒姒；魯之逐也，由稠父之違子家……惡名早著，天孽難逃。假使彼四君才若桓、文，德同湯、武，其若之何？」[33]可見，劉知幾作為史官，儘管在某種程度上受到陰陽災異思想的侷限，但能夠清醒認識到，國家存亡的根本在於君主的才德，而非出現休咎之徵。

所謂撮其機要，收彼菁華者哉」等問題，浦起龍認為劉知幾駁其「任意遷就」、「狀物不實」、「占論歧近」，「皆是正斥〈五行志〉之不足泥」。見（唐）劉知幾撰，（清）浦起龍通釋：《史通》上海：上海古籍出版社，2008年，卷三〈書志〉，頁48-51。

30　《史通》卷3〈書志〉，頁47-48。
31　《史通》卷8〈書事〉，頁167。
32　《史通》卷3〈書志〉，頁47。
33　《史通》卷16〈雜說上〉，頁339。

　　綜合看來，陰陽五行思想的昌盛衰落與人自身的覺醒存在著內在的聯繫。初盛唐時期，陰陽五行在「道」的層面，雖然「已成為中國思想中普遍的常用話了」[34]，但隨著人們理性的覺醒，唐人開始有意識地思考在哪些方面繼續採用陰陽五行思想，在哪些方面自覺地弱化。《隋書》〈經籍志〉言：「夫仁義禮智，所以治國也；方技數術，所以治身也；諸子為經籍之鼓吹，文章乃政化之黼黻，皆為治之具也。」[35]說明初盛唐時期，將陰陽五行為主的「方技數術」看成是「治身」之具，不再注重思想層面是否主流與唯一，而是強調對文人知識技能的影響[36]，並且這種態勢在某種程度上開啟了陰陽五行對初盛唐文人知識構成、意識觀念，乃至文學創作的深層作用。

34　（英）李約瑟著，王鈴協助：《中國科學技術史》北京：科學出版社，第2卷〈科學思想史〉，1990年，頁276。

35　（唐）魏徵等：《隋書》卷32〈經籍志〉，頁909。

36　《漢書》〈藝文志〉中的術數略包括天文、曆譜、五行、蓍龜、雜占、形法六種，到《隋書》〈經籍志〉中將五行、蓍龜、雜占、形法等方術合為「五行」，甚至《周易》中的一些占卜也放到五行類中。《隋書》〈經籍志〉在唐初時編撰完成，「五行」幾乎成為各種占卜之術的統稱。並且就數量而言，《隋書·經籍志》的五行類書籍達到二百七十多部，超越任何一個朝代，如此龐大的書籍數量，說明在當時占卜之術的盛行。

變動與閒適
──白居易前期的閒居書寫

劉曼

臺北　政治大學文學院

一　前言

　　白居易（西元772-846年）一生中創作了大量表現閒居生活、閒適情懷的詩作。[1]過往研究，或把白居易的閒適詩當作一個整體來分析，考察其藝術特色或思想傾向，或更多聚焦於白居易晚年於履道園居時期的閒居詩。白居易生命前期的閑居書寫雖然並未被完全忽略，但更多被放置在《白氏長慶集》中「閒適」這一分類下來詮釋白居易的「閒適」觀念[2]。對白居易「閒適」的理解不應該受制於「閒適」這種詩歌分類，這樣高度概括也容易忽略白居易切身生活感受的複雜性與變化。

　　近來有學者關注到物質環境與白居易「閒適」的關係，如日本學者埋田重夫考據白居易一生中各處宅居空間，探究每個處對於白居易的意義，從其住宅變遷的歷程來考察白居易「閒適」境界的達成過程。[3]白居易的「閒適」境界是否有一個最終達成的過程姑且不論，這種由物質環境的改換省察其精神認知變化的研究思路頗具啟發意義。但影響詩人心靈狀態的不僅僅是物質環境，還有當下所相與的人事，只有更充分地考察白居易每個階段的工作生活經歷、交遊狀態，了解前後變動，才能勾勒出他在每個階段更為立體的生活型態，也只有透過對其生活型態的充分理解，才更能感知白居易的精神需求與追求。

　　其次是對「閒適」變化的認知。下定雅弘曾指出白居易「不是用現成的理論規範自己的精神活動，而是從自己精神生活的實際出發，建構反映自己要求、願望的理論。」

1　閒適詩有廣義、狹義之分，這裡指廣義上的閒適詩。狹義的「閒適」詩作為《白氏長慶集》編纂時的一種詩歌分類，見於白集卷五至八，是與「諷喻」、「感傷」、「雜律」並列的一種詩歌畫分類型，後來再編集時不再沿用此分類。（唐）白居易著，朱金城箋校：《白居易集箋校》上海：上海古籍出版社，1988年。

2　如日本學者川合康三指出白居易閒適類作品的變化：「在唐代文人中，白居易從事詩歌創作時期之長是出類拔萃的，歸於『閒適』類的作品，當然也隨著時間推移而有所變化」，他總體上認為白居易的「閒適」是在名與利大體滿足的條件下才產生的。見（日）川合康三著，劉維治、張劍、蔣寅譯：《終南山的變容：中唐文學論集》上海：上海古籍出版社，2007年，頁240、242。

3　（日）埋田重夫著，王旭東譯：《白居易研究：閒適的詩想》西安：西北大學出版社，2019年。

[4]具體到「閒適」的面向，就是白居易總能順應變化來安放自己的身心，從變動不居的生活中找到一種自適方式。反過來看，白居易「閒適」的涵義不是始終不變的，這與他每一個當下具體的生活經歷和訴求息息相關。

本文首先追溯白居易早年離亂困苦生活對其日後的影響，再從白居易不斷變動下的切身處境與感受出發，揭示他生命前期的閒居書寫如何反映他在不同人生階段的矛盾與想望，進而辨析白居易在這些階段「閒適」追求的變化。這樣由生活型態到心靈狀態的勾劃或能為理解白居易的「閒適」提供一種新的觀察角度。

二　溯源——早年變動生活與家園愁思

（一）世變與離散

白居易大歷七年（西元772元）生於河南新鄭縣東郭宅，幼年正逢安史之亂後藩鎮割據、連年征伐的時代，其家鄉所在地域亦多受侵擾、威脅。為了躲避禍患，建中三年（西元782元），白居易隨家人遷往父親白季庚徐州的任所，寄家符離。次年，又因兩河用兵，轉移至越中，此後數年依託於在越中諸地做官的族中親屬[5]。貞元四年（西元788元），白居易隨父到衢州。貞元七年（西元791元）又隨父赴任襄陽，之後回符離家中。貞元九年（西元793元），白居易到父親襄州的任所。次年，父親卒於襄陽官舍，此後三年在符離守父喪。貞元十四年（西元798元），白居易陪外祖母和母親從符離遷居到洛陽。以上簡述白居易早年動盪的經歷，可見其輾轉之艱辛。從他避難越中時作的〈江樓望歸〉[6]一詩，也可見此中愁苦：

> 滿眼雲水色，月明樓上人。旅愁春入越，鄉夢夜歸秦。
>
> 道路通荒服，田園隔虜塵。悠悠滄海畔，十載避黃巾。

在這個過程中，不僅僅是遠離故園，且一再改換避難所，還不得不面對與親人的離散。在貞元三年（西元787年）除夕夜寄給弟妹的詩[7]，離情中仍寄勉慰：

> 萬里經年別，孤燈此夜情。……早晚重歡會，羈離各長成。

在後來的一段歲月裡，喪亂仍沒有止息，而詩人白居易對這艱難世事間的悲情有了更深

4　（日）下定雅弘：《中唐文學研究論集》北京：中華書局，2014年，頁33。

5　據褰長春分析，白居易避難越中時「不至於依託失所」，因白氏家族大，父輩和同輩兄弟中在江南一帶做官的不少。見褰長春：《白居易評傳》南京：南京大學出版社，2002年，頁49-50。

6　（唐）白居易著，朱金城箋校：《白居易集箋校》，卷13，頁774。

7　（唐）白居易著，朱金城箋校：〈除夜寄弟妹〉，《白居易集箋校》，卷13，頁775。

的體認〈自河南經亂，關內阻飢，兄弟離散，各在一處，因望月有感，聊書所懷，寄上浮梁大兄、於潛七兄、烏江十五兄、兼示符離及下邽弟妹〉[8]這首詩寫盡了喪亂中一家人所飽受的流蕩離散之苦：

> 時難年飢世業空，弟兄羈旅各西東。田園寥落干戈後，骨肉流離道路中。
>
> 吊影分為千里雁，辭根散作九秋蓬。共看明月應垂淚，一夜鄉心五處同。

這樣的早年經歷深刻影響了白居易，他後來對生活對居所的在意與強調都與此不無關係。

（二）客苦與家貧的雙重悲悼

貞元十四年（西元798年），白居易長兄白幼文任饒州浮梁縣主簿。是年夏，白居易到浮梁，作〈將之饒州江浦夜泊〉[9]：

> ……苦乏衣食資，遠為江海遊。光陰坐遲暮，鄉國行阻修。
>
> 身病向鄱陽，家貧寄徐州。前事與後事，豈堪心並憂？
>
> ……故園迷處所，一望堪白頭。

「苦乏衣食資」說明當時家中經濟條件的匱乏。白居易父親在世為官時，尚且有俸祿可資家計，如今這一重要的生活來源也中斷了。「故園迷處所」是多年來的漂泊羈旅所造成的迷失，幼年時的家園早已在經年喪亂之後無從尋覓，且印象也越加渺茫了。從浮梁回洛陽時白居易所作〈傷遠行賦〉[10]更是直言對於家計的憂愁，以及對自我前途的隱憂：

> 貞元十五年春，吾兄吏於浮梁。分微祿以歸養，命予負米而還鄉。出郊野兮愁予，夫何道路之茫茫。茫茫兮二千五百里，自鄱陽而歸洛陽。……況太夫人抱疾而在堂，自我行役，諒夙夜而憂傷。惟母念子之心，心可測而可量。雖割慈而不言，終蘊結於中腸。……雖則驅徵車而遵歸路，猶自流鄉淚之浪浪。

臨別時，長兄「分微祿以歸養」，在路途如此遙遠的情況下，白居易還不得不「負米而歸鄉」，生活拮据到了如此地步，以至於雖然是在歸家的路上，仍心有憂戚。在〈客中守歲〉[11]一詩中，白居易更為直白地道出這種兩難的境地：

> 守歲尊無酒，思鄉淚滿巾。始知為客苦，不及在家貧。

8　約作於貞元十五年（西元799年），（唐）白居易著，朱金城箋校：《白居易集箋校》，卷13，頁781。

9　（唐）白居易著，朱金城箋校：《白居易集箋校》，卷9，頁495。

10　同上註。

11　（唐）白居易著，朱金城箋校：《白居易集箋校》，卷13，頁978。

畏老偏驚節，防愁預惡春。故園今夜裡，應念未歸人。

羇旅之思和家庭貧苦所形成的一種憂傷的基調幾乎瀰漫在白居易此一時期的詩作中。後來憶及此一時期，還常常感喟「十年為旅客，常有飢寒愁」[12]。這甚至成為了一種壓制性的力量，使得白居易這一時期對於自然景物很難有欣賞的心情，往往一吟詠即陷入羇旅之思。比如下面這首〈秋江晚泊〉[13]，整首詩包裹在「念鄉國」、「客心」的情緒中：

扁舟泊雲島，倚棹念鄉國。四望不見人，煙江澹秋色。客心貧易動，日入愁未息。

前述白居易種種生活上的變動客觀上也為他遊覽江南諸地提供了契機，他也確實在貞元初年就曾到過蘇、杭二郡，[14]但在他這一時期的詩作中卻沒有明顯吟詠蘇杭風景的詩作，只有側面提及的時刻，如其十五歲時所作〈江南送北客因憑寄徐州兄弟書〉[15]：

故園望斷意何如？楚水吳山萬里餘。今日因君訪兄弟，數行鄉淚一封書。

喪亂的時代，漂泊的生涯，白居易沒有很多悠閒的時刻來凝望山水。少數有的詩作中，也實在缺乏欣賞的餘裕，因為眼前的山水往往是與故園相對立的存在。

在白居易早年的生活中，客苦與家貧共同構成了壓抑機制。這與白居易晚年反覆吟詠周遭所見的景物形成了極為鮮明的對比。白居易早年所經歷的變動無疑影響了他後面的人生選擇與境遇。他後來每到一地，幾乎都會留下關於自身體驗的詩文，哪怕只是短暫留宿的道觀寺廟，抑或一時參觀遊賞的宅門府第。這也是早年離亂變動生活所帶來的對於處身之地的敏感。

三　初入長安──喧噪中求幽靜

（一）名利場之「喧噪」

貞元十五年（西元799年），白居易到宣州參加州府考試，取得「鄉貢」。是年冬，白居易赴長安參加進士考試。貞元十六年（西元800年）春，以第四名及第。[16]無論是

12　（唐）白居易著，朱金城箋校：〈適意二首〉其一，《白居易集箋校》，卷6，頁317-318。

13　約作於貞元十六年（西元800年）以前，（唐）白居易著，朱金城箋校：《白居易集箋校》，卷13，頁771。

14　〈吳郡詩石記〉載：「貞元初，韋應物為蘇州牧，房孺復為杭州牧。……予始年十四五，旅二郡。」見（唐）白居易著，朱金城箋校：《白居易集箋校》，卷68，頁3663。

15　（唐）白居易著，朱金城箋校：《白居易集箋校》，卷13，頁767。

16　朱金城：《白居易年譜》臺北：文史哲出版社，1991年，頁18-20。

剛到長安應試時，還是後來在長安做校書郎時，白居易對長安的看法一以貫之，認為長安是「名利場」，其中到處是汲汲於名利的人：「帝都名利場，雞鳴無安居」[17]、「長安千萬人，出門各有營」[18]、「長安名利地，此興幾人知」[19]。「名利場」，是一個初到京城的人所能給出的高度印象式的概括，是未能深入的判斷，這其中固然有白居易作為文人的清高。在白居易的體認中，與京城這一名利場始終相伴隨的典型事物就是「軒車」，如：「軒車歌吹喧都邑，中有一人向隅立」[20]、「諠諠車騎帝王州，羈病無心逐勝遊」[21]、「旬時阻談笑，旦夕望軒車」[22]。

　　「軒車」作為與名利場相應的代表性意象，其華麗、其行進而過時顯赫的陣勢，對於初入京城自覺寒傖的白居易來說無異於是一種高調的碾壓。元和四年，已任翰林學士和左拾遺的白居易回憶起自己入長安時的寒傖之感：「出門可憐唯一身，敝裘瘦馬入咸秦」[23]當時自己的衣服行頭、車馬之寒磣，且沒有隨行的僕從，只身「敝裘瘦馬」入長安。說這話時的白居易，處在前半生最高光的時刻，對於往日的卑寒之感才可以如釋重負地說出。但在當時身處這樣一種環境下的白居易，則明顯有一種「不適應感」[24]。對於常居長安的元稹都習以為常的東西，白居易的心裡卻有著明顯的分別。白居易看到的不是軒車的華麗，而是軒車所彰顯的功名富貴以及那些追逐名利的喧噪的人們。

（二）追求「幽」「靜」：作為一種躲避方式

　　白居易漸漸找到屬於自己安適的方式，也就是「鬧中求靜」。看此一時期的幾首閒居詩，〈永崇里觀居〉[25]是白居易在永貞元年（西元805年）做校書郎時期所作：

　　　　季夏中氣侯，煩暑自此收。蕭颯風雨天，蟬聲暮啾啾。
　　　　永崇里巷靜，華陽觀院幽。軒車不到處，滿地槐花秋。

17　（唐）白居易著，朱金城箋校：〈常樂裡閒居偶題十六韻〉，《白居易集箋校》，卷5，頁265。

18　（唐）白居易著，朱金城箋校：〈答元八宗簡同遊曲江後明日見贈〉，《白居易集箋校》卷5，頁269。

19　〈首夏同諸校正遊開元觀因宿玩月〉永貞元年（西元805年），（唐）白居易著，朱金城箋校：《白居易集箋校》卷5，頁271。

20　〈長安早春旅懷〉作於貞元十六年（西元800）春，（唐）白居易著，朱金城箋校：《白居易集箋校》，卷13，頁783。

21　〈長安正月十五〉貞元十六年（西元800年），（唐）白居易著，朱金城箋校：《白居易集箋校》，卷13，頁772。

22　（唐）白居易著，朱金城箋校：《白居易集箋校》，卷9，頁495。

23　（唐）白居易著，朱金城箋校：〈醉後走筆酬劉五主簿長句之贈兼簡張大賈二十四先輩昆季〉，《白居易集箋校》，卷12，頁636。

24　（日）川合康三著：《終南山的變容：中唐文學論集》，頁226-227。

25　（唐）白居易著，朱金城箋校：《白居易集箋校》，卷5，頁272。引文底線為筆者所加。

年光忽冉冉，世事本悠悠。何必待衰老，然後悟浮休。

<u>真隱豈長遠，至道在冥搜。身雖世界住，心與虛無游。</u>

朝飢有蔬食，夜寒有布裘。幸免凍與餒，此外復何求。

寡欲雖少病，樂天心不憂。何以明吾志，周易在床頭。

從「永崇里巷靜，華陽觀院幽。軒車不到處，滿地槐花秋」這幾句可以見出隱含的對比關係，永崇里進而至華陽觀，是遠離軒車、愈加隱深的所在，「靜」、「幽」也正是白居易所真正追求和享受的閒居生活的基本特徵。

再如〈長安閑居〉[26]：

風竹松煙<u>晝掩關</u>，意中長似在<u>深山</u>。無人不怪長安住，何獨朝朝暮暮閑。

「風竹松煙」作為屏障，來隔絕充滿名利喧噪的外在世界，這樣就彷彿如同在「深山」裡一般了。「深山」所傳達出的幽靜的氛圍是不言而喻的，也是白居易得以安適存在的條件。

在同期的另一首表現閒居的詩中，白居易在態度上更為圓融。〈常樂里閑居偶題十六韻兼寄劉十五公輿、王十一起、呂二炅、呂四穎、崔十八玄亮、元九積、劉三十二敦質、張十五仲元〉[27]：

<u>帝都名利場</u>，雞鳴無安居。獨有懶慢者，日高頭未梳。

工拙性不同，進退跡遂殊。幸逢太平代，天子好文儒。

小才難大用，典校在秘書。<u>三旬兩入省，因得養頑疏。</u>

茅屋四五間，一馬二僕夫。俸錢萬六千，月給亦有餘。

既無衣食牽，亦少人事拘。遂使少年心，日日常晏如。

<u>勿言無知己，躁靜各有徒。</u>蘭臺七八人，出處與之俱。

旬時阻談笑，旦夕望軒車。誰能鏘校間，解帶臥<u>吾廬</u>。

<u>窗前有竹玩，門外有酒沽。</u>何以待君子，數竿對一壺。

這一首寫閒居的詩與前面兩首基調不同，首先從詩題中可以看出這首是預設讀者的，也就是諸位同僚，有很強的對話性、應酬性在其中。「蘭臺七八人，出處與之俱」顯然是應和題目中所寄予的「劉十五公輿、王十一起、呂二炅、呂四穎、崔十八玄亮、元九積、劉三十二敦質、張十五仲元」，但也依然「躁靜各有徒」，最終回歸到「吾廬」的窗前竹，與之前群體冶遊的「蘭臺」、「軒車」相對照，顯然「蘭臺」、「軒車」對應的是「躁」的生活形態，是畫分界線，也是以此標榜。因為兼呈諸同僚友人之故，也連帶敘

26　（唐）白居易著，朱金城箋校：《白居易集箋校》，卷13，頁763。

27　（唐）白居易著，朱金城箋校：《白居易集箋校》，卷5，頁265。

述與他們之間共同的交遊，最後還是回歸到竹窗下的「靜」的生活。在這樣營營的名利場中，白居易安於自己的一方小天地，有竹有酒。總而言之，這個階段，幽居成了白居易自覺抵抗繁華名利環境的一種方式。

四　盩厔時期：塵俗間娛野性

元和元年（西元806年），白居易校書郎任滿，與好友元稹閉居華陽觀，揣摩時事，為考試做準備。四月，應才識兼茂明於體用科，因對策語直，入第四等（乙等）。同月二十八日，授盩厔尉。[28]這個縣尉官職是正九品下，即縣級官員最低階的職位，而一同入考的友人元稹制科入三等（甲等），授左拾遺。[29]相比之下，可以想見白居易心裡的落差。他不由地感慨「丹殿子司諫，赤縣我徒勞」[30]，好友元稹留在京城，離政治理想更近的榮顯的職務，自己卻到了離長安一百多里的郊縣。然而，更大的落差或許在於，過去校書郎時期的閑散生活徹底結束，而冗雜的俗務充塞於這個階段的生活。

（一）「折腰吏」的塵囂感

據學者砺波護考證，白居易在盩厔縣期間任司戶尉，也就是主管「按比戶口，課植農桑，催驅賦役」等事宜。[31]白居易此前做校書郎時期，總體上悠哉，且從事的是與文化文字相關的清務，但「畿尉除案牘工作外，作為令、丞、主簿的下屬，常因公事奔走」[32]，白居易常常在這一時期的詩中書寫他對這個職務的感受：「折腰多苦辛」，「折腰簪笏身」，「一為趨走吏」，從「折腰」就可以看出白居易對自己官職卑薪水少不滿外，還有工作狀態上的勉強，言語之間多嫌怨。[33]白居易在盩厔縣尉期間曾因公事被短暫地召回長安，〈京兆府新栽蓮〉[34]即作於元和二年到京兆府時，其中借蓮花的遭遇表達自己「托根非所」、「不得地」的不適之感：

28　朱金城：《白居易年譜》，頁35-36。

29　同上註，頁36。

30　〈權攝昭應，早秋書事，寄元拾遺兼呈李司錄〉，元和元年，（唐）白居易著，朱金城箋校：《白居易集箋校》，卷9，頁465。

31　與白居易同時的另一個李姓縣尉為兵法尉，主管「檢查非違」等刑事部分。參見砺波護：《唐代的縣尉》，收入黃正建譯，劉文俊主編：《日本學者研究中國史論著選譯》北京：中華書局，1992年，第4冊，頁566-567。

32　徐暢：〈盩厔縣尉白居易的城鄉生活體驗〉，《人文雜誌》2014年第5期，頁74。

33　靜永健也認為白居易對就任這一官職一事「持否定態度」。參見靜永健著，劉維治譯：《白居易寫諷喻詩的前前後後》北京：中華書局，2007年，頁61。

34　白居易在詩題下自註：「時為盩厔尉，驅府所作」（唐）白居易著，朱金城箋校：《白居易集箋校》，卷1，頁18。

> 污溝貯濁水，水上葉田田。我來一長嘆，知是東溪蓮。
>
> 下有青泥污，馨香無復全。上有紅塵撲，顏色不得鮮。
>
> 物性猶如此，人事亦宜然。托根非其所，不如遭棄捐。
>
> 昔在溪中日，花葉媚清漣。今來不得地，憔悴府門前。

這與此前對長安的「不適應感」不同。如果說白居易對長安有特別的情結，因為京城既是繁華名利場，他以「幽靜」的閒居方式來抵抗名利的喧噪，但長安畢竟也是政治中心，是文人實現政治理想的地方，所以對白居易還有一種不可企及的威嚴感。但他對盩厔這個郊縣從一開始就是完全牴觸的，自認有一種所處不合宜的彆拗感。雖然只是暫時到地方上來歷練，但日常的具體工作還是要自己去一步步落實、面對。

　　與他對這一官職的反感相對應的，是白居易對這一階段生活境遇的認識。「囂塵感」幾乎是他對盩厔縣尉生涯的整體觀感。白居易剛到任的十幾天，就體會到了其中辛忙，如〈權攝昭應，早秋書事，寄元拾遺兼呈李司錄〉[35] 所言：

> 到官來十日，覽鏡生二毛。<u>可憐趨走吏，塵土滿青袍。</u>
>
> 郵傳擁兩驛，簿書堆六曹。為問綱紀掾，何必使鉛刀。

在〈盩厔縣北樓望山〉[36] 一詩中寫奔走忙碌的縣尉生活：

> <u>一為趨走吏，塵土不開顏。</u>孤負平生眼，今朝始見山。

「塵土不開顏」，或言奔忙勞頓、或言俗務冗雜，才會好不容易望一下山景。在另一首寫於盩厔官舍內的〈病假中南亭閑望〉[37] 一詩中感慨自己因病才得閑的片刻愉悅：

> 欹枕不視事，兩日門掩關。始知吏役身，不病不得閒。
>
> 閒意不在遠，小亭方丈間。西檐竹梢上，坐見太白山。
>
> 遙愧峰上雲，對此塵中顏。

然而最後在面對峰上白雲時，又對自己忙於俗務的「塵中顏」感到慚愧——不滿意自己的狀態，也不滿意這種環境中的自己。其實是感慨自己平日沒有時間也沒有悠閒心境去遊賞自然。這個時期，白居易結識了本地的布衣之士王質夫，偶爾和他一起遊山玩水。在〈招王質夫〉詩中，他擔心平時蕩遊山水的「雲水客」友人嫌棄自己所處的環境，為了讓他肯來自己「囂塵」般的處所，特別栽下竹子，以迎合友人閒逸的性情：

35　（唐）白居易著，朱金城箋校：《白居易集箋校》，卷9，頁465。

36　（唐）白居易著，朱金城箋校：《白居易集箋校》，卷13，頁740。

37　（唐）白居易著，朱金城箋校：《白居易集箋校》，卷5，頁277。

> 濯足雲水客，<u>折腰簪笏身</u>。喧閒跡相背，十里別經旬。
> 忽因乘逸興，<u>莫惜訪囂塵</u>。窗前故栽竹，與君為主人。

在白居易看來，「囂塵」既是自己冗俗事務的象徵，同時也是與自然山野之地相對的所在。

（二）栽竹移松——娛野性

　　如果說在長安時，白居易對「名利場」可以旁觀、隔絕的態度，而今卻不得不身處塵囂中。那麼如何面對「囂塵」，如何從「囂塵」中短暫逃逸就成了白居易這一階段的生活課題。他和王質夫遊賞了仙遊寺等地，這可以算作一種徹底的逃離。但畢竟更多的日子還要在官舍度過。所幸白居易也給自己提供了短暫逸離的一種方式。如寫於盩厔官舍的〈新栽竹〉[38]：

> <u>佐邑意不適</u>，閉門秋草生。何以娛野性，種竹百餘莖。
> <u>見此溪上色，憶得山中情</u>。有時公事暇，<u>盡日繞欄行</u>。
> 勿言根未固，勿言陰未成。已覺庭宇內，稍稍有餘清。
> 最愛近窗臥，秋風枝有聲。

詩人開篇就敘說自己「佐邑意不適」，申明自己在這個職位上的不適意。接著陳述自己栽竹的原因，是為了「娛野性」。換言之，詩人認知到自身有一部分與俗塵冗務所相背離的心性，也就是需要親近自然的野性。而白居易雖然是在官舍，但他總歸是一個「善於想辦法滿足自己慾望的心智」的人[39]。「見此溪上色，憶得山中情」就是他巧妙而折衷的做法。宇文所安對此有很好的闡釋：

> 竹子使詩人「憶得山中情」。竹林是建構出來的刺激物，它提供了一份對山野自然經過中介的回顧性體驗，而這體驗在努力追求變得直接，雖然這努力是不可能實現的。竹林是詩人慾望的建構，是幻象產生的場所，而詩人也承認幻象並非現實。[40]

白居易構建短暫的幻象來作為自己從塵囂間的短暫逃離。以竹林為中介，為載體，在辦公之餘的閒暇時間「盡日繞欄行」，試圖「在限制中走出無限來」[41]。

38　元和元年（西元806年），（唐）白居易著，朱金城箋校：《白居易集箋校》，卷9，頁466。

39　同上註，頁104。

40　（美）宇文所安：〈機智與私人生活〉，收入宇文所安著，陳引馳、陳磊譯：《中國「中世紀」的終結：中唐文學》臺北：聯經出版事業公司，2007年，頁102-103。

41　同上註，頁103。

　　除了前述「栽竹」以外，白居易還曾把仙遊山的兩棵松移到居所。這首〈寄題盩厔廳前雙松〉[42]，是元和二年（西元807年）白居易準備收拾東西從盩厔回長安任翰林學士時的紀念之作：

> 憶昨為吏日，折腰多苦辛。歸家不自適，無計慰心神。
> 手栽兩樹松，聊以當嘉賓。乘春日一漑，生意漸欣欣。
> 清韻度秋在，綠茸隨日新。始憐澗底色，不憶城中春。
> 有時晝掩關，雙影對一身。盡日不寂寞，意中如三人。
> 忽奉宣室詔，徵為文苑臣。聞來一惆悵，恰似別交親。
> 早知煙翠前，攀玩不遄巡。悔從白雲裡，移爾落囂塵。

透過題下小注：兩松自仙遊山移植縣廳，也就可以完整理解他最後所說的「悔從白雲裡，移爾落囂塵」。松本是在山中，白居易出於安撫自己不適的心神而把它移到這囂塵之間。「始憐澗底色，不憶城中春」表明了白居易隱憂的心曲：他對此地的不滿是因為跟之前在長安任校書郎時期的閑散生活做對比，而更懷念那時的生活，但如今有了這兩棵松樹，彷彿它們帶來了山澗的幽野氣氛，情緒才有所好轉。如今要回長安了，松已經不再是前面所說的作為嘉賓的存在，因為白居易深切知曉塵囂生活的繁苦而不忍心它們繼續受這樣的命運，又想到還不如從一開始就沒有把他們從自然中移出來。這其中顯然有自我的投射，就像之前借京兆府的蓮花所發洩的怨情，白居易此時對松樹的「淒然執著之心」[43]是非常複雜的，夾雜在他京城與郊鄉的經驗之間，在塵俗與自然之間，在落寞與升遷之間。

　　作為縣尉的他，過去的生活被冗事俗務所束縛，所以這個時期對山野之趣饒多興味。正是通過對「野性」的滿足來緩解自己大多數時間處於塵囂中的不適感。在與當時盩厔縣另一位縣尉的唱和中，白居易曾在〈酬李少府曹長官舍見贈〉[44]中表明自己的心跡：

> 低腰復斂手，心體不遑安。一落風塵下，方知為吏難。
> 公事與日長，官情隨歲闌。惆悵青袍袖，芸香無半殘。
> 賴有李夫子，此懷聊自寬。兩心如止水，彼此無波瀾。
> 往往簿書暇，相勸強為歡。白馬晚蹋雪，漿觴春暖寒。
> 戀月夜同宿，愛山晴共看。野性自相近，不是為同官。

---

42 （唐）白居易著，朱金城箋校：《白居易集箋校》，卷9，頁469。

43 靜永健認為：「通覽白居易這一時期的詩作，其中除同布衣之士交流外，白居易對自然景物有一種淒然執著之心」。參見靜永健著，劉維治譯：《白居易寫諷喻詩的前前後後》，頁64-65。

44 ，（唐）白居易著，朱金城箋校：《白居易集箋校》，卷9，頁503。

此時的「宦情隨歲闌」與其說是真正的宦情日減，不如說是「公事與日長」所導致的暫時想法。白居易強調自己和李姓縣尉的相似之處不是同為縣尉，而是「野性」。

　　總體來看，盩厔縣尉時期的生活環境對白居易來說恰似「囂塵」，其實與所謂的「閒居」生活是完全背離的，但白居易總是能夠在冗雜的的俗務中開拓出一點空間，而「閒適」在更多時候是作為一種想望，一種塵世生活的短暫幻象，追求山林之「野性」其實是對職官冗務的片刻逃離。

五　下邽村居──貧寂中求超脫

（一）鄉居生活的貧苦與寂寞

　　元和二年（西元807年），白居易從盩厔縣尉回長安任翰林學士，後兼左拾遺。這也是他前半生仕途最光輝的時刻，政治上大有作為的階段，寫作大量諷喻詩，針砭時弊。元和六年（西元811年），白居易因丁母憂退居渭下，開始為期三年多的鄉居生活。當白居易剛退居時，精神上大為放鬆，如〈適意二首〉[45]：

> ……三年作諫官，復多屍素羞。有酒不暇飲，有山不得游。
> <u>豈無平生志，拘牽不自由。一朝歸渭上，泛如不繫舟。</u>
> 置心世事外，無喜亦無憂。……人心不過適，適外復何求？
> 早歲從旅遊，頗諳時俗意。中年忝班列，備見朝廷事。
> <u>作客誠已難，為臣尤不易。況余方且介，舉動多忤累。</u>
> ……<u>自從返田畝，頓覺無憂愧。</u>

在朝時的種種「拘牽」「忤累」，如今都蕩然消散。但這種適意只是片刻的，把這理解為白居易的自我安慰也未嘗不可。這一時期的白居易既遠離了京城的名利繁華地，也沒有了冗務吏事奔走纏身，鄉下的環境又更接近自然山野，獲得了徹底的「閑」，按理說應該是白居易最為悠閒適意的一段時光。但檢視白居易下邽時期的閒居詩作，大多被憂愁所籠罩。[46]先前對於外界環境的牴觸或逸離變為對自我的關注，分為兩個方面，一是對貧苦生活的詠嘆，這是物質上的；再則是精神交流的匱乏，與過去友人音信幾近斷絕。

　　白居易一生所經歷的最大變動，一般都認為是元和十年（西元815年）被貶江州，這的確是他政治生涯的轉折點。但在這之前他已然經歷了生活上的巨大變動。白居易因丁母憂退居渭下，這對於古代官員本是很平常的事情。但對於白居易的家庭來說，這意

45　（唐）白居易著，朱金城箋校：《白居易集箋校》，卷6，頁317-318。
46　很少在其中見及閒適情懷，但反過來看，這是讓白居易思考閒適的契機。

味著整個家庭再次陷入貧困。這次是由官到民的下降。據學者謝思煒研究，白居易屬於中唐時期中低地主階層，在經濟上有些許資產可供宦遊求學，但不穩定。[47]當白居易回鄉丁憂的時候就去掉官職，家庭回歸到民的境況，不僅沒有了為官時的俸祿，而且還要像普通的村民百姓一樣交租納稅。他在此一時期的詩作中數次寫到過「納租看縣貼，輸粟問軍倉」[48]。

元和九年（西元814年），白居易丁憂期滿，但遲不授職。在〈渭村退居寄禮部崔侍郎翰林錢舍人詩一百韻〉中[49]，他向曾經的同僚傾訴過去幾年的悲苦生活：

聖代元和歲，<u>閑居渭水陽</u>。……<u>猶須務衣食，未免事農桑。</u>
<u>薙草通三徑，開田佔一坊。畫扉烏白版，夜碓舂黃粱。</u>
<u>隙地治場圃，閒時糞土疆。枳籬編刺夾，薙壟擘科秧。</u>
<u>穡力嫌身病，農心願歲穰。</u>朝衣典杯酒，佩劍博牛羊。
困倚栽松錻，飢提採蕨筐。引泉來後澗，移竹下前岡。
<u>生計雖勤苦，家資甚渺茫。</u>塵埃常滿甑，錢帛少盈囊……

雖然白居易開始自述「閑居渭水陽」，但並不真正悠閒，需要為生計從事種種農事，其結果還是「家資甚渺茫」。此間多虧好友元稹援助，「三寄衣食資，數盈二十萬」，無異於雪中送炭，白居易極為感念。

其次是精神的寂寥。在白居易的一生中，與人唱和、詩友互動是其精神生活很重要的一部分。尤其是此前作為翰林學士、左拾遺時期，身邊都不乏志同道合的詩友競作往還，互相激發。即便是在怨言多發的盩厔縣尉時期，也有性情相投的王質夫攜同與遊，但這些在渭村時期卻難以達成。白居易這一時期的詩作中常常顯現出精神上的苦悶。從天子近臣到「渭浦棲遲客」，身分跌落所引起的難言的感傷，從〈東墟晚歇〉中[50]可窺見白居易這段生涯的心境：

褐衣半故白髮新，人逢知我是何人。誰言渭浦棲遲客，曾作甘泉侍從臣。

〈效陶潛體詩十六首〉[51]表現了白居易新進寫好的詩，卻苦於無人傳閱：

我有樂府詩，成來人未聞。

---

47 謝思煒：〈中唐社會變動與白居易的人生思想〉，收入氏著：《白居易集綜論》北京：中國社會科學出版社，1997年，頁303-310。

48 （唐）白居易著，朱金城箋校：《白居易集箋校》，卷15，頁875。

49 同上註。

50 （唐）白居易著，朱金城箋校：《白居易集箋校》，卷12，頁643。

51 （唐）白居易著，朱金城箋校：《白居易集箋校》，卷5，頁305。

更不必說切磋唱和。〈村居二首〉[52]中日常談笑不再是學士鴻儒，而只有「田舍翁」：

　　若問經過談笑者，不過田舍白頭翁。

雖然遇到的只有農夫，但彼此交往總勝過沒有。而在〈歡常生〉中[53]，白居易感到平日往還的人也不在了：

　　村鄰無好客，所遇唯農夫。之子何如者，往還猶勝無。於今亦已矣，可為一長吁。

〈病中得樊大書〉[54]描述了白居易在寂寞的荒村，經年沒有人來訪的孤寂感受：

　　荒村破屋經年臥，寂絕無人問病身。

在〈寄元九〉[55]和〈渭村退居寄禮部崔侍郎翰林錢舍人詩一百韻〉[56]等寫給友人的詩中也反覆言及這幾年的落寞：

　　一病經四年，親朋書信斷。舊游多廢忘，往事偶思量。

以上在在透露出一個知識分子在鄉居生活中，因閉塞孤絕生活所致的精神上的寂寞和苦悶。

（二）飲酒以自適：麻醉作為一種超脫方式

　　對於窮病孤絕的鄉居生活，白居易仍然有自己的超脫之法。這一時期典型的閒適之作〈效陶潛體詩十六首〉[57]，白居易在其中不是效其田園之樂，而在於飲酒。在這組詩的小序裡，白居易寫道：

　　余退居渭上，杜門不出，時屬多雨，無以自娛。會家醞新熟，雨中獨飲，<u>往往酣醉，終日不醒</u>。懶放之心，彌覺自得，故得於此而有以忘於彼者。因詠陶淵明詩，適與意會，遂倣其體，成十六篇。醉中狂言，醒輒自哂。然知我者，亦無隱焉。

白居易此階段終日酣醉，在懶放以獲自得。從「故得於此而有以忘於彼者」可以見出他的用意，即以飲酒麻痺自己，忘卻現實中那些不如意的種種，窮苦與病苦都可以暫時放

52　（唐）白居易著，朱金城箋校：《白居易集箋校》，卷14，頁862。
53　（唐）白居易著，朱金城箋校：《白居易集箋校》，卷10，頁525。
54　（唐）白居易著，朱金城箋校：《白居易集箋校》，卷14，頁853。
55　（唐）白居易著，朱金城箋校：《白居易集箋校》，卷10，頁526。
56　（唐）白居易著，朱金城箋校：《白居易集箋校》，卷15，頁875。
57　（唐）白居易著，朱金城箋校：《白居易集箋校》，卷5，頁303。

下。況且在寂寞的情境下，飲酒不失為一種自娛的方式（其二[58]）：

> 翳翳窅月陰，沉沉連日雨。開簾望天色，黃雲暗如土。
> 行潦毀我墻，疾風壞我宇。蓬莠生庭院，泥塗失場圃。
> <u>村深絕賓客，窗晦無儔侶。</u>盡日不下床，跳蛙時入戶。
> <u>出門無所往，入室還獨處。不以酒自娛，塊然與誰語。</u>

在這組詩的第四首[59]中，白居易寫自己不斷飲酒所達至的狀態：

> 開瓶瀉樽中，玉液黃金巵。持玩已可悅，歡嘗有餘滋。
> 一酌發好容，再酌開愁眉。連延四五酌，酣暢入四肢。
> 忽然遺我物，誰復分是非。是時連夕雨，酩酊無所知。

先是「開愁眉」，再飲則「四肢酣暢」，最後到「遺物我」，無所謂「是非」的境地。「酩酊無所知」是白居易刻意追求的結果，他試圖通過自我麻醉消解身心的苦悶。在組詩第五首（節選）[60]和第十一首（節選）[61]中，他甚至朝朝暮暮飲：

> 朝亦獨醉歌，暮亦獨醉睡。未盡一壺酒，已成三獨醉。
> 勿嫌飲太少，且喜歡易致。一杯復兩杯，多不過三四。
> <u>便得心中適，盡忘身外事。更復強一杯，陶然遺萬累。</u>
> 舉杯還獨飲，顧影自獻酬。心與口相約，未醉勿言休。
> 今朝不盡醉，知有明朝不？

白居易自言無盡地喝酒是為了「歡致」。換言之，白居易在這個過程中獲得一種心靈的適意，「身外事」是他生活憂苦的來源，所以要「盡忘」，才能「陶然」。這一時期，白居易通過飲酒來應對生活的不如意，試圖通過麻醉自己以暫時忘卻生活的不如意，是這個階段「閒適」追求的獨特進路。

六　結語

　　白居易早年經歷的變動和離亂生活使得他對居所及生活環境尤為敏感，而他青少年時期所遭遇的家庭貧困和羈旅生涯，也無形中埋下了他對於安適閑居生活的願望。白居易各個時期的處境和心境不同，對「閒適」的追求也不盡相同，這反映在他不同時期的

58　（唐）白居易著，朱金城箋校：《白居易集箋校》，卷5，頁304。

59　同上註。

60　（唐）白居易著，朱金城箋校：《白居易集箋校》，卷5，頁305。

61　（唐）白居易著，朱金城箋校：《白居易集箋校》，卷5，頁306。

閑居書寫中。通過閱讀白詩，發現白居易對自己所處的生活型態常常會有一種大體的認定，在當下階段的詩歌裡多次映現，每個階段又有不同的矛盾與想望，以至其「閒適」的追求也有不同側重。

按時間順序和人生經歷所縷析的白居易閒居經驗，剛好覆蓋了京城、郊縣、鄉村三種經驗。白居易剛到長安時頗不適應，對長安的總體印象就是車馬喧喧的名利場，此一時期，白居易對閑居生活的追求在於「幽」和「靜」，是為了躲避京城喧噪繁華的生活，也是對抗；盩厔縣尉時期，縣尉的繁冗俗務常使白居易有一種奔走塵囂間的感覺，這段時間白居易更嚮往自然的「野性」，與此相應的行動則是栽竹移松到居住的官舍以「娛野性」；下邽村居時期的白居易遭遇了物質生活和精神生活的雙重困境，家庭的貧困，與友朋的隔絕使他陷入了困頓，白居易只有通過飲酒來麻醉自己，以忘卻當下的煩惱，從而獲得一種心靈上的閒適。以上大致可見白居易生命前期閑居書寫的特徵與面向，而不同階段白居易的「閒適」追求都與自己當下的境地息息相關，也隨其「閒居」體驗的變動而變動。這些得以「閒適」的經驗也為他後來廬山草堂、履道園時期的閑居生活打下了無形的基礎。

晚唐進士遊宴與曲江詩的繁榮[*]

謝雨情

北京師範大學文學院

　　晚唐時期藩鎮割據、宦官亂政、朋黨勾結，進士試成為寒門士子入仕的主要途徑。動亂的社會政治環境又影響了科舉環境，請托干謁之風盛行，使得進士試前後所進行的行卷、通榜、呈榜、謝恩、過堂等一系列活動背後都有著複雜的政治涵義。由此形成的科舉文化勢必深刻地影響著士人的科舉心態和創作心態。其中，進士放榜之後在曲江舉行的一系列遊宴活動不僅為座主門生、進士同年之間的往來唱和提供了機會，也為文人的詩歌創作提供了題材和意象來源。目前學界針對進士遊宴的名目分類[1]、飲食習俗[2]，宴會上所創作的曲江詩和探花詩[3]皆有所研究。但還很少有從進士遊宴背後的政治內涵出發探究進士遊宴所形成的曲江文化對文學產生的深遠影響。[4]

　　總體來說，曲江宴在有唐一代大約持續了兩百年，而現存進士遊宴的相關詩歌大多創作於德宗貞元年十二年（西元796年）至昭宗光化四年（西元901元）年的一百多年間。進士遊宴活動中創作的詩歌以會昌三年（西元843元）王起榜下二十二位進士同向主司祝賀的師生唱和保存最為完整。中唐時期，僅有劉禹錫、孟郊、白居易、周匡物、姚合、朱慶餘、賈島創作進士遊宴詩，它的真正繁榮起於王起與門生唱和活動之後。

一　進士遊宴的政治內涵

　　進士宴作為一系列科場風氣的延續，其意義並不如表面呈現的謝恩那樣簡單，背後所隱含的干謁行為才是它在晚唐得以盛行的原因。參與者包括座主、有權有勢的世家子弟和寒門舉子。一方面，困於科場、久舉不第的舉子，多為朝中無人、家境貧寒，若希

---

[*] 項目基金：國家社科基金重大項目「中國古代都城文化與古代文學及相關文獻研究」（18ZDA237）

[1] 楊波著：《長安的春天：唐代科舉與進士生活》北京：中華書局，2007年。

[2] 駱亞琪：《唐代進士宴會文化研究》咸陽：西北農林科技大學，2014年。

[3] 陶成濤：《唐代曲江詩研究》廣州：中山大學碩士論文，2010年。雷曉妍：《中晚唐科舉探花詩研究》呼和浩特：內蒙古師範大學碩士論文，2016年。

[4] 祁琛雲：〈唐宋進士同年會述略〉，《西華大學學報（哲學社會科學版）》2009年第3期，頁87。指出北宋雖然召開瓊林閣喜宴但規模遠不及唐代曲江宴。為嚴防朋黨，宋初禁止考生稱考官為座主，稍後又實行殿試製度，由皇帝親自掌握進士的錄取權，第者為天子門生。

望儘快取得官位並且仕途平順，就必須得到座主和同年的援引。另一方面，座主和世家
子弟也想要借此機會提攜後進以網羅下屬和培植勢力。可從會昌三年的進士遊宴活動窺
見一斑：

> 周墀任華州刺史，武宗會昌三年，王起僕射再主文柄，墀以詩寄賀，並序曰：僕
> 射十一叔以文學德行，當代推高。在長慶之間，春闈主貢，采摭孤進，至今稱
> 之。近者，朝廷以文柄重難，將抑浮華，詳明典實，繇是複委前務。三傾貢籍，
> 迄今二十二年於茲，亦縉紳儒林罕有如此之盛。況新榜既至，眾口稱公。墀忝沐
> 深思，喜陪諸彥，因成七言四韻詩一首，輒敢寄獻，用導下情，兼呈新及第進
> 士：「文場三化魯儒生，二十餘年振重名。曾忝木雞誇羽翼，又陪金馬入蓬瀛。
> （墀初年〈木雞賦〉及第，常陪僕射守職內庭。）雖欣月桂居先折，更羨春蘭最
> 後榮。欲到龍門看風水，關防不許暫離營。」時諸進士皆賀。起答曰：「貢院離
> 來二十霜，誰知更忝主文場。楊葉縱能穿舊的，桂枝何必愛新香！九重每憶同仙
> 禁，六義初吟得夜光。莫道相知不相見，蓮峰之下欲征黃。」王起門生一榜二十
> 二人和周墀詩[5]

在這次進士遊宴活動中，座主王起收到了從前門生周墀的賀詩，不僅自己酬答一首，門
下的二十二名新進士也進行了集體和詩。由此，座主與門生，同年與同年之間都建立起
了良好的關係。

　　座主王起為德宗貞元十四年（西元798年）進士，官歷德、順、憲、穆、敬、文、
武七朝。「穆宗即位，拜中書舍人（正五品上）」[6]正式踏入高層文官之列。穆宗長慶二
年（西元822年）和長慶三年（西元823年），時任禮部侍郎（正四品下）的王起連續兩
年知貢舉。武宗會昌三年（西元843年）王起第三次執掌文柄，時任吏部尚書，判太常
卿事，檢校左僕射（正三品）。此時距離王起第一次知貢舉過去二十二年，其門生大部
分都已成為官場的中堅力量，在此期間對他本人也頗有提攜之助。如本傳記載「時李訓
用事，訓即起貢舉門生也，欲援起為相。八月，詔拜兵部侍郎，判戶部事。其冬，訓
敗，起以儒素長者，人不以為累，但罷判戶部事。」[7]李訓在文宗大和九年（西元835
年）拜相，本欲利用自己的權勢推薦王起做宰相，但當年甘露之變中李訓被殺，因而作
罷。而王起因在朝中良好的人脈並未受到太大牽連。

　　周墀於穆宗長慶二年（西元822年）年登第，是王起第一批門生，時任華州刺史
（從三品）。他在賀詩中先追憶自己與恩師共事翰林院的時光，再表達自己因事務纏身
無法探望恩師及新科進士的遺憾，集中表現了感恩和思念之情。王起在回詩中同樣追憶

往日時光，以及對周墀今後建功立業、步步高升的祝願。王起曾於文宗即位任吏部侍郎，加集賢學士、判院事，開成三年（西元838年）以兵部尚書充翰林侍講學士。而周墀則在文宗即位後任集賢學士。開成二年（西元837年）任翰林學士。其中是否有王起推薦之功，不得而知。但周墀後在宣宗大中年間官至兵部侍郎同平章事，皆得益於與王起的這層關係。

後來的舉子也紛紛注重經營與主司的關係。會昌三年狀元盧肇作為寒門子弟，曾經兩試不中，因而也寄希望於干謁。〈上王僕射書〉曰：

> 某本孤淺，生江湖間……垂二十年，以窮苦自勵。……是知天啟德於僕射，在此時也。某於此時，若不得循牆以窺，則是終身無窺望之分也。敢布愚拙，伏惟特以文之光明而俯燭之。幸甚幸甚！並獻拙賦一首，塵冒尊嚴，無任悸栗之至。[8]

文中一方面敘述自己無親知舊識之強有力者的援助，以致久困考場，一方面表達自己希望能夠得到主司援引的心情。盧肇得中狀元後，在宴會上作〈和主司王起〉（一作奉和主司王僕射答周侍郎賀放榜作）：「嵩高降德為時生，洪筆三題造化名。鳳詔佇歸專北極，驪珠搜得盡東瀛。褒衣已換金章貴，禁掖曾隨玉樹榮。明日定知同相印，青衿新列柳間營。」[9]不僅表達了對座主的感激，也對座主以前的門生周墀表示了良好的祝願。其目的顯而易見，希望座主王起能夠繼續獎拔自己，也希望周墀在前途一片大好的時候不要忘記提拔自己這個隔年「同年」。

會昌三年諸門生中，孟守曾於王起長慶三年（西元823年）知貢舉時登第，並為時相黜退，[10]直至會昌三年（西元843年）王起三掌文柄才再登科第。從此便可看出座主對門生提拔之功。雖然王起於宣宗大中元年（西元847年）逝世，但門生中還是不乏頗有建樹者，盧肇、姚鵠、孟球累官至州刺史（從三品、正四品），樊驤官終倉部郎中（從五品上），林滋官終金部郎中（從五品上），張道符官終司封郎中知制誥（從五品上），石貫官終太學博士（正六品上），黃頗官終監察御史（正八品上）。[11]

在王起與門下二十二人唱和發生的當年（西元843年）十二月，朝廷確定王起要於會昌四年（西元844年）第四次知貢舉之後，時任宰相的李德裕向武宗上〈禁進士題名局席覆奏〉：

> 奉宣旨，不欲令及第進士呼有司為座主，趨附其門，兼題名局席等，條疏進來者。伏以國家設文學之科，求貞正之士，所宜行敦風俗，義本君親，然後升於朝

8　周紹良編：《全唐文新編》長春：吉林文史出版社，2000年，頁9156。

9　彭定求編：《全唐詩》鄭州：中州古籍出版社，2008年，頁2876。

10　（宋）計有功輯撰：《唐詩紀事》上海：上海古籍出版社，2013年，頁838。「長慶三年，王起放及第，為時相所退。」

11　張忠綱著：《全唐詩大辭典》北京：語文出版社，2000年。

廷，必為國器。豈可懷賞拔之私惠，忘教化之根源，自謂門生，遂成膠固？所以時風浸薄，臣節何施，樹黨背公，靡不由此。臣等商量，今日已後，進士及第，任一度參見有司，向後不得聚集參謁，及於有司宅置宴。其曲江大會朝官，及題名書席，並望勒停。緣初獲美名，實皆少雋，既遇春節，難阻良遊，三五人自為宴樂，並無所禁，唯不得聚集同年進士，廣為宴會。仍委御史台察訪聞奏。謹具如前。[12]

由上可知，第一，李德裕希望明令禁止及第進士趨附座主，舉辦宴會。第二，申明科舉是為了國家選拔人才，效忠皇帝。但現狀卻是進士認為座主提拔賞識了自己，常常以門生自居，座主與門生形成了一種牢固的關係。「自謂門生，遂成膠固……樹黨背公，靡不由此。」指出座主門生關係是朋黨形成的根源所在。第三，指出朋黨的危害，朋黨相互勾結，為了個人的利益而損害國家利益，使得當時科場風氣和官場風氣江河日下。第四，提出必要的禮節可以執行，如進行一次謝恩。同時也尊重當時的遊宴風尚，可以舉行三五人的聚會。但禁止之後的遊宴活動，不能為座主門生、同年之間相互勾結提供機會。武宗准奏，一紙奏章讓舉辦了一百多年的曲江遊宴戛然而止，雁塔上的題名也盡數削去。

　　李德裕的奏疏一定程度上針對了當時利用座主、門生、同門關係締結的牛黨。從穆宗長慶四年（西元824年）到敬宗寶曆二年（西元826年）李宗閔、楊嗣復接連知貢舉，大力獎拔門生，將科舉視為拉攏人才的工具和政治鬥爭的手段。「殆其拔起寒微之後，用科舉座主門生及同門等關係，勾結朋黨，互相援助，如楊於陵、嗣復及楊虞卿、汝士等，一門父子兄弟俱以進士起家，致身通顯。」[13]但更重要的是李德裕看到了進士遊宴的本質。在科舉制誕生以前，選人的權力在地方，而唐代科舉把人事權收歸中央。選拔出來的人才本應是天子門生，實際情況卻是座主透過種種科場習氣把選拔出來的人才變成了自己的門生和人脈，尤以進士遊宴為甚。

　　進士遊宴在中晚唐社會風氣奢靡、政治鬥爭激烈、科場風氣敗壞的大環境下興盛繁榮。遊宴活動的名目雖不盡相同，但其主要目的卻只有一個，就是確立相對穩定的座主門生和同年關係，形成一張寒門依附高門、由下至上的官僚關係網。

二　自上而下的唱和詩寫作

　　唱和詩在有唐一代有著深厚的文學傳統和文學根基。初唐時期的文館唱和推動了律體詩歌的發育與定型。中唐元白唱和、晚唐皮陸唱和，唱和文人群體的形成又大大推動

---

12 周紹良編：《全唐文新編》長春：吉林文史出版社，2000年，頁7973。

13 陳寅恪著：《陳寅恪文集：唐代政治史述論稿》上海：上海古籍出版社，1982年，頁268。參見《舊唐書》〈楊虞卿傳〉：「虞卿性柔佞，能阿附權幸以為奸利。每歲銓曹貢部，為舉選人馳走取科第，占員闕，無不得其所欲，升沉取捨，出其唇吻。而李宗閔待之如骨肉，以能朋比唱和，故時號黨魁。」

了詩歌面貌的多樣化和題材的豐富性。但與文人平輩之間出於友情或遊戲發起的唱和不同，王起這種座主與門生之間在宴會上進行的大規模的集體唱和活動更多地包含著一種自上而下的權威性和社交性，接近於初唐時期的文館唱和，從而也繼承了宮廷詩歌所獨有的的美學特徵。

自南北朝至初唐，詩歌一直是貴族特有的文學，大部分詩作產生於上層人士聚集的社交環境中。宮廷的遊藝活動和宴會被認為是最適於展開唱和的場合。他們常常要求參與唱和的詩人當場迅速作詩以展現自己的才華。尤其是到了晚唐時期，皇帝大多偏愛有詩才者[14]。進士出身者一旦得官，從校書郎、正字等基層文官做起，數年間便可置身顯宦，登為宰相。「故當代以進士登科為『登龍門』，解褐多拜清緊，十數年間，擬跡廟堂。」[15]王起曾在集賢院、翰林院等館閣中任職，作為皇帝的文學顧問，又歷經了七朝沉浮，他深知詩才的重要性。因此，宴會上他與門生的唱和活動具有一種變相考試的意味。座主挑詩的過程即為挑人的過程。能夠得到皇帝更多青睞的大臣，往往是在宮廷唱和活動中能寫出既奉迎上意，又典雅富麗的詩歌的人，而具備這種才華的學生將在以後出人頭地的同時平順自己的官途。

唱和詩的性質決定了主題幾乎固定，而門生向座主唱和又意味他們必須遵從著座主的詩歌結構，儘管沒有限韻，仍然限制了被試者的發揮。為快速完成唱和，歐陽詢奉詔編纂的《藝文類聚》和徐堅奉詔編纂的《初學記》等類書在此時發揮了極大的作用。正如賈晉華在〈隋唐五代類書與詩歌〉中所說：「類書為詩歌寫作提供了現成的典故、辭藻、意象等，只要透過一定訓練，就可以順當地、快速地將有關材料組織成一首完整的詩。」[16]

分析二十二首門生的和詩中所運用的典故和語彙，可看出比喻及第的典故出現次數最多，包括「龍門」、「出穀鶯」和「折桂」等。

以魚躍龍門比喻舉子應試，躍過者為龍即登第，不過者為魚即落第：

登龍舊美無邪徑。（姚鵠）　　　　當年門下化龍成。（孟球）

龍門舊列金章貴。（蒯希逸）　　　龍門一變荷生成。（林滋）

多羨龍門齊變化。（黃頗）　　　　再啟龍門將二紀。（戈牢）

龍門乍出難勝幸。（王甚夷）　　　龍門昔上波濤遠。（唐思言）[17]

---

14 如文宗找裴度聯句，事見（宋）計有功輯撰：《唐詩紀事》上海：上海古籍出版社，2013年，頁19。「裴度拜中書令，以疾未任朝謝。上巳曲江賜宴，群臣賦詩。帝遣中使賜度詩曰：『注想待元老，識君恨不早。我家柱石衰，憂來學丘禱。』仍賜禦緡曰：『朕詩集中欲得見卿唱和詩，故令示此。卿疾未差，可他日進來。』御劄及門而度薨。再如宣宗時，鄭顥以狀元身分尚公主，宣宗對其恩寵有加。」

15 （唐）封演著，趙貞信校注：《封氏聞見記校注》北京：中華書局，2005年，頁17。

16 賈晉華：〈隋唐五代類書與詩歌〉，《廈門大學學報（哲學社會科學版）》1991年第3期，頁127。

17 典出《藝文類聚》〈卷九十六‧鱗介部上‧龍〉：「辛氏《三秦記》曰：『河津一名龍門，大魚集龍門下數千，不得上。上者為龍，不上者魚。故雲曝鰓龍門。』」

以黃鶯出谷搬遷至喬木比喻舉子登第進入官場：

共作門闌出轂谷。（高退之）　　誰料羽毛方出谷。（孟球）

鶯谷新遷碧落飛。（蒯希逸）　　羽翼三遷出谷鶯。（石貫）

群鶯共喜新遷木。（孟守）　　兩司鶯谷已三年。（戈牢）[18]

折桂、一枝、片玉、郤詵、月桂、芳枝都是及第的代名詞：

登龍舊美無邪徑，折桂新榮盡直枝。（姚鵠）

楊隨前輩穿皆中，桂許平人折欲空。（劉耕）

國器舊知收片玉，朝宗轉覺集登瀛。（崔軒）

更許下才聽白雪，一枝今過郤詵榮。（張道符）

恩波舊是仙舟客，德宇新添月桂名。（李潛）

別有倍深知感士，曾經兩度得芳枝。（孟守）[19]

這種相似典故的運用沿襲了省試詩的寫作習慣。由於省試詩題目的選擇來自類書，相關的典故和語彙則必然成為舉子們的首選。而針對進士宴上當堂作詩這樣一種變相的考試，進士們自然也會同樣從類書出發，從而使得進士宴上所作的詩歌呈現出相似的詩歌風貌。如果門生能把類書中已有的現成典故透過新的構造方式展現出獨特的詩境，或是獨闢蹊徑專門避開與登第相關的典故進行寫作，就意味著他能夠從眾人中脫穎而出。類書的出現使得唱和成為了一種可獲得的技巧和可學習的藝術。

　　古來詩體，各有本色。不同的題材決定了不同的寫作性質。李維楨《唐詩紀》〈序〉：「山林宴遊，則興寄清遠；朝饗侍從，則制存莊麗；邊塞征戍，則淒惋悲壯；睽離患難，則沉痛感慨；緣機觸變，各適其宜，唐人之妙以此。」[20]在宴會場合寫作的唱和詩與其他情況下創作的個人抒情寫景詩性質不同。往往依照當時的審美風氣寫作，某種程度來說承接了宮廷詩的寫作傳統，為政治目的而服務。一旦要進入官場，就必須要遵從宮廷詩的美學，這關係到京城文壇的接受、聲名的建立和晉升的速度。

　　應上級之唱而作和詩，高華典重為題材所要求的必備風格。在二十二人的唱和詩中，「鳳詔」、「玉韻」、「玉樹」、「雞樹」、「蘭署」、「鳳凰池」、「仙籍」、「寰瀛」、「鴛鴦」這些詞彙都是詔書、做官、登第、官員的雅稱，並且帶有「玉」、「鳳」、「雞」、「鴛鴦」等吉祥高貴的字眼。有限的素材、限定的表現領域使得人們更多地挖掘事物色彩繽

---

18 典出《藝文類聚》〈卷二十一・人部五・交友〉：「《詩經》〈小雅・伐木〉：『伐木丁丁，鳥鳴嚶嚶。出自幽谷，移於喬木。』」

19 典出《藝文類聚》〈卷二十五・人部九・嘲戲〉：「王隱《晉書》曰：武帝問郤詵：『卿自以為何如？』詵對曰：『臣舉賢良對策。為天下第一。猶桂林之一枝。若昆山之片玉。』帝笑。』」

20 陳伯海著：《歷代唐詩論評選》保定：河北大學出版社，2003年，頁656。

紛的表像，忽略了思想內涵和情韻的呈現，如：「金章」、「金馬」、「金榜」、「青衿」、「紫綬」、「紫薇」、「朱輪」、「朱紫」。大量色彩詞的使用並不是詩人對現實世界進行觀察後所做的細緻摹寫，而是宮廷詩作的慣用套語，不僅不能起到形象生動，讓人眼前一亮的作用，反而容易流於浮華空洞。由於門生在寫作時有所求，他們既不能把對座主的感情表現得太露骨，在表忠心之時也不能落於他人之後，所以如何恰到好處地表現自己的謙卑和感激也需要十分的技巧。如丁棱的「新有受恩江海客，坐聽朝夕繼為霖。」既說明了自己曾經受過老師的恩情，也表明自己的決心，接下來還會繼續在老師門下接受教誨。含蓄恭謹而又不卑不亢。

　　由此可知，進士遊宴唱和詩的共同藝術風貌表現為高雅的典故、富麗的辭藻與意象、恭謹克制的情感和含蓄的語義。在下級對上級的場合中，唱和詩強調規範和技巧，卻忽視了個性與思想，它的美學判斷是基於詩人們如何成功地在這些法則中做文章。儘管詩人真正的自我在這類詩歌體式中被固定的程式化情感所淹沒，但它在進士宴這一特殊場合創作，因而催生了曲江遊宴文化並為及第詩和落第詩提供了重要的寫作題材和意象群。由於資料的缺失我們無法判定這二十二人後來的情況，但可以透過其他更著名的同年關係，如元稹和白居易、劉禹錫和柳宗元來判斷進士遊宴上的詩文唱和更深遠的影響。共同的科舉遊宴和仕宦經歷增加了同年之間心靈上的親切和默契，與之相關的詩文唱和不僅提供了增進感情，互相結交的機會，也成為了多年之後維繫關係的紐帶，從而形成了相對穩定的文人群體。

三　曲江文化與曲江情結

　　進士遊宴肇始於中宗神龍年間（西元705年），最初是為安慰落第舉子而設，後來逐漸演變為及第進士同年間的集會。雖然中間一度曾因為武宗會昌三年（西元843年）李德裕科舉改革而廢止，但宣宗登基（西元847年）之後馬上下旨恢復曲江宴，使得進士遊宴之風又蔚然盛行。[21]宣宗大中、懿宗咸通年以來出現專辦進士宴會的進士團，往往今年宴會剛結束，就已經開始為來年籌備。曲江宴的真正衰落要等到黃巢之亂（西元884年）軍隊洗劫長安。唐朝的滅亡（西元904年）則正式宣告了曲江宴的結束。雖然宋代效仿唐制在瓊林苑設「瓊林宴」，但終不如唐代繁華，且性質也有所改變。

　　晚唐時期曲江宴因為皇帝的關注和社會風氣的豪奢而更加盛大。

　　　　至期，上率宮嬪垂簾觀焉。命公卿、士庶、大酺各攜妾伎以往。倡優、緇黃，無

21　（唐）王定保著，姜漢椿校注：《唐摭言校注》上海：上海社會科學院出版社，2003年，頁46。「所
　　以長安遊手之民，自相鳩集，目之為『進士團』。初則至寡，洎大中、咸通已來，人數頗眾。其有何
　　士參者為之酋帥，尤善主張筵席。凡今年才過關宴，士參已備來年遊宴之費。」

不畢集……是日，商賈皆以奇貨麗物陳列，豪客園戶，爭以名花佈道。進士乘馬，盛服鮮裝，子弟僕從隨後，率務華侈都雅。[22]

在曲江大會前，會向上請示，皇帝登臨紫雲樓來觀看宴會，與民同樂。等到皇帝敕令一下，便正式開始。

逼曲江大會，則先牒教坊請奏，上御紫雲樓，垂簾觀焉……敕下後，人置被袋，例以圖障、酒器、錢絹實其中，逢花即飲。……曲江之宴，行市羅列，長安幾於半空。[23]

進士遊宴往往要從放榜後開始，一直持續到關試結束眾人歸鄉。

在經歷了多年的寒窗苦讀之後，士子們終於能夠一吐心中的抑鬱不平之氣，盡情享受登第的喜悅。春日的曲江春光明媚，景色宜人，正宜出遊。

所遊地推曲江最勝。本秦之隍洲，開元中疏鑿，開成、太和間更加淘治。南有紫雲樓、芙蓉苑，西有杏園、慈恩寺。環池煙水明媚，中有彩舟；夾岸柳陰四合，入夏則紅葉彌望。[24]

他們不僅會配合時令進行食櫻桃（櫻桃宴）、賞牡丹（牡丹宴）等風雅之事，還會進行曲江泛舟、月燈打球、看佛牙等一系列遊樂活動，這些活動中往往還有歌妓作陪。韓偓〈余作探使以縹綾手帛子寄賀因而有詩〉：「解寄縹綾小字封，探花筵上映春叢。黛眉印在微微綠，檀口消來薄薄紅。纏處直應心共緊，砑時兼恐汗先融。帝台春盡還東去，卻系裙腰伴雪胸。」[25]生動反映了晚唐時進士的狎妓風尚。薛能〈曲江醉題〉：「閒身行止屬年華，馬上懷中盡落花。狂遍曲江還醉臥，覺來人靜日西斜。」[26]則描繪了新進士登第後放浪形骸，醉到不省人事的情態。

曲江文化中杏園探花、雁塔題名是最讓士人津津樂道的行為，因為它是榮耀的象徵，凝結著士人的曲江情結。杏園宴時「杏園探花」是指在同科進士中選擇兩個年紀較輕所謂俊少者，使之騎馬遍遊曲江附近或長安各處的名園，去採摘名花。如果被他人搶

22　吳景旭著：《歷代詩話》北京：中華書局，1958年，頁383。

23　（唐）王定保著，姜漢椿校注：《唐摭言校注》上海：上海社會科學院出版社，2003年，頁46。

24　（明）胡震亨：《唐音癸籤》上海：上海古籍出版社，1981年，頁284。胡震亨詳細整理了太宗到宣宗時賜宴的記錄，關於曲江的相關描述應來自康駢《劇談錄》，（唐）王仁裕著：《開元天寶遺事（外七種）》上海：上海古籍出版社，2012年，頁22。「曲江池，開元中疏鑿，遂為勝景。其南有紫雲樓、芙蓉苑，其西有杏園、慈恩寺。花卉環周，煙水明媚。」

25　（清）彭定求編：《全唐詩》鄭州：中州古籍出版社，2008年，頁3513。

26　（清）彭定求編：《全唐詩》鄭州：中州古籍出版社，2008年，頁2931。

先，就要罰酒。新科進士打馬揚鞭，春風得意，引來無數路人的艷羨。[27]如韋莊的〈長安春〉：「長安二月多香塵，六街車馬聲轔轔。家家樓上如花人，千枝萬枝紅艷新。簾間笑語自相問，何人占得長安春。長安春色本無主，古來盡屬紅樓女。如今無奈杏園人，駿馬輕車擁將去。」[28]以長安春花比喻年輕歌妓的美貌。新進士既可以在杏園探花活動中摘得最美的花，也可以在遊宴中與「紅樓女」同樂。新進士的「占得長安春」不僅意味著現實的摘花，也意味著占有「紅樓女」的美色，更重要的是意味著進士及第的喜悅。鄭穀困頓十六年後登第，〈曲江紅杏〉：「女郎折得殷勤看，道是春風及第花。」[29]表達了同樣的情感。趙嘏則描寫了三十一位同年同時在長安城中策馬探花的熱鬧情形：〈今年新先輩以遏密之際每有宴集必資清談書此奉賀〉：「天上高高月桂叢，分明三十一枝風。滿懷春色向人動，遮路亂花迎馬紅。鶴馭回飄雲雨外，蘭亭不在管弦中。居然自是前賢事，何必青樓倚翠空。」[30]

「雁塔題名」在杏園宴過後，新進士來到位於晉昌坊的慈恩寺，在雁塔上刻下自己的名字。古人十分重視刻石記功，等到功成名就之時還要將名字標紅以傳後世。[31]劉滄〈及第後宴曲江〉就描繪了及第進士雁塔題名的情形：「及第新春選勝遊，杏園初宴曲江頭。紫毫粉壁題仙籍，柳色簫聲拂御樓。齊景露光明遠岸，晚空山翠墜芳洲。歸時不省花間醉，綺陌香車似水流。」[32]曲江池畔雨後初晴一片光明，山色空濛，小洲上芳草萋萋，詩人醉倒花間，享受這美好的一切，他們是曲江春色的擁有者。

對於曲江、杏園的這種情結往往泛化為更大的對於春天的嚮往之情。對於及第者來說，「春天」是物理意義上的春天，更是心理意義上的春天。進士放榜在二月間，及第是踏入仕途的第一步。而對落第者來說，「春天」與他們無緣，這種心態反映在詩歌上，往往具象化為「長安春」、「曲江春」、「杏園花」、「雁塔」等意象的反覆出現。

正在進行進士考試的舉子既渴望著即將到來的春天，又擔心這春天將不屬於他們。前文所述盧肇在進士試結束後等待放榜時作詩曰：「射策明時愧不才，敢期青律變寒灰。晴憐斷雁侵雲去，暖見醯雞傍酒來。箭發尚憂楊葉遠，愁生只恐杏花開。曲江春淺人遊少，盡日看山醉獨回。」（〈射策後作〉[33]曲江初春時節，遊人較少，盧肇徘徊在即

27　（宋）趙彥衛，傅根清，點校：《雲麓漫鈔》北京：中華書局，1996年，頁135。卷七引《秦中歲時記》：「次即杏園初宴，謂之探花宴，便差定先輩二人少俊者，為兩街探花使；若他人折得花卉，先開牡丹、芍藥來者，即各有罰。」

28　（清）彭定求編：《全唐詩》鄭州：中州古籍出版社，2008年，頁3611。

29　（清）彭定求編：《全唐詩》鄭州：中州古籍出版社，2008年，頁3486。

30　（清）彭定求編：《全唐詩》鄭州：中州古籍出版社，2008年，頁2861。

31　（唐）王定保著，姜漢椿校注：《唐摭言校注》上海：上海社會科學院出版社，2003年，頁80。「神龍已來，杏園宴後，皆於慈恩寺塔下題名。同年中推一善書者紀之。他時有將相，則朱書之。」

32　（清）彭定求編：《全唐詩》鄭州：中州古籍出版社，2008年，頁3054。

33　（清）彭定求編：《全唐詩》鄭州：中州古籍出版社，2008年，頁2876。

將舉行進士宴的曲江邊，擔心自己無緣參加此後的遊宴活動，字裡行間透露出失意之情，覺得自己中舉無望。

　　而對於沉淪科場幾十年的寒門士子來說，曲江、杏園已經成為了他們心中遙不可及的夢想。落第者多因為朝中無人運作而無法登第，他們沒有掌握住進入官場的規則和內幕，憑著一腔孤憤寫下詩歌。如羅隱自懿宗咸通元年（西元860年）二十八歲初試落第至僖宗乾符五年（西元878年）四十六歲最後一次考試落第，二十年來共參加十次科考。詩人最後一次參加科考落第之時，心灰意冷。他徘徊在舉辦進士遊宴的曲江邊，看著新進士欣喜赴宴、絕塵而去的背影，對比自己的蒼老頹唐，回顧自己二十年來為了功名四處奔波的辛苦，作〈偶興〉：「逐隊隨行二十春，曲江池畔避車塵。如今贏得將衰老，閒看人間得意人。」[34] 又如溫庭筠，與友人一起應舉多年，友人率先登第，於是作〈春日將欲東歸寄新及第苗紳先輩（一作下第寄司馬劄）〉：「幾年辛苦與君同，得喪悲歡盡是空。猶喜故人先折桂，自憐羈客尚飄蓬。三春月照千山道，十日花開一夜風。知有杏園無路入，馬前惆悵滿枝紅。」[35] 其中既有對友人登第的豔羨之情，也有自己無緣赴宴杏園的惆悵之意。但其中也有例外，李群玉一反他人的頹靡之態，在安慰落第友人魏珪時作〈贈魏三十七〉：「名珪字玉淨無瑕，美譽芳聲有數車。莫放焰光高二丈，來年燒殺杏園花。」[36] 只要確實有文才，來日一定能大放異彩。他用「來年燒殺杏園花」表現了自己對科舉的不屑一顧和文人傲氣。李群玉在科舉落第一次之後，不再像當時的士人一般連年應舉，最後因向宣宗獻詩而被破格直接任命為校書郎。

　　宴會結束後，新進士由於官職遷轉可能一生都無法再來到曲江。但曲江盛會成為了日後反覆追憶書寫的題材對象，內容中不乏對既往輝煌的緬懷，也有著對現今沉淪的悲歡。李頻〈漢上逢同年崔八〉：「去歲曾遊帝裡春，杏花開過各離秦。偶先托質逢知己，獨未還家作旅人。世上路岐何繚繞，空中光景自逡巡。一回相見一回別，能得幾時年少身。」[37] 即為參加曲江遊宴第次年，路遇同年感慨時光飛逝、少年難再時所作。

　　唐代進士科考試一般於十二月、正月、二月間舉行。從放榜到遊宴結束歸鄉一般只有短短兩三個月的時間，但它卻對晚唐的文化產生了深遠的影響，催生了一大批及第詩和落第詩的寫作。曲江宴代表著一種及第的春風得意和光輝榮耀感。曲江文化和曲江情結的產生不僅反映了當時長安城的繁盛景象，也凝聚著士人對科舉的情感體驗、藝術描述與美學想像。

　　晚唐時期，進士試成為入仕乃至置身顯宦的最主要途徑。與此相關，圍繞著進士試形成了行卷、通榜、呈榜、謝恩、過堂、遊宴等一系列科場習氣。進士遊宴作為新進士

34　（清）彭定求編：《全唐詩》鄭州：中州古籍出版社，2008年，頁3401。

35　（清）彭定求編：《全唐詩》鄭州：中州古籍出版社，2008年，頁3024。

36　（清）彭定求編：《全唐詩》鄭州：中州古籍出版社，2008年，頁2973。

37　（清）彭定求編：《全唐詩》鄭州：中州古籍出版社，2008年，頁3062。

向上結交的契機成為結黨的第一步，座主門生、同年之間借此展開政治活動；為滿足干謁需要，宴會上所作的唱和詩繼承了初唐以來宮廷詩的美學，反映出類書指導文學創作的趨向；而圍繞盛大遊宴所產生的曲江文化和曲江情結，催生出一批相關的及第詩和落第詩，凝聚著士人對科舉的情感體驗、藝術描述與美學想像。

　　至宋，曲江遊宴不復存在，雖有瓊林聞喜宴，但規模不似唐之盛大，座主門生關係也逐漸轉向天子門生關係，與之相關的文學也隨之衰落。從此意義而言，晚唐的曲江詩記錄和反映了晚唐時期政治、都城文化與文學的深層互動關係。

從蘇軾改陶詩說到宋代「尚意」書風[*]

胡勃

成都　四川大學中華文化研究所

在文學史上，蘇軾改陶淵明詩句「采菊東籬下，悠然望南山」（〈飲酒〉之五）中「望南山」為「見南山」，這是一段著名的公案。對這一改動，歷來評論甚多，而且都集中在評價優劣。筆者卻認為，如果結合時代背景，透視這一改動深層次的因素，我們可能對文學、藝術史，包括對書法史的一些問題，都會有更為深刻的認識。

關於改詩，蘇軾解釋說：「『采菊東籬下，悠然見南山』，因采菊而見山，境與意會，此句最有妙處。近歲俗本皆作『望南山』，則此一篇神氣都索然矣。古人用意深微，而俗士率然妄以意改，此最可疾。」[1]又說「采菊之次，偶然見山，初不用意，而境與意會，故可喜也」，而不改則「便覺一篇神氣索然也」。[2]蘇軾兩次都提到了「境與意會」，兩相比較，我們可以分析出，這裡說的「意」就是「偶然見山，初不用意」，是文句之意。而「境」是什麼？我認為是文句達到的藝術效果，「境與意會」則是「可喜」，反之，則「神氣索然」。

蘇軾之說，在筆者看來是有道理的，而且提到了「境」這個重要的審美範疇，也具備了理論高度，再加上蘇軾的地位影響力，所以其說歷來附和者多，「悠然見南山」幾成定論。當然後世也有反對的。較早的是清人何焯，他認為此詩中「山氣日夕佳」之「山氣」，「飛鳥相與還」之「飛鳥」都是「望」中所見，非「偶然」所見。「悠然」之意從「心遠地自偏」之「心遠」而來。近代國學家黃侃認為，不「望」南山，何知「山氣日夕佳」之「佳」。其思路與何焯同，都是從詩句的整體著眼。現代國學家徐復認為，《昭明文選》的編者蕭統離陶淵明時代最近，《昭明文選》中的「悠然望南山」應該最為可靠，他還認為「望南山」應該有所指，是指陶淵明嚮往一位隱居在南山的鄉先賢翟湯。[3]當代學者范子燁對反方意見做了全面的總結，[4]並有專著《悠然望南山——文化

* 基金項目：國家社科基金重大項目「中國上古知識、觀念與文獻體系的生成與發展研究」（11&ZD 103）、國家社科基金後期資助項目「戰國兩漢文本形態與圖像關係研究」（20FZWB04）、二〇一九年天津師範大學教學改革項目「圖像在古代文學教學中的運用研究」（JGYB01219001）階段性成果。

1　（北宋）蘇軾：〈題淵明飲酒詩後〉，《蘇軾文集》，中華書局，1986年，頁2092。
2　（北宋）蘇軾：〈書諸集改字〉，《蘇軾文集》，中華書局，1986年，頁2099。
3　徐復：〈陶淵明《雜詩》之一「望南山」確解〉，《南京師範大學文學院學報》2006年第4期。
4　見范子燁：〈「悠然望南山」：一句陶詩文本的證據鏈〉，《淮陰師範學院學報》（哲學社會科學版）

視域中的陶淵明》對相關問題也有闡發。

以筆者己意，是認同「望南山」的，首先是從文獻學角度，最早收錄這首詩的《昭明文選》，成書於唐代的《藝文類聚》用的都是「望南山」，異文主要是從宋代才有的。但是如果認同「望南山」，就說明蘇軾的改法不對，這樣就會又產生另一個問題，蘇軾講的理由貌似有理，為什麼他的結論不對？如果「望南山」是陶淵明的原句，那麼豈不是說陶淵明沒達到蘇軾標定的藝術水準？當然，我們也可以不管這些問題，僅以版本文獻學作為依據。但對於陶淵明這樣的一流大作家，對於〈飲酒〉這樣既有名又重要的作品，我們還是要努力求得文獻學和文藝學的統一（即從文獻學上認為「望南山」是詩的原貌，從文藝學上也為「望」字用的合理）。而不是像黃侃那樣，籠統地說一句「無故改古以伸其謬見，此宋人之病也」。

前述何焯、黃侃兩位，他們從詩的內部邏輯來分析「望南山」，這當然可算是輔證。但是這輔證單獨來看，我卻以為未必有充分的道理，因為這是寫詩，未必要事理充分、邏輯無懈可擊，設若這裡就是要用一個「見」字來追求蘇軾所說的藝術效果，又何嘗不可呢？至於徐複說「望南山」是指向往一位先賢，我以為這只是一種猜測，這畢竟還是一首田園詩，首重字面表述的藝術效果。既然說到藝術效果，就還是要回應蘇軾所講的道理。所以前人的觀點並沒有很好地解決在「望南山」問題上的文獻學和文藝學統一的問題。

因此，立足於這兩者的統一，筆者提出新的解決問題的思路，即在歷史變遷中，去體會陶淵明、蘇軾不同說法的語境效果。具體說來，筆者認為，相對於「采菊東籬下，悠然見南山」，那麼「望南山」的表達比較剛硬拙樸，而「見南山」則顯得細緻綿密。究其背後的歷史因素，五言詩相對七言詩來說，是一種較早的詩歌形態，從其在漢魏時代形成開始，就有一類詩是把質樸的特點和五言體式結合在一起，具體到「采菊東籬下，悠然望南山」這句，我們也能體會到這種特點，而且陶淵明詩的特點就是質樸醇厚。而到了宋代，不光文學體式發展了，人們對文學經驗的總結也進步了，對文字表達的要求也都提高了。所以在語辭上更加措意了，追求意外之意。所以蘇軾提出「見南山」是正當其時。

以上是就歷史中的文學特點而言的，我們還可以再抽象一步，上升到不同時代、相關領域的人群的思維特點的分析。

先列舉宋代支持蘇軾論者的觀點：一、與蘇軾同時代的沈括在《夢溪筆談》裡說：「陶淵明雜詩『采菊東籬下，悠然見南山』，往時校定《文選》，改作『悠然望南山』似未允當。若作『望南山』，則上下句意，全不相屬，遂非佳作。」二、宋代詩僧惠洪在《冷齋夜話》中說：「淵明詩曰：『采菊東籬下，悠然見南山』，其渾成風味，句法如生

成，而俗人易曰『望南山』，一字之差，遂失古人情狀，學者不可不知。」三、與蘇軾同時代的蔡居厚說「『采菊東籬下，悠然見南山』此其閒遠自得之意，直若超然邈出宇宙之外。俗本多以『見』字為『望』字；若爾，便有褰裳濡足之態矣。乃知一字之誤，害理有如是者。淵明集世既多本，校之不勝其異，……縱誤不過一字之失，如『見』與『望』，則並其全篇佳意敗之。」[5]四、蘇軾門人晁補之說：「記在廣陵日，見東坡，雲：陶淵明意不在詩，詩以寄其意耳，『采菊東籬下，悠然望南山』，則既采菊，又望山，意盡於此，無餘蘊矣，非淵明意也。『采菊東籬下，悠然見南山』，則本自采菊，無意望山，適舉首而見之，故悠然忘情，趣閒而心遠。」[6]現在可以檢索到的宋人評論蘇軾改陶詩的記載教詳細的主要也就是以上幾條，而且這四人都是與蘇軾同時代或是有交集的人。其中晁補之是記錄蘇軾觀點而略加發揮。沈括和惠洪都提到了「句意」或者「句法」的問題，沈括特別指明「上下句意，全不相屬，遂非佳作」，這說的就是句與句之間的邏輯關係問題，他是把上下之間看成是絕對的線性關係，在句意上是這樣的關係，那麼原來的「望南山」的表述在意思邏輯上的空白，就要通過改字來實現。惠洪「其渾成風味，句法如生成」也是說的上下句一體理解的問題。蔡居厚近蘇軾之說，但專門拈出一個「理」字。除以上四家外，有附帶議論者，生活在南宋初期的葛立方曰：「東坡拈出陶淵明談理之詩，前後有三，一曰：『采菊東籬下，悠然見南山。』……」（〈韻語陽秋〉）也是拈出「理」字。總的來講，以上各家多是講「理」，小到句法文理，大到情理。把宋代支持蘇軾觀點的議論和別的時代比，這個特點更加突出。這裡試和明代比較。如明代王昌會曰「詩有格有韻，淵明「悠然見南山」之句，格高也。」陸時雍曰「『采菊東籬下，悠然見南山』，其韻幽」。孫月峰曰：「真率意卻自煉中出，所以耐咀嚼。采菊東籬下，見南山』果妙，不知何人改為「望」字。此詩大是妙境」。與宋人的論述相比，明人講「理」的風格淡化，傾向於抽象之論，當然這可能也和明代詩歌評點盛行有關。總之，就以上所舉數例，相較而言，明人是抽象的體悟，而宋人是具象的體會，這其中，講求理據的思考痕跡表現得頗為明顯。

　　筆者所說宋代文人的這種思維特點，在學理上也是解釋得通的。首先，從人類思維本身來講，它總體上是在發展的。這一點我們可以以語法作為參照，古漢語的語法、詞法比較隨意自由，而到宋代以後進入所謂近代語法時期，規定性就更強了，這背後就是思維對精密表達的要求。其次，從歷史社會背景來開，中國中古時代是士族社會，唐代雖然已經開科取士，但是士族在社會生活中仍然起著決定作用。進入宋代，庶族才在政治上徹底翻身，大量的寒士寄託於讀書以求取進身之階。因此，在思想界，這種求理的讀書人特點占據了主流。當然，我們也可以反問，宋之後，特別是明清時代也主要是讀

5　（東晉）陶淵明撰，北京大學中文系文學史教研室教師編：《陶淵明資料彙編·蔡寬夫詩話》北京：中華書局，1962年，上冊，頁44。

6　（北宋）晁補之：〈題陶淵明詩後〉，《雞肋集》，卷33。

書人通過科舉做官進身，這些時代的人不求理嗎？我以為，求理當然是讀書人的特點。但是，宋代讀書人是經過了數百年的士族社會的壓制，所以在翻身之初，就很明顯地顯露出讀書人最本真原始的特點，所以宋代的特點很具有原型意義。這對我們考察藝術以及藝術思維的變遷也很有價值。

再回到我們開頭講的「望南山」與「見南山」，我們從思維和藝術的關係上再對其進一步分析。東晉陶淵明的原文「采菊東籬下，悠然望南山」用前揭宋人的話是「上下句意，全不相屬」，不「混成」，因而意境不深遠。筆者用下圖來表示這種狀態：

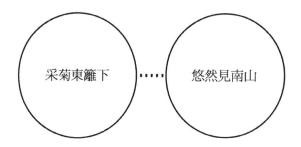

而宋人的「采菊東籬下，悠然見南山」，我們可以用以下的圖來表見：

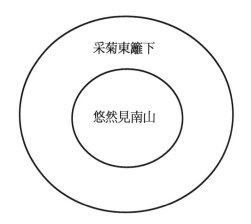

把這兩種不同的思維形諸於圖像，等於說是把這兩種思維的作用納入到美術領域來思考。「采菊東籬下，悠然望南山」兩句，句意不「渾成」，有跳躍感，從大腦的接受效果來看，是在腦海中並存了兩個圖像。而「采菊東籬下，悠然見南山」是由前一個圖像引入後一個圖像。那麼從藝術效果看，如果我們結合圖像學理論，則「望南山」兩句更易形成空間對比。而「見南山」兩句借助了語言邏輯，去引導人們體悟一種感覺。所以前者的思維很具有美術中的原始的「現代因素」。當然這樣說，並不就是意味著「采菊東籬下，悠然望南山」體現的思維特點就不適合於文學，前面筆者已經談到，這和文體也有關係。例如「借問酒家何處有，牧童遙指杏花村」這是詩，可是北宋的宋祁用詞來表達就是「醉醺醺、尚尋芳酒。問牧童、遙指孤村道：『杏花深處，那裡人家有？』」這裡「遙指孤村道」的「道」不就類似於「悠然見南山」的「見」嗎？所以，所以宋代文

人的思維方式非常適合於詞這樣當時相當於通俗文學的文體，來表達細膩深刻的內涵。同樣地，筆者前面的分析也不意味著蘇軾的「采菊東籬下，悠然望南山」不適合於詩體，或者說其體現的思致不能被美術、特別是書法這樣傳統藝術形式借鑑，關鍵是要出藝術效果，讀者則可以從不同的角度來進行欣賞。

　　上文對蘇軾改詩、及宋人思維特點的一系列分析，對我們理解宋代書法很有幫助。

　　按我們通常的理解，蘇軾曾作和陶詩百餘首，在詩的風格上模仿陶淵明詩歌中沖淡簡遠的藝術風格。蘇軾云：「予嘗論書，以謂鍾、王之跡，蕭散簡遠，妙在筆劃之外。」認為鍾、王書法的精妙之處，在於突破了「形」的束縛，鍾、王能夠以書法為媒介，表現自己內心自然、恬淡的意趣，達到「物我相融」的藝術境界。蘇軾尤其欣賞文與可畫竹時的心理狀態，他在〈書晁補之所藏與可畫竹三首〉中說：「與可畫竹時，見竹不見人」，「其身與竹化，無窮出清新」，文與可在畫竹時，仿佛自己完全消失，將藝術家同作品融為一體，達到一種莊子所謂「吾喪我」的心理狀態，早已分不清何者為「物」，何者為「我」，這是精神上高度自由的精神境界，也正是蘇軾評價陶詩「境與意會」的旨趣所在。

　　通常認為蘇軾的藝術思想也與禪宗思想的流行是分不開的，中晚唐時期禪宗大盛，其思維方式影響到學術、藝術等各個層面，其中禪宗所強調的「頓悟」、「直指人心，見性成佛」的思想，深刻地影響了北宋文人士大夫的文藝理念，引導著中國書法在北宋時期的一次巨大的變革。正是本著這樣的精神，以蘇軾為首的北宋文人對唐代崇尚法度的書法作品多有批評，認為即使在形質層面做到完美，脫離了對書法的神韻的追求，也難以稱得上是佳作。蘇軾在詩歌、書法上的藝術理想，也可以從他對杜甫詩的批評看出。杜甫當然是蘇軾非常推崇的詩人，他曾說：「詩至於杜子美。」然而蘇軾對於杜詩的欣賞是有條件的，他對杜甫憂心家國天下、渴望建功立業的詩歌似乎不太感興趣，杜詩中深受蘇軾所喜愛的當是其中散發「清狂野逸」之態，於詩外別有韻致的部分。

　　蘇軾認為，過於講求法度對於書家藝術天性的散發是有很強的束縛作用的，而從繁瑣的技法中解放出來，追求心性的自然流露與表達，越來越成為北宋以來書家共同追求的藝術理想與批評標準。

　　以上諸般種種，最後可以落腳於「宋尚意」。

　　這樣，就產生一個問題了。他說：「我書意造本無法，點畫信手煩推求。」（〈石蒼舒醉墨堂〉）「心忘其手手忘筆，筆自落紙非我使。」（〈小篆般若心經贊〉）這是強調作書需不拘成法，以自出新意、不踐古人為尚，而且應當做到任筆所至，從心所欲而不逾越規矩。他既說「我書意造」，又說「心忘其手手忘筆」，這兩者在蘇軾那裡到底是怎麼結合的？難道全是靠禪宗的悟性嗎？我認為這是不全面的。正好本文對蘇軾改陶詩的分析能讓我們從另一個角度來看這個問題。前文已經分析宋人思維的特點，重理據，往深裡求，造境。有措意之感。我認為這正是中國文學藝術發展到宋代，由於藝術本體的發

展，造成了人們在藝術上的思維日趨嚴密，即便是蘇軾這樣提倡「天性」的大才之亦不能避免「時代壓之」的問題。

　　所以，筆者認為，理解「宋尚意」還得結合另一面，即「刻意」的問題，宋人是在藝術中去衝破中古時代對庶人的壓制，但其思維特點對其表現形式的營造是個牽制。所以即如蘇軾的「豪放」亦不如唐人的灑脫，而才能不如蘇軾者，如黃庭堅就給人以「戴著鐐銬跳舞」的感覺，這從他「不可一字無來歷」的詩學觀點以及他在〈廉頗藺相如列傳〉等書法作品裡對章法的刻意追求可以看得很明顯。沃興華先生在其所著《中國書法史》中認為，宋代的「尚意」是強調意造注重形變，強調「意造」，就是注重表現形式，努力去豐富它的各種對比關係，強調疏密大小，正側俯仰，枯濕濃淡，營造強烈的視覺效果。他這裡用的「努力」一詞，正是我們可能忽略的。

經典與非經典之間

──蘇轍文章在清代的經典化歷程論析[*]

諸雨辰

北京師範大學文學院

　　蘇轍是唐宋八大家中的殿軍人物。他貫通經史，成為「蘇學」的中堅；官拜太中大夫守門下侍郎，位列中樞；又長於詩文，形成了汪洋淡泊的文章風格與論事精確的政治表達，在秦觀、蘇軾、陳師道、黃庭堅等先後去世的北宋後期文壇上堪稱巔峰。然而，蘇轍的文學史地位卻在清代經歷了不小的低谷，姚鼐《古文辭類纂》於蘇轍無所稱道，桐城後學甚至提出「欲於八家中退穎濱而進震川」[1]的觀點，對蘇轍的文學史地位提出嚴重挑戰。

　　目前關於蘇轍文章經典化歷程與意義的研究，只有裴雲龍等有所論及，主要把視線放在蘇轍去世不久的南宋時期，[2]當然也就無從回應清人的「蘇轍挑戰」。本文將在對清代文學批評文獻宏觀考察的基礎上，進一步探討蘇轍文章在清代經典化的歷程、動因及其與文學思潮、文人觀念的複雜關係，揭示其中的文化意蘊。當然，首先要確認蘇轍地位在清代的下降是不是一個真命題？

一　「穎濱稍弱」的文章格局

　　所謂經典，往往代表某種集體性的審美理想，超越於一般的個人愛好之上。[3]因此，欲考察某位作家作為「公共經典」的影響力，僅靠個案調查是無濟於事的，必須對一個時代的文學批評語境進行整體考察。本研究以一百三十種清代文評專書[4]為考察對

---

* 　國家社科基金青年項目：《文話與清代文學生態研究》（21CZW062）

1 　（明）吳鋋：《文翼》，見余祖坤：《歷代文話續編》南京：鳳凰出版社，2013年，頁595。

2 　裴雲龍指出，學界對八大家經典化的關注並不平衡，尤其是對蘇洵、蘇轍散文經典化的討論尚未展開。而其對蘇轍在南宋時期的接受研究，實有開先之功。參見裴雲龍：〈「三蘇」並稱與蘇洵蘇轍散文的經典化歷程考論──以公元1127-1279年為中心〉，《北京師範大學學報（社會科學版）》2018年第3期。

3 　吳承學、沙紅兵：〈中國古代文學的經典與反經典〉，《文史哲》2010年第2期。

4 　所謂「文評專書」，指對一切「非詩」的修辭數采的文字寫作的論評，包括評論文體、品評作家、研求文法、記載本事和隨感雜錄的圖書。參見郭英德：〈名定則實辨──論「文評專書」的內涵與外延〉，《北京師範大學學報（社會科學版）》2016年第5期。

象，涵蓋了清代大部分對古文與時文的批評，正是考察文學經典化的合適樣本。而欲在較大規模文本中考察作家的經典化歷程，一種有效的方法是對作家提名、評論次數等進行定量分析，儘管統計數據不能衡量作家作品的絕對價值，但可以反映其影響力的大小，從而呈現其在文學批評語境中的整體地位變遷。具體來說，由於對作家經典化的研究涉及不同作家之間影響力的對比，想要不重不漏地呈現所有作家的影響力水平，人名檢索是不夠的。本研究使用了一種針對古文的專名識別與自動標注技術，基於文本上下文語義信息的動態向量化表示，可以較為準確地識別出文本中的人名、地名、時間名、書名等專名，[5]從而快速地從海量的文獻中提取有效信息。

　　應用專名自動識別技術，對清代一百三十種文評專書進行人名統計，[6]提名次數高於三百的人物如下：韓愈（4295）、司馬遷（3306）、歐陽修（2128）、蘇軾（2014）、孟子（1723）、班固（1617）、柳宗元（1496）、孔子（1321）、揚雄（987）、屈原（839）、朱熹（705）、莊子（683）、洪適（662）、曾鞏（551）、歸有光（546）、王安石（545）、司馬相如（518）、蘇洵（513）、姚鼐（504）、賈誼（430）、方苞（392）、唐彪（315）、劉向（306）。考慮到模型準確率以及人名與地名重合等問題，數據必然存在一定誤差，但整體趨勢仍是基本可信的。其中除了洪適因《隸釋》、《隸續》而被金石例類文評廣泛徵引、唐彪因〈讀書作文譜〉而被時文評廣泛徵引外，唐宋以降主要作家中的熱門人選的確是除了蘇轍（226）以外的唐宋七家、歸有光以及方苞、姚鼐。直接的計數可見，蘇轍在清代文學批評中被忽視了。那麼這一現象主要發生在什麼時段？又在什麼類型的書籍中呢？

　　本文參考郭英德對清代文學史的分期：[7]順治元年（1644）至康熙十七年（1678）為易代之際；康熙十八年（1679）至雍正十三年（1735）為清前期；乾隆元年（1736）至嘉慶二年（1797）為清中期；嘉慶三年（1798）至道光二十九年（1849）為清後期；道光三十年（1850）至宣統三年（1911）為清末。依作者生卒年劃分，凡生平跨越不同時段者，取其生年加三十年作為分期依據。各時段文評專書種數為：易代之際二十種，

5　該工具由本人與北師大胡韌奮、李紳共同開發，模型基於BERT預訓練模型，在中國計算語言學大會（CCL2020）發布的「古聯杯」古籍命名實體識別評測任務中，於歷代四部文獻的綜合測試環境下，實現了百分之八十五點八的準確率、百分之八十八點三的召回率，綜合準確率達百分之八十七，取得了該項比賽的最優成績。其線上測試地址為：〈https://seg.shenshen.wiki/〉

6　本次統計使用人工整理的標點，因此書名號可百分之一百準確識別。統計時，對相關實體進行了歸並，如將韓愈、昌黎、韓文公等人名以及《師說》等篇名統一計入韓愈的數據。對於「韓」等既可指代韓愈又可指代先秦國名的特殊實體，則根據書籍內容（如是否討論先秦文史）判斷是否將其計入韓愈的頻數，盡可能降低模型誤判的可能性。此外，對於「三蘇」（53）或「二蘇」（28）並稱、或以「歐蘇曾王」（47）並稱宋六家等現象，也將其一並計入蘇洵、蘇轍的統計，故蘇洵的實際頻數當在五一三至五六〇之間，蘇轍的實際頻數當在二二六至二七三之間。

7　郭英德、過常寶：《中國古代文學史》北京：中國人民大學出版社，2012年。

643,514字；清前期二十六種，1,113,814字；清中期二十二種，617,842字；清後期三十一種，1,282,483字；晚清三十一種，1,351,370字。在此分類標準下，統計各時段內唐宋八大家及歸有光、方苞、姚鼐的出現頻數，結果如下：[8]

表一　清代各時段作家提名頻數表

	韓　愈	柳宗元	歐陽修	蘇　洵	蘇　軾	蘇　轍	王安石	曾　鞏	歸有光	方　苞	姚　鼐
易代	325	143	167	27	201	17	35	25	67	0	0
前期	900	410	638	81	533	77	124	211	165	49	0
中期	292	114	183	22	149	6	27	29	33	19	7
後期	1103	374	477	185	401	34	135	111	102	147	99
清末	1675	455	663	245	718	139	224	175	179	177	398
總和	4295	1496	2128	560	2014	273	545	551	546	392	504

　　因為各段書籍規模、具體年數不等，所以作者之間的數據對比比絕對數字更有意義。易代之際至清前期、清末，蘇轍被提及的頻數雖然都最少，但與王安石、曾鞏的差別不顯著。蘇轍真正被忘卻是在清中後期，也就是乾隆至道光年間。與此相對的是，方苞、姚鼐等在嘉道時期則有明顯上升。

　　文評專書的體例也值得關注，不同類型的書籍，其批評主體不同，對作家的關注程度也不同。清代文評專書既有匯輯前人論述而成的輯錄式文評專書，也有作者自主撰寫，或由他人摘錄、匯輯作者觀點而成的原創性文評專書。前者凡二十六種，2,062,158字；後者共一〇四種，2,946,865字，其作家提名情況如下：

表二　清代不同類型文評專書作家提名頻數表

	韓　愈	柳宗元	歐陽修	蘇　洵	蘇　軾	蘇　轍	王安石	曾　鞏	歸有光	方　苞	姚　鼐
輯錄	1970	627	1195	289	1066	183	211	296	271	207	330
原創	2325	869	933	331	948	90	334	255	275	185	174
總和	4295	1496	2128	560	2014	273	545	551	546	392	504

　　由於輯錄式文評專書的成書具有層累特點，其文論觀點相對穩定，從數據上也能看出，蘇轍的文學史地位與蘇洵、王安石、曾鞏並無明顯區別。而清代作者原創的文評專

8　為便於操作，把「三蘇」等並稱的「蘇」均計入蘇洵、蘇轍的數據中。這樣蘇洵由淨值四六〇增加為五六〇，相當於須對各段數據都乘以一點二二，蘇轍由淨值一四五增加為二七三，相當於須對各段數據都乘以一點八八。

書中，蘇轍的提名率出現了明顯下降。可見有意無意地忽視蘇轍，往往出自清人原創性的文學論述。

　　總之，雖然整體上看清代文評專書中存在蘇轍被忽視的現象，但這一現象並非持續性的，也並非在各類型的文評專書中都存在。蘇轍真正的缺位，主要集中在清中後期文人的原創性討論中。這一現象應該如何解釋呢？

二　文章正宗與論學旁門

　　通行的文學史敘述往往把蘇轍放在唐宋八大家範圍內討論。一般認為，「唐宋八大家」概念興盛於茅坤編《唐宋八大家文鈔》，透過對八大家的標榜，茅坤確立了一個既合乎六經之道又體現「其辭文」的文章正統，所謂依六經而立道統，依道統而立文統，[9] 從而建立起一個可與復古派的秦漢文相抗衡的唐宋古文傳統。這一傳統在清初得到了延續。康熙四十年（1701），潘耒為《樸學齋文稿》作序稱「五十年來，家誦歐、曾，人說歸、王，文體寖趨於正。」[10] 即以唐宋古文和唐宋派的古文為文章正宗。而所謂「文體寖趨於正」，正反映出清初士人有感於明文之敝而形成的理論反思。[11]

　　作為「唐宋八大家」之一的蘇轍，其文章在清初也是作為文章典範而出現在文學批評語境中的，例如：

> 唐宋八大家文，退之如崇山大海，孕育靈怪。子厚如幽岩怪壑，鳥叫猿啼。永叔如秋山平遠，春穀倩麗，園亭林沼，悉可圖畫；其奏札樸健刻切，終帶本色之妙。明允如尊官酷吏，南面發令，雖無理事，誰敢不承。東坡如長江大河，時或疏為清渠，瀦為池沼。子由如晴絲裊空，其雄偉者，如天半風雨，裊娜而下。介甫如斷岸千尺，又如高士溪刻，不近人情。子固如陂澤春漲，雖澠漫而深厚有氣力，《說苑》等敘乃特緊嚴。（魏禧〈日錄論文〉）[12]
>
> 昌黎之文出於六經、《莊》、《孟》。柳州之文，出於《左》、《國》、《離騷》。永叔出於司馬、昌黎。老泉、東坡、潁濱出於《國策》、《南華》、晁、賈。南豐出於班固、劉向。（唐彪〈讀書作文譜〉）[13]

9　付瓊：《清代唐宋八大家散文選本考錄》北京：商務印書館，2016年，頁5。

10　（清）潘耒：《遂初堂集・文集》卷八，《續修四庫全書》第1417冊，影印清康熙間刻本，上海：上海古籍出版社，2002年，頁525。

11　如邵長蘅〈侯方域魏禧傳〉說：「自嘉、隆諸公貌為秦、漢，稍不厭眾望，後乃爭矯之，而矯之者變逾下，明文極敝，以迄於亡。」吳偉業〈致孚社諸子書〉說：「規先秦者失之摹擬，學六朝者失之輕靡。」關於唐宋古文傳統在清初的確立，參見郭英德：〈唐宋古文典型在清初的重構〉，《中國社會科學》2021年第5期。

12　（清）魏禧：《魏叔子文集》北京：中華書局，2003年，頁1128。

13　（清）唐彪：〈讀書作文譜〉，見王水照：《歷代文話》上海：復旦大學出版社，2007年，頁3551。

魏禧和唐彪分別是清初古文與時文大家，二人的論述正可見八家文之於古文與時文寫作
的典範意義。魏禧對蘇轍文章「晴絲裊空」「裊娜而下」的評價承自茅坤對蘇轍〈上皇
帝書〉「如游絲之從天而下，裊娜曲折，氤氳蕩漾，令人讀之情邑神解而猶不止」[14]的
評點，其後又被《掄元匯考》、《續錦機》、《文談》、《論文別錄》、《睿吾樓文話》、《文
鑰》等書引述，具有承前啟後作用。在這一文學批評史脈絡中，蘇轍可謂借「唐宋八大
家」之勢而行，成為清人確立唐宋古文正宗的一部分而被接受。

　　在清人看來，唐宋八大家文的最大特點在於「文道合一」。具體到蘇轍，其文章在傳
播伊始就被認為接近理學。宋孝宗曾稱贊：「子由之文平淡而深造於理」[15]；朱熹雖然
不喜蘇學，但對蘇轍也不乏肯定，如謂《古史》「篇首便言古之聖人其必為善」，「於義
理大綱領處見得極分明、提得極親切。」[16]在清代精英的批評中，蘇轍也一直都在
「道」與「理」的層面保持著典範的價值，康熙稱贊其〈元祐會計序〉：「本是專言會
計，卻語語欲其安養休息，用意深遠而文勢紆徐。」稱贊〈民政策一〉：「文境愈淡，文
格愈高，末一段深得興起教化之本。」[17]李光地認為其文足以超越宋濂、方孝孺等明
儒，謂「有明一代人皆無之」[18]。張伯行也稱贊其〈上高縣學記〉「醇質而有意味，亦
穎濱集中之粹然者。」[19]很明顯，他們都是從「文道合一」的意義上肯定蘇轍文的。

　　不過，清初士人雖然在「道」的意義上認可蘇轍文章，在「學」的層面卻不無批評
之辭。比如顧炎武引《黃氏日鈔》的話批評蘇轍《古史》擅改〈樗裡子傳〉及〈甘茂
傳〉而鬧出笑話。[20]馮班認為蘇轍對劉備據蜀、任諸葛亮為相的批評，都缺乏歷史常
識，並對比稱「如韓退之絕無此等病累」。[21]何焯借稱贊歐陽修〈帝王世次圖序〉否定
司馬遷敘述黃帝世次的行為，批評「蘇子由不知此而復為《古史》，其亦謬矣。」[22]否
定其重述古史的合理性。這些批評指向史述與史實的疵謬，確是蘇轍之所短，因為蘇轍
之學的側重點並不在此，他自稱：「父兄之學，皆以古今成敗得失為議論之要。」[23]這

14　（清）茅坤：《唐宋八大家文鈔》，見《影印文淵閣四庫全書》臺北：臺灣商務印書館，1986年，第
　　1384冊，頁722。

15　曾棗莊、劉琳：《全宋文》上海：上海辭書出版社、合肥：安徽教育出版社，2006年，第294冊，頁
　　354。

16　曾棗莊、劉琳：《全宋文》上海：上海辭書出版社、合肥：安徽教育出版社，2006年，第248冊，頁
　　91。

17　（清）康熙：《古文評論》，《聖祖仁皇帝御制文集》，見《影印文淵閣四庫全書》臺北：臺灣商務印
　　書館1986年，第1299冊，頁311、312。

18　（清）李光地：《榕村語錄》北京：中華書局，1995年，頁523。

19　（清）張伯行：《唐宋八大家文鈔》上海：上海古籍出版社，2019年，頁262。

20　（清）顧炎武：《日知錄論文》，見王水照：《歷代文話》上海：復旦大學出版社，2007年，頁3238。

21　（清）馮班撰，（清）何焯評：《鈍吟雜錄》北京：中華書局，2013年，頁72。

22　（清）何焯：《義門讀書記》北京：中華書局，1987年，頁685。

23　（宋）蘇轍：《蘇轍集》北京：中華書局，1990年，頁958。

種治學思路在崇尚樸學的清代有其不合時宜之處，當然也就為其在乾嘉時期的式微埋下了伏筆。

三　桐城文論的經典重塑

蘇轍之學不為乾嘉漢學所重，這似乎可以成為其在清中後期影響力下降的合理解釋。然而，同樣處於學風轉型的背景下，唐宋八大家中的其他七家卻依然保持相當的影響力，蘇洵甚至反而還有所提升。「文道合一」的唐宋古文依然是當時以桐城派為主的文人所堅持的文章典範，為何蘇轍文卻不受歡迎了呢？

首先從文學傳播的「供給側」考慮。選本在中國古代文本閱讀與知識傳播中具有重要意義，魯迅就曾精闢地指出：「評選的本子，影響於後來的文章的力量是不小的，恐怕還遠在名家的專集之上。」，「讀《古文辭類纂》者多，讀《惜抱軒全集》的卻少。」[24]從書籍流通、影響力等方面說，選本的價值都不亞於直接的文學批評。而基於姚鼐在當時的影響力，《古文辭類纂》正是不可忽視的經典來源。

恰恰是在《古文辭類纂》中，姚鼐的評價展現出明顯的傾向性。他在〈序目〉中提綱挈領地標舉了各體文章的典範：

> 退之著論，取於六經、《孟子》，子厚取於韓非、賈生，明允雜以蘇、張之流，子瞻兼及於《莊子》。（論辨類）
>
> 惟載太史公、歐陽永叔表志敘論數首，序之最工者也。……其後目錄之序，子固獨優已。（序跋類）
>
> 至於昌黎，乃得古人之意，其文冠絕前後作者。（贈序類）
>
> 金石之文，自與史家異體，如文公作文，豈必以效司馬氏為工耶？（碑志類）
>
> 楚人之辭至工，後世惟退之、介甫而已。（哀祭類）[25]

各文體的典範作家中，韓愈出現頻次最多，柳宗元、歐陽修、蘇洵、蘇軾、曾鞏、王安石各出現了一次，唐宋八大家唯獨少了蘇轍。

不僅是《古文辭類纂》，在劉大櫆所編《唐宋八大家文百篇》中也有一番相似論斷：「論則韓、蘇；書則韓、柳；序則韓、歐、曾；碑志韓、歐、王；記則八家皆能之，而以韓、柳、歐為最；祭文則韓、王而歐次之。」[26]除了記體文用「八家」統括外，其他各種文體也均未標榜蘇轍。姚鼐曾與劉大櫆有過一段密切的論文往來，姚鼐自

24　魯迅：〈集外集〉，《魯迅全集》北京：人民文學出版社，2005年，第7卷，頁139。

25　吳孟復、蔣立甫：《古文辭類纂評注》合肥：安徽教育出版社，2004年，頁15-18。

26　（清）劉大櫆：《唐宋八家文百篇·目序》，道光三十年徐豐玉初刻本。

稱「與論文，每窮半夜」[27]，其對八家的態度可能也受到劉大櫆的影響。然而無論如何，桐城派的立場都是清晰的：他們一方面仍然把唐宋古文樹立為師法對象與文章典範，另一方面卻在悄悄排斥某些不合他們心意的作者。蘇轍正好就是劉、姚二人否定的對象。

從文論上理解，桐城派論文重「氣盛」，所謂「文章最要氣盛」、「文以氣為主，氣不可以不貫；鼓氣以勢壯為美，而氣不可以不息。」[28]推崇「氣盛」「勢壯」的文章風格。而值得注意的是，劉大櫆的「文氣說」恰恰來源於蘇轍，但其表述卻相當微妙：

> 行文之道，神為主，氣輔之。曹子桓、蘇子由論文，以氣為主，是矣。然氣隨神轉，神渾則氣灝，神遠則氣逸，神偉則氣高，神變則氣奇，神深則氣靜，故神為氣之主。[29]

劉大櫆從曹丕、蘇轍的理論出發，申論「氣隨神轉」及其五種類型，最終證明「神為氣之主」。這裡「以氣為主」與「氣隨神轉」在語義上是遞進關係而非轉折關係，但是「是矣」「然」三字連用，卻在語氣上形成了轉折關係。這種轉折只能指向一種意指，即認同其理論卻不認同其風格。當然，細品這五種神氣，所謂氣奇、氣高、氣逸、氣灝、氣靜，正好能分別對應韓愈、柳宗元、歐陽修、蘇軾、曾鞏的風格。語氣委婉曲折的蘇轍之文很難與「氣盛」「勢壯」相關聯，當然也就難以成為桐城派的文章典範。

如果僅僅是劉、姚二人觀點一致，還可以說是二人的文學好尚，可是姚鼐學生眾多、影響力也太廣。自姚鼐以後，桐城後學的諸多論述中，都不乏於八家中或忽視、或貶抑蘇轍的聲音。吳德旋說：「穎濱在八家中自覺稍弱，然自渠以後，至震川未出以前，無此作也。」[30]說得還比較委婉，只說穎濱稍弱。但這句話在其學生吳銓的表述中，卻變成了吳德旋認同「於八家中退穎濱而進震川」的觀點。而吳銓所謂「莫奇於韓退之，莫幽於柳子厚，莫逸於歐陽永叔，莫堅於蘇明允，莫縱於蘇子瞻，莫雅於曾子固，莫峭於王介甫」[31]的表述，則乾脆把蘇轍從八大家中刪除了。其後梅曾亮亦試圖把蘇轍從「三蘇」中剝離，提出「論古今成敗人物，子瞻、明允為優，……子由諸論，則無取焉耳。」[32]

27　（清）姚鼐：《惜抱軒文集》上海：上海古籍出版社，2019年，頁115。

28　（清）劉大櫆：〈論文偶記〉，見王水照：《歷代文話》上海：復旦大學出版社，2007年，頁4108-4109。

29　（清）劉大櫆：〈論文偶記〉，見王水照：《歷代文話》上海：復旦大學出版社，2007年，頁4106-4107。

30　（清）吳德旋：〈初月樓古文緒論〉，見王水照：《歷代文話》上海：復旦大學出版社，2007年，頁5047。

31　（清）吳銓：《文翼》，見余祖坤：《歷代文話續編》南京：鳳凰出版社，2013年，頁644。

32　（清）鄒壽祺：〈論文要言〉，見余祖坤：《歷代文話續編》南京：鳳凰出版社，2013年，頁1093。

　　反觀嘉道時期桐城以外學者的論述，則唐宋八大家依然保持為一個整體。包世臣勸楊季子學秦漢文，在綜論唐宋文之優劣時依舊分述八家，並對蘇轍有較為中立的評價：「子由差弱，然其委婉敦縟，一節獨到，亦非父兄所能掩。」[33] 秦篤輝在《平書》中以八卦對應八家，以韓為乾、柳為坤、歐為兌、老蘇為震、大蘇為離、小蘇為巽、王為坎、曾為艮，[34] 同樣把蘇轍作為唐宋八大家中地位平等的一員。可見，蘇轍從「唐宋八大家」或「三蘇」的一部分而逐漸被割席，一定程度上正是桐城文人代代相承的文學經典塑造的結果。

四　迷失於文統之外的蘇轍

　　表面上看，蘇轍遭冷遇是因為不被劉大櫆、姚鼐等人青睞，因而在清中後期的古文選本中分量降低或者未獲積極評價，逐漸淡出了文壇語境。然而在文學經典化的過程中，作家作品與接受者之間並不是單向的影響關係，文本之所以能成為經典，是因為它滿足了接受者的需求。那麼，從「需求側」出發，桐城派的主觀選擇背後又體現了他們何種目的呢？

　　姚鼐編選《古文辭類纂》是其開創桐城派的重要環節，通過文章選本以及教學實踐，姚鼐梳理了一條上接唐宋的古文傳統，如方東樹所說：「往者，姚姬傳先生纂輯古文辭，八家後於明錄歸熙甫，於國朝錄望溪、海峰，以為古文傳統在是也。」[35] 不過，姚鼐追尋的以唐宋八大家為主體的古文傳統與清初士人推崇的唐宋古文傳統卻並不完全相同。

　　清初士人們宣揚以唐宋文為文章正宗，是欲借助唐宋文「文道合一」的特點，扭轉明文之弊，建立起具有清代特色的文風。而桐城派並不關心移風易俗，他們是想在漢學嚴重挑戰了義理與辭章之學的背景下，通過對「古文傳統」的追溯，確證自身的價值與合法性。前人對清代文化史的研究，已充分揭示出當時文人通過選本或直接的理論表達來重建文學史的思潮，[36] 在這種時代風氣下，桐城派對文章傳統的篩選與塑造，就隱隱指向了要把自己納入文統的意圖。事實上，他們的努力成功了，考慮一下清人徵引頻率最高的作者排序：從孔、孟、馬、班下接韓、柳、歐、蘇，從歸有光到方苞、姚鼐，不

33　（清）包世臣：〈藝舟雙楫〉，見王水照《歷代文話》上海：復旦大學出版社，2007年，頁5206。

34　（清）秦篤輝：《平書》，光緒十七年（1891）三餘草堂刻本，卷7頁45b。

35　（清）方東樹：《考盤集文錄》，見《續修四庫全書》上海：上海古籍出版社，2002年，第1497冊，頁361。

36　王達敏論述了姚鼐在乾嘉考據學派的壓力下建立桐城文統，與考據派分庭抗禮的意識，參見王達敏：《姚鼐與乾嘉學派》北京：學苑出版社，2007年，頁107。郭英德也論述了受姚鼐影響，阮元重塑文學史，與桐城文家爭文章正統的理論論爭，參見郭英德：〈以經術、文章主持風會——阮元「文章之學」新詮〉，《文學評論》2018年第6期。

正好就是桐城派自詡的文學傳承嗎？

　　文統的關鍵是代際間的傳承性，它需要兩個條件，一是較長的時間線索，二是所選作家的代表性。換言之，文統的建立更關注鏈條性而不追求寬度，這與確立文章正宗的思路不完全相同。而梳理鏈條線索時往往需要刪繁就簡，譬如韓愈建道統，就在先秦儒家中獨標孔、孟；蘇軾的〈六一居士集敍〉建文統，同樣在孔、孟以下直接韓、歐。無論道統還是文統，其特徵都是簡明扼要，用幾個關鍵人物支撐起整個脈絡的發展。桐城派的策略也是如此，在劉、姚二選的序目中，除了韓愈作為確定無疑的典範外，包括柳宗元和宋六家在內的其他作者，一般都各有千秋。不過，他們卻經常與韓愈並稱，形成韓歐、韓蘇、韓王，或者韓柳蘇、韓歐曾等不同組合。這樣一來，一條以韓愈為主流，以歐陽修、蘇軾、王安石、曾鞏等為支流的文統脈絡也就形成了。

　　伴隨著文統觀念的形成，清人的文學批評表述也在發生變化。清前期士人標榜自己學唐宋，卻未必願意被貼上學某家的標籤。黃與堅以他人稱其學歐、曾為有愧，以為「以是楬然者規趨大家，是又以大家一途自便其不學。」[37]絕不居守一家。而清中後期桐城文人往往樂於以學某家，尤其是學宋人相高。吳德旋在〈惲子居先生行狀〉中稱惲敬「治古文，得力於韓非、李斯，與明允相上下，近法家言。」[38]其說又被平步青《國朝文概題辭》轉述，此為標榜學蘇洵一路。曾國藩〈復陳太守寶箴書〉謂「自唐以後善學韓公者，莫如王介甫氏，而近世知言君子，惟桐城方氏、姚氏所得尤多。」[39]此為標榜學韓、王一路。至於吳鋌謂惲敬、劉大櫆學「直而不撓，前而不卻」的蘇洵與「縱橫無礙，浩汗無極」的蘇軾，而張惠言、姚鼐、吳德旋學「雍容爾雅，風神跌宕」的歐、曾[40]，又引出了學蘇一路與學歐曾一路。桐城派建構的文統，其主幹是韓愈、宋六家、歸有光、方苞、姚鼐，這一鏈條中唯獨在宋六家的位置上不是單線傳遞的。換言之，也只有在文統的宋代繼承者這裡具有聯繫自身個性與風格的可能。這個意義上，清中後期文人們對於北宋文家的討論，實際上正是他們確證自身文學傳統的中介。

　　作為溝通歷史與當下的中介，作家個性鮮明與否是其能否進入文統的重要條件。宋六家中，歐陽修之典雅、蘇軾之灑脫長期以來就具有典範性；蘇洵之縱橫、王安石之簡峻雖然不時招致批評，但也算有個性；曾鞏看似沒有個性，但道理醇正就是他立足的基礎。唯獨蘇轍的特點是「汪洋淡泊」、是「暢而平」，既不劍走偏鋒也不墨守規矩，小心地維持著中間平和的風格。然而，中國古代真正能推動思想史發展、變遷的，恰是偏激的思維方式。在這個意義上，蘇轍反而不容易討巧，儘管各家在祖述文學傳統時會有不同的傾向，但無論彰顯何種風格，蘇轍都會尷尬地成為那個不顯著者，當然也就很難進

37　（清）黃與堅：〈論學三說〉，見王水照：《歷代文話》上海：復旦大學出版社，2007年，頁3377。

38　（清）惲敬：《惲敬集》上海：上海古籍出版社，2013年，頁652。

39　（清）曾國藩：《曾國藩全集》長沙：岳麓書社，2011年，第31冊，頁501。

40　（清）吳鋌：《文翼》，見余祖坤：《歷代文話續編》南京：鳳凰出版社，2013年，頁620。

入文統序列。而能否進入文統與作家影響力的關係相當密切，蘇洵的經典化歷程就是很好的例子，同樣在「三蘇」並稱概念下羽翼蘇軾的蘇洵，其影響力在嘉道年間就有了質的飛躍。

　　蘇洵在清初文評語境中本來評價不高，朱彝尊謂「北宋之文，惟蘇明允雜出乎縱橫之說，故其文在諸家中為最下。」[41]張伯行認為蘇洵辭旨不純、流於權術，故其編《唐宋八大家文鈔》於蘇洵只選入〈上仁宗皇帝書〉〈蘇氏族譜亭記〉兩篇文章。而到了清中期，蘇洵卻成為陽湖派文統的重要一環。先是劉、姚將其上繼韓愈，劉大櫆稱：「蘇明允〈送石昌言引〉波瀾跌宕，極為老成，句調聲響，中窾合節，幾並昌黎。」[42]姚鼐稱：「簡峻之氣，惟退之為不可及，北宋惟明允、介甫仿佛近之，而門徑又各不同。」[43]其後又有吳德旋、吳鋌、平步青等人將惲敬、張惠言等上繼蘇洵。如此一來，一條韓愈繼以蘇洵，又繼以惲敬、張惠言的線索就打通了。於陽湖派是確立了自身的文學傳統，於蘇洵則明顯提升了其影響力，從表一的數據可以看出蘇洵的影響力在嘉道年間確有相當明顯的提高。

　　審視清中後期文評家對文學傳承關係的論述，「三蘇」中一老一小的兩翼呈現天壤之別。蘇轍被忽略而淡出文學批評話語，而蘇洵卻因與惲敬的傳承關係而不斷進入到討論之中。二人經典化歷程的加速與停滯、影響力的此消彼長，正與其能否被納入桐城與陽湖文統相關。

五　柔中帶剛──蘇轍的士大夫形象

　　清中後期建文統的思潮對作家的經典化有重要影響，能否進入文統很大程度上取決於作家的文學風格。蘇轍之文缺少氣盛勢壯的特點，難以成為文章典範。然而如果單純從文風上看，蘇轍並不是唯一平淡的，曾鞏的文章也被視為「平鈍」，甚至被袁枚形容「如大軒駢骨，連綴不得斷」，評價還不如蘇轍，似乎僅僅因為他「實開南宋理學一門」[44]才得與八家並稱。然而，八家中為何只有蘇轍無人問津呢？除了文章與學術，恐怕還須考慮蘇轍的士大夫形象。

　　考察蘇轍在清人心中的形象，清末文人的蘇轍論述是不可或缺的。畢竟在這最後六十多年中，蘇轍的影響力有了較大回升，被論及的次數幾乎是此前兩百餘年的總和。部分原因在於清末出現了不少輯錄式文評專書，比如《文鑰》、《文略》、《論文要言》、《古文講授談》等。除此之外，此時談及蘇轍較多的主要有兩類，一類如《漢文典》從修辭

41　（清）朱彝尊：《朱彝尊選集》上海：上海古籍出版社，1991年，頁436。

42　（清）吳孟復、蔣立甫：《古文辭類纂評注》合肥：安徽教育出版社，2004年，頁1104。

43　（清）吳鋌：《文翼》，見余祖坤：《歷代文話續編》南京：鳳凰出版社，2013年，頁601。

44　（清）袁枚：《小倉山房詩文集》上海：上海古籍出版社，1988年，頁1814頁。

學的角度分析〈上韓太尉書〉，另一類如《文憲例言》、《精義策論要法》等將關注點放在蘇轍的政論文上。而後者正是審視蘇轍形象的新視角，陳澹然稱：「蘇軾之諸策略，蘇轍之策臣、民，皆其細者也。」對二蘇策論給予很高評價。又將李密〈陳情表〉、韓愈〈潮州刺史謝上表〉和蘇轍〈為兄軾下獄上書〉並稱為奏疏中「尤哀怛之詞」[45]的典範。王葆心雖然延續了清中期對蘇轍學問不深的批評，指出其制策錯將「單穆公」引作「召穆公」，但立論基礎仍是基於王應麟對「二蘇公對策，不無所遺」[46]之評價的補充。

　　對蘇轍政論文的討論在此前的文評專書中並不多見，但在部分選本中仍有所側重。姚鼐在《古文辭類纂》中唯一提到「二蘇」，就是解釋其時務策的文體歸屬，雖然他對文章內容未予置評。《古文淵鑑》及《古文評論》選蘇轍文也多在策論上。官員身分是清人認識蘇轍的一個側面，只不過相對未彰而已。而一旦從這個角度去認識、理解、揣摩蘇轍，就會發現蘇轍確是八大家中非常獨特的一員。宋六家中，王安石取信於宋神宗，故能致高位；歐陽修、蘇洵生活的宋仁宗時代，無須取悅皇帝；曾鞏長期外任，且近乎優柔木訥；唯獨蘇軾兄弟好提意見，為多任皇帝所不容。而二蘇相似立場下又有不同的表現，朱熹看得准：「東坡雖然疏闊，卻無毒，子由不做聲，卻險」，「子瞻卻只是如此，子由可畏。」[47]而這似乎顛覆了常人對二蘇的認識，眾所周知蘇軾作文行雲流水，筆鋒常帶譏諷，而蘇轍之文含蓄蘊藉，行文多有克制，何以朱熹反而認為「子由可畏」呢？

　　細讀蘇轍的政論文，表面的含蓄克制之下卻是一副傲骨。比如〈謝中制科啟〉表面說自己不夠穩妥，其實辯解自己是為了盡忠；〈賀歐陽少師致仕啟〉表面上稱贊歐陽修，其實是否定王安石；甚至〈代歙州賀登極表〉這樣的官樣文章都要借寫「漢昭知時務之宜」[48]來規勸哲宗改變新法。進而言之，蘇轍的政論文在傲骨中還往往直擊時弊痛處，如〈上皇帝書〉在反覆回旋、委婉曲折中，直逼出「三冗」積弊；〈代李誠之待制遺表〉在曲盡忠懇悲戚之辭後，逼出一句「刑非為治之先，兵實不祥之器」[49]，可謂對宋神宗的當頭棒喝。這種片言居要、直言極諫的功夫，有政治經驗的人看得更清楚，乾隆評《唐宋文醇》就提到：「論新法害民，兩蘇文字為最矣。然軾之文，於言國命、人心處，雖極纏綿沉摯，而剖晰事之利害，則不若轍之確實明白也。」[50]而對比曾鞏，清人孫琮首先強調的就是其「對人主語言及章疏文字」的「溫柔敦厚之氣」。[51]曾鞏懂得

---

45 （清）陳澹然：《文憲例言》，見王水照：《歷代文話》上海：復旦大學出版社，2007年，頁6811、6813。

46 王葆心：《經義策論要法》，見余祖坤：《歷代文話續編》，南京：鳳凰出版社，2013年，頁1150。

47 （清）黎靖德：《朱子語類》北京：中華書局，1986年，頁3110-3111、3119。

48 （南宋）蘇轍：《蘇轍集》北京：中華書局，1990年，頁856。

49 （南宋）蘇轍：《蘇轍集》北京：中華書局，1990年，頁851。

50 （清）乾隆：《唐宋文醇》上海：上海科學技術文獻出版社，2020年，頁826。

51 李震：《曾鞏資料彙編》北京：中華書局，2009年，頁648。

如何向皇帝表態，觀其〈移滄州過闕上殿札子〉等奏，明顯「以歌誦功德自任」，「所謂勸百而諷一也」。[52]這正是蘇轍所欠缺的，同樣溫潤的風格下，蘇轍暗藏了太多鋒芒。

但是清人也很明白，蘇轍這種風格容易遭遇打擊。奏上反刑獄的表章旋即惹來「烏臺詩案」，奏上延續元祐之政的札子立刻被罷去執政。在清代的政治環境下，哪位文人敢於冒這種風險呢？彭元瑞編《宋四六話》、孫梅編《四六叢話》，都輯錄了蘇軾、蘇轍論列呂惠卿、尹吉甫等人的史事，引出「使其得志，必殺二蘇無疑矣」的感慨[53]；陳兆崙在《陳太僕批選八家文鈔》中提醒讀者注意蘇氏兄弟「世人皆欲殺」[54]的境地，想必不是信口之辭。他們都有意無意地揭示出蘇轍為人與為文的危險之處。從這個角度看，欲學蘇轍非得有過人的膽識與魄力不可。

因此，清人在閱讀蘇轍文章時，常常會自覺不自覺地無視其中機鋒，而把注意力偏到其他方向上。典型的例子就是王士禎對蘇轍〈廬山栖賢寺新修僧堂記〉的評論，他只就文章身臨其境的描寫評論，謂：「予游廬山，至此然後知其形容之妙，如丹青畫圖，後人不能及也。」[55]全然無視了後面議論中對「俗學」，也就是王安石《三經新義》的抨擊。而其後從《續錦機》到《文略》等一系列輯錄式文評專書，其徵引的興趣都放在了身臨其境上。王士禎可能真的喜歡蘇轍此文，但以他的才識，不可能看不出後文的「圖窮匕見」。可是從王士禎開始，包括其後一部部轉引王評的文評專書的作者，他們都選擇看破不說破。道理也很現實，蘇轍雖然做到副相，但他的文章既無益於仕途又不夠直率，除了在局勢動蕩而權力有所鬆動的清末，又有多少人甘冒政治前途的風險而學習蘇轍呢？

綜括而言，蘇轍於文章上求委婉曲折，可謂化神奇為平淡，但又柔中帶剛，往往暗藏鋒芒，以傲骨為本色。這種氣質難於為清人所學，也就難以在清中後期建文統的思潮中繼續成為文章典範。桐城派的文選與批評主導了一時的文壇話語。而直到清末社會環境發生劇變時，蘇轍及其政論文的現實價值才被重新肯定，使其重回文章正宗的地位。蘇轍在清代曲折的經典化歷程，也正是清代文學批評史之豐富性、複雜性的一個面相。

52　（清）何焯：《義門讀書記》北京：中華書局，1987年，頁804。

53　（清）彭元瑞：《宋四六話》，見余祖坤：《歷代文話續編》南京：鳳凰出版社，2013年，頁220。
　　（清）孫梅：《四六叢話》，見王水照：《歷代文話》上海：復旦大學出版社，2007年，頁4490。

54　（清）陳兆崙：〈小蘇文選序〉，《陳太僕批選八家文鈔》，光緒二十六年紫竹山房家塾本。

55　（清）王士禎：《香祖筆記》濟南：齊魯書社，2007年，頁4736。

王雱其人其書

薛冰洋

北京師範大學哲學學院

一　風骨竦秀——王雱其人

　　王雱（1044-1076），字元澤[1]，王安石（1021-1086）之子。年少聰敏，擅作書論事，是王安石學派的重要成員，曾參與熙寧（1069）變法。《宋史》稱「安石更張政事，雱實導之。」政和三年（1113），封雱臨川伯，從祀。卒年三十三，贈左諫議大夫。王雱生平於《宋史》、《東都事略》、《宋元學案》、《續資治通鑑長編》、《墨客揮犀》中均有記載，其中《宋史》卷三二七〈王安石傳〉後有附傳。《宋史》〈王雱傳〉稱：「未冠，已著書數萬言。」頗有少年天才之風姿。他的著作包括：《南華真經新傳》收錄於《道藏》和《四庫全書》；《老子注》保存於《道藏》；《新經尚書》和《新經詩義》屬於《三經新義》，是與呂惠卿合著。《論語解》、《孟子注》無傳世本[2]，僅《宋史》〈藝文志〉所載此兩本名錄可作旁證。王雱數歲時，客有一獐一鹿同籠以問雱：「何者是獐？何者為鹿？」雱實未識，良久對曰：「獐邊者是鹿，鹿邊者是獐。」客大奇之。[3]可見其年少聰穎之姿，時人贊為「小聖人」。世稱王安禮、王安國、王雱為「臨川三王」，可見其歷史地位。

　　命運仿佛在冥冥之中做了接力安排，王雱出生於慶曆四年，那一年恰逢范仲淹領導的「慶曆新政」落幕，這也是北宋第一次變法。他在岳陽樓寫下「不以物喜，不以己悲，居廟堂之高則憂其民，處江湖之遠則憂其君。」的千古名篇。這一年也是王安石進京趕考高中二甲第一，入朝為官的一年。巧合的是，王雱早逝之後王安石新法也被陸續廢除。其父王安石曾在《題雱祠堂》中有言「斯文實有寄，天豈偶天[4]才。一日鳳鳥去，千秋梁木摧。」可見王雱與新法之間近乎相似的命運。王安石以比喻孔聖人的「斯

1　一說「光澤」，此說常見於宋人筆記，據官方史料記載應為「元澤」。

2　陸游在〈跋王元澤論語孟子解〉言「《論語孟子解》細字書於第四旁，然非成書。」筆者據此推測此兩本未能成書，故也無傳世本。

3　（宋）彭乘：《墨客揮犀》，《四庫全書》影印本卷六。

4　部分版本作「生才」。

文」、「鳳鳥」[5]形容王雱，可見對此子褒揚甚高。

　　王雱精通老莊之學，據《四庫全書總目》引王宏《山志》云：「注《道德》、《南華》者無慮百家，而呂惠卿、王雱所作頗善，雱之才尤異。」魏源在其《老子本義》中指出：「王雱、呂惠卿諸家皆以《莊》解《老》。」[6]可見王雱精通老莊之學，其注影響頗廣。王雱的莊學著作有《南華真經新傳》和《南華真經拾遺》，前者體例略仿郭象之注，而更約其詞，標舉大意，不屑詮釋文句。王雱認為聖人之言皆有其片面性，得道之一曲而不得大全，唯獨對莊子情有獨鍾，產生深刻認同，言「莊子之道，過於諸子之道甚遠」。[7]王雱注《老子訓傳》被時人稱讚為真正的「道德性命」之學。遺憾的是，由於王安石變法曾被歸結為北宋滅亡的根本原因，荊公新學也遭到理學正宗數百年來的批判。因此，導致史學家對王雱的形象記載多有偏頗，比如其中比較著名的《邵氏見聞錄》就對新學多有偏見。這部書的作者是邵伯溫，為邵雍之子，早年隨父親出入舊黨司馬光、程頤等人門庭，屬於親舊黨派，故其作品難免受情感傾向之影響。據邵伯溫記載：

> 一日盛暑，荊公與伯淳對語，雱囚首跣足，手攜婦人冠以出，問荊公曰：「所言何事？」荊公曰：「以新法數為人沮，與程君議。」雱箕踞以坐，大言曰：「梟韓琦、富弼之頭於市，則新法行矣。」荊公遽曰：「兒誤矣。」伯淳正色曰：「方與參政論國事，子弟不可預，故退。」雱不樂去。[8]

這一段記載突顯了王雱激進險惡的性格，此言也被朱熹輯錄入《二程集》，增加了王雱陰狠形象的傳播廣度，但若仔細推敲之則見其不妥之處甚明。清人李紱在《穆堂初稿》之〈書《邵氏聞見錄》後〉已對此條作詳細辯偽。其中包含以下幾點：一、王雱敢言「梟韓琦、富弼之頭於市」卻被其父下屬程顥呵斥而去，前後矛盾；二、程灝任職條例司時並非盛暑時節，且當時程顥僅為荊公屬官與王雱同齡，程灝不應稱雱為「子弟」；三、王安石與程灝議論政務時，王雱在江南而非汴京。[9]此節還言到：「雱字元澤，性險惡，凡荊公所為不近人情者皆雱所教。」然而此言主觀性極強，即便王安石對此子器重，歷史上著名的拗相公也不至為子所教。據周煇記載：元澤年十三，得秦州卒言洮河事，歎曰：「此可撫而有也。使夏人得之，則吾敵強而邊受患博也。」[10]作者書中對王安

5　「斯文」、「鳳鳥」出自《論語》〈子罕〉「子畏於匡，曰：『文王既沒，文不在茲乎！』天之將喪斯文也，後死者不得與於斯文也」；「鳳鳥不至，河不出圖，吾已矣夫。」皆以喻孔聖人。

6　（清）魏源：《魏源集》北京：中華書局，1976年，頁255。

7　（元）脫脫：《宋史》北京：中華書局，2012年，頁10549。

8　（宋）邵伯溫，邵博撰，王根林點校：《邵氏聞見錄》上海：上海古籍出版社，2012年，頁66。

9　轉引自盧國龍：《宋儒微言》北京：華夏出版社，2001年，頁142。

10　（宋）周煇：《清波雜志》，四庫影印本，第7卷《洮河開邊》。周煇此言後有「其後王韶開熙河，蓋取諸此。靖康滄海橫流之變，萌於熙寧開邊。書生輕銳談兵，貽天下後世禍患，可勝既哉。」言靖康之難歸罪熙寧，略有偏頗，然此言不改前句中元澤之政治才能。

石頗多微詞，卻記錄了王雱對時政理智客觀的態度，其卓越的政治才華已達到解決。王雱年十三便已理智論政，對施政策略有自己的考量，不應為邵氏所記為狂躁意氣之人。

王雱並不似此書傳聞為一刻薄陰險之輩，宋人筆記中多訛傳王雱之言，如《今古奇觀》〈蘇小妹三難新郎〉曾寫過王雱與蘇小妹的故事，惟蘇軾無妹，姊適程氏早夭。[11] 這類記載極有可能受到舊黨訛傳的影響以名人佚事獵奇，多不可信。反觀另一些遠離新、舊黨爭之人的記錄則誇讚較多，如《續資治通鑑長編》記載，後王雱生病之際，宋神宗曾多次向王安石問起王雱的病情，深表關切，還說：「卿子文學過人，昨夕，嘗夢與朕言久之。今得稍安，良慰朕懷也。」[12] 說明王雱的病重也讓神宗為這位文學天才感到惋惜，據《宋史》記載神宗也確因王雱修撰之功，欲封他為龍圖閣學士。另有王銍作《默記》，提及其父王萃與王雱同科赴試，王萃形容王雱「風骨竦秀，文質彬彬。」[13] 可見作為世家子的王雱在時人眼中是一位翩翩有禮，才華橫溢的少年。

但是由於北宋的滅亡被最終歸結為荊公變法的結果，這一派的學術思想也隨之沒落。清初全祖望作《宋元學案》，梳理宋元學術發展脈絡，但囿於理學正統立場，視新學為雜學，不列入正式學案，僅作《荊公新學略》附於書末，貶落之意顯然，王雱之學也隨之沒落，直到近代才稍有改善。

二　不拘詞句──王雱其書

作為荊公新學一派的中堅人物，王雱傳世之整本著作僅《南華真經新傳》和《老子注》（另有詞兩首，詩五首，閒散議論等此處不作探討）。《四庫本》序言認為《南華真經新傳》的體例略仿郭象之注，而更約其詞。標舉大意，不屑屑詮釋文句。大旨謂內七篇皆有次序綸貫，其十五外篇、十一雜篇，內篇之宏綽幽廣，故所說內篇為詳。附拾遺雜說一卷，以發揮餘義，疑書成後所補綴。史稱雱「顧率其傲然自恣之意，與莊周之湟滉肆論，破規矩而任自然者，反若相近，故往往能得其微旨。」[14] 筆者認為王雱之注不在意文本原意而形成自己的哲學觀點，這種得意忘言的注解方式近似魏晉注家之風。梁迥曾評價「近世王雱，深於道德性命之說。而老氏之說，復訓闡旨，明微燭隱，自成一家之說，則八十一章愈顯於世。」[15] 下面筆者對這兩本著作的版本、主旨等問題分別作一系統論述。

---

11 類似還有王辟之《澠水燕談錄》、魏泰《東軒筆錄》中的「生前嫁妻」之言，前人已多考證，不作贅言。

12 《資治通鑑長編》，卷247。

13 （宋）王銍：《默記》北京：中華書局，1981年，卷下，頁45。

14 《四庫題要　南華真經新傳》四庫影印本。

15 尹志華：《輯校王雱《老子注》》成都：巴蜀書社，2004年，《北宋《老子》注研究》附錄，頁356。

（一）《南華真經新傳》

　　王雱之《南華真經新傳》目前有兩種底本，《道藏》本和《四庫全書》本，《道藏》本前序為元豐年間無名氏所作，介紹《新傳》之刊印過程和社會影響，無名氏與王雱屬於同時代人，據其序言大抵可推測，王雱作《新傳》之背景和主要針對的時代問題，通過無名氏與賓友之對答也可窺見當時青年主要關注的社會問題。四庫本前有提要一篇，孫應鼇原序一篇，兩篇簡略介紹了王雱生平、歷史記載及《新傳》之學術價值。另有日本昌平黌江戶寫本《南華真經新傳》取四庫本之序言，文本內容則為明代張居謙之點校本。

　　道藏本成書時間早於四庫本，道藏本《南華真經新傳》輯錄於洞神部玉訣類惡上、惡下、積上、積下四部。《正統道藏》於明代編撰，歷經數代道教天師編修、校勘，於正統十年（1445年）校定完成付印。後涵芬樓本和三家本[16]《道藏》以此本為底本重新出版。道藏本前有無名氏之序言，根據序言中的自述可知無名氏為元豐中人，曾得完本《南華真經新傳》並進行校對。無名氏盛讚王雱之才華，認為王雱之注以精簡的文字彌補前代解莊之不足。序言中也介紹了本版《南華真經新傳》的發現、校稿和刊印，還做了簡短的評價。此評價認為《莊子》全書的主要內容有兩個：一是集中在道德性命之所歸，王雱即是抓住「道德性命」這一中心思想展開論述。二是闡釋「道」之未盡之處，然而道本身不可盡，莊子本人也明白「道」之不可盡，但莊子依然極力闡釋道，是為矯當時之枉而歸於大中之正道。結合無名氏生活在元豐中期，猜測其所言當時之枉應當是變法之阻礙，故他極力推崇王雱。

　　《四庫全書》本《南華真經新傳》輯錄於子部，為清代紀昀、陸錫熊、孫士毅總撰，陸費墀總校。《四庫提要》對王雱之才華是予以肯定的，主要集中在以下三點：一、言辭簡約、標舉大意，以篇目次序宏觀看待《莊子》之意。二、王雱性格本於自然不拘泥規矩，因而其書符合莊子肆意灑脫之主旨。三、王安石諸子唯王雱深得王安石器重，新學代表作《三經新義》除《周禮》外都是王雱代筆，可見其才學。另外，明代孫應鼇之序認為王元澤持莊子解莊子，把握了莊子「自然」之主旨，因此可以貼合莊子本意。但孫應鼇認為莊子「通物」之言即便高深也僅是窺見堯舜、周孔的主要思想，可見孫氏鮮明的儒家本位立場。

　　三篇序言統一認為，王雱不拘泥於詞句，以總體的方式看待《莊子》。王雱也確為《莊子》各篇題名做題解，提煉主要思想。孫應鼇贊同《宋史》之評價，認為王雱以整體的眼光看待內七篇，以提綱挈領的方式概括了《莊子》之主旨及各篇之關聯，在王雱

---

16 涵芬樓是商務印書館前身，三家本《道藏》是指文物出版社，天津古籍出版社，上海書店三家合作出版的《道藏》。

看來內七篇之主旨暗含因果關係，解釋了天道自然之理。總之，在三篇序言中，除了個別有待考證的品德問題，三家都對王雱的學術才華持肯定態度。

（二）《老子注》

北宋《老子》注家頗多[17]，且多是以儒士為主的士大夫階層，王雱便是其中一家。《道藏》中有《道德真經集注》輯錄唐玄宗、河上公、王弼、王雱四人之注，能與三位名家並列也可見王雱之注絕非泛泛。他的《老子注》成於熙寧三年，現無單本傳世，其內容過去主要保存於北宋太守張氏所輯《道德真經集注》中，此本保存於《道藏》神部玉訣類。（宋）李霖《道德真經取善集》、（宋）彭耜《道德真經集注》、（元）劉惟永《道德真經集義》均有徵引，尹志華曾對王雱的《老子注》進行輯校，並作為附錄刊於《北宋《老子》注研究》末，於巴蜀書社出版，後更名《老子訓傳》收錄於復旦大學出版社出版的《王安石全集》第九冊。

王雱《老子注》前自序此書成於熙寧三年七月十二日，自序也評價撰此書之目的是「昔老子當道術之變，故著書九九篇，以明生生之理。而末世為學，蔽於前世之緒餘，亂於諸子之異論，智不足以明真偽，乃或以聖人之經與楊墨之書比，雖有讀者，而燭理不深。乃復高言矯世，去理彌遠。」[18]他認為前代學者都未能深入探尋老子之道本意，若非為前人之論幹擾便是為亂於諸子之異論，見解不深而去理彌遠。對於學者能否還原聖人之意，他也只說「覽者以意逆志，則吾之所發，亦過半矣。」認為自己「以意逆志」的解讀也不過窺見其中半數。在此序中他開宗明義提出道在聖人之前生成，具有客觀獨立性，「聖人雖多，其道一也。生之相後，越宇宙而同時。」聖人理應位於天道之下，遵循天道必然之則。

《集注》末尾有梁迥作後序稱「近世王雱深於道德性命之學，而老氏之書，復訓厥旨，明微燭隱，自成一家之說，則八十一章愈顯於世。」[19]說明王雱之《老子注》詮釋出一套深刻的道德性命之學，在當時見解獨到，頗受讚譽。梁迥認為這一詮釋也引起了學界對《老子》的關注。

三　從《四庫提要》一則談王雱《莊子注》有幾種？

《四庫提要》是中國古代目錄學集大成之作，因其不限篇幅故在解題、版本源流等

---

17 熊鐵基：《中國老學史》頁318詳細列出宋代各家注老情況，其中北宋有蘇轍、呂惠卿、司馬光、王安石、陳景元、陸佃等。

18 （宋）彭耜：《道德真經集注》，《道藏》影印本，王雱撰前序。

19 （宋）梁迥：〈後序〉，《道德真經集注》，《道藏》，第13冊，頁105。

方面有突出貢獻，成為學界研究典籍必讀之作。其中對部分書籍版本的質疑的確很有研究價值，但許是時間限制缺乏考據，有些的回答卻不夠有理有力。例如《四庫提要》在評焦竑《莊子翼》中提到：

> 又稱褚氏《義海》引王雱注內篇，劉概注外篇。道藏更有雱《新傳》十四卷，豈其先後所注不同，故並列之歟？今采其合者著於編，仍以《新傳》別之云云。今考書中所引自雱新傳以外，別無所謂雱注。[20]

《提要》中對褚伯秀所言「王雱注內篇，劉概注外篇。」作出質疑是有道理的，因為王雱的確無需重複為《莊子》作注。《提要》認為並不存在獨立於《南華真經新傳》的「王雱注內篇」，因為王雱所注內篇之內容就來自《南華真經新傳》，褚伯秀只是單獨摘出《新傳》中的一部分，與劉概所注外篇合編，所以並不存在獨立的「內篇注」與「劉概注外篇」並列。但《提要》之前提本身存在問題。「今考書中所引自雱《新傳》以外，別無所謂雱注。」與實際情況是有出入的。按照現存《南華真經義海纂微》中輯錄的「王雱注內篇」，與《新傳》在同一段的的解釋下，存在觀點和大意重複之處，且文字並不重複。按照王雱「標舉大意」的詮釋風格，不應該反覆提及相同的觀點，所以這部分文字不屬於《新傳》，而是獨立的一部分「王雱注內篇」。所以《提要》之結論，即不存在單獨的「王雱注內篇」自然也存在問題。既然褚伯秀所引之文字並不來自於《新傳》，那麼褚伯秀和焦竑所輯錄「王雱注內篇」出自哪裡呢？

　　根據目前文獻記載，王雱注釋《莊子》的書目名稱有《王雱注內篇》、《南華真經新傳》二十卷、《莊子注》十卷。其中二十卷之《南華真經新傳》及《南華真經拾遺》完整的保存在《道藏》和《四庫全書》中[21]，基本可以斷定其完本的真實性。但十卷《莊子注》和《王雱注內篇》則存在文本上的爭議。

　　回到褚伯秀之原本，他在〈南華真經義海纂微序〉後所附〈今所纂諸家注義姓名〉直接用了「王雱注內篇」這樣的說法。這些王雱的注解僅僅出現在褚伯秀輯錄的〈逍遙遊〉、〈齊物論〉〈德充符〉和〈大宗師〉中，僅九百二十九字並非完本。這部分注解與道藏本前序言所說「王元澤待制《莊子》舊無完解，其見傳於世者止數千言而已。元豐中始得完本於西蜀陳襄氏之家」相符合。方勇因此認為褚伯秀所錄「王雱注，內篇」應當為道藏本前序所言之「數千言」。[22]道藏本落款的刊印時間是，丙子歲冬望日無名氏作。序言中還提到元豐中為無名氏之生活時期，據此日期及其所言之生活背景，推測丙

20　（清）紀昀：《欽定四庫全書》子部十四，《莊子翼》提要。

21　目前已知《南華真經新傳》無論是在道藏本中還是四庫本中皆為二十卷，《四庫提要》卻記載為十四卷，且除《提要》外無其他文字再提及所謂十四卷《新傳》，應當僅為排版之問題，不存在版本的紛爭。

22　方勇：《莊子學史》北京：人民出版社，2017年，第2冊，頁62。

子年為紹聖三年，即西元一〇九六年。此序言證明王雱有議論《莊子》之文字數千言，早於《南華真經新傳》，因此方勇認為《義海》之文字是獨立於《新傳》的千言議論也說的通。但方勇之推斷也有可疑之處：首先，褚伯秀所錄之近千言僅為隨文之注，較為分散，前後並無完整的邏輯體系。而無名氏所言之數千言應為獨立的千言議論，而非分散的隻言片語。其次：「數千言」之「數」應為「若干」之意，因此「數千言」與現存之九百多字並不符合。所以將褚伯秀之「莊子注內篇」等同於無名氏所言「數千言」是站不住腳的。現存之《南華真經拾遺》恰好為兩千言之議論，故筆者認為《拾遺》更符合無名氏所言之「數千言」[23]。

　　（宋）晁公武《郡齋讀書志》（第三卷）中提到「王雱注《莊子南華真經》十卷」，（元）馬端臨據晁公武之言在其《文獻通考》中言「王元澤注《莊子》十卷。晁氏曰：『皇朝王雱字元澤撰』」。[24]不知何故（元）馬端臨偏要採用與晁公武不同的說法，一作注《莊子》，一作《南華真經新傳》，這樣的做法為考證版本增加了難度。但兩人都未提及早已在紹聖三年刊印的二十卷之《南華真經新傳》。總而言之，兩位目錄學大師都承認了存在十卷本的《莊子注》，但今人卻沒有見過十卷《莊子注》之蹤跡。那麼褚伯秀所言「王雱注，內篇」是否來源於這十卷《莊子注》？熊鐵基主編的《中國莊學史》將《莊子注》十卷等同於《王雱注內篇》。[25]但這就引發了兩個問題：首先，如果褚伯秀所引幾百文字屬於十卷《莊子注》，為何褚伯秀會使用與晁公武不同的稱呼。晁公武生活年代早於褚伯秀且為當時著名目錄學家，褚伯秀不應無耳聞。其次，王雱《莊子注》十卷是完整的注解，若僅為內篇之注解，則不會取名為完整的《莊子注》，因此此觀點也有可疑處。

　　生活在南宋的褚伯秀為什麼看不到元豐中的全本十卷《莊子注》或者二十卷的《南華真經新傳》，偏偏要輯錄內篇之部分議論褚伯秀也未作說明。其他人也存對文本視而不見的情況：如明代孫應鰲為道藏本《南華真經新傳》做序言，但在作《莊義要刪》時輯錄歷代莊子著作時，或許是直接套用了褚伯秀之原本未加甄別的原因，他僅寫了「王雱注內篇」而未曾提及《南華真經新傳》，許是宋人習慣不去區分《莊子》與《南華真經》兩種稱謂。

　　按照道藏本《南華真經新傳》前序言，紹聖三年《南華真經新傳》已經刊印，但諸位目錄學家都未曾記錄，反而記錄已經散逸的十卷本王雱《莊子注》，這一點也很吊詭，但若仔細比對幾本目錄著作，可以看到十卷之《莊子注》與二十卷之《南華真經新

---

23 按照無名氏之序言，千言議論早於《南華真經新傳》。由於《南華真經拾遺》之成書年代未知，故其與原本之先後關係無法考證，僅可以字數作為判斷。

24 （元）馬端臨：《文獻通考》〈經籍考〉，卷211。

25 熊鐵基主編之《中國莊學史》，頁266，在輯錄王雱莊學研究成果時僅言《莊周論》十卷，已殘。但無內篇注。

傳》的篇目名稱未在同一文獻中出現，並且宋明時期之編目作品常常混用《莊子》和《南華真經》兩種稱謂。所以我們或許可取《四庫提要》的說法：「疑《讀書志》誤脫「二」字，或明人重刊，每卷分為二。」此結論雖然僅是推測但也站得住腳，勉強算作是一種可取解釋。

褚伯秀於《今所纂諸家注義姓名》言：「劉概注外雜篇，繼雱之後。」說明王雱曾經單獨為內篇做注，這部分注既不屬於《南華真經新傳》也不屬於十卷之《莊子注》。這一句也是文首《四庫提要》質疑之處。針對王雱與劉概合注《莊子》之說，一方面劉概之注已成殘卷，故無法對應考訂所謂王雱之內篇注；另一方面，《四庫提要》提及《莊子翼》輯錄劉概注《養生主》。所以褚伯秀所謂「王雱注內篇，劉概注外篇」站不住腳，二人並未合注《莊子》內外篇。現存之文只有殘缺的九百字《莊子注》出現在內篇，姑且隨褚伯秀之言稱之為《王雱注內篇》。

綜上，在排除重複名稱之後，王雱之「莊子注」應當有三個版本：包括《南華真經新傳》二十卷（或作《莊子注》十卷），《王雱注內篇》殘缺、《南華真經拾遺》（數千言議論）。以上解釋或許有不合適之處，但已是根據已有資料整理出的最合適的說法。

「江西詩法」的復與變

──論張孝祥幕府詩歌創作[*]

田萌萌

北京師範大學歷史學院

　　張孝祥「讀書一過目不忘，下筆頃刻數千言。」[1]高宗稱其「詞翰俱美」。[2]於湖詩詞文皆工，他的詩與策、字，並稱「三絕」，甚至引起秦檜之嫉。韓元吉讚其詩曰：「幾於天才之自然者……其歡娛感慨，莫不什於詩。」[3]；張栻稱其「笑語皆詩」[4]；劉克莊亦云：「南渡詩尤盛於東都。炎紹初，別王履道、陳去非、汪彥章、呂居仁、韓子蒼、徐師川、魯吉甫、劉彥沖……乾、淳間，則范至能、陸放翁、楊廷秀、蕭東夫、張安國一二十公，皆大家數。」[5]時人對張孝祥詩歌評價非常高。張孝祥受「江西」影響頗深，但幕府給了他別樣的人生經歷，又使其詩歌創作與「江西」有所不同。作為與「中興四大家」同期，非屬四家之列而又擅為詩者，張孝祥詩歌創作具有極強的時代意義。然其詩的重要性往往被詞所掩蓋，現有研究亦多著力於張孝祥詞作。本文以張孝祥幕府經歷為視角，對其作詩之「法」進行新的解讀。

一　張孝祥之幕府淵源

　　宋代設置都督、宣撫使、招討使、制置使、經略使、安撫使、轉運使、發運使等府司，均被允許開設幕府。尤其南宋，為防止金人入侵，更於一些軍事要處設制置使，即「制撫」。張孝祥一生多次參與幕府，或入幕為僚，或開府辟屬。隆興元年（1163）正月，張浚進樞密使都督江淮軍馬。二年，以張浚薦，除張孝祥中書舍人直學士院，兼都

---

* 基金項目：國家社科基金重大項目「中國古代都城文化與古代文學及相關文獻研究」（18ZDA237）；中國博士後科學基金面上資助（2020M680422）。

1　（元）脫脫等：《宋史》北京：中華書局，1977年，〈列傳〉第148，頁11942。
2　（元）脫脫等：《宋史》北京：中華書局，1977年，〈列傳〉第148，頁11942。
3　（宋）韓元吉：《南澗甲乙稿》北京：中華書局，1985年，卷14，頁264。
4　（宋）張栻，楊世文校點：《張栻集》北京：中華書局，2015年，頁711。
5　（宋）劉克莊：《後村先生大全集（二四）》，卷97，四部叢刊本，頁6。

督府參贊軍事，[6] 並以都督府參贊軍事兼知建康府，領建康留守。[7] 此時張孝祥為張浚都督府幕僚。據《宋會要輯稿》：「隆興二年三月一日，詔中書舍人直學士院知建康府張孝祥罷參贊軍事，除敷文閣待制，依舊知建康府。」[8] 知，張孝祥此任幕僚時間極短。

乾道元年（1165），張孝祥除知靜江府，領廣南西路經略安撫使，開府靜江，洪適有《張孝祥復集英殿修撰知靜江府制》。乾道二年（1166）四月，以王伯庠論「專事遊宴」罷。[9] 此為其第一次開府。

三年三月，張孝祥知潭州，權荊湖南提點刑獄。宋人陸世良所撰《宣城張氏信譜傳》曰：「改知潭州，權荊湖南路提點刑獄。」[10]《宋史》本傳稱其「俄起知潭州，為政簡易。」[11] 辛更儒則認為「南宋知潭州者例兼本路安撫使，而無兼任提刑者，蓋湖南提刑司設在衡州，帥憲治所不在一地，如何兼領職事？」[12] 然而，未必盡然。據清人吳廷燮考證，知府州者兼帥一路。[13] 知潭州者，並任「荊湖南路安撫使、兼馬步軍都總管、知潭州，領潭（武安）衡永道郴全七州、武岡一軍、貴陽一監。」[14] 那麼，張孝祥此時應在荊湖南路安撫使任。《文集》附錄有〈除秘閣改知潭州權荊南提刑誥〉[15]，南宋在地方各路設轉運司主管財賦，提點刑獄主管刑獄治安，提舉常平主管茶鹽、常平，安撫主管兵將、盜賊，但在實際運行中諸司往往出現「雜治」或「侵官」現象，且安撫使、經略安撫使又常兼都總管、兵馬鈐轄，那麼若為應急之需，安撫使權兼提點刑獄也不是全然不可。因此，張孝祥在任湖南安撫使時，很有可能權兼提點刑獄，直到四年七月改知荊南府。開府潭州這一階段，為其二次開府。

四年七月，張孝祥復敷文閣待制，徙知荊南府（江陵府）、荊湖北路安撫使，有《辭免知荊南奏狀》，不允。荊湖北路安撫使，兼馬布軍都總管、知荊南江陵府，領江陵、常德、德安三府，鄂、岳、歸、峽、復、澧、辰、沅、靖九州，漢陽、荊門、壽昌三軍。[16] 自到任後，孝祥屢以親病請辭。五年三月，張孝祥辭官獲准，進顯謨閣直學士致仕。這一階段為其三度開府。

與僅持續月餘的幕僚經歷相比，張孝祥三次開府時間較長，位高權重。且在此期內，張孝祥寫下大量詩歌，並與張維、朱珌、張栻、張杓、朱熹、吳伯承、王質、楊冠

6　（宋）張孝祥，徐鵬校點：《于湖居士文集》上海：上海古籍出版社，1980年，頁409。

7　韓西山：《張孝祥年譜》合肥：安徽人民出版社，1993年，頁100。

8　（清）徐松，劉琳等校點：《宋會要輯稿》上海：上海古籍出版社，2014年，〈選舉〉34，頁5915。

9　（清）徐松，劉琳等校點：《宋會要輯稿》上海：上海古籍出版社，2014年，〈職官〉71，頁4954。

10　（宋）張孝祥，徐鵬校點：《于湖居士文集》上海：上海古籍出版社，1980年，頁405。

11　（元）脫脫等：《宋史》北京：中華書局，1977年，〈列傳〉第148，頁11943。

12　（宋）張孝祥，辛更儒校注：《張孝祥集編年校注》北京：中華書局，2016年，頁1701。

13　（清）吳廷燮，張忱石點校：《南宋制撫年表》北京：中華書局，1984年，頁399。

14　（清）吳廷燮，張忱石點校：《南宋制撫年表》北京：中華書局，1984年，頁515。

15　（宋）張孝祥，徐鵬校點：《于湖居士文集》上海：上海古籍出版社，2009年，頁415。

16　（清）吳廷燮，張忱石點校：《南宋制撫年表》北京：中華書局，1984年，頁488。

卿等幕府內、外詩人有所交遊。眾詩人頻繁往來地交互創作，促生出以張孝祥及其幕府為中心、與張孝祥幕府詩作密切相關的詩歌創作生態。這一時期的詩歌創作，不光是詩人張孝祥生存狀態、心理情感的現實寫照，同時也是於湖詩形成與發展的重要階段。

二　詩主「江西」與「詩法」踐行

張孝祥少舉進士，韓元吉稱其：「出語驚人，未嘗習為詩也。既而取高第，遂自西掖兼直北門。迫於應用之文，其詩雖間出，猶未大肆也。」[17]如韓氏所言，張孝祥登第之初詩歌並不多。《於湖集》現存詩作，也多寫於進士及第後。

張孝祥紹興二十四年（1154）登第，恰值「江西詩風」大盛之時。[18]詩人們不再處於政治高壓、學術遭禁的社會環境中，加之高宗對「元祐」的看重，大批江西詩人開始活躍於政治舞臺，也帶來了「江西詩歌」的盛行。這一時期的詩人自然地受到「江西」氛圍的浸染，其詩多主「江西」。張孝祥有詩〈將如會稽寄曾吉甫〉以呈曾幾：「起居一代文章老，闊寄音書恰二年。詩債未還緣懶拙，官遊如此竟危顛。會稽舊有探書穴，賀監應尋載酒船。我欲從公留十日，問公乞句手親編。」[19]詩中表達了對曾幾的崇敬，同時自言「詩債未還緣懶拙」，最後一句更是希望在會稽這一舊有「探書穴」的文章勝地，能夠從曾幾「留十日」、並得其親手指點。詩中流露出非常明確的「求師」之意，亦可看出張孝祥在主觀上對「江西詩法」的認可與接受。事實上，張孝祥詩歌創作也確受江西影響頗多。

黃庭堅強調「無一字無來處」[20]，詩中處處用典，甚至有時對「典故」的追求走向極端，偏典、冷典、僻典在詩句中時有出現。張孝祥直接繼承了黃庭堅「點鐵成金」、「奪胎換骨」之說，並將「活法」寓於其中，最明顯的表現就是在詩歌中近似江西式、大量地「用典」與「化用」。於湖詩作，典故非常密集，湯衡在〈張紫薇雅詞序〉中云：「初若不經意，反覆究觀，未有一字無來處。」[21]詞尚如此，詩更亦然。

張孝祥在廣西帥任，作〈臨桂令以薦當趨朝置酒召客戲作二十八字遣六從事菑之壽其太夫人〉：「雙鳬舊作朝天計，一鶚新收薦士書。不惜持杯相暖熱，白頭慈母最憐渠。」[22]該詩或為送郭令赴臨桂，[23]首句引《後漢書》「雙鳬朝天」、「一鶚薦事」兩個典

17　（宋）韓元吉：《南澗甲乙稿》北京：中華書局，1985年，卷14，頁264。
18　沈松勤：《南宋文人與黨爭》北京：人民出版社，2005年，頁330。
19　（宋）張孝祥，辛更儒校注：《張孝祥集編年校注》北京：中華書局，2016年，頁191。
20　（宋）黃庭堅：《黃庭堅全集》成都：四川大學出版社，2001年，卷18，頁475。
21　（宋）張孝祥，辛更儒校注：《張孝祥集編年校注》北京：中華書局，2016年，頁1745。
22　（宋）張孝祥，辛更儒校注：《張孝祥集編年校注》北京：中華書局，2016年，頁436。
23　參見辛更儒校注：《張孝祥集編年校注》，頁437。

故,「相暖熱」則出自白居易〈別氈帳火爐〉:「復此紅火爐,雪中相暖熱。」其詩多在簡單詩句間,傾注密麗的典故與前人詩句,屬典型「江西」風格。又〈鹿鳴燕〉:「明庭下溫詔,方岳貢群賢。巢鳳山中客,棲鸞地上仙。魚龍回夜水,雕鶚在秋天。添種家鄉桂,歸途快著鞭。」[24]此詩為乾道元年秋八九月廣西漕試後所作。按宋制,解試例於正月下科舉詔,八月十五日為各地解試日,固有「明庭下溫詔,方岳貢群賢。」之語。全詩為應時、應景之作,其中「魚龍回夜水,雕鶚在秋天。」一聯,巧妙地將杜甫〈草閣〉:「魚龍回夜水,星月動秋山。」與〈奉送嚴八閣老〉:「蛟龍得雲雨,雕鶚在秋天。」兩句結合化用,雖與杜詩原意不同,但以「魚龍」、「雕鶚」喻人才在秋天參加解試,十分契合主題。又〈張欽夫送筍脯與方俱來,復作〉,從詩題便知,該詩是為與張栻和作,詩云「筍脯登吾盤,可使食無肉。鮭腥辟三舍,棕枏乃臣僕。書生長有十甕虀,卻笑虎頭骨相癡。得君新法也大奇,且復從遊錦繃兒。」[25]首句「可使食無肉。」出自蘇軾〈於潛僧綠筠軒〉,「辟三舍」典出《左傳》〈僖公〉:「若以君之靈,得反晉國,晉、楚、治兵,遇於中原,其辟君三舍。」[26]「棕枏」一句,由黃庭堅〈謝張寬夫送棕枏頌〉:「菜茹之品棕枏君,乖龍割耳鱉脫裙。」而來;「書生長有十甕虀」又用到「河神所侮」的典故;「虎頭骨相」出自黃庭堅詩〈次韻子瞻送顧子敦河北都運二首〉:「今代顧虎頭,骨相自雄偉。」在短短的一首五言古詩中,於湖竟運用了如此多的典故與詩句化用,且以蘇軾、黃庭堅句為主,更見其對江西詩統的推崇與學習。

此外,張孝祥對前人詩句的化用,還表現直接次韻為詩。如〈送邵懷英,分魯直詩韻「人間風日不到處,天上玉堂森寶書」得書字〉,題中「人間風日」二句出自黃庭堅〈雙井茶送子瞻〉;〈勸農,以「湘波不動楚山碧,花壓闌干春晝長」為韻〉題中「湘波不動」二句,則出自溫庭筠〈湖陰詞〉:「吳波不動楚山晚,花壓闌干春晝長。」於湖將「吳」改為「湘」,「晚」改為「碧」與當時所在湖南相接契。

值得注意的是,張孝祥承襲黃庭堅「點鐵成金」、「奪胎換骨」的詩法,大量引用典故與化用詩句,詩作不免僵硬,但並未如大多江西後學一般走向極端而呈瘡澀詩風。這與他對「活法」的接受不無關係。於湖詩作,亦不乏清新、平實之風,如:

> 卜居並東郭,草草宮一畝。日課種樹書,箋題遍窗牖。花草當姬妾,松竹是朋友。上堂娛偏親,家飯隨野蔌。客至即舉詩,興來亦沽酒。清溪繞屋角,高木老未朽。翻翻荷見背,戢戢魚駢首。……夜涼佳月出,人影散箕斗。[27]

24　(宋)張孝祥,辛更儒校注:《張孝祥集編年校注》北京:中華書局,2016年,頁325。

25　(宋)張孝祥,辛更儒校注:《張孝祥集編年校注》北京:中華書局,2016年,頁165。

26　楊伯峻:《春秋左傳注》北京:中華書局,2016年,頁447。

27　參看張孝祥詩〈陳仲思以太夫人高年奉祠便養卜居城東茅屋數間澹如也移花種竹山林丘壑之勝湘州所無食不足而樂有餘謂古之隱君子若仲思者非耶乾道戊子六月某同張欽夫過焉裝回彌日既莫而忘去欽夫欲專壑買鄰欽夫有詩某次韻〉,《張孝祥集編年校注》,頁170。

只是平淡地陳述，並無任何生硬的典故與詩句化用，詩風輕快、流轉，這一類詩歌，正
是他對「活法」為詩的運用與踐行。

　　此僅幾例，便可看出張孝祥幕府詩歌創作受江西技法影響之深。然其在遵循江西藝
術準則的同時，也努力探尋並實踐著自我的「活法」。

三　幕府新獲與「詩法」之變

　　於湖詩既主江西，又以自己的方式進行嘗試性突破，既不完全隸屬「江西」，又與
「中興四大家」有所不同。與當時大多數詩人一樣，張孝祥在傳統「江西詩風」與「活
法為詩」間不斷掙扎，並逐漸趨向革新。於張孝祥而言，幕府在這其中異常關鍵。

（一）幕府生涯與情感表達

　　幕府經歷使張孝祥對國事戰況瞭解更為全面、深刻，家國情懷更為複雜，這一切都
改觀了張孝祥詩歌創作的底色和本質，使其呈現出與「江西」詩作不同的情感表達。

　　張孝祥同期的江西詩派詩歌創作，在靖康之恥、家國巨變的影響下，詩人們多關注
社會現實，具有較強的時代性。呂本中〈兵亂後自嬉雜詩〉寫金兵入侵後之亂離，表達
了詩人此刻的感愴和悲憤；曾幾〈雨夜〉透過「依然錦城夢，忘卻在南州。」懷念動亂
前的升平遨遊；〈大藤峽〉：「江潰重圍急，天橫一線慳。人言三峽險，此路可追攀。」
由江水洶湧而至，聯想到強敵圍城的險惡景象。〈雪中，陸務觀數來問訊，用其韻奉
贈〉：「官軍渡口戰復戰，賊壘淮壖深又深。坐看天威掃除了，一壺相賀小叢林。」則是
以希冀戰亂能夠早日平定，失地早日收復展現家國之感。在靖康之難的巨大衝擊下，詩
人們開始將詩歌創作的筆觸轉而關注現實、抒發憤慨，並希冀早日實現家國的統一。

　　雖同遭靖康變故、抒寫家國之感，但與江西詩人創作不同的是，張孝祥因幕府經歷
而對時事體悟更為敏感、深刻，其家國情感在詩歌中的表達也更為複雜、豐富，緊緊切
合時局變動。

　　首先，張孝祥對北復失地的情感隨不同階段，包括幕府時期的切身體驗而不斷變化。

　　隆興二年（1164），張孝祥自平江府召還，除中書舍人直學士院，不久又為張浚江
淮宣撫司參議官，知建康府，在張浚幕下，張孝祥真正參與軍事籌畫。其門人謝堯仁
〈張於湖先生集序〉曰：「自渡江以來，將近百年……蓋先生之雄略遠志，其欲掃開河
洛之氛祲，蕩洙泗之膻腥，未嘗一日而忘胸中。」[28]張孝祥平生志願便是一掃氛祲，洗

28　（宋）張孝祥，辛更儒校注：《張孝祥集編年校注》北京：中華書局，2016年，頁1743。

刷恥辱，所以他無比珍視這一次親歷前線的機會。[29]連上〈論治體劄子〉、〈論先盡自治以為恢復劄子〉、〈論謀國欲一劄子〉、〈論用才路欲廣劄子〉等奏疏，積極投入抗金鬥爭。然而，此時恰值符離之潰後主和派占上風。不久張孝祥便被罷參贊軍事，稍後主管江淮軍事的宣撫司也被撤銷。在建康前線幕府短暫停留，以軍事角度使張孝祥對國情瞭解更深。從某種程度上，幕府充實並豐富了張孝祥詩歌創作中「北復」情感的表達。

　　這在張孝祥與王質唱和中有較明顯體現。隆興二年十月，被罷張浚幕府參贊軍事的張孝祥知建康府，但侍御史尹穡言其出入張浚、湯思退之門，反覆不靖故，論罷。[30]閒居中的張孝祥，與王質主題和作並直言戰事實況，其詩〈和王景文三首（其三）〉：「王師行六月，淮海靜無波。元老前籌密，諸軍捷奏多。西風向蕭瑟，北顧要誰何。聞說收兵後，謳吟雜雅歌。」[31]全詩都在言當時的戰況進展。王質原詩〈舟中作二首〉其一：「昨日到今日，滿江常湧波。山川非不好，風浪抑何多。所愧累公等，固知如我何？柁樓無晚照，高臥一長歌。」[32]據《續資治通鑑》，是年（隆興二年）八月，湯思退奏遣魏杞入金議和，胡銓上書反對。認為：「自靖康迄今，凡四十年，三遭大變，皆在議和」。[33]時任太學正的王質也上疏孝宗：「今陛下之心志未定，規模未立，或告陛下金弱且亡，而吾兵甚振，陛下則勃然有勒燕然之志；或告陛下吾力不足恃而金人且來，陛下即委然有盟平涼之心；或告陛下吾不可進，金可入，陛下又塞然有指鴻溝之意。」[34]言者論王質「年少好異論」，罷去。[35]觀詩之意，王質該詩應作於罷官後。那麼張孝祥這首和作，則是回寫符離之潰前、張浚守建康時的情狀。二人並未在詩中宣洩北復之志，兩首詩都只是平淡地敘寫事實，但其所寫之事卻均與戰事相關，可見其內心之壓抑。

　　然而，入張浚幕前夕，張孝祥在建康賦閑時所作詩歌尚充滿昂揚的「北復」鬥志。紹興三十一年（1161），完顏亮大舉南侵，張孝祥自發奔走於戰爭前線，其詩〈諸公分韻躪冒頓之區落，焚老上之龍庭，得老庭字〉說：「橫槊能賦詩，下馬具檄草……風雲會相遇，氛祲當獨掃。鳳皇翔千仞，駑馬顧棧皂。士為一飽謀，懸知不同道。」[36]詩中坦言為國滌蕩氛祲，收復失地之志向；又於張浚席間寫下著名的〈六州歌頭〉，以致浚為之罷席。但在張浚幕後，其「北復」情感的表達則略顯壓抑。

　　開府桂林、潭州、江陵，作為帥守一方的幕主張孝祥，對局勢瞭解愈發深入，日見「北復」無望，其對「北復」的情感則轉變為「報國無門」的苦痛，且這種「苦楚」，

29　（宋）張孝祥，辛更儒校注：《張孝祥集編年校注》北京：中華書局，2016年，頁3。

30　（清）徐松，劉琳等校點：《宋會要輯稿》上海：上海古籍出版社，2014年，〈職官〉71，頁4951。

31　（宋）張孝祥，辛更儒校注：《張孝祥集編年校注》北京：中華書局，2016年，頁311。

32　（宋）王質：《雪山集》北京：中華書局，1985年，頁160。

33　（清）畢沅：《續資治通鑑》北京：中華書局，1957年，卷138，頁3685-3686。

34　（元）脫脫等：《宋史》北京：中華書局，1977年，〈列傳〉第154，頁12056。

35　（元）脫脫等：《宋史》北京：中華書局，1977年，〈列傳〉第154，頁12056。

36　（宋）張孝祥，辛更儒校注：《張孝祥集編年校注》北京：中華書局，2016年，頁80。

甚至頗有「老杜」之風。〈豐城觀音院有胡明仲范伯達汪彥章諸公題字〉有云:「中興人物數諸公,遺墨淒然野寺中。欲訪英靈無處所,獨搔蓬鬢立西風。」[37]這首詩寫於赴廣西幕府途中,經豐城,遊觀音院,觀音院中有胡寅、范如圭、汪藻等人的題字。胡寅等為南宋初抗金名將,張孝祥看到他們的題字,又聯想到當今朝堂局勢。身為朝中重臣,帥任一方,卻無法為收復失地效力,想到南宋初諸抗金名將也曾沙場拼搏,但都未能實現北復之志,當時叱咤沙場的名將遺墨,也只能在這破敗的野寺中無人問津。一時間感慨萬千,只能在西風中搔蓬鬢獨立。尤其最後兩句,實有杜甫「白頭搔更短,渾欲不勝簪。」之感。又〈黃州〉詩:「艱難念時事,留滯豈身謀。索索悲風裡,滄浪亦白頭。」[38]這首詩是乾道二年秋,張孝祥被言臣諫「專事遊宴」罷廣西帥任,東歸途中所作。赤壁古戰場讓張孝祥聯想到如今朝廷一味求和,外又有強敵虎視眈眈的時局,可自己卻壯志難酬,胸中徒增惆悵與苦悶。

於湖詩這一惆悵黯然、沉鬱頓挫的風格,獨具老杜遺風。張孝祥本就十分推崇杜甫。於湖廷對,高宗親擢首選,秦檜問其詩所本,其自言乃「本杜詩」。[39]宋人多宗杜甫,至北宋中葉,尊杜已然成為詩壇共識。王安石嘗言「世間好言語,已被老杜道盡」[40],蘇軾也稱:「古今詩人眾矣,而杜子美為首。」[41]江西詩派甚至以杜甫為「祖」。在宋人學杜的大背景下,張孝祥雖也在技藝上承襲杜甫之詩法,但他學杜最明顯、最具特色的,卻是其詩歌的「現實性」。在這其中,幕府加深了於湖對老杜作詩「現實感」的體悟。宋人李綱言:「子美詩凡千四百三十餘篇,其忠義氣節、羈旅艱難、悲憤無聊、一見於詩,句法理致,老而益精,時平讀之,未見其工。迨親更兵火喪亂之後,誦其詩如出乎其時,犁然有當於人心,然後知其語之妙也。」[42]南宋人親歷戰爭亂離後,更能體會到杜甫詩中的「忠義氣節、羈旅艱難、悲憤無聊」,對其「句法理致,老而益精」能夠有更深刻的理解和領悟。

且張孝祥經歷過戰爭前線、亦在幕府體會到大勢已去、無力恢復的頹然、無奈與遺憾、壓抑,這與深處安史亂中的杜甫恰能產生共鳴,其「體悟和理解」只會愈發深刻。正如傅庚生說,杜甫的現實之筆是由生活現實中陶鑄而成的。生活現實需要他用詩筆如實地去表現。[43]在對杜甫的理解與體悟基礎上,張孝祥「現實之筆」更是由生活實際所打磨、澆鑄而成。也由此,張孝祥詩歌創作,有著杜甫式的沉鬱悲痛、黯然惆悵的「現

37 (宋)張孝祥,辛更儒校注:《張孝祥集編年校注》北京:中華書局,2016年,頁410。

38 (宋)張孝祥,辛更儒校注:《張孝祥集編年校注》北京:中華書局,2016年,頁349。

39 周勛初:《宋人軼事彙編》上海:上海古籍出版社,2015年,頁2180。

40 (宋)胡仔,廖德明校點:《苕溪漁隱叢話》北京:人民文學出版社,1962年,頁90。

41 (宋)蘇軾:《蘇軾文集》北京:中華書局,1986年,卷10,頁318。

42 (宋)李綱:《梁溪先生文集》,卷138,臺北:臺灣商務印書館,1986年,文淵閣四庫全書影印本。

43 傅庚生:《杜甫詩論》上海:上海古籍出版社,1985年,頁170。

實性」，這一現實性又與南宋當朝時事相關，更加深其詩歌創作的時代感。這與「江西詩派」此時創作對「現實」的關注角度以及情感表達程度都有所不同。

其次，開府期間，除「北復」外，張孝祥亦有關心民生的情感表達。此為其詩歌創作轉向社會生活的體現，這一點更與幕府關係緊密，是江西詩人所難以具備的。張孝祥開府地方，管理軍事、民政，對民生的關心也由此進入到詩歌創作中。在靜江府治，張孝祥建齋名「民為重」。乾道二年春，張維行邊，賦詩詠「民為重」，張孝祥作絕句五首以和之，其一曰：「齋中寒日影瓏蔥，齋外參天十八公。二十四州民樂否，莫教一物怨途窮。」[44]詩人由齋內寒日轉到齋外之松，進而聯想到南宋除靜江府外二十四州之民的安樂。又有〈與同僚十五人謝晴東明，得淵字〉一詩，其文集有〈東明觀音祈晴文〉言：「常陰之災，至於閱月。禾已熟弗獲，歲垂成而反虧。誰哀斯民？」[45]秋收時節卻連綿陰雨，百姓苦於有秋難收。作為帥守，張孝祥為民祈晴。那麼該詩則是為民求晴而得的謝晴詩。與此類似，帥潭州時又勸農作〈出郊〉。所謂「勸農」，按南宋制，帥守皆有親出郊外，召近郊父老，勞以飲酒之職，喻以天子親耕勸率之誠。[46]以祈晴、「勸農」為題材，於湖將對民生的深切關注記入詩歌中。在其位謀其政，正是由於帥守一方所在之「位」，使得張孝祥把寫詩的目光，轉投到民生上。

幕府經歷使張孝祥對國事、民生有了「杜詩式」更為敏感、複雜的體認，將之表現在詩歌創作中，則成為有別於「江西詩派」的對家國感慨、民生民情等重大主題深刻、豐富地情感表達。

（二）開府地方與「江山之助」

開府地方，使張孝祥詩歌創作頗獲江山之助。張孝祥主張詩歌創作不應有所拘泥，要主動尋求活法，更應走出書齋中的閉門鑿句，轉而面向山川自然和社會生活。在論楊冠卿之文時，張孝祥曰：「夢錫之文，從昔不膠於俗，縱橫運轉如盤中丸，未始以一律拘，要其終亦不出於盤。蓋其束髮事遠遊，周覽天下山川之勝，以作其氣；所與交者，又皆當世知名士，文章安得不美耶？」[47]雖為評楊氏之語，亦是於湖自身的為文感悟，這與幕府應不無關係。開府地方時期，他得以四處遊歷，親身體悟後的自然山川，盡悉入詩。韓元吉亦云：

安國之詩，其幾於天才之自然者歟？……逮夫少憩金陵，徜徉湖陰，浮湘江，上

44　（宋）張孝祥，辛更儒校注：《張孝祥集編年校注》北京：中華書局，2016年，頁416。

45　（宋）張孝祥，辛更儒校注：《張孝祥集編年校注》北京：中華書局，2016年，頁853。

46　（清）徐松，劉琳等校點：《宋會要輯稿》上海：上海古籍出版社，2014年，〈食貨一〉，頁5969。

47　（宋）張孝祥，辛更儒校注：《張孝祥集編年校注》北京：中華書局，2016年，頁893。

漓水，歷衡山而望九疑，泛洞庭，泊荊渚，其歡愉感慨，莫不什於詩。好事者稱歎，以為殆不可及。蓋周遊幾千里，豈吾所謂發其情致而動其精思，真楚人之遺意哉？[48]

誠然，他有很多取材自然與生活、遊覽山川名勝、關心地方民事的詩作，詩境也由此為之一擴，顯現出江西詩少有的氣勢豁達與雄渾高遠。

此時的江西詩作，還未完全擺脫「資書以為詩」的創作標準，即使登臨遊覽、抒寫自然，也或多或少地留有一絲「書卷氣」，詩境、氣局不免受限。陳與義〈同范直愚單履遊浯溪〉：「瀟湘之流碧復碧，上有鐵立千尋壁。河朔功就人與能，湖南碑成江動色。文章得意易為好，書雜矛劍天假力。四百年來如創見，雷公雨師知此石。小儒五載憂國淚，杖藜今日溪水側。欲搜奇句謝兩公，風作浪湧空心惻。」[49]其詩即使寫外出遊覽，只前兩句寫自然景觀的壯美，後面即使寫浯溪碑石，也要以寫詩、文章、讀書、「雷公雨師」、「欲搜奇句」入詩，詩境不免染上「書卷」之氣，雖厚重有餘，也有「江動色」、「天假力」、「風作浪湧」等壯大意象的選取，但氣局卻依然不夠豪邁、放達。而曾幾〈過松江〉：「江澄不起無風浪，天遠長垂未霽虹。酒熟杯盤供雪膾，詩成島嶼落霜楓。」同樣遊歷寫景之詩，選取壯大意象之餘，最後一句還是要透過「詩成島嶼」將「詩」之意象納入詩歌之中。因江西詩作的創作標準，使其詩勢、氣局均有所影響。

張孝祥帥桂間詩歌多寫山川景致，但卻呈現不同於「江西」的豪放、闊達詩境。最明顯的是〈遊千山觀〉一詩。千山觀，據《輿地紀勝》：「西峰絕頂有千山觀，群峰回環，西湖蕩漾，實為桂林登覽之會。」[50]千山觀在桂林西山最高峰──西峰之上，張孝祥另有〈千山觀記〉云：「高遠閎達，放目萬里。晦明風雨，各有態度。」[51]登臨千山觀，實有俯覽眾生之感，晦明風雨，各有不同。張孝祥將這種身在高處、親臨風雨明暗之真實體驗，融寫進詩句間：「長江寫縑素，疊嶂俯杯案。中有萬雉城，鐵立不可玩。伏龍起行雨，老樹舞影亂。沖風挾驚電，意恐崖谷斷。路懸石磴滑，眾客紛駭汗。嵌空偶自托，發若鳥集灌。須臾便開霽，杲日麗清漢。」[52]全詩以形象的語言，描寫了登高望遠、俯瞰萬物之時，忽而風雨大作，又須臾晴空一片的情狀，給人以驚恐萬狀到周遭靜好的迅速置換感，更突顯千山觀之高、之險。語言疾轉、氣勢宏闊。全詩只以自然景物入詩，尤其前兩句對「長江」、疊嶂、城池的描寫，更顯高遠、雄壯。又〈登七星山呈仲欽〉（其一）：「魁杓歷歷控雲嵐，地闊天虛萬象涵。不與天公管喉舌，猶堪岳立鎮

48　（宋）韓元吉：《南澗甲乙稿》北京：中華書局，1985年，卷14，頁264。

49　（宋）陳與義：《簡齋集》北京：中華書局，1985年，卷8，頁60。

50　（宋）王象之：《輿地紀勝》北京：中華書局，1992年，卷130，頁3164。

51　（宋）張孝祥，辛更儒校注：《張孝祥集編年校注》北京：中華書局，2016年，頁538。

52　（宋）張孝祥，辛更儒校注：《張孝祥集編年校注》北京：中華書局，2016年，頁100。

湘南。」[53]等，均是境界闊大，氣勢宏遠之作。張孝祥在幕府期間的登臨遊覽之作，與江西詩人不同，全詩只單純地寫景狀物，並未有任何寫詩、讀書內容的滲透，詩境也由此變得氣勢開盍、壯闊宏大。

開府地方，張孝祥遊走於自然山川，將自然萬物的描寫全部收入詩歌中，置換了「詩詞高勝，要從學問中來」影響下的詩歌內容，其詩境、詩勢也一改促狹的氣局，而變得境界宏遠、雄肆闊大，實乃得「江山之助」。

綜上，張孝祥作詩主江西，但又不完全被江西所縛。在「江西」到「中興」詩壇轉變的大背景下，張孝祥詩歌創作既具時代共性，又獨具個體特性。幕府為張孝祥詩歌創作提供契機，使其詩學主張得到踐行的同時，亦讓他對戰事、民生等重大題材的產生了「杜詩式」複雜、深刻的體認，並置換其「資書以為詩」的創作標準。幕府於張孝祥詩歌無論就內容、題材、思想情感的表達以及詩境的造就上，都起著至關重要的作用。

53　（宋）張孝祥，辛更儒校注：《張孝祥集編年校注》北京：中華書局，2016年，頁438。

楊萬里晚年詩歌的日常化寫作

——以《退休集》為中心

屈妍晏

北京　中國人民大學國學院

　　過往研究對楊萬里晚年詩歌的探討，多將其作為楊萬里詩風演變的一個階段來看待。專門研究楊萬里晚年詩歌的有《楊萬里《退休集》研究》[1]這一碩士學位論文，主要分析了楊萬里致仕的原因和致仕後的心態，用詩酒解愁忘憂的人生智慧，並分析了《退休集》的意境和詩風。而涉及楊萬里日常化寫作的研究，則多為對宋詩日常化特點的舉例，另有陳洪、馮軍赫〈論「誠齋體」中的飲食題材〉[2]一文，分析了楊萬里詩歌中的飲食方面涉及日常化寫作的內容。總之，尚無專門對楊萬里的日常化寫作，尤其是其晚年詩歌日常化寫作的細緻考察和梳理。

　　誠然，相對於宦遊時期地理空間的豐富，晚年的生活空間相對固定，但並不意味著書寫內容的狹窄，求諸自身的思想境界也並非一定遜於宏大書寫，只是書寫重心和表現方式發生了轉變。對農事和天氣的觀察和記錄，詩題中的日期等形式特色，以及對日常瑣事的細緻描繪等，都指向他晚年詩作一個重要特點——日常化。

　　「日常化」是宋詩的突出特色。吉川幸次郎先生在《宋元明詩概說》中提出：「過去的詩人所忽視的日常生活的細微之處，或者事情本身不應被忽視，但因為是普遍的、日常的和人們太貼近的生活內容，因而沒有作為詩的素材，這些宋人都大量地寫成詩歌。所以宋詩比起過去的詩，與生活結合得遠為緊密」[3]。可見，詩歌發展到宋代，其內容及其對現實的反映，除了對重大歷史事件的記錄，也可以從看似平凡的日常生活中取材。而楊萬里的晚年詩作，正十分典型地體現出宋詩「日常化」這一特色。

1　李進進：《楊萬里《退休集》研究》哈爾濱：哈爾濱師範大學碩士學位論文，2011年。

2　陳洪、馮軍赫：〈論「誠齋體」中的飲食題材〉，《吉林師範大學學報（人文社會科學版）》2015年第5期。

3　（日）吉川幸次郎著，李慶、駱玉明等譯：《宋元明詩概說》上海：復旦大學出版社，2012年，頁12-13。

一　天氣與種植──鄉居背景下的農事關切

　　楊萬里晚年歸鄉退居，擁有了大量的閒暇時間，創作心境和狀態較其早年宦遊四方的生活發生了重大的變化，由「行萬里路」的羈旅和忙碌，轉為相對固定的生活空間和閒適的生活節奏。對天氣的記錄和描繪，對與之相關的農事和種植活動的書寫，在楊萬里晚年的詩作中占據了相當大的比重，以「風」、「雨」、「晴」、「雪」等天氣現象命題的詩作十分密集。其晚年詩歌中對天氣的關注和記錄，呈現出豐富的層次和內容，是其日常化寫作的重要體現。

　　楊萬里對天氣的感受和情感是複雜的，天氣書寫也貫穿於楊萬里詩作的始終。早年宦遊時期的天氣書寫與旅行有著密切的聯繫，如〈考試湖南漕司，南歸值雨〉、〈負丞零陵更盡，而代者未至。家君攜老幼先歸，追送出城，正值泥雨，萬感驟集〉、〈明發新淦，晴快風順，約泊漳鎮〉[4]等，注重體現天氣對行旅及路況的影響。

　　而他晚年與天氣相關的書寫，則常常與農作物、植物的命運及個人心境有著密切的關聯。天氣是詩人每天都需要關注到的現象，出於農事活動的需要，對氣象的記錄自然是必要的。但是這種日記式的描繪與日常化的寫作則反映出楊萬里的一種創作傾向──即透過對農事、天氣這樣日常生活的記錄，切實地感知生活本身的節奏和溫度。

　　楊萬里晚年寫雨的詩作主要有兩種傾向，一是「苦雨」，一是「喜雨」。風雨天氣具有一定的破壞作用，但雨水同時也是農業收成的關鍵因素之一，因此楊萬里寫雨常懷有複雜甚至矛盾的情感。表達「苦雨」之情的詩作關注到風雨天氣的兩面性，不僅是對農作物，對花木也會有摧殘。在這種矛盾而牽掛的心態下，楊萬里晚年創作了非常多記錄和描繪風雨的詩歌。

表一　表達「苦雨」情感的詩作

詩題	相關內容	卷數、頁碼
〈久雨小霽，東園行散〉	雨寒兩月勒春遲，初喜雲間漏霽暉。道是攀花無雨點，忽然放手濺人衣。	卷三十六、一八九六
〈積雨小止，暫到東園，雨急歸〉	城市簷間堪繫纜，山溪夜半失危橋。	卷三十七、一九〇一
〈春半雨寒，牡丹殊無消息〉	寒暄不定春光晚，榮落俱遲花命長。才一兩朝晴炫野，又三四陣雨鳴廊。	卷三十八、一九六六
〈至後與履常探梅東園〉	雨澀風酸悶卻春，日光初暖倍精神。	卷三十九、二〇七二

4　（宋）見楊萬里撰，辛更儒箋校：《楊萬里集箋校》北京：中華書局，2007年。以下引用詩集內容隨文標示卷數，不再單獨出注。

詩題	相關內容	卷數、頁碼
〈久雨妨于農收，因訪子上，有歎〉	未霜楊柳秋猶碧，既雨芙蓉晚更明。 旱歲嫌晴不嫌熟，今年教熟不教晴。	卷四十一、二一六三
〈十月久雨妨農收，二十八日得霜遂晴，喜而賦之〉	逗曉雙棲鵲，巡簷數喜聲。 呼兒洗塵甑，忍餓待新粳。	卷四十一、二一八八
〈雨中問訊金沙〉	若恨昨朝來草草，夜來風雨更禁當。	卷四十二、二二五一

從表一中可以看出，「久雨妨農收」，「苦雨」的原因主要是擔心澇災對農田的損害，以及由此導致的糧荒和饑餓。同時，風雨天氣也會造成對花木的妨害和摧折，「榮落俱遲花命長」。與之相對，其晚年詩作中表現「喜雨」之情的詩作卻更多，亦多與農事活動密切相關。

表二　表達「喜雨」情感的詩作

詩題	相關內容	卷數、頁碼
〈喜雨〉	歲歲只愁炊與釀，今愁無甑更無瓶。	卷三十六、一八七〇
〈六月初四日往雲際院，田間雨足，喜而賦之〉	去年今日政迎神，禱雨朝朝禱得晴。 今歲神祠免煎炒，更饒簫鼓賽秋成。	卷三十六、一八七二
〈南溪早春〉	更入新年足新雨，去年未當好時豐。	卷三十八、一九五八
〈己未春日山居雜興十二解〉	其一 今歲春遲雨亦然，生愁無水打秧田。 不消三日如麻腳，線樣溪流浪拍天。 其九 寒久花遲也大奇，雨膏飽足土膏肥。	卷三十八、一九九〇
〈久旱禱雨不應，晴天忽落數點〉	烈日秋來曬殺人，青天半點更無雲。 忽傳天上真珠落，未到半空成水銀。	卷四十、二〇九六
〈初夏即事十二解〉	百日田乾田父愁，只銷一雨百無憂。	卷四十一、二一四一
〈夏夜喜雨〉	今歲應須熟，餘生有底愁。 無人知喜事，課僕織新篘。	卷四十一、二一五三
〈九月三日喜雨，蓋不雨四十日矣〉	稻裡雲初活，蕎梢雪再鋪。 老農啼又笑，欲去且安居。	卷四十一、二一五七
〈六月二十四日，病起喜雨聞鶯，與大兒議秋涼一出遊山〉	暑中竹色風仍雨，病裡鶯聲喜破愁。	卷四十二、二二一三
〈病中喜雨，呈李吉州〉	兩日炎暉烈未收，連宵甘澍沛如流。 大田今日非昨日，多稼新秋賽舊秋。	卷四十二、二二四三

由上表可以看出，楊萬里晚年的詩作多次直接在詩題中點出「喜雨」的欣喜。表達「喜雨」之情的詩作多是出於農事收成的考慮，雨水對農田的灌溉和水分的滋潤有著重要的作用，因此，對甘霖降臨的喜悅之情也頻繁地被楊萬里寫入詩中。

除了關注和記錄雨天，對雪天的描寫同樣有很多。如果說對雨的記錄多與農事有關，雪則更多和植物花木結合在一起來書寫。晴雪書寫本身就透露出雅致的基調和意味，而對雪的描寫又常常和賞梅、品茗、唱酬這樣的活動聯繫在一起，使得其天氣書寫不完全是對農事的反映，而在某種程度上更可以說是契合了楊萬里自身的心靈軌跡。對天氣的記錄一方面是客觀的，但氣象風貌的具體描繪、對天氣的感受和解讀又具有很強的主觀性。

其一是透過記錄賞雪，來傳達雅致的情趣。如卷三十六〈與子上雪中入東園望春〉、卷三十六〈雪後東園午望〉、卷三十七〈雪後領兒輩行散〉等詩作，或書寫賞雪的興致，或表達雪對詩興的促發。而賞雪又常常和賞梅活動聯繫在一起，如卷三十七〈至後十日雪中觀梅〉「小樹梅花徹夜開，侵晨雪片趁花回。即非雪片催梅發，卻是梅花喚雪來」，寫出了詩人雪中觀梅的雅興。雪中吟詩也是閒情的一種體現，是與官場的繁忙相對的一種閒靜的狀態。

其二是書寫苦於雪寒、心疼花木。如卷三十七〈冬至霜晴〉「絕憐寒菊枯根底，留得殘霜過日中」。苦寒的原因之一是對花木生命的共情。楊萬里自身有相當豐富的種植經驗，詩作中亦不乏相關的記述，如卷三十六〈為牡丹去草〉、卷三十七〈料理小池荷〉、卷三十八〈添盆中石菖蒲水仙花水〉、卷四十一〈南溪上種芙蓉〉等。楊萬里對植物花木有著深切的共情，對於雪亦懷有較為矛盾的心理，一方面苦於雪寒及其對花木可能造成的摧折，但梅花和園林又在雪意中備顯詩意和情韻，體現出又愛又苦的兩難，以及豐富的感慨與思索。

二　日期與節序──詩題的「日記體」特色

楊萬里晚年詩作的詩題具有非常鮮明而顯著的特點。前文已經提到，其晚年詩作特別喜歡以天氣現象命名，體現了對農事和氣象的關注。此外，還主要體現在以具體日期命名和以節氣或節日為契機進行創作。

一是常以具體日期命名。「宋代詩人多在詩中寫明年月，有時也用自序和自注的形式，記下有關創作時期等內容資訊」[5]。詩題中出現的時間，不僅交代了詩作創作的具體背景，而且可以理解為有意為之的「日記體」──他想要透過詩文，印刻下其晚年生

5　（日）淺見洋二著，金程宇、岡田千穗譯：《距離與想像──中國詩學的唐宋轉型》上海：上海古籍出版社，2005年，頁328。

命的足跡，更突顯出老年人的日子「數著過」的這樣一個特點，從某種程度上反映出其晚年鄉居及創作的心態。

表三　以日期命名的詩作

詩題	卷數、頁碼
紹熙三年（1192）壬子秋～慶元元年（1195）乙卯春	
〈十月四日同子文、克信、子潛、子直、材翁、子立諸弟訪三十二叔祖于小蓬萊，酌酒摘金橘小集，戲成長句〉	卷三十六、一八四一
〈癸醜正月新開東園〉	卷三十六、一八四三
〈甲寅二月十八日牡丹初發〉	卷三十六、一八五四
〈四月三日登度雪台感興〉	卷三十六、一八六五
〈六月初四日往雲際院，田間雨足，喜而賦之〉	卷三十六、一八七二
〈六月將晦，夜出凝歸門〉	卷三十六、一八八〇
〈十六日夜，再同子文、巨濟、叔粲南溪步月〉	卷三十六、一八八四
〈重九前四日晝睡獨覺〉	卷三十六、一八八五
〈重九後二日，同徐克章登萬花川穀，月下傳觴〉	卷三十六、一八八五
〈乙卯春日三三逕行散有感〉	卷三十六、一八九三
慶元元年（1195）乙卯二月～明年（1195）八月	
〈二月十四日留子西、材翁弟晚酌〉	卷三十七、一八九九
〈四月二十八日祠祿秩滿罷感恩，進退格〉	卷三十七、一九〇一
〈六月十六日夜南溪望月〉	卷三十七、一九〇四
〈十一月朔早起〉	卷三十七、一九一六
〈至後十日雪中觀梅〉	卷三十七、一九二三
〈丙辰歲朝行東園〉	卷三十七、一九三一
〈六月晦日〉	卷三十七、一九四一
〈八月十二日夜，誠齋望月〉	卷三十七、一九四五
慶元二年（1196）丙辰冬～慶元五年（1199）乙未	
〈積雨新晴，二月八日東園小步〉	卷三十八、一九六六
〈己未春日山居雜興十二解〉	卷三十八、一九九〇
慶元五年（1199）乙未冬～嘉泰元年（1201）辛酉夏	
〈庚申東園花發〉	卷三十九、二〇二〇

詩題	卷數、頁碼
〈十一月十九日折梅二首〉	卷三十九、二〇三〇
〈辛酉正月十一日東園桃李盛開〉	卷三十九、二〇七七
〈上元後一日往山莊訪子仁，中途望見莊裡李花〉	卷三十九、二〇七八
嘉泰元年（1201）辛酉秋～嘉泰二年（1202）壬戌春	
〈七月十一夜月下獨酌〉	卷四十、二〇九四
〈上元前一日遊東園看紅梅〉	卷四十、二一一五
嘉泰二年（1202）壬戌夏～嘉泰三年（1203）癸亥冬	
〈九月三日喜雨，蓋不雨四十日矣〉	卷四十一、二一五七
〈十月久雨妨農收，二十八日得霜遂晴，喜而賦之〉	卷四十一、二一八八
嘉泰三年（1203）癸亥冬～開禧二年（1206）丙寅夏五月	
〈十二月二十七日立春夜不寐〉	卷四十二、二一九六
〈甲子初春即事〉	卷四十二、二一九九
〈二月十四日，曉起看海棠〉	卷四十二、二二〇一
〈五月十六夜，病中無聊，起來步月〉	卷四十二、二二〇八
〈六月二十四日，病起喜雨聞鶯，與大兒議秋涼一出遊山〉	卷四十二、二二一三
〈去歲四月得淋疾，今又四月，病猶未愈〉	卷四十二、二二三七
〈五月三日早起，步東園示幼輿子〉	卷四十二、二二五四

這種用時間來標示詩作的習慣，並不是到晚年才養成的。在其早年的詩歌中，也有不少直接在詩題中標明具體日期的，但宦遊時詩作的日期更多是用來紀行。紀行詩中的時間、地點常常有對應關係，常在地名後加上「道中」來命名。更多情況下則以地點為綱，也就是圍繞其空間位置的變化，來選取和變換詩作的中心主題和核心意象。

　　而趨向於中晚年的詩歌則更多以時間為綱，多為具體的日期。沒有了以宦遊為生活背景的地點流動，生活的空間變得相對固定，由紀行式的描述變成了對日常生活的記錄，充分地展現了楊萬里晚年鄉居的日常生活。

　　二是常以節氣或節日為契機進行創作。注重節氣，和對農事活動的關注有一定的關係。而特殊的節日沉澱下來的特別的文化意味，本身就容易觸發聯想，惹人情思。換言之，這既是一種日常化的寫作，又是一種超越日常化的寫作，也就是試圖在平淡瑣屑的生活中，主動去尋找一些記憶點。

　　楊萬里很喜歡節氣或節日來命題，如卷三十六〈上巳日，周丞相少保來訪敝廬，留詩為贈〉、卷三十六〈同子文、材翁、子直、蕭巨濟中元夜東園望月〉、卷三十六〈人日

後歸自郡城〉、卷三十六〈中和節日步東園〉、卷三十七〈丞相周公招王才臣中秋賞桂花，寄以長句〉、卷三十九〈夏至雨霽，與陳履常暮行溪上〉、卷四十二〈久病小愈，雨中端午試筆〉等。值得注意的是他晚年詩作中涉及元日和立春的書寫。

元日和立春都有標示一年起點的意義。歲始春初，是一年的開始，是生命經過了寒冷的冬天重新勃發的一個時間節點，往往和生命力的勃發和重新湧現有關，對於老病的楊萬里來說，極其容易觸景傷情，且料峭春寒對於他的身體來說也有一定影響。

他常常以此為契機表達時光流逝的感慨和老病衰殘的憂慮，如卷三十六〈立春檢校牡丹〉「東風從我袖中出，小蕾已含天上香。只道開時恐腸斷，未開先自斷人腸」，卷四十二〈十二月二十七日立春夜不寐〉「擁裯卻起蒙頭坐，顧影真成一病猿」，明明是立春，自己卻纏繞在疾病之中，體現出生命力的鮮明對比。再如卷四十二〈乙丑改元開禧，元日〉「老子年齡君莫問，屠蘇飲了更無兄」，卷四十二〈除夕送次公子入京受縣〉「汝趁暄和朝北闕，我扶衰病見東風。弟兄努力思報國，放我滄浪作釣翁」，多表達隨著年齡增長而累積的老病、衰殘和愁緒。但同時，他也沒有沉溺於這種自憐自哀的情緒，而是作詩給自己開懷。

總之，詩題中的日期與節序，是理解和分析楊萬里晚年詩歌日常化寫作的一個重要視角。

三　記錄與安閒——鄉居瑣事與生活細節

詩歌是楊萬里晚年記錄生活的重要載體，日常生活的細節也為他的寫作提供了大量的素材。記錄本身就是對過往生活的存證，也是一種對自身生命軌跡的遵循和尊重。日常化的記錄，使得看似平凡的生活也獲得了被鄭重珍藏的儀式感。

相比於登高覽勝之時的快意悵然，宦海浮沉時的複雜形勢，晚年日常生活本身可能顯得較為平淡，並伴隨著大量瑣碎的生活細節。楊萬里沒有規避這一點，雖然也有選擇和摘取，但多是他關注和在意的事物。對鄉居生活的記錄主要體現在對平凡生活細節和微妙感受的捕捉，如乘涼、曬衣、吃水果、聽蚤聲[6]等。隨手拾得生活的細節，一些看似平常的小事，引人重新看待和審視習以為常的生活。

其一是對睡眠過程及其觀察的全方位記錄。在詩作中常常表現為「曉起」、「晝寢」、「夜坐」、「枕上」、「不寐」等具體表述。依然可以看詩題：寫「曉起」或「午睡起」的如卷三十六〈曉起探梅〉、卷三十七〈十一月朔早起〉〈暑中早起，東齋獨坐〉、卷四十〈中元日早起〉〈秋暑午睡起，汲泉洗面〉、卷四十〈火閣午睡起負暄〉、卷四十

6　見卷三十六〈泉石軒初秋，乘涼小荷池上〉、卷三十六〈嘗桃〉、卷三十七〈蚤聲〉、卷三十九〈觀棋感興〉、卷四十〈曬衣〉、卷四十一〈秋夜極熱〉。

一〈午睡起〉、卷四十二〈雨後曉起看山〉等;寫「晝寢」的如卷三十六〈雪後東園午望〉「天色輕陰小齋中,晝眠初醒未惺忪」,卷三十六〈重九前四日晝睡獨覺〉;寫「夜坐」、「枕上」的如卷三十六〈枕上聞子規〉、卷四十二〈春盡夜坐〉;寫「不寐」的如卷三十六〈入郡城泊文家宅子,夜熱不寐〉、卷三十八〈春夜無睡,思慮紛擾〉、卷四十〈不睡〉、卷四十一〈不寐〉、卷四十二〈十二月二十七日立春夜不寐〉等。

對睡眠各個環節活動的日常書寫和具體描繪,某種程度上反映了其生活空間的邊界,體現了他在生命相對靜止狀態下的觀察,以寫詩的方式暫時去撫平和緩解自己的情緒波動。在這類記載其睡眠所思「枕上」「曉起」的詩作中,最常描繪的就是藥物、時間、聲響、天氣,也勾勒出他的生活環境和生活節奏。

其二是對散步活動的日常化記錄。如卷三十六〈東園幽步偶見東山〉〈雨後步東園〉〈雨後子文、伯莊二弟相訪,同遊東園〉〈中和節日步東園〉、卷三十七〈與侯子雲溪上晚步〉〈新晴,東園晚步〉〈曉行東園〉〈東園晴步〉〈上巳日複同子文、伯莊、永年步東園〉、卷三十八〈積雨新晴,二月八日東園小步〉、卷三十九〈與子上野步〉〈夏至雨霽,與陳履常暮行溪上〉、卷四十一〈暮行田間〉、卷四十二〈初夏病起,曉步東園〉〈五月三日早起,步東園示幼輿子〉等。

散步的契機和場景豐富多樣,但也有較為集中的軌跡和規律。趁雨後新晴,或是晨間暮色,攜親友漫步田間、溪上、東園。散步是其日常化的生活節奏,也是其相對靜止的生活狀態中最主要的活動。這部分詩歌不僅僅寫散步觸發的隨感,而且將散步的過程和細節本身也寫入詩中,充分將寫詩和日常生活融合在一起。

其三便是對「閑」的體認和描繪。「閑」與「忙」相對,是對忙碌生活狀態的抽離。對於晚年的楊萬里來說,「閑」時的內心安定是生命真正的勳績和意義,「道是閑人沒勳績,一枝樵斧一漁蓑」(卷四十〈醉吟〉)。自我實現的途徑足夠,反而不那麼在意功名利祿了。

「閑」一方面是楊萬里生活狀態和心境的追求,另一方面也貼切地概括了其晚年生活狀態。楊萬里晚年生活的主基調是閒適的,詩文中有不少對「閑」的記錄。安閒的生活為他提供了觀察和記錄的時間,以及悠然的心境。他對閑的書寫有時是表達對「閑」的嚮往,或者是一份閒情逸致,如卷三十八〈添盆中石菖蒲水仙花水〉「無數盆花爭訴渴,老夫卻要作閒人」,卷四十〈宿城外張氏莊,早起入城〉「送舊迎新也辛苦,一番辛苦兩年閑」。另有客觀描寫「閑」的狀態和有條不紊的生活節奏,或是具體描寫閒時的活動,極寫自己長期居閑的穩定狀態,如卷三十六〈十六日夜,再同子文、巨濟、叔椠南溪步月〉「天下無人閑似我,秋邊有句說從誰」。

然而他對閑並不是全然享受的,有時,閒適安逸的另一面就是無聊。閒適的生活狀態裡也包含著無趣和意志的消磨。如卷四十一〈癸亥上巳即事〉「曬書仍焙藥,幽事也勞神」和卷三十七〈歲晚歸自城中,一病垂死,病起遣悶〉「索居獨寡歡」,便體現出閒

居生活的無聊、孤單和勞神。楊萬里又及時地意識到，「閑」是難能可貴、可遇不可求的舒適，對自己而言實屬非常幸運。「眊䎫渾如病起初，冬烘又似酒醒餘。睡鄉幸有閒田地，不放詩人儎一居」（卷四十〈不睡〉），「閑」意味著不必奔波於生計，也可以遠離人群的聒噪與打擾。

　　而這種記錄的習慣，也體現出「史」的意識在文人士大夫知識結構和價值追求中的地位，以「史筆」為高。相對於更需要客觀記錄、反映宏觀時代背景、主旋律的史書記載而言，詩文這種相對個人化、主觀化的創作，在記錄功能的體現上，則更多地是求諸自身。換言之，關注除了重大歷史事件之外，個體的命運和經歷、觀察、見聞，從而構成時代大背景下小小的一環，也能從某種程度上反映時代風貌的一隅，據此管窺士人的心態和生活狀態。日常化的記錄從這個意義上來說，是個人痕跡的流露和記錄。記憶同時也可以對抗遺忘。

四　老病與超越──自我寬解與生命意識

　　「當宋人大談『性情』、『義理』之時，實際上已涉及到詩歌調劑個人情感的心理功能。對於宋人來說，詩不只是治世的藥石、衛道的工具，更是娛心的絲竹」[7]。日常化寫作能在歷史記敘之外，透過詩歌的描繪，賦予個人的感觸和人的溫度，達到自我調節和自我寬解的作用。

　　楊萬里晚年的詩歌創作，其詩材的範圍被限定在了一個較為固定的環境。對衰老和疾病的記錄、自嘲與感歎，構成了其晚年日常化寫作的重要內容和心境的底色。這不僅是其晚年生活的日常，某種程度上也反映出其晚年鄉居與創作的心態和自我詮釋──作為一個病人，作為一個老人，如卷四十二〈族人同諸友問疾〉「老無星事可營為，政是長閑好病時。兩腳倦行贏得坐，一生欠睡頓還伊」，卷四十二〈自遣〉「莫將一病苦憂煎，山尚能遊石可眠。匹似病風兼病腳，老夫猶是地行仙」。然而，他並不像他詩作中顯示得那樣瀟灑，對「老病」的日常化寫作正是一種在意。時時念及，又時時放下，就這樣在不斷糾結又不斷說服自己的過程中，生命的境界和認識達到了一種螺旋式上升。

　　他的晚年詩作中時常感慨自己的衰老，並著重描寫了隨著年華老去而逐漸稀疏且變白的鬢髮，如卷四十一〈九日菊未花〉「半醉嚼香霜月底，一枝卻老鬢絲邊」，卷四十一〈後一月再宿城外野店，夙興，入城謁益公〉「吹燈覽鏡又匆匆，烏帽新時白鬢空」。

　　疾病書寫在楊萬里晚年的詩作中亦占有不小的比重。有的直接以疾病入詩題，如卷三十九〈足痛無聊塊坐，讀江西詩〉、卷四十二〈病中復腳痛，終日倦坐遣悶〉、卷四十二〈淋疾複作，醫云忌文字勞心，曉起自警〉、卷四十二〈病中止酒〉等；有的寫病後

7　周裕鍇：《宋代詩學通論》上海：上海古籍出版社，2019年，頁49。

派遣抒悶的方式，如卷三十七〈歲晚歸自城中，一病垂死，病起遣悶〉，卷四十二〈六月二十四日，病起喜雨聞鶯，與大兒議秋涼一出遊山〉；或單純寫疾病的狀態，如「不是愁中即病中」、「長被春容惱病翁」、「泉石膏盲欸病身」等。

楊萬里本就因鄉居而導致了生活空間的縮小，而衰老和疾病使得其生活環境變得更加靜止和固定。卷三十九〈足痛無聊塊坐，讀江西詩〉「老來非愛病，不病亦何為」，卷四十二〈病中複腳痛，終日倦坐遣悶〉「誰知病腳妨行步，只見端居道坐禪。……世人總羨飛仙侶，我羨行人便是仙」，體現出對老病給自己生活帶來的困擾和無奈。

日常化的記錄，透過自嘲的方式，達到的是自我寬解的目的。如卷四十二〈自遣〉「莫將一病苦憂煎，山尚能游石可眠。匹似病風兼病腳，老夫猶是地行仙」，文學創作的日常化本身成為了一種良性的宣洩方式，用以消解痛苦的感受，與自己和生活達成一種和解，而詩作也定格下自我勸慰的過程。因為無法改變既有的事實，所以選擇開懷，改變自己的心態，將其記錄下來，將自身經歷的一切都吞吐成繼續面對生活瑣碎和真相的力量和底氣，以抵禦內心和外界雙重的壓力和挑戰。回歸生活本味，而依然擁有熱愛生活、與之抗衡的內心。

而楊萬里也將自己的生命意識，寄託在植物書寫的自喻化表達之中。生命意識的自喻化表達，不僅是一種投射和聯想，更是楊萬里對植物的一種認同和心靈歸宿的感覺。可以說，楊萬里將對自己的期待，對生命狀態的期待，以及將自己本身，充分地融入在植物所構建的這樣一個日常生活空間裡，從而使其自喻性表達變得非常自然而合理。

植物隨著時間的流逝和增長，獲得的是年復一年的紮根和蓬勃，是生命力量源源不斷的輸出，是哪怕風雨摧殘依然支撐著的一股力量。而植物的衰殘也很容易讓人觸景生情，花木中亦蘊藏了時間的流逝。

其一是「病中得知花開」的結構。「萬類欣欣一老悲，物華豈是不佳時。病夫自與春無分，好景非於我獨遺」（卷四十二〈病中春雨，聞東園花盛〉）。在病中得知花開柳盛，一方面是對自身生命力的啟動，另一方面也在襯托下增添一份傷感。「老去春來已薄情，體中病後更吟嚬。海棠紅釀飛成雪，楊柳金濃染作青」（卷四十二〈病中感春〉），將疾病和花木旺盛的生命力對立起來，將花木的衰殘和自己的老病之狀結合起來，體現了植物本身與生命氣息的關聯。雖然植物的盎然生機會觸發對比聯想而自憐衰殘，但另一方面，植物和其構築的富有生命力的空間，也正是詩人尋求心靈慰藉的一種方式。

其二是一個較為特別的意象：瓶花。有的直接在詩題中指出，表明吟詠的物件，如卷四十〈瓶中淮陽紅牡丹落盡有歎〉。卷四十二〈久病小癒，雨中端午試筆〉「月季元來插得成，瓶中花落葉猶青。試將插向蒼苔砌，小朵忽開雙眼明」，則表現出瓶花對室內的點綴作用，以及香氣對人心境的平和作用；卷三十七〈梅菊同插硯滴〉「兩枝殘菊兩枝梅，同入銀罌釀玉醅。待得陶泓真個渴，二花酒熟與三杯」，卷四十一〈初夏即事十

二解〉「檻中紅藥趁春歸，瓶裡苟留三兩枝。一片落來能戀我，葉梢閣住不教飛」，表現出楊萬里晚年與瓶花的互動，以及生命狀態的相似之處。

相對於自然界中自然生長的花朵，瓶花的生命空間被侷限在室內的一個容器裡，正如宦遊四方的詩人自己，晚年回到家鄉一隅。但他並不以此為侷限，而認為可以免除風吹雨打，是一種保護，是可以令人自足、自洽、自適的一個空間，如卷四十〈瓶中淮陽紅牡丹落盡有歎〉「只愁風雨妒花枝，剪入瓷瓶養卻伊」。

「又是明年看牡丹，未開芍藥怯春寒。落英滿地不須掃，一片蔫紅也足觀」（卷四十〈瓶中淮陽紅牡丹落盡有歎〉）。與生長在土壤裡的自然界的花朵相比，瓶花的根底並不深厚，很難與其他景物形成自然而緊密的聯繫，卻也能藉以觸發楊萬里對自然花朵的聯想，更是病中的詩人接觸自然的一個視窗，是鮮活生命氣息的一種體現。

五　結語

本文對楊萬里晚年詩歌的日常化寫作進行了專門的探討。楊萬里晚年歸鄉退居，其詩作中的天氣書寫，常常與植物的命運及個人心境有著密切的關聯。天氣書寫的密集，表現出鄉居背景下的農事關切、對花木的共情以及雅致的情趣。詩題也是管窺楊萬里詩歌日常化寫作的一個重要視角，以具體日期、節氣和節日來命題，詩題的「日記體」特色亦是楊萬里晚年日常化寫作的重要的形式特點。

而在詩作的具體內容中，則記錄了大量的鄉居瑣事與生活細節，體現出記錄的自覺和對「閑」的體認。日常化的書寫不僅能起到記錄的作用，也是情感宣洩和內心調適的重要方式。對衰老和疾病的自嘲與感歎，構成了其晚年日常化寫作的重要內容和心境的底色。這不僅是其晚年生活的日常，某種程度上也反映出其晚年鄉居與創作的心態和自我詮釋。楊萬里也將自己的生命意識，寄託在植物書寫的自喻化表達之中，在日常化的記錄之上，努力達成自我寬解和生命意識的超越。

總之，本文較為細緻而多方面地梳理了作為個案的文人士大夫楊萬里的日常化寫作。同時，也是想透過細緻梳理這個個案，來進一步推及南宋退居型士大夫晚年歸鄉之後，寫作特點的變化及其日常化的具體體現，並以此來加深對宋詩「日常化」這一特點的豐富內涵的理解。同時，對於「日常化」這一概念，也可以有豐富而多元的思考角度。日常化記錄其實也是有挑選的，是經過了加工的「日常化」，絕非事無巨細。從詩人記錄的傾向就可以看出他主要的生活狀態，和最為看重、關注的相關細節問題。

當然，對於日常化寫作，也不必過分拔高，因為的確存在不少重複、機械、寡然無味的內容。在看到日常化寫作意義的同時，也不必諱言其侷限性。

「不欺室」詩文唱和與楚東詩社
的政治緣起[*]

周沛

河北　廊坊師範學院文學院

　　隆興二年（1164）起，王十朋、何麒、陳之茂、洪邁、王秬、張孝祥等人相繼展開唱和活動，逐漸形成了著名的楚東詩社。學界對這一詩社的研究頗多，但現有觀點普遍認為詩社是在隆興和議政局相對穩定的情況下，詩人們切磋研討詩藝的產物，對詩社緣起與朝廷政爭、各人從政理念與政治活動心態闡發間的關聯，缺乏深入的認識和把握。[1]要弄清這一問題，詩社興起初期的一組同題唱和可謂關鍵線索，這就是圍繞王十朋「不欺室」展開的題寫唱和之作。

　　王十朋，字龜齡，號梅溪，溫州樂清人，「不欺室」為其書齋名，最早見於紹興三十一年（1161）王氏因言事自請罷館職、去國還家後所作的〈書不欺室〉詩中。有趣的是在此詩完成後的三年間，王氏集中再未見「不欺」字眼的出現，這首詩在他人那裡亦未引發反響，除林之奇〈和王龜齡不欺堂〉二首，[2]從體裁來看與〈書不欺室〉同為七言絕句，此外無其他作品，然而就詩歌對「不欺」的理解所體現的理學思想，林詩又與隆興二年張浚所作〈不欺室銘〉的闡發更為接近，在缺少確切編年的情況下難以斷定具體的寫作時間，因此可以說在紹興三十一年前後，王十朋對書齋的命名和書寫尚未引發足夠關注。直至隆興二年王十朋外任饒州時，圍繞「不欺室」才產生了一系列的題寫、唱和作品。這些創作不僅涉及楚東詩社中的大部分成員，還關聯到張浚等社外人士；創作時間也不止集中在詩社興起之初，而是由王十朋赴饒途中一直綿延至離饒易夔前夕，甚至在其夔州詩中仍有回響，所涉人物之多、所歷時間之長都使得這組作品頗具考察價值。王十朋「不欺室」為何會在隆興年間引發諸人的興趣和關注，這些書寫有著怎樣的

* 　基金項目：廊坊師範學院博士（後）科研啟動項目「宋代士大夫文學研究」（XBQ202042）。

1 　現有研究多指出「此詩社活動的時期正是隆興和議之後南宋政局相對平穩之際，故其所吟詠的內容大抵不出詩友贈答、切磋詩藝的範疇，並無涉及過多的社會內容。可以看出，這些士大夫們不過是把結社吟詩作為孤寂清冷的宦涯生活點綴」，如歐陽光主編：《宋元詩社研究叢稿》廣州：廣東高等教育出版社，1996年，頁237；丁放，張曉利：〈《楚東酬唱集》考論〉，《安徽師範大學學報（人文社會科學版）》2013年第1期，頁72；但對詩社緣起與詩社成員政治活動、政爭心態的表達間存在的緊密聯繫，則罕有涉及。

2 　北京大學古文獻研究所編：《全宋詩》北京：北京大學出版社，1998年，第37冊，頁22972。

現實背景，體現了諸人怎樣的思想意識和創作心態？透過對現存作品的分析能夠深入解答上述問題。

一　「不欺室」題寫唱和與楚東詩社的興起

始於隆興二年的這次唱和，發端於王十朋向罷相後途經餘干的張浚求作室銘事。由張浚之銘的題注「為饒守王十朋作。越八日公薨，此絕筆也」[3] 及朱熹為張浚所作行狀[4] 可知張浚薨於隆興二年八月二十八日，〈不欺室銘〉則作於八月二十日。現存的四首同韻詩作，除喻良能指明所次為王十朋詩外，其餘三人皆在詩題中表明所和對象為何麒詩，可見此次唱和雖是圍繞張浚為十朋「不欺室」題銘事展開，但首倡者卻非王十朋或張浚，而是何麒。何麒原詩已佚，就現存諸人的次韻之作可以推知當作於張浚題銘後不久。四首和詩亦非一時一地的集體創作，而是四人分別為之。

王十朋詩按照《梅溪集》中的編排，當作於隆興二年十一月或閏十一月間。[5] 詩中以房玄齡比張浚，以魏徵自比，抒發願為賢相良臣的意願和赤膽忠心，表達對張浚的敬意及對其去世的惋惜痛悼之情，末尾以對〈不欺室銘〉的高度肯定作結，從而完成了對全詩主旨「不欺」的演繹。詩中比擬對象的選擇除考慮人物身分的契合外，更與所要強調的內容密切相關，同是肯定「忠懷」、「赤心」，不同身分者側重點又有所不同，在相位者為「憂國」，為言官者則為直諫，履行職責的方式雖有差異，所展現的衷心卻是相同的，在其位盡其職，就構成了王十朋所理解與表達的「不欺」。

王秬詩在具體的創作中雖從頭到尾次韻，但從其詩題〈題不欺室張魏公為王龜齡書也何子應賦詩〉無法看出次韻之意，只是將張浚書銘、何麒賦詩事並舉，表明己詩的創作緣由。在具體書寫過程中，王秬也不似十朋將張浚與自己並舉，交錯互見，而是始終圍繞張浚展開，並將其比作張九齡，一再突顯他意欲平胡的忠心與治國的才能抱負；直至中間「歸來無地展經綸，餘事文章揮健筆」[6] 才以一種看似不經意的方式，過渡到〈不欺室銘〉的創作、將王十朋引入，但也只是輕描淡寫，未明言「文章」與「健筆」的具體所指或對王十朋和不欺室加以展現，僅以「玉節朱轓兩君子，不以交情變生死」

3　曾棗莊，劉琳主編：《全宋文》上海：上海辭書出版社，2006年，第188冊，頁141。

4　（宋）朱熹撰；朱傑人，嚴佐之，劉永翔主編：《朱子全書》上海：上海古籍出版社；合肥：安徽教育出版社，2002年，頁4437。

5　（宋）王十朋：〈次韻何子應題不欺室〉詩位於〈十月望日同官會飯薦福送酒〉、〈生日示閭詩閭禮〉（十朋生日在十月二十八日）至〈閏月三白三首〉之間。據《宋會要輯稿》，如〈禮〉十八：「隆興二年閏十一月二日，禮部、太常寺言：『討論沿江祠廟等告祭事，乞依紹興三十二年指揮禮例』」與〈職官〉41：「隆興二年閏十一月十二日，吏部言……從之」見劉琳等點校：《宋會要輯稿》上海：上海古籍出版社，2014年，頁969、4057，可知隆興二年閏十一月，由此推知此詩大致作於這兩月間。

6　北京大學古文獻研究所編：《全宋詩》，第37冊，頁22994。

　　將十朋與張浚並推為「兩君子」，共贊二人的人品氣節。末尾結以「共將新句紀遺編，留與山林續詩史」，既可視為對友人和自己所賦詩作的肯定，又可理解為對參與賦詩唱和諸人的勉勵與期盼，算是暗中將何麒等題寫者納入詩中。此時身為洪州通判的王秬，當是在見到何麒詩後不久創作此詩，時間上應與王十朋詩相先後。

　　作為王十朋曾經的太學同舍、科舉同年、越幕同僚，此時又共事於饒州的喻良能，或許也曾見到何麒原詩，但由其詩題標明〈次韻王龜齡侍御不欺室〉可知是針對十朋和詩而發，當完成於王詩之後。其作內容也始終緊扣王詩，是從盡人臣之責的角度展開，只是與王十朋在一句之中、一筆之內並寫己身與魏公，並將著眼點更多地置於對魏公與銘文的書寫不同，喻詩是將更多的筆墨用於對曾經身為侍御史的友人直言敢諫的赤膽忠心的褒揚，這從詩題直呼十朋為「侍御」也可看出，直到末四句才轉入對張浚之死的惋惜及對〈不欺室銘〉的稱賞。

　　與此相似的還有張孝祥的和詩，張詩雖題為《和何子應賦不欺室韻》，但除用何詩原韻外看不出與何麒間存在任何關聯，在表現內容上亦以王十朋作為出發點和立腳點，詩末對張浚及其銘文的肯定，同樣是由對王十朋的贊揚及十朋與張浚的交往引出，因而可以說張孝祥詩雖在題中未及十朋，但與喻叔奇一樣唱和的對象和預設讀者都是王十朋。張孝祥和詩事發生在乾道元年（1165）五月，自蕪湖赴廣西經略安撫任途經饒州時，此時何麒已經去世，[7]身為鄱陽守的王十朋與張孝祥相會並示以《楚東酬唱集》，孝祥因此得觀何麒詩並有此次韻之作。另據王十朋詩注可知，張孝祥還曾表示「欲盡和楚東酬唱集」，[8]是否遍和今已不得而知，但其「不欺室」詩卻能幫助今人確定已經亡佚的《楚東酬唱集》中收有諸人關於「不欺室」的唱和之作。

　　目前的研究成果多將何麒發起的「喜雨」詩與「題不欺室」詩的相關次韻，認定為楚東詩社最早的作品，但從現存資料來看，其實不足以斷定「喜雨」詩是否收入楚東集中。丁放曾認為張孝祥〈王龜齡賦喜雨，諸賢畢和，某客行半月未嘗晴也，故於末章云〉是對何麒首倡〈喜雨〉詩的和作，對此劉寧已指明孝祥詩所和為王十朋詩〈五月二十日閔雨〉。[9]且從二詩本身也可看出差異，何麒「喜雨」詩雖已不全，但從王十朋兩首

7　據現有資料與研究成果推測何麒當卒於乾道元年（1165）春，參《夷堅志》乙志「劉蓑衣」條及丁放：〈《楚東酬唱集》考論〉，《安徽師範大學學報（人文社會科學版）》2013年第1期，頁72；劉寧：《楚東詩社研究》山東：曲阜師範大學碩士學位論文，2016年4月。

8　（宋）王十朋：〈五月二十五日餞安國舍人於薦福洪右史王宗丞來會坐間用前韻〉：「待將紅藥翻階句，別作鄱陽一集編」，自注云：「張欲盡和楚東唱酬集，故云」。見（宋）王十朋著；梅溪集重刊委員會編；王十朋紀念館修訂：《王十朋全集（修訂本）》上海：上海古籍出版社，2012年，頁315。本文所引王十朋詩文皆出於此書，不再重複出注。

9　參考丁放：〈《楚東酬唱集》考論〉，《安徽師範大學學報（人文社會科學版）》2013年第1期，頁72；劉寧：《楚東詩社研究》山東：曲阜師範大學碩士學位論文，2016年4月。何麒〈喜雨〉詩今僅餘殘句「人間正作雲霓望，天半忽驚霖雨來」，王十朋有和作〈次韻何憲子應喜雨〉、〈登綺霞亭用喜雨韻〉。

次韻之作可知為押灰韻的七言律詩，孝祥詩為押文韻的五言古詩，並非次韻之作甚明；更重要的是，兩次「喜雨」事相隔近一年，何詩所寫為隆興二年十月到任伊始的久旱逢雨，孝祥詩所言則為乾道元年過饒時所遇。因此很難判定為存在唱和關係的一組作品，也無法確定張孝祥所見的《楚東酬唱集》中是否收有何麒「喜雨」詩，不欺室系列唱和便成為目前可以確定的楚東詩社與楚東集中最早的作品。況且即便「喜雨」詩曾收入楚東集，就現存的詩歌數量、所涉的人員規模和影響來看也遠遜於「不欺室」唱和，不妨礙此組作品對楚東詩社所具有的開啟意義。

　　由上述詩、銘，可以看出諸作者對「不欺」的理解和解讀大多圍繞忠君、盡職展開，事實上除前引數作外，同時及稍後還有王十朋的〈寵示室銘帖〉、汪應辰等人為張浚銘所作的題跋，這些作品和唱和詩一起，共同構成了此期圍繞王十朋「不欺室」展開的書寫，「不欺」的思想蘊含也隨之揭出並不斷得到深化。

二　「不欺」思想蘊涵的闡發

　　王十朋最初對「不欺」的闡釋，在〈書不欺室〉詩中已有明確的展現：「室明室暗兩何疑，方寸長存不可欺。勿謂天高鬼神遠，要須先畏自家知」。詩歌發端用「不欺暗室」典故[10]言「方寸不欺」之理，表明即便在無人可見處，也要自覺按照禮義規範約束自我行為、堅守自我修養。「方寸」為心的代稱，心中長存不欺之念，無論「室明室暗」有無他人可見，都不會動搖，這也正是後句「先畏自家知」所要強調之意。「勿謂天高鬼神遠」句又令人聯想到《詩經〈大雅・抑〉，其表現的也是即便獨處於室亦應慎守善德、勿起邪念、不能有愧於心的道理，但《詩經》側重的是鬼神的監察作用，十朋這裡則以對己心的「畏」超越了對天地鬼神監督作用的依賴。王十朋所言的「不欺」要突出的就是「不自欺」，是在毫無監督的情況下亦能堅持君子操守。

　　這首七絕，在四句中已展現出王十朋為書齋命名時對「不欺」之意的最初理解。多年後在其創作的〈寵示室銘帖〉中，他又一次對「不欺」的蘊涵作了更加明確和詳細地闡發。此帖原是某人為〈不欺室銘〉書寫題跋、和作不欺室詩後，王十朋所作的回復。和詩題跋之人今已難考，其所題跋語與所和之詩也無從得見，但由王十朋此篇文字可知，作者應為年長位尊之人，在其所題內容中還表現出以張浚之說為小，以「清靜寂滅」為大的思想傾向，對此王十朋是有所不滿的，於是借回信之機再次對「不欺」的內涵進行申說。

---

10 「不欺暗室」典故，普遍認為出於劉向所記「蘧伯玉」事，亦有言為《毛傳》所載「顏叔子」事，但無論源於何人何事，這一典故的核心意旨都在於樹立並彰顯君子修養與德行操守的典範，表明即便在無人看見的地方也不作昧心事的道理。

　　書劄開篇王十朋首先指出自己以「不欺」銘室的意圖在於「效古人坐右銘，聊以自警」，是要以「不欺」來進行自我警策和激勵。接下來他就借由張浚所釋涵義對其中承續的儒家思想傳統進行解說，並對對方以佛老語訓「不欺」表示批駁與反對。其中提及「金華子之學，亦雜於佛老」，「金華子」即何麒，是「不欺室」詩的首倡者，其思想上雖頗含佛老傾向，但在不欺室詩中卻未雜糅此類思想，因而王十朋特意在此提及他並以其詩為例對這位「長者」進行指摘。此處未引何麒「不欺室」詩而是以〈讀和韓詩〉為例，一方面當與對方作為和詩者，對何麒原唱應已相當熟悉有關；另一方面更與王十朋引用「想見大顛師，不應談瀉麼」二句的意圖密切相關。大顛是韓愈貶潮州時結識的一位僧人，韓愈評其「頗聰明，識道理」，甚願與其相談。何麒詩中「瀉麼」一語本為唐宋時期的俗語，後成為禪林用語，與「恁麼、異沒、伊麼」等相同，皆為「如此，這樣」之意。「不應談瀉麼」即不應談這些、不應如此談，「瀉麼」所指顯然為詩歌前半所言內容。何麒詩已佚，此二句前所談為何難以知曉。但由王十朋同韻作品可知〈讀和韓詩〉與「不欺室」唱和一樣，也是何麒、王秬、洪邁、十朋等人的一組次韻酬唱之作，詩體皆為五言長篇，「麼」字句位於全詩最末，詩歌內容主要是力贊韓愈興文起衰、排斥佛老的「力欲拯頹挫」之功，因此何麒詩中或曾寫到大顛與韓愈交往之事，並談及釋教語或佛學思想，結尾處則以大顛與韓愈往來時應該不會談論此類有關佛教的問題作結，「瀉麼」在其詩中指代的當為佛老事。王十朋此處特別提及這首詩歌顯然是針對長者以「神遊毗耶離城，稽首丈室」等釋老語作跋、和詩而發。與韓愈一樣排抑佛老、篤信儒學的王十朋，是要以何詩作為典範來規勸對方，希望他能像何麒那樣學習聰明識道理的大顛在與韓愈交往中所採取的態度，不以對方不喜之語來與其對談，不要以自己所非的佛老之語來訓釋自己的座右銘，更不要以此來對自己以「不欺」名室的意圖妄加揣測、胡亂作解。

　　這一批駁也反襯出王十朋對張浚題銘中所釋「不欺」的肯定，與對儒家之道的堅守。從其對張浚與儒道的回護中，又可見出「不欺」的深層蘊涵與王十朋名室的思想根源。王十朋認為張浚「以合天人為不欺」的說法「深得《中庸》謹獨、《論語》一貫之旨」、「非不廣大，其為訓戒也，亦深且至矣」，評價之高顯而易見。張浚銘文由諸人唱和詩可知原為四十八字，惜今僅存二十四字：「泛觀萬物，心則惟一。如何須臾，有欺暗室？君子敬義，不忘栗栗」。[11]其中無直接言及「合天人」的句子，但起首從觀物的角度入手言自身修養的重要，已可看出作為一名理學家的張浚在詮釋「不欺」時所體現出的理學色彩。此前提及的林之奇〈和王龜齡不欺堂二首〉中「心外何曾別有天，吾心和處即昭然」、「好將天體為心體，體得純全自浩然」，[12]亦是從「合天人」的角度強調

11　曾棗莊，劉琳主編：《全宋文》，第188冊，頁141。
12　北京大學古文獻研究所編：《全宋詩》，第37冊，頁22972。

人應與天融為一體，在對天地萬物的體認中獲得對道的理解，與張浚所釋之意相同。張浚銘文中「如何須臾，有欺暗室」數語，又與前述王十朋〈書不欺室〉詩所用典故相同，從中也可發掘十朋言張浚「合天人」的闡釋「深得《中庸》謹獨」之旨的原因。

「謹獨」即「慎獨」，指的是在獨處時仍堅持謹慎不苟的儒家自我修養與道德觀念，這與張、王二人所用「不欺暗室」典故的蘊涵正相一致。《中庸》言「天命之謂性，率性之謂道，修道之謂教。道也者，不可須臾離也，可離非道也……故君子慎其獨也」。[13]此段內容正可用以說明「合天人」與「不欺」之間的統一關係，既然「性是天之所命，而即人道之根源。道由性出，性由天授」，那麼「究竟言之，天乃人道之原」。[14]簡而言之「道」就是「率天命」，慎獨就是無時無刻不遵循於「道」，時時刻刻都要保持內心對「道」的「誠」，所以不可離於道便是不可離於「性」，也就是不可離於「天」。王十朋正是從「不可須臾離於道」的角度將張浚所釋的「合天人」與《中庸》「慎獨」聯繫在一起。其後他又以孔子「惟天為大」、「吾誰欺，欺天乎」之語來論證張浚之說的廣大深至，也是從對「道」的堅守的角度將理學家所言的天理與聖人之言相勾連。

後來同樣作為理學家的真德秀也指明了這一點。在其所作〈跋張魏公不欺室銘〉中，他以衛武公耄期猶作〈抑〉戒以自儆，來與張浚臨終作〈不欺室銘〉相對比，稱揚魏公「視武公尤有加焉」，還進一步肯定了王十朋和張浚作為「一代正人」，所作詩、銘在旨趣上的相同，[15]點明了「不欺」的蘊含正在於「正心誠意」，這當然還是從理學角度言自我修養，但與王十朋所言的「得《中庸》謹獨之旨」亦相契合。《禮記〈大學〉中「所謂誠其意者，毋自欺也，如惡惡臭，如好好色，此之謂自謙。故君子必慎其獨也」，[16]就說明了「誠其意」與「毋自欺」的一致性，而要做到「誠其意」、「不自欺」，就必須「慎其獨」。同時真德秀「有志於正心誠意」與「一代正人」的評論，與王十朋「不欺室三字參政張公書也筆力勁健如端人正士」的評價，似又對應著張浚將借寓的餘干趙氏書室命名為「養正」並為其作銘事。王十朋曾自言在隆興二年七月初一至餘干拜訪張浚，適逢張浚臥病只以〈養正堂銘〉相示。[17]「養正」與「不欺」正相映襯，顯示出張浚與十朋在為書室命名時以室名為「坐右」激勵自己「致命遂志，反身修德」[18]的

---

13 《十三經注疏》整理委員會整理：《十三經注疏・禮記正義》北京：北京大學出版社，1999年，頁1422。

14 張岱年著：《中國哲學大綱》南京：江蘇教育出版社，2005年，頁178。

15 曾棗莊，劉琳主編：《全宋文》第313冊，頁185。

16 《十三經注疏》整理委員會整理：《十三經注疏・禮記正義》，頁1592。

17 王十朋在其所作〈次韻安國題餘干趙公子養正堂堂張魏公所名也並為作銘〉中「銘成養正首示我」句後自注中言：「公（張浚）以七月朔日至餘干，某訪公於趙公子舍，公以病不及見，出堂銘稿見示。」

18 語出（宋）張浚〈坐右銘〉，據朱熹〈少師保信軍節度使魏國公致仕贈太保張公行狀下〉：「行次餘干，假宗室趙公頤之居而寓止焉。所居之南有書室，公名之曰『養正』，而為之銘……又取《易》象

意圖。後來張孝祥過饒州，十朋寫下〈次韻安國題餘干趙公子養正堂堂張魏公所名也並為作銘〉一詩，並在詩中以「養正堂」和「不欺室」對舉：「銘成養正首示我，室坐不欺深念公」，再次表達出對張浚的感懷之情及以銘文自勵之意。張浚〈養正堂銘〉今存，銘文曰：「天下之動，以正而一。正本我有，養之斯吉。道通天地，萬化流出。精思力行，無忘朝夕」，[19]亦是以「合天人」為旨歸，與〈不欺室銘〉一樣都顯示出觀物體道的理學意味及透過自我修養力行儒家之道的決心和信念。

　　與王十朋同時的汪應辰，也在為〈不欺室銘〉所作的題跋中贊張浚「詞氣凜然，如曾子之戰戰兢兢也，學道之功，豈偶然哉」，[20]這裡的「戰戰兢兢」表達的同樣是對「謹獨」修身之功的稱揚。他用來與張浚作比的對象：曾子，又與王十朋在〈寵示室銘帖〉中提到的「合天人為不欺」得「《論語》一貫之旨」所指相同。「一貫」之語原出自《論語》〈里仁〉，王十朋就曾多次提及「夫子以一貫之道語曾參」、「有曾參者，悟聖人一貫之道者也」。曾子是以「忠恕」二字來概括「一貫之道」的：「言夫子之道，唯以忠恕一理，以統天下萬事之理」。[21]歷代注解《論語》者對「忠恕」多有解說，多從二字本義出發，言「盡己之心為忠，推己及人為恕」；或以孔子語釋「忠」為「己欲立而立人，己欲達而達人」，「恕」為「己所不欲，勿施於人」；[22]「忠恕」相合便成中庸之道。宋儒又多以「體用」言「忠恕」，認為忠為體而恕為用，還明確用「至誠」、「不欺」來闡釋忠恕。王十朋在後來所作的〈廣州重建學記〉中也寫到「郡博士日與諸生登忠恕堂，明一貫之道，講論齊家、治國、平天下之要，於正心誠意間移孝為忠」，也是直接將「忠恕」、「一貫之道」與「正心誠意」聯繫起來，說明在王十朋的理解中這些概念是具有一致性的。「忠恕」中所含有的「盡心」之意，也為諸人在唱和詩中反覆強調「忠心」與盡職提供了依據，當然這種強調又與這些詩歌創作的具體語境密切相關，背後有著清晰的現實指向，體現著唱和者們的複雜心態。

三　盡忠職守──士人身分意識的表達

　　「忠恕」作為儒家的倫理道德追求，在強調內心之「誠」的同時，也提供了外在實踐的行為準則：盡心竭力為人。具體到作為臣子的士大夫身上，就是盡人臣之責，在何職謀何事。王十朋在〈廣州重建學記〉中就指出，出仕為官者要「盡臣子之大節，上不

　　題坐右曰：『謹言語，節飲食。致命遂志，反身修德。』見（宋）朱熹撰；朱傑人，嚴佐之，劉永翔主編：《朱子全書》，頁4436。

19　曾棗莊，劉琳主編：《全宋文》，第188冊，頁140。

20　曾棗莊，劉琳主編：《全宋文》，第215冊，頁206。

21　《十三經注疏》整理委員會整理：《十三經注疏·論語注疏》，頁51。

22　楊伯峻譯注：《論語譯注》北京：中華書局，2012年，頁54。

負天子，下不負賢師帥」，才算真正「明一貫之道」，踐行「忠恕」之旨。從中不難看出，他對自我身分職責的明確認識與自覺踐行的意識。《中庸》在宋代之所以會受到特別的重視，有著特定的政治歷史背景：北宋真宗時就已開始在省試中使用《中庸》命題，仁宗更將賜予進士及第者之文由《禮記》〈儒行篇〉改為《中庸》，君王的親自推行具有導向作用，引發士子對《中庸》的普遍關注和學習；帝王的這種推行看重的當然並非是後來道學家們所重視的心性修養，而是《中庸》在治國理政方面具有的重要意義。[23]這也揭示出王十朋所言的《中庸》之旨在心性修養外還具有與外在政治踐履密切相關的一面。由此反觀前述唱和詩中諸人對張浚、王十朋「盡忠職守」的強調，顯然不是泛泛而發，而是緊扣「不欺」所蘊含的「忠恕」之意與《中庸》之旨而來。諸人之所以在詩中都選擇從「忠心」和「盡職」的角度來闡發「不欺」，正與他們在現實政治中的處境及由此產生的相近的書寫心態有關。

　　首先概括而言，現存詩作的四位唱和者中，十朋、王秬、孝祥皆為張浚北伐的力薦者和支持者，又都因此由中央落職地方，和詩時或處於地方任上或在外放途中：王十朋是因北伐失敗，由侍御史任自劾返鄉後起知饒州；王秬本為樞密院編修，紹興三十一年因上書薦張浚後自請外放通判洪州；張孝祥在張浚出兵北伐時被任為建康留守，後為宰相湯思退所忌以張浚黨落職。可見三人在和詩時的立場和境遇基本相同，由此產生相似心態，流露於詩自然會造成話語選擇上的相似。喻良能雖未有資料表明他受到北伐失敗的影響，但作為王十朋的同舍、同僚和多年好友，在和詩中與友人同聲相應、為友人報不平，似乎也順理成章。同時作為唱和作品，和者在詩中立場心態的表達，又常與原唱者及其詩作內容相關。此外，這次唱和的複雜之處還在於，除何麟原唱外還有一個關鍵的緣起：張浚為王十朋所作的〈不欺室銘〉，因此接下來還要著重考察此次唱和活動得以展開的三個關鍵人物：張浚、何麟與王十朋。

　　張浚現存銘文中並沒有直接提及「忠」的問題，只是談到了「不欺暗室」與「君子敬義」。王十朋次韻詩「坤爻敬義誠君子」明顯是由張浚「君子敬義」化出，「坤爻」則指《易》象而言。若進一步聯繫張浚《紫岩易傳》中對坤卦之爻的闡釋，還可發現其中不僅有「坤在內為括囊，孔子釋之曰：『蓋言謹也』，謹於養德，謹於正也」等符合「不欺」涵義中「謹」、「養正」等內在修養的內容，更有直接點明「坤，臣道也」、「坤有靜厚之德，而六二得中於內，所養博大矣，故動而見於事業。其直可以上通於天，其方可以下法於地。直自敬來，雖闇室不欺也；方自義來，雖死生不變也。吁！為臣若此，安有欺天賣國之事哉？事業之大復何疑也」。[24]「直」作為「內養博大」的體現根源於「敬」，又以「暗室不欺」為一大表現方式，從中正可看出張浚銘文中將「君子敬義」

23 詳參陳來：〈《中庸》的地位、影響與歷史詮釋〉，《東嶽論叢》2018年第11期，頁46。

24 （宋）張浚撰：〈雜記乾坤說〉，《紫岩易傳》卷10，見（清）紀昀等纂：《景印文淵閣四庫全書》臺北：臺灣商務印書館，1986年，第10冊，頁10-257。

與「不欺暗室」相關聯並以此闡釋「不欺」的原因，也可說明王十朋「坤爻敬義誠君子」之語的根源所自，同時還可對諸人一再圍繞緊扣「忠臣」、「直臣」反覆續寫的原因作出解釋。

《紫岩易傳》中對「坤有敬厚之德」的闡釋，在卷一和卷十中曾先後兩次出現，對比之下可以發現：卷一中「為臣若坤六二，又安有欺天失節之事哉？事業之大復何疑也」，[25] 至末卷所附〈雜記乾坤說〉中「失節」已變為「賣國」。據朱熹所作行狀可知，張浚有「《易解》並雜記共十卷」，隆興二年寓居餘干時尤「日讀《易》，更定前說」。[26] 知其在去世前，即為王十朋作銘時期，猶在對《易傳》進行改定，篇末雜記中「賣國」一語的改動或許就是此時的有意為之。雖然這一改動的具體時間和原因難以確考，但從王十朋和詩特意提及張浚「坤爻」之釋及後來張孝祥詩中「誰令浮雲蔽白日」典故的使用，都可看出其中是有著現實指向性的。

隆興北伐失敗後，與主戰士人紛紛罷職離朝相應的是主和派重新占據主導、主持議和，他們對張浚及其支持者多有抨擊之語，直指主戰者懷私誤國，如錢端禮「中原之當復，人皆知為不可緩，恐須時至則可為耳。今士多持以為進身之資，揣摩上意，所以施為之事未嘗有成，徒捐貨財，虛費民力，有用兵之名，無用兵之實。是欲增重兵威而反弱國勢，豈不為鄰人所侮哉」。[27] 張浚臨終絕筆及王十朋等人在不欺室題寫唱和中對「不欺」、「敬義」與己心「忠」、「直」的強調，實則都是針對此類指責而發，是在堅守自我修養、進行自我砥礪的同時，借詩文表明心跡、對自己的盡忠職守進行辯白。

這種意圖是否適用於不欺室唱和的發起人何麒？他與符離之敗間並無直接關聯，他主動為不欺室題詩又是出於何種心態？首先這或許與何麒作為楚東詩社最早的盟主不無關係，只是此時詩社是否已正式成立並展開有組織的活動尚無確切證據，但由何麒題詩引發的這次唱和活動，當為其主盟詩社奠定了基礎。同時由王十朋〈哭何子應〉詩注「公以張魏公薦被召」可知何麒曾受到張浚的舉薦，又與十朋相知，因而在此時賦詩當有為友人抱不平的心理。此外考察何麒生平，還可發現作為一貫反對和議之人，他與張浚、十朋及唱和諸人有著相同的政治立場。早在李綱謫寧江時他就曾遭連坐「累貶降」，[28] 後雖被召還朝，又因秦檜及其親黨李文會的攻擊落職：「（紹興十三年，1143年）冬十月甲申朔，直秘閣、新知邵州何麒落職……麒連為李文會所擊，上疏愬之。秦檜奏麒所言不實，上曰：『此事果實，亦不可行，宜重加竄責，以為士大夫誕妄之戒』」，[29] 此處的「誕妄」即含有欺詐意，這可以說是當年何麒被貶的癥結及此後的心結

25　（宋）張浚撰：《紫岩易傳》卷1，見（清）紀昀等纂：《景印文淵閣四庫全書》，第10冊，頁10-11。

26　（宋）朱熹撰；朱傑人，嚴佐之，劉永翔主編：《朱子全書》，頁4436。

27　（宋）樓鑰撰；顧大鵬點校：《樓鑰集》杭州：浙江古籍出版社，2010年，頁1684-1685。

28　（宋）李心傳編撰；胡坤點校：《建炎以來系年要錄》北京：中華書局，2013年，頁179。

29　（宋）李心傳編撰；胡坤點校：《建炎以來系年要錄》，頁2833。

所在，「不欺」剛好與「誕妄」相對，給了何麒一個抒發心曲的機會。從何麒的角度來說，為不欺室題詩一方面是出於對同立場友人的支持、同情、聲援和辯護，另一方面恐怕也含有借他人酒杯澆自己塊壘的意圖。

　　當然圍繞不欺室展開的如此大範圍的書寫唱和活動是源於王十朋求銘事，因而最終仍須落腳到對王十朋命名書齋及在多年後重提此事的心態與意圖的考察。不欺室最初的命名，源於紹興三十一年王十朋去國返鄉時所作的〈書不欺室〉詩，察其自請罷職的緣由，與隆興二年極為相似，當時雖未有北伐失敗事，但亦是因議論宋金戰和關係、推薦張浚引發。[30]因此他最初以「不欺」題書齋名時應已含有自我表白與自我勉勵的心理傾向。在事隔多年後的隆興二年，王十朋又再興求銘之意，顯然與相似遭際導致的心態上的一致密切相關。這一點從其為同年友人周汝能所作的《天香亭記》中也可看出。天香亭位於周汝能紹興家中，紹興二十六年（1156）冬，十朋赴補太學時曾訪周汝能、與其把酒此亭並為之命名，周曾多次囑其作記。《天香亭記》對此有較為詳盡的記載：「丙子冬，過剡，把酒是亭，時堯夫將戰藝南宮，予因目之曰「天香」。明年春，果擢巍第，與予為同年友。堯夫命予記之，而未暇逮，今七載，每移書必及之，乃為之」，由此段內容可以推見作記的具體時間，「丙子」即紹興二十六年（1156），「明年」為二十七年（1157），下推七載剛好為隆興二年（1164）。更有趣的是，從記文內容還可看出王十朋當年以「天香」名亭是為了祝願友人一舉登第，但在事隔七年後所作的記文中再次闡發亭名「天香」的內涵時，卻著重以「學士大夫所謂香者」當「以不負居職，以不欺事君，以清白正直立身，姓名不汙干進之書，足跡不至權貴之門，進退以道，窮達知命，節貫歲寒而流芳後世，斯可謂之香矣」來論說。雖無法斷定此文是否作於符離之敗後，但其中對「不負居職，以不欺事君，以清白正直立身」的強調，與「不欺室」唱和中所表達的內容正相應和，也可說明隆興二年間，王十朋對「不欺」的理解除自我內在修養外，更是始終有著「不負居職」與「盡己以事君」的現實指向和意義。

　　同時此番關於「不欺室」書寫唱和的興起，或許還與任職饒州的地域觸發不無關聯。景祐三年（1036），范仲淹曾被呂夷簡訴以「越職言事，薦引朋黨，離間君臣」落職饒州。[31]作為王十朋心中的士人典範，范仲淹自早年起就常出現在其詩文創作中，十朋還曾模仿范公〈靈烏賦〉作〈靈烏說〉。鄱陽任職期間，王十朋更是大量創作與范仲淹有關的作品，還系統追和了范公鄱陽詩。范氏當年以「不欺」二字贈新進狀元賈黯，囑其惟此「二字可終身行之」，[32]此事雖未見於史傳，但在宋人中流傳甚廣，各類文獻

30 紹興三十一年，王十朋是因「首言虜必敗盟，乞用浚等」遭「側目者眾，跡不自安」乃求去，參〈自劾劄子〉、〈與王總領（之望）〉等。

31 （宋）樓鑰編；范之柔補；刁忠民校點：《范文正公年譜》，見吳洪澤，尹波主編：《宋人年譜叢刊》成都：四川大學出版社，2013年，頁616。

32 （宋）樓鑰編；范之柔補；刁忠民校點：《范文正公年譜》，見吳洪澤，尹波主編：《宋人年譜叢刊》，頁633。

多有記載。[33]王十朋在有關不欺室的書寫中，雖未明言學范，但在因盡言官職責而落職饒州的相似背景下難免會引發他對「不欺」的關注，後來王氏以張孝祥書不欺室榜遺學生趙彥真的行為，也有幾分仿效范公贈言賈黯的意味。更重要的是，王十朋的「不欺」與范仲淹所言的「不欺」還有著相同的思想淵源，即對《中庸》之旨的理解和繼承。范仲淹生前不僅對《中庸》極為關注，更對其中的「誠明」之說有著深刻的理解，專門寫過論「率性誠明」等問題的文章，還讓特意前來拜見他陳述用兵主張的青年張載回去好好讀《中庸》。對《中庸》的繼承就從本質上為范、王二人的「不欺」建立了聯繫。當然這種聯繫因缺乏直接的文字證據只能流於猜測，但從王十朋追慕范氏的「朋黨論興三黜日，不知誰作正人看」、「人才相遠心相似，均是憂時與愛君」、「安得神仙返魂藥，九原喚起靜邊塵」等書寫，及對自己「范公往矣欲誰師。典刑猶有堂中像，光艷長存壁上詩。未報國恩嗟老去，不逢人傑恨生遲。一尊坐對鄱江月，耿耿忠懷祇自知」的表白中，都可看到與「不欺室」詩相同的思想情緒和寫作心態：對政敵詆毀的反撥，對時局與中原未復的擔憂，對自己盡忠職守、一心報國「耿耿忠懷」的吐露，這又與他對作為士大夫典範的范仲淹的肯定一樣，歸根到底都源於他對士大夫這一身分及承擔的相關職責的自覺意識和主動追求。

四　結語

綜上所述，隆興二年圍繞王十朋「不欺室」興起的一系列題寫唱和活動，是諸人有意識參與的結果，在這一過程中王十朋當年為書齋題名時所賦予的內涵與寄望，隨著時事背景的變換與自身政治地位、心態的改變，特別是在張浚題銘闡發後得以深化發展：在繼承儒家特別是《中庸》「慎獨」傳統的基礎上，融入了理學家透過自我修養力行儒家之道的蘊涵。諸人對「不欺」內涵的闡發，及對「忠於職守」、「盡人臣之責」等內容的重複書寫，顯示出他們對學士大夫須「不負居職」的身分責任意識的肯定和強調。這種責任意識的突顯和忠懷的表白，又與北伐失敗後王十朋、張浚等人的政治遭際緊密相關，有著現實輿論的針對性和指向性。這次由政治因素引發的唱和活動，在有意無意間對楚東詩社的形成與發展起到了關鍵性地促進作用。後來隨著地方任職中諸人生活與心態的變化，詩社唱和的關注點才逐漸融入對詩意錘鍊等方面的追求，內容題材也擴大開來。張孝祥的追和使得這一唱和綿延至《楚東酬唱集》結集之後，成為貫穿詩社活動前後期的重要主題。林之奇、汪應辰、朱熹、真德秀等人的題寫和記載，更使得對這一主題的書寫擴展到詩社以外，顯示出此次文學活動在理學家和相關政治群體中的影響力。

---

33 如楊萬里《不欺堂記》就曾寫到友人彭湛因「服膺齋心乎范文正公不欺之言，乃取以名其堂」事，見（宋）楊萬里撰；辛更儒箋校：《楊萬里集箋校》北京：中華書局，2007年，頁3081。

論陸游詩中的「江湖」意象

張倩雯

北京　中國人民大學國學院

　　陸游詩作筆力雄健，內容豐富，風格自成一家，朱熹稱其「放翁老筆尤健，在當今推為第一流」[1]。趙翼推為「宋詩以蘇、陸為兩大家，後人震於東坡之名，往往謂蘇勝於陸，而不知陸實勝蘇也」[2]。陸游詩作繁多蕪雜，意象群亦是龐大多元、巨細無遺，誕生於先秦時期的「江湖」一詞，在陸游詩歌中共出現了一百三十五次（含3首題名），與前人相比數量、題材範圍和內涵都有所開拓。本文意欲從「江湖」這一詩歌意象入手，結合陸游生平及相關詩作，分析陸游詩中的「江湖」意象所表達的複雜思想，觀照陸游對於自我價值如何實現、人生信仰與現實世界如何自洽的詩歌書寫。

一　「江湖」意象濫觴與在詩歌中涵義的流變

　　「江湖」一詞，始見於先秦《莊子》中的多個篇目，如〈內篇・逍遙遊〉：「今子有五石之瓠，何不慮以為大樽而浮於江湖」，〈內篇・大宗師〉：「泉涸，魚相與處於陸，相呴以溼，相濡以沫，不如相忘於江湖」與〈外篇・山木〉：「猶旦胥疏於江湖之上而求食焉，定也」。[3]本義指地理概念上的江河湖海，是自然之所、遠離人境之地；而申為隱士居處，也應當始肇於《莊子》，只不過《莊子》一書中以「江海」加以區分，如「以此退居而閒遊，江海山林之士服；以此進為而撫世，則功大名顯而天下一也」，「語大功，立大名，禮君臣，正上下，為治而已矣，此朝廷之士，尊主強國之人，致功並兼者之所好也。就藪澤，處閒曠，釣魚閒處，無為而已矣，此江海之士，避世之人，閒暇者之所好也」、「身在江海之上，心居乎魏闕之下」[4]。諸如此類與朝廷、魏闕並舉而專用「江海」一詞，可見最初「江湖」是專指自然地理的，但大致到了漢末魏晉時期，「江湖」一詞便與「江海」意項合併並擴大了，既可指江河湖海，又可指隱士居處，也可以指代除朝廷之外的四方各地，如漢末曹操〈讓縣自明本志令〉「江湖未靜，不可讓位；至於

1　（南宋）朱熹著，朱傑人、嚴佐之、劉永翔主編，徐德明、王鐵校點：《朱子全書》上海：上海古籍出版社，2002年，第23冊，頁3018。

2　（清）趙翼著，馬亞中、楊年豐批注：《甌北詩話》南京：鳳凰出版社，2009年，卷6，頁67。

3　（清）王先謙著，沈嘯寰點校：《莊子集解》北京：中華書局，1987年，頁58、16。

4　同上註，頁114，132，256。

邑土，可得而辭」[5]，（晉）潘岳〈秋興賦〉序「譬猶池魚籠鳥。有江湖山藪之思」[6]，陶淵明〈與殷晉安別〉「良才不隱世，江湖多賤貧」[7]。至此，「江湖」一詞在文學作品中的主要意象，便大致定型了。

　　逮至唐朝，杜甫詩歌中出現的「江湖」意象較多，大約有三十餘篇，著名篇章如〈陪鄭廣文游何將軍山林十首〉其八「坐對秦山晚，江湖興頗隨」，〈天末懷李白〉「鴻雁幾時到，江湖秋水多」，〈秋興八首〉其七「關塞極天唯鳥道，江湖滿地一漁翁」。[8]中唐白居易，晚唐杜牧、陸龜蒙，皆以「江湖」一詞入詩較多。北宋以「江湖」意象入詩最多的當屬黃庭堅，如膾炙人口的詩句「桃李春風一杯酒，江湖夜雨十年燈」[9]，他與蘇軾、王安石的「江湖」意象詩一樣，大多屬於文人唱和贈答的範疇。此類詩歌中的江湖意象所傳達的感情，或自傷身世（抑或傷人），或表達山水遊樂之情，大多不出二者範圍，而范仲淹的〈岳陽樓記〉「居廟堂之高則憂其民，處江湖之遠則憂其君」一句，則把「江湖」與「廟堂」相對舉，並將正統儒家的忠君愛國精神寄寓其中，有了更加積極昂揚的精神，無疑為陸游的部分江湖意象詩作予以了啟發。

　　南宋時期，江湖社會的形成與一批江湖詩人的誕生，是南宋中後期的一種特殊現象，江湖詩派也成為南宋中後期文壇的主要力量。這批江湖文人，大多數脫離了傳統士大夫的身分，是「寄人籬下、沒有獨立社會地位和固定經濟來源的江湖清客」，擁有仕隱兩不相類的身分。[10]江湖詩派中的戴復古、劉克莊都師承陸游。可以說，陸游的一生，與「江湖」兩字是接觸甚密的，他的最重要的身分是諸如王安石、蘇軾一類的士大夫，但也有相當一部分時間過著衣食不濟、隱居江湖的生活。從這一點來看，陸游的江湖詩，上接傳統士大夫的餘韻，下開江湖詩派的先河，在這種特定環境之下陸游詩作中的江湖意象，是他繼承前人思想的同時開創新風格的結果，研究陸游江湖意象詩，也是研究古代詩歌江湖意象流變的關鍵一節。

5　（三國）曹操著，中華書局編輯部編：〈讓縣自明本志令〉，《曹操集・文集》北京：中華書局，2013年，卷2，頁43。

6　（清）嚴可均編：《全上古三代秦漢三國六朝文》〈全晉文〉卷90潘岳〈秋興賦〉北京：中華書局，1958年，頁3959。

7　（晉）陶淵明著，丁福保箋注，郭灝、施心源整理：《陶淵明詩箋注》上海：華東師範大學出版社，2017年，卷2，頁64。

8　（唐）杜甫著，（清）仇兆鰲注：《杜詩詳注》北京：中華書局，1979年，頁153、590、1494。

9　（宋）黃庭堅撰，（宋）任淵、（宋）史容、（宋）史季溫注，劉尚榮點校：《黃庭堅詩集注》北京：中華書局，2003年，卷2，頁90。

10　張春媚：《南宋江湖文人研究》武漢大學博士學位論文，2005年，頁1-6。

二　陸游詩歌中的「江湖」意象分析

（一）陸游「江湖」意象詩創作年代背景簡述

　　根據於北山先生的《陸游年譜》及錢仲聯先生的《劍南詩稿校注》記載，陸游現存最早的江湖意象詩創作於孝宗隆興元年夏（1163），是為〈出都〉；最晚一首創作於嘉定二年冬（1209）其逝世前不久，為《贈拄杖》，時間跨度長達四十六年，經歷了其三種詩風時期。[11]且陸游六十三歲嚴州刻詩時，將舊稿刪汰至「丙戌以前詩十之一也，在嚴州再編，又去十之九」[12]，雖丙戌（即乾道二年，陸游四十二歲）以前詩只存百之一的說法略有誇張，但也可以推測或許在〈出都〉前，就已經有「江湖」意象出現在詩中了，而或許由於多重複之篇或呻吟之作，故而被六十多歲閱歷已深的陸游刪汰盡致。因此，陸游嚴格刪汰後四十二歲前僅存兩首「江湖」意象詩，即〈出都〉和〈燒香〉，分別作於陸游三十九歲和四十二歲。入蜀前帶有江湖意象的詩，總共也僅有四篇。陸游的詩風成熟期，即入蜀後至六十五歲因「嘲詠風月」罷官期間，共有江湖意象詩四十一篇。晚年除三首詩為臨安任內編修國史時期寫就，餘下全為閒居山陰時作。從題材上看，陸游的江湖意象詩題材多樣，有閑適詩（如〈湖中暮歸〉、〈六月十四日宿東林寺〉）、述夢詩（如〈枕上述夢〉、〈夢至洛中觀牡丹繁麗溢目覺而有賦〉、〈夢與劉韶美夜飲樂甚〉）、述懷詩（如〈有感〉、〈自述〉）等，「江湖」一詞所表達的涵義也不盡相同。

（二）江湖狂客一生癡——陸游「江湖」意象中的隱逸情懷

　　陸游詩歌淵源甚廣，一生轉益多師，除屈原、杜甫、李白、岑參、梅堯臣、蘇軾、江西詩派等對他的思想、文風造成了種種影響，他還素好陶淵明、王維等人，推重晚唐隱逸詩人陸龜蒙，並帶有一定的莊子道家思想，因此，陸游諸多詩中無法避免地帶有隱逸情懷。

　　錢鍾書《談藝錄》云：「竊以為南宋詩流之不墨守江西派者，莫不濡染晚唐。」[13]陸游便是其中典型一例。陸游推重晚唐詩人陸龜蒙，並在詩作中常常以陸龜蒙的別號自稱，前人有整理過「笠澤翁」等稱呼的使用，但忽略了陸龜蒙的另一字號「江湖散人」。陸游全集中出現「散人」一詞的次數共二十八次，而僅在江湖意象詩中出現的次數就有六次，並且有「散人世襲江湖號」等語，「世襲」等詞或因為陸游與陸龜蒙同

---

11 錢仲聯：《劍南詩稿校注》上海：上海古籍出版社，2005年。下文引陸游詩皆出自《劍南詩稿校注》，不另做注。

12 （清）趙翼著，馬亞中、楊年豐批注：《甌北詩話》南京：鳳凰出版社，2009年，卷6，頁66。

13 錢鍾書：《談藝錄》北京：生活・讀書・新知三聯書店，上卷，2001年。

姓，因而也對他格外尊崇，可見陸游部分江湖意象詩與陸龜蒙關係的密切程度。

　　陸游不僅在名號上有意模仿陸龜蒙，援引其事，在他的江湖隱逸詩的創作中所表現出來的精神風貌，也與陸龜蒙是一脈相承的。陸龜蒙作有〈江湖散人歌〉，其序云：「散人者。散誕之人也。心散。意散。形散。神散。既無羈限。為時之怪民。束於禮樂者外之曰。此散人也。散人不知恥。乃從而稱之。……得非散能通於變化。局不能耶。退若不散。守名之筌。進若不散。執時之權。筌可守耶。權可執耶。遂為散歌、散傳。以志其散」[14]，形容散淡狂傲，詩風狂誕不羈，放於禮樂之外，無拘無束，正是陸游這一類隱逸詩的追求。陸游第一次使用「散人」一詞是乾道八年十一月自益昌至劍門道中所作的〈思歸引〉，詩中一段寫「散人家風脫糾纏，煙蓑雨笠全其天。尊絲老盡歸不得，但坐長饑須俸錢。此身不堪阿堵役，寧待秋風始投檄。山林聊複取熊掌，仕宦真當棄雞肋。」表達官場的泥濘不堪、隱居的瀟灑快意，亦與陸龜蒙詩作思想並無二致。具體體現在陸游的江湖意象詩中，則是一個時而狂傲「拂衣即與世俗辭，掉頭不受朋友諫」，時而豪氣「天公息我半生勞，寄傲江湖亦足豪」的江湖狂客形象。仔細探究，陸龜蒙的隱逸詩並非一味描繪遠離世事不問紅塵的仙人，而是悲於晚唐黑暗動蕩的時事，感歎世人「反以正直為狂癡」的關注現實的哀歌。陸游的這類江湖意象詩歌，也多少有一些因「世無方」而自傷於江湖，「風俗日已移，令人惡懷抱」，從此放浪形骸以逃避憂患的涵義。

　　除卻陸龜蒙的隱逸詩，陶淵明也是陸游隱逸閑適詩重點學習的對象。陸游少即好淵明詩，在〈跋淵明集〉中自述「吾年十三四時，侍先少傅居城南小隱，偶見藤架上有淵明詩，因取讀之，欣然會心。日且暮，家人呼食，讀詩方樂，至夜，卒不就食。」[15]韓國李致洙《陸游詩研究》認為陸游得陶詩之至，當在晚年離蜀東歸後，在將近二十五年的田園生活中領略陶潛的風味。[16]趙翼語陸游晚年詩「造語平淡」[17]，即是宗陶的體現。陸游的江湖意象詩中，雖未提及陶潛姓名，但有數篇化用其典故，隱隱以陶潛自居，如《東籬雜書》（其一）：「芳草初侵路，青梅已破枝。雨來鳩逐婦，日出雉求雌。莽莽江湖遠，悠悠歲月移。老人觀物化，隱幾獨多時」。意境自然清新，以隱居老人之口寫芳草侵路，青梅破枝，於歲月悠悠中體味新發生命的蓬勃生機，新老交替渾然一體，語言平淡但富有韻味，又化用莊子〈齊物論〉的典故做結，用典圓融妥當，已有陶潛之風。又如〈醉賦〉：「霜楓照茅屋，露菊插紗巾。今古無窮事，江湖未死身。直令依馬磨，終勝拜車塵。我亦輕餘子，君當恕醉人。」以菊插巾，效仿陶淵明，一個醉後狂歌、目中無人的隱士形象也躍然紙上。此外，陸游還喜用「葛天民」一詞自居，如「江湖蕭散葛天民，敕放還山一幅巾」，顯然是出自陶淵明〈五柳先生傳〉中「無懷氏之民

14　（清）彭定求等編：《全唐詩》北京：中華書局，1960年，卷621，頁7146-7147。

15　張春媚：《放翁詩話》武漢：崇文書局，2018年，頁81。

16　（韓國）李致洙：《陸游詩研究》臺北：文史哲出版社，1991年，頁35-38。

17　（清）趙翼著，馬亞中、楊年豐批注：《甌北詩話》，卷6，頁67。

歟？葛天氏之民歟」一句，藉以自況。「江湖」這一意象，也在部分詩歌中成為了如同「桃花源」一般的至境，如〈寓歡〉：「醉撫酒壺憐矐矮，臥看香岫愛嶙岣。舊時京洛塵埃面，今作江湖風月民。」〈園居〉：「欲出還中止，微陰卻快晴。檻花栽盡活，籠鳥教初成。身寄江湖久，心知富貴輕。還嬰吾所證，手自寫庵名。」成為陸游復得返歸自然的避世之地，是現實中可以拋卻煩惱憂慮的一方淨土。

（三）老江湖──陸游「江湖」意象中的衰老與貧困

除了隱逸思想，陸游的江湖意象也常常與「老」字並用，在同一句中一齊出現的次數達十九次之多，江湖意象詩中，提及如「老」、「白髮」等意象的詩也占了近半數，如「青篛織蓬管織席，此生端欲老江湖」、「老病江湖上，煩公問死生」、「江湖真送老，藥餌且扶衰」、「我亦與公同此病，早收身世老江湖」、「世方亂瑶玉，吾其老江湖」、「甚欲江湖去，無如老病何」。另外，病、窮也常常是陸游江湖生活的一部分，「積衰成病老初來」，陸游的老、病、窮，往往是三者合一的，以至於「瘦如飯顆吟詩面，饑似柴桑乞食身」、「老去饑羸惟恃粥，病來舉動每須人」、「書倦傍人讀，行須稚子扶」，不僅酒飯錢往往要賒帳乞要，而且行動也需要人幫助，晚年儘管兒子做官在外，但家中人口眾多，開銷甚大，以致自己仍然要「饑吟飯顆山」，不禁感慨江湖路難，歲月多艱：「江湖重複風波惡，齒發凋零歲月馳」。諸如此類，是陸游在野之時窮困潦倒的生存狀況的真實寫照，歲月蹉跎、時不我待，也是古人感歎不可逆轉的時光的流逝與生命的衰老的共同話題。

然而，除卻這部分偶爾興發的牢騷之情，陸游的這類描寫衰老與貧困的江湖意象詩，大多透露著積極昂揚的樂觀精神。陸游活到八十五歲，即便在今天看來也屬於長壽，他晚年的諸多寫老窮的詩歌，雖然也有歎息和自憐，但他對於生活的徹悟，使得他始終是以堅強、超然的態度來面對衰老和疾病的。即便「江湖雙鬢禿，宇宙一身窮」，陸游也要趁身體尚且強健，親自勞作「煙畦擷芥菘」。「行年過八十，形悴神則旺。往來江湖間，垂老猶疏放。」、「病鶴寒彌瘦，孤松老不枯。非關畏軒冕，本自樂江湖。」幾筆便勾勒出一個精神矍鑠的耄耋老人形象。〈臥病累日羸甚偶復小健戲作〉中，儘管陸游年事已高，臥病數日，稍有好轉便「尚有江湖興，沙頭問釣舟」。〈衰疾〉一詩中，陸游更是爭強好勝，「棋常先客著，行不許兒扶」，下棋都要與客人比賽速度，客人面前行走也不讓兒孫幫扶，愈老愈不肯服輸，還狂豪地認為自己「自憐風味在，尚欲泛江湖」。在衰病面前，陸游「老健猶能不負春」，恐怕唯一不能遂心的事，只有「乞薪賒米惱吾鄰」，怕給鄰居帶來困擾了。這類寫老而愈見樂觀自足的詩，正是陸游隨著生活閱歷增加，逐漸形成通達、透澈的心境，對萬事安然處之的表現。江湖此時便成為了陸游精神的歸宿地，是已然超脫於物外、擺脫了現實身體限制的精神世界，是他病困中尚且

能夠無償擁有的心靈棲居之所，是可以讓他的神魂得以周遊的無限天地，或在江湖寬處老去，或端居風雨之中，體味日月山川、深巷梧桐，雖時遷事移，不為外物所動。陸游這種精神一方面繼承了儒家安貧樂道的觀念，一方面又有道家等萬物齊生死的達觀，將有限的自身生命放置於萬里江湖、浩瀚宇宙之中，反思、回顧自己的一生，也正如他自述的那般「老來閱盡榮枯事，萬變惟應一笑酬」，無所不可，處變不驚了。

（四）「此岸」與「彼岸」──陸游「江湖」意象中的雙重矛盾

　　從陸游的隱逸詩看，江湖代表了現實世界的美麗淨土；從寫老詩看，江湖又是詩人構建起的脫離身體範疇的精神世界。此外，陸游的「江湖」也有著最為基礎也最為複雜的一層涵義──與「廟堂」相對立的空間意象。陸游的江湖詩，正是在與廟堂的對立中，形成了一種哲學上的「此岸」與「彼岸」的二元對立關係，這種關係中又蘊含著兩重矛盾。大部分時間中，江湖是陸游身處的此岸，他會嚮往未知的政治舞臺，然而當他出仕為官、感受到為官的不易與困頓時，江湖又變成了相對的「彼岸」，成為他所嚮往的生活。這是陸游「江湖」意象中的第一重矛盾。陸游大半生碌碌於功名，他的志向在於為官為政，然而仕途坎坷，最終還是以非關政治的詩人身分得以揚名立身，是身處江湖窮而後工的結果，現實與理想的背離讓他產生了身分認同上的另一重矛盾。「江湖」或「廟堂」的生活場景的轉化帶來的是身分地位的轉化，兩種矛盾交織在陸游「江湖」意象的詩歌中，形成了一條完整的思想轉變軌跡。本小節意欲通過梳理此類意象的詩歌繫年及陸游行藏蹤跡，解讀陸游的兩種矛盾，並嘗試說明陸游何以完成對兩重矛盾的釋懷與和解。

1　「江湖」與「廟堂」

　　前文提到，最初「江湖」的兩個義項，其中之一便是與「廟堂」、「魏闕」等詞對立。陸游「江湖」意象詩中，這一意義也比較普遍，「江湖」與「廟堂」的矛盾，簡單說就是仕與隱的矛盾。古今學者論述陸游詩歌，最先提及的總是那些愛國詩作，對此錢鍾書給出了不同的見解，認為「放翁愛國詩中功名之念，勝於君國之思」，且認為放翁有二官腔：「好談匡救之略，心性之學；一則矜誕無當，一則酸腐可厭。蓋生於韓侂冑、朱元晦之世，立言而外，遂並欲立功立德，亦一時風氣也」。[18]陸游的政論寫得如何且做另說，但縱觀陸游「江湖」意象的詩歌，他對於廟堂功名，的確是要比君國之思來得更為渴望的。

　　陸游六十四歲後詩作未經刪汰，而多語義重複之嫌，相對應的，經兩次嚴格刪汰而

---

18 錢鍾書：《談藝錄》〈上卷〉。

仍保留下來的〈出都〉、〈燒香〉二首詩，應當屬其早年重要之作。在此對〈出都〉一詩稍作解析，此詩當為陸游「江湖」詩中矛盾的發端。〈出都〉全詩如下：

> 重入修門甫歲餘，又攜琴劍返江湖。
> 乾坤浩浩何由報，犬馬區區正自愚。
> 緣熟且為蓮社客，伻來喜對草堂圖。
> 西廂屋了吾真足，高枕看雲一事無。

《劍南詩稿校注》記「此詩孝宗隆興元年夏作。文集卷一七復齋記云：『隆興元年夏，某自都還里中。』陸子虛跋劍南詩稿：『孝宗皇帝嗣位之初，召對便殿，賜進士第。時始置編類太上皇帝聖政所，妙柬時髦，先君首預其選，擢檢討官。久之，以忤貴幸自免去。』」按《陸游年譜》載，陸游紹興三十二年九月才除樞密院編修官兼編類聖政所檢討官，由史浩、黃祖舜推薦才得以賜進士第，未曾想第二年三月，便因為向樞臣張燾諫言孝宗與龍大淵、曾覿等人耽於享樂一事，被孝宗知曉，除左通直郎通判鎮江府，不久後便在途中寫下此詩。「務觀經此挫折，心情矛盾而沉重，〈出都〉一詩，可見其概。」[19] 此詩中用三典故：一「修門」出自屈原〈招魂〉「入修門些」，修門，即郢城門也，後以指京門；二「蓮社」出自謝靈運至廬山，見遠公，鑿池植白蓮，諸賢集至，因號白蓮社；三「草堂」借杜甫草堂以自喻。除卻愛國一層，三人都可以看作是「不才明主棄」的典例，不難看出陸游此時雖然憤懣不得與牢騷滿腹，卻也只能以返江湖後，幻想像謝靈運隱士交遊與杜甫草堂閒居那樣來自我寬慰，是被迫遠離京都、放歸江湖。

　　陸游一生仕途蹭蹬，動遭白簡，早在紹興二十三年參加鎖廳考試，本取為第一，被秦檜排斥，至二十五年秦檜死，始得初入仕途，高宗時期尚有幾次進諫被採納得以升遷，孝宗即位，原本殿前詔對賜進士出身，未來前途光明，不料一朝觸怒皇帝和寵臣，就被一再降職，到乾道元年，力說張浚用兵，竟被免歸，此後賦閒將近四年，才得任夔州通判一職。若說早年科考不進尚可歸因於奸臣作祟，逮至經逢〈出都〉所載一事，陸游理想中聖賢君主的幻滅與兢兢業業為官數載轉瞬即空的現實，就讓他不得不直視最高權力的黑暗一面，從而開始思考起歸隱的可能性。這是陸游「江湖」與「廟堂」的第一次衝突，也是陸游被朝廷拋棄後無奈之下的選擇。乾道元年被免歸時，陸游再次在詩中提到「江湖」這一意象：「茹芝卻粒世無方，隨時江湖每自傷。千里一身鳧泛泛，十年萬事海茫茫。」（〈燒香〉）陸游十餘年官場蹉跎，到頭終究是煙波浩渺如夢一場，或許陸游兩次刪詩都保留下這兩首詩，並非詩歌辭藻藝術多麼優雅工麗，而是其最初的困惑不解、憤懣矛盾之情，老來也終究難以釋懷的原因吧。

　　最初陸游對江湖的選擇是由於朝廷見棄而不得不為，而他入蜀之後數次宦仕生涯，

---

19 于北山：《陸游年譜》上海：上海古籍出版社，2006年，頁98-99。

又選擇回歸江湖，則是他複雜矛盾的性格所致。孝宗嗣位之初，儘管朝廷虧欠了陸游近十年的一個進士，孝宗要賜他進士時，陸游仍然「力辭」，此後還寫詩自明心志「少鄙章句學，所慕在經世。諸公薦文章，頗恨非素志。一朝落江湖，爛熳得自恣」。為官時，陸游也是上諫天子，下利百姓，力求經世濟民，偶爾所做越於規矩，難免得罪他人，一旦被人詬病，便因感人格操守受辱而憤然歸去。陸游這種孤直耿介的性格，或許從一開始便注定他與南宋偏安小朝廷的格格不入。理想與現實的偏差導致了陸游對「江湖」和「廟堂」之間的兩難抉擇，仕隱矛盾也因此成為陸游的大半生創作中不可避免的主題。

錢鍾書認為「至放翁詩中，居梁益則憶山陰，歸山陰又戀梁益，此乃當前不懨，過後方思，遷地為良，安居不樂；人情之常，與議論之矛盾殊科。」[20]這種矛盾實乃是陸游的性格矛盾所構成的。他一方面是奉行「學而優則仕」的傳統儒家思想的官場失意者，在江湖之中，他顧影自憐「白首據鞍慚俠氣，清燈顧影歎儒酸」，並化用杜牧詩「惆悵江湖釣竿手，卻遮西日向長安」寫「手遮西日成何味，還我平生舊釣竿」（〈得京書或怪久不通問〉），心心念念回到朝廷；另一方面，他又性格孤直，當再度為官時，雖然最初有「不思返江湖」之樂，但很快就因為厭惡官場交遊事務，疲於應付連篇累牘的公文，從而不自覺地思發歸隱的念頭：「豪氣人言苦不除，固應屏跡向江湖」（〈累日符文遝至悵然有感〉）「碎枕不求名利夢，挽河盡洗簿書塵。江湖意決君知否？致主唐虞自有人」（〈思歸〉）「忽憶江湖泊船夜，號鳴避弋鬧群鴻」（〈東齋夜興〉），這類歸思在陸游嚴州任上尤為明顯，此時陸游年逾六十，暮年功名未竟之憤與退居終老的矛盾心理愈發激烈；但一旦再次罷官，又忍不住地發幾句牢騷：「臺省多才吾輩拙，江湖久客暮年歸」（〈入雲門小憩五雲橋〉），偶爾夢回京都，感慨江湖落魄功名未遂：「兩京初駕小羊車，憔悴江湖歲月賒。老去已忘天下事，夢中猶看洛陽花」（〈夢至洛中觀牡丹繁麗溢目覺而有賦〉）。諸如此類，不可勝數。當陸游身放江湖時，江湖是此岸、是不如意的現實，廟堂是彼岸、是美好的理想，他就希望能得到賢君明主的招徠與優待，進入廟堂；當他得以為官時，廟堂便成了此岸，才知曉種種黑暗現實令他痛苦，逼迫他在同流合污與固守節操之間做出選擇，這時他又發現江湖成為了理想之界，成為了他向往的彼岸。「江湖」與「廟堂」的矛盾，便在陸游反覆地思考該奉行儒家入仕思想還是逃歸自然隱居江湖中一時難以調和了。

2 「詩人」與「仕人」

陸游十二歲即能詩文，蔭補登仕郎，然而此後半生宦海沉浮，終究難以建功立業。陸游並不掩飾自己對功名仕途的渴望：「早歲元於利欲輕，但餘一念在功名」（《太息》）。可以說，陸游的志向就在於文治武功，保家衛國，平定疆土，經世濟民。但事與

---

20 錢鍾書：《談藝錄》上卷。

願違，陸游如同古來大多數士人那樣，一生不以功名顯赫，即使出仕，也大都時間短暫，動輒遭厄。然而，陸游同那些一生碌碌無為的下層士子又有所不同，他詩文上的才華使他聲名大噪，大放異彩。「詩人」的身分，與「仕人」的身分，就構成了陸游江湖意象詩中的另一組矛盾。

陸游四十八歲自南鄭赴成都時過劍門作〈劍門道中遇微雨〉，「此身合是詩人未？細雨騎驢入劍門」的悵然失意，正充分說明了陸游這位詩人不甘於僅為詩人的矛盾心理。自身身分認同的困境，與陸游功名之思糾葛在一起，貫穿著陸游的一生。

陸游感歎「詩情自合江湖老，敢恨功名與願違」，與杜甫的「名豈文章著，官應老病休」是精神相通的，對自己身分定位的思考與遺恨，也是陸游服膺於儒家士大夫文化之際對自己仕途失意的一種反思。理想與現實的巨大落差，也就造成了陸游對於追求難以實現的功名或詩歌窮而後工兩種抉擇的矛盾困境。一邊是陸游的終極理想——達則兼濟天下，但道路崎嶇；一邊是他的現實狀態，詩窮而後工，以詩人身分揚名立萬，但詩人顯然又不僅甘於此。陸游的江湖意象詩中，對兩種身分都寄寓了複雜的感情。他一邊嗟歎「蹭蹬無功上麟閣」，將半生追逐於虛妄的功名，又認為「功名晚遂從來事，白首江湖未歎窮」；一邊又說自己「中年蹭蹬作詩人」、「江湖蹭蹬朱顏改，憂患侵凌壯志消」，卻又常常「酒隱凌晨醉，詩狂徹旦歌」。看似議論矛盾，實則是陸游對於不同身分的認同的抉擇，是他處於江湖之時，不甘於當下，時而回顧緬懷、寄希望於未來，又時而以自嘲之語權作慰藉的複雜心態所造成的。他對功名的追求，對塞上金戈鐵馬的追憶，是此夕江湖裡做的一場「天山古戰場」的夢境，是現實之外的浪漫想象，而對自我詩人身分的清醒而悵然的認知，則是理性的復歸。陸游的江湖意象詩中「詩人」與「仕人」的矛盾，也就在理想與現實中交錯糾纏不休。

3　樂與悲——陸游的人生信仰與自我排遣

官居朝堂還是遠遁江湖，建功立業抑或以詩揚名，陸游的大半生都徘徊於兩種矛盾之間。不過也正是由於這些矛盾，而使得陸游的生命範式更加多元、立體、鮮活，詩歌內容與精神風貌也更加豐富多彩。然而就陸游本人而言，這些矛盾導致了他的痛苦和糾結，在六十年宦隱生涯中，如何實現自我價值，實現人生信仰與現實世界的自洽，是陸游江湖意象詩中針對兩種矛盾亟待解決的問題，也是陸游實現內心安寧從容的有效手段。在陸游致仕之前，他一直沒能很好地處理這一問題，遊走反覆於矛盾兩端，江湖意象詩中所表現出的感情也是波動、複雜的。他時而樂於江湖之適，「一幅葛巾林下客，百壺春酒飲中仙。散懷絲管繁華地，寄傲江湖浩蕩天」；時而遺恨未能建功立業，「五更風雨夢千里，半世江湖身百憂」；時而感慨歲月蹉跎，「從來自許知何等，堪歎江湖白髮生」。樂與悲都是他書寫江湖意象的動因，也驅使著他努力尋求解決矛盾的方法、減少內心衝突。

陸游的江湖命題，觀照的更多是自身命運的何去何從，是現實世界的此岸與人生信仰的彼岸的兩難抉擇，隨著陸游年歲漸長，及至暮年，仕途有所轉折的希望渺茫，彼岸的虛無讓他將視線回歸到此岸上，原本強烈的功名未竟之意與歸隱之思之間的矛盾逐漸緩和，而在七十九歲史書修成之後，陸游升寶章閣待制，致仕退隱[21]，受殊榮衣錦還鄉，似乎終於將仕隱矛盾解決了，他的宦遊生涯中補全了最後一筆，填補了此前的遺憾。陸游的感情由之前的矛盾複雜轉為喜不自勝，東歸前所作的〈受外祠敕〉即可見一斑。陸游生命的最後幾年裡，江湖意象開始大量傾向於吟詠風月閑事，書寫日常生活。這與陸游晚年詩歌的總體傾向大體是一致的。雖然歸隱後的薪俸微乎其微，不免仍要忍受貧病，但在江湖風月的浸潤之下，陸游的自我身分認知趨向統一和諧，他可以是仕人、是詩人，也可以是一普通白髮老翁、一耕稼老農，他一生功業與人生信仰也不再侷限於朝堂之上，正如〈夢中作〉所言：「丈夫入手皆勳業，廊廟江湖未易評」。而他最後一首江湖意象詩〈贈拄杖〉寫道「同為萬里江湖客，共見三生風月身」，此時的陸游，對於江湖的態度已然擺脫了最初的抗拒，而是混跡江湖已久的歲月老人，從容不迫、泰然處之了。

三　結語：與命運的和解

綜上所述，陸游以孝宗隆興元年除官一事作〈出都〉為發端，以自己半生行藏為依托，創作出了一系列帶有「江湖」意象的詩歌。陸游將自己置於「江湖」這一空間意象之內，把自身情感賦予給江湖，從而在構建起與「廟堂」相對的地方社會及隱士、詩人所處的安逸桃源的基礎上，也塑造了一個有著複雜、矛盾心理的介於尋求仕進的傳統儒家士大夫與逃歸自然的隱者狂夫之間的放翁形象。一方面，江湖是陸游尋求安寧、自得的精神狀態，遠離官場紛雜的隱居生活的理想國；另一方面，蹉跎於江湖之中虛度光陰、飽受困苦、垂垂老矣的現狀又使陸游偶爾感到苦悶。陸游更深層次的矛盾在於，江湖是他被朝廷拋棄之後無可奈何的選擇，是他無法為朝廷做貢獻的地方，也是他只能以詩名聞世、而非文治武功揚名的心病所在。如何正確形成對自我身分的認同，處理自身的理想抱負、人生信仰與現實世界的衝突，得以形成自洽的人生態度，是陸游「江湖」意象詩歌創作的動因，也是研究梳理陸游詩歌的一個關鍵線索。在陸游的「江湖」意象詩裡，一個熱衷功名卻沉淪下僚，少了些打著忠君愛國旗號的衛道精神，多了些矛盾情感與自我解嘲，有些狂氣和牢騷的陸游，也更加真實、鮮活、飽滿了。

另外值得一提的是，陸游在八十一歲時讀王維詩有感而發所作的〈讀王摩詰詩愛其散發晚未簪道書行尚把之句因用為韻賦古風十首亦皆物外事也〉組詩中，有兩首使用了

21　（元）脫脫等撰，中華書局編輯部點校：《宋史》北京：中華書局，1985年，卷395，頁12058-12059。

「江湖」一詞，分別為其一「我生本江湖，歲月不可算」與其九「往來江湖間，垂老猶疏放」。若將十首合讀，可以發現這組詩有相當一部分是在自述生平，且大多出現在首句，如「仕宦五十年，所至不黔突」、「往歲著朝衫，晨起事如匯」、「二十遊名場，最號才智下」。聯繫這幾首詩，或許可以將「我生本江湖」也看做陸游對自己出生於淮水之上的事實的敘述。這位行年八十，雖形容憔悴卻疏放清狂的老者回顧自己的一生，才覺他與江湖間戲劇般的命運糾葛。可以說，陸游生於江湖，長於江湖，困頓於江湖，嘯傲於江湖，垂老於江湖，最後也在江湖中走向生命終點。江湖是陸游的起點、經途與歸宿，是他無法避免的此岸，他在岸邊終身遙望著彼岸的廟堂，當他泅渡到彼岸時回望，此岸也就成了彼岸。陸游自述二十起奔波於名利場，蹭蹬一生於功名利祿，卻大半生蹉跎在江湖之上，以詩人身分得成勳業，六十年間諸多悲歡難以一時體味。或許，陸游江湖詩歌中的心路歷程，從反抗、憤懑到妥協、從容，也是他對自身命運的一次和解罷。

聖人之道，吾性自足

—— 王陽明龍場悟道探微

周福

上海　同濟大學

一　引論

關於龍場悟道之於陽明思想的重要意義，錢德洪和陽明本人皆有肯認。陽明自言其龍場以後就已不出良知之意，「只是點此二字不出」[1]。民國時謝无量指出：陽明從早年到晚年雖然「不無小變」，其所提「心即理」、「知行合一」、「良知」不是出自同一時期，卻「首尾貫屬，以發揚心學之奧，惟應於時機」，陽明龍場所悟「實立一生學術之本。」[2]

從朱子學角度講，談境界本身就是一種工夫不篤實的「禪學」傾向，故而朱學陣營很少談悟道。而陽明學對佛老採取比較開明的態度，不排斥談悟道。陽明與時人談自己龍場之悟時，「聞者競相非議，自以為立異好奇」[3]。因此，他後來也很少談及。而錢德洪所編《年譜》對此記載也非常簡略。這導致了陽明龍場悟道問題歷來就模糊不清，留下了很多遺憾。比如，陽明學中的本體－工夫問題本是核心問題，但陽明學界因陽明龍場悟道模糊不清，只能將此問題轉化為陽明後學問題。陽明後學中關於本體－工夫問題的論述確實不少，從天泉證道時王龍溪和錢德洪的工夫和本體的爭論開始，兩邊形成了對立，各執其說，紛紜雜陳，某種程度上已經誤入了思想的歧途。捨棄對問題的溯源，即使對陽明後學梳理再清晰，也不免不得要領。而這個問題的源頭正在陽明龍場悟道。陽明龍場前有本體－工夫的分離，而龍場時才解決了這個問題。所以，龍場悟道中陽明如何解決本體－工夫分離、知行分離、體用分離問題是理解這個問題的核心鑰匙。但學界之前對陽明龍場悟道的研究缺乏深耕，故而只能捨本逐末，梳理陽明後學。[4]這是一

1　（明）錢德洪：《刻文錄敘說》，吳光等編校：《王陽明全集》上海：上海古籍出版社，2014年，下冊，頁1747。

2　（民國）謝无量：《陽明學派》北京：新世界出版社，2017年，頁114。

3　（明）王陽明：〈朱子晚年定論序〉，吳光等編校：《王陽明全集》上海：上海古籍出版社，2014年，上冊，頁267-268。

4　目前學界對陽明龍場悟道問題探索多集中於史料考證和還原上，而對陽明龍場悟道思想層面的探索較為薄弱。其中，張新民的相關研究已經顯示了陽明龍場悟道的思想寶藏。參閱張新民：〈本體與方法：王陽明龍場悟道探微〉，《王學研究》第11輯；張新民：《陽明精粹·卷壹：哲思探微》，孔學堂

個攸關性問題：中國傳統「體用一源」、「本體工夫合一」、「道器不二」思想正可在其中找到關鍵性線索。又如，陽明龍場所悟「心即理」、「聖人之道，吾性自足」是陽明關鍵性語詞，這作何理解？與儒家經典有何關係？與理學工夫問題有何關係？這些關鍵性問題只有深入探索陽明龍場悟道，才可以得到解答。

二　陽明龍場前理學工夫困惑及龍場期間格物進展

於陽明言，「本體即工夫，工夫即本體」。故要考察陽明龍場所悟內容，必以龍場期間工夫進展反向求之，以工夫深入層度探求陽明對道的體悟。

陽明龍場前學聖道路上有這些重要事件：一四八二年，十一歲，與塾師討論何為第一等事，初露聖人之志。一四八六年，十五歲，出遊居庸關，有經略四方之志。一四八九年，十八歲，與婁諒語宋儒格物之學，得知聖人必可學而至。一四九〇年，十九歲，與同族子弟共習經業，悔平日放逸嬉戲，遂端坐斂容，其餘子弟也受陽明影響而有所收斂，此為初段理學工夫。一四九二年，二十一歲，庭前格竹失敗，遂遇疾。其中庭前格竹失敗，尤其是陽明學聖道路上的一大挫折。這使得他自己對學聖的信心產生了一定的動搖，「沉思其理不得，遂遇疾。先生自委聖賢有分，乃隨世就辭章之學」。[5]

關於朱子對陽明的深刻影響，陽明曾說：「平生於朱子之說，如神明蓍龜，一旦與之背馳，心誠有所未忍，故不得已而為此。」[6]唐君毅一針見血地指出：「此即陽明自道其學受朱子影響之深，與其惓惓不忘於會通其說與朱說之情。其與徐成之書（卷二十一）……更言其於朱子有『罔極之思』。試思此『罔極之思』四字，原所以對昊天與父母，豈能輕易用之於人。此言此非自道其學，由朱子之『所生』？」[7]陽明早年對朱子格物之說下過大工夫，而且朱子格物問題是一直縈繞陽明的大問題。

按朱熹的說法，學問有嚴格的步驟和方法，要「循序漸進以致精」，「反覆涵詠，切己體察」等等。這些教導，實際上陽明也注意到了。但陽明早年求道之心過於急切，出入儒釋道，又習子史和兵法，甚至連不靠譜的道家神仙術也學習以致步伐紊亂。據湛若水和黃宗羲的說法，陽明有五溺（任俠、騎射、辭章、道家、佛氏）和三溺（辭章、朱熹格物與佛老）[8]，這些使得陽明博雜而不精純。這是陽明龍場前學問的真實狀態。《年

書局，貴陽：貴州人民出版社，2014年。但筆者認為陽明龍場悟道問題思想層面需要進一步挖掘之處還很多，而張新民對龍場悟道問題思想層面的探索僅僅是少數開荒之作。

5　（明）錢德洪：〈年譜〉，吳光等編校：《王陽明全集》上海：上海古籍出版社，2014年，下冊，頁1348-1349。

6　（明）王陽明：〈答羅整庵少宰書〉，（明）王陽明撰、鄧艾民注：《傳習錄注疏》第170條，上海：上海古籍出版社，2017年，頁154。

7　唐君毅：《中國哲學原論（原教篇）》北京：中國社會科學出版社，2014年，頁192-193。

8　湛若水認為陽明歸正儒家聖賢之學之前有「五溺」：「初溺於任俠之習；再溺於騎射之習；三溺於辭

譜》「十一年戊午，先生二十七歲，寓京師。」一條記載說：

> 是年先生談養生。先生自念辭章藝能不足以通至道，求師友於天下又不數遇，心
> 持惶惑。……悔前日探討雖博，而未嘗循序以致精，宜無所得；又循其序，思得
> 漸漬洽浹，然物理吾心終若判而為二也。[9]

以上描述傳達了陽明龍場前學聖路上的如下困惑：第一，未找到悟至道最佳下手處，而
辭章藝能（詩歌和書法）又不足以通至道；第二，未曾循序漸進以致精，以致所學雖
博，然物我終究判而為二，格竹失敗即是一個典型反映；第三，聖人之學，立必為聖人
之志艱難，故需朋友講習與切磋助益之功。[10]但陽明此時未遇到可相互砥礪的同道好
友，要到三十四歲時[11]才有緣結識湛若水，「共倡聖學」。[12]陽明三十九歲，黃綰、湛若
水、王陽明三人才定交。

　　陽明早年讀朱熹，可能因為不專一，同時出入佛老，學習兵法與諸子百家，過於泛
觀而未得其精妙，其自言對於儒家之學「間相出入，而措之日用，往往闕漏無歸。依違
往返，且信且疑」[13]，對朱子格物學的理解上有粗糙處。此時陽明對朱子之格物理解停
留於通行本《四書章句集注》中「大學章句」對「格物」之注解「是以大學始教，必使
學者即凡天下之物，莫不因其已知之理而益窮之，以求至乎其極，至於用力之久，而一
旦豁然貫通焉，則眾物表裡精粗無不到，而吾心之全體大用無不明矣。此謂物格，此謂

　　章之習；四溺於神仙之習；五溺於佛氏之習。正德丙寅，始歸正於聖賢之學。」詳見（明）湛若
　　水：〈陽明先生墓誌銘〉，吳光等編校：《王陽明全集》上海：上海古籍出版社，2014年，下冊，頁
　　1538-1539。對陽明龍場歸宗儒家聖學之前的「溺」，另有黃宗羲的「三溺」（辭章、朱熹格物與佛
　　老）：「（陽明）先生之學，始泛濫於辭章，繼而遍讀考亭之書，循序格物，顧物理吾心終判為二，無
　　所得入。於是出入佛老久之。及至居夷處困，動心忍性，因念聖人處此更有何道？忽悟格物致知之
　　旨，聖人之道，吾性自足，不假外求。」參閱（明）黃宗羲：〈姚江學案〉，《明儒學案》北京，中華
　　書局，2018年，卷10，頁180。

9　（明）錢德洪：〈年譜〉，吳光等編校：《王陽明全集》上海：上海古籍出版社，2014年，下冊，頁
　　1349-1350。

10　王陽明在〈別三子序（丁卯）〉一文中說：「夫一人為之，二人從而翼之，已而翼之者益眾焉，雖有
　　難為之事，其弗成者鮮矣。……自予始知學，即求師於天下，而莫予誨也；求友於天下，而與予者
　　寡矣；又求同志之士，二三子之外，邈乎其寥寥也。」參閱王陽明：〈別三子序（丁卯）〉，吳光等編
　　校：《王陽明全集》上海：上海古籍出版社，2014年，上冊，頁252。

11　即陽明被貶龍場的前一年。

12　（明）王陽明〈別湛甘泉序（壬申）〉說：「吾與甘泉，有意之所在，不言而會，論之所及，不約而
　　同，期於斯道，斃而後已者。」參閱王陽明：〈別湛甘泉序（壬申）〉，吳光等編校：《王陽明全集》
　　上海：上海古籍出版社，2014年，上冊，頁257。

13　（明）王陽明：〈朱子晚年定論序（戊寅）〉，吳光等編校：《王陽明全集》上海：上海古籍出版社，
　　2014年，上冊，頁267-268。

知之至也。」[14]陽明對朱熹《四書或問》中的細緻辨析，並未注意。事實上，關於格物的陷阱和弊端，朱熹在《四書或問》裡有詳細辨析：

> 又曰：致知之要，當知至善之所在，如父止於慈，子止於孝之類，若不務此，而徒欲泛然以觀萬物之理，則吾恐其如大軍之遊騎，出太遠而無所歸也。……曰：然則子之為學，不求諸心，而求諸跡，不求之內，而求之外，吾恐聖賢之學，不如是之淺近而支離也。[15]

陽明龍場期間格物進展有兩點：第一，是糾正之前的急躁氣象，進入勿忘勿助長狀態[16]；第二，是將朱熹的格物轉向「事上磨練」工夫，提出知行合一。朱子陽明對格物詮釋的差異主要體現在兩人對《大學》首章的詮釋上。朱熹將格物解釋為「今日格一物，明日格一物」，窮盡事物之理，而其對「格」的解釋是「至」。今日格一物，是先把此物格盡，然後再格下一物，而不是粗糙地在各物之間跳躍。但有些人會將其誤解為因為要格盡天下之物，故而必須快速獲得物的知識。包括陽明早年格竹，急切地想格盡竹子之理，連續七天在竹子前呆看，本就有急躁心態。而陽明經龍場之悟，後來將「格物」之「格」解釋為正，而物的概念在陽明思想體系中，「心意知物」為一體，所謂的「物」沒有憑空存在，是與心連在一起的，所以「格物」在陽明思想裡其實就是正心。[17]如果陽明將此「正心」格物義用於詮釋反思自己格竹的急躁之後糾正這種心態，那麼，「正心」的格物義在陽明的視域中就是最好的詮釋。

　　筆者認為，陽明龍場所悟朱子格物之非在某種意義上確實直指朱熹的讀書治學方法對於格物的限制。陽明對格物的理解上更多的是指向事上磨練和正心誠意。這樣的話確實能打開另一個與萬物為一體更為躍動的境界。若以牟宗三的區分，朱熹之理是存有而不活動，此體系與先秦的既存有又活動的傳統不同，屬於歧出。我認為，在這個區分上，牟宗三的說法有參考價值。但我們需要進一步推進這個問題。我認為，朱熹在文化傳承方面是中國思想文化的集大成者，在儒家學理層面確系一座豐碑，想要深入儒學的內部，

14　（宋）朱熹；〈大學章句〉，《朱子全書》上海：上海古籍出版社、合肥：安徽教育出版社，2010年，第6冊，頁20。

15　（宋）朱熹；〈大學或問〉，《朱子全書》上海：上海古籍出版社、合肥：安徽教育出版社，2010年，第6冊，頁528。

16　參閱拙文：〈陽明龍場悟道工夫論發微〉，《新亞論叢》第20期（2019年12月），頁295-311。

17　陽明說：「格物者，《大學》之實下手處，徹首徹尾，自始學至聖人，只此工夫而已。非但入門之際，有此一段也。夫正心、誠意、致知、格物，皆所以修身而格物者，其所以用力日可見之地。故格物者，格其心之物也，格其意之物也，格其知之物也；正心者，正其物之心也；誠意者，誠其物之意也；致知者，致其物之知也：此豈有內外彼此之分哉？理一而已。」參閱王陽明：〈答羅整庵少宰書〉，收入（明）王陽明撰，鄧艾民注：《傳習錄注疏》上海：上海古籍出版社，2017年，第170條，頁152-153。

朱熹是繞不過去的。但要真切體會儒家之真義，儒家聖人工夫之精純，則陽明講的「事上磨練」就是核心入手處。當然，此問題我們這裡無法詳細展開，需要另具文討論。

朱熹的氣象因沒有陽明那樣的「事上磨練」固有未融通處，然而朱熹的缺陷並沒有後來陽明後學所批判的那樣不堪。朱熹本人思想屬於道學正統，是通心物的，並未割裂心物和知行。但是當明代將朱子學升格為科舉考試制度層面的規範之後，因制度的本身發展，脫離朱熹的核心要義，功利主義與技術理性的雙重侵襲和腐蝕，明代的朱子學就發生了蛻變，成了桎梏士人的東西，而不是成就生命的學問。這時候外在制度的束縛，借著朱子的名義和軀殼就成了壓抑人的東西。於是，當陽明提倡「良知」學，很快風靡全國，成為一場歷史意義重大的思想解放運動。

三　「聖人之道，吾性自足」的內在義及其在歷史中的呈現

按照王陽明的說法，「子思括《大學》一書之義，為《中庸》首章。」[18] 據錢德洪回憶，「吾師接初見之士，必借《學》、《庸》首章以指示聖學之全功，使知從入之路。」[19]《大學》和《中庸》在宋明理學這裡是儒學根本思想經典，為入門之路徑。其指向均為反求諸己、自我去蔽、「明明德」、「止於至善」的大成之學。

據錢德洪回憶，「洪嘗乘間以請。師笑曰：『付秦火久矣。』洪請問。師曰：『只致良知，雖千經萬典，異端曲學，如執權衡，天下輕重莫逃焉，更不必支分句析，以知解接人也。』」[20]「不必支分句析，以知解接人也」向我們透露了陽明有選擇性焚毀《五經臆說》的策略：抑經典繁瑣注疏，揚其理學工夫論。哪些該留存和傳示給他人，陽明用自己的「良知」進行了篩選，我認為這是陽明致良知的策略性考慮。在陽明看來，繁瑣注疏混淆聖人原意，斷聖學之血脈，「儒者妄開竇逕，蹈荊棘，墮坑塹，究其為說，反出二氏之下。」[21]，「聖賢垂訓，固有書不盡言，言不盡意者。凡看經書，要在致吾之良知，取其有益於學而已。則千經萬典，顛倒縱橫，皆為我之所用。一涉拘執比擬，則反為所縛。雖或特見妙詣，開發之益一時不無，而意必之見流注潛伏，蓋有反為良知之障蔽而不自知覺者矣。」[22]

18　（明）王陽明撰，鄧艾民注：《傳習錄注疏》上海：上海古籍出版社，第42條，2017年，頁39。

19　（明）王陽明：〈大學問〉，吳光等編校：《王陽明全集》上海：上海古籍出版社，2014年，中冊，頁1066。

20　（明）王陽明：〈五經臆說十三條〉，吳光等編校：《王陽明全集》上海：上海古籍出版社，2014年，中冊，頁1075。

21　（明）王陽明：〈朱子晚年定論序（戊寅）〉，吳光等編校：《王陽明全集》上海：上海古籍出版社，2014年，上冊，頁267-268。

22　（明）王陽明：〈答季明德（丙戌）〉，吳光等編校：《王陽明全集》上海：上海古籍出版社，2014年，上冊，頁238。

　　陽明在〈稽山書院尊經閣記〉等文獻中所強調讀經該讀出吾心之印跡，不要拘泥於歷史陳跡，消化繁瑣考據，取其智慧，打通古今之隔。這就需要有吾心與經典的切入點和契合點，倘若沒有，只沉浸於其中的繁瑣注釋，則吾心必被割裂，也得不到其中的智慧，本來的良知反而可能會被遮蔽。在專業技術化的過程中，生活世界整全的東西被工具化的理性取代，結果人與世界本身疏離，也導致哲學思想的乾癟。生活世界本身給予人的是活力和道本來的自然呈現。而一旦落入技術工具理性之中，往往是令人窒息的。這一點其實恰好可以詮釋為何王陽明在歷經明代高度體制化的科舉和官僚政治及急於求道的迫切之後，能在龍場期間通過體驗原初的自然和生活世界而悟道（此問題的展開詳後）。人類最初的習俗和制度（禮法）其實是模仿大自然而來，符合天理的，但這種制度隨著它與自然和人的脫離，它開始自我演進，越來越繁瑣，結果最終違背了自然之理和人性。比如，明代繁瑣的官場制度和禮儀習俗已經違背人的天性，所以當王陽明到貴州接觸到原初的自然和習俗，就會感受到與中原之偽文不同的質。

　　陽明龍場有細膩的生活體悟和對大自然造化的感悟。貴州山水多，而且是喀斯特地貌，有許多天然溶洞，最典型的就是織金洞。王陽明被貶龍場驛所住的陽明洞是個小小洞天。石頭的奇形怪狀，不禁讓人感歎大自然的鬼斧神工；石頭之縫隙、走向、經絡，似乎是整個宇宙和天下的濃縮模型。在溶洞內，邊看小宇宙模型，邊玩索《周易》，於悟道是一種大增益。陽明龍場期間的易學理解是陽明自己體驗山水之象獲得的啟發，而陽明其他時期的易學理解主要的轉述古人的說法。對於中原和江南人而言，因為離上古太遠，繁文縟節和摻雜人為之偽文，這是一種離開自然的人文，在陽明看來這些文是虛文、淫哇、逸辭。而貴州的自然環境因開發晚，保留了原初的天文和地文，這就為陽明重新法原初之天象提供了條件。從這個思路，我們可以比較清晰地看出陽明在貴州溶洞中玩易與教化百姓之間隱微的意義聯繫。

　　經典世界與生活世界有一定裂縫，要能理解經典確實不易。王陽明是書香門第出身，即使小時候有出居庸關與胡人較騎射的經歷，也主要是玩耍之事；對於現實生活的苦樂和人生磨練非常有限，上言得罪劉瑾、被貶龍場即是具體體現。龍場期間，陽明不僅因面臨死亡的危險而克服生死之念，而且也因生活條件艱苦，不得不親自種菜、築屋。在這個過程中，陽明對生活世界有了直接而深入的體驗，也瞭解到最底層的少數民族百姓，對「萬物一體」的體證更因此而推廓到極致，從而也才可能對每個人所具備的明德有深切領會。而王陽明之前主要是通過閱讀經典進行積累和思考，要使這些思想資源打通（陽明曾學朱熹格物，格竹失敗），就必須親密接觸生活世界，才能真正返回道體本身，接受滋養，從而啟動經典思想的力量。

圖一　（清末）木孔恭摹繪：《黔苗圖說》

圖注　此圖反映出貴州少數民族未經文化馴化，直情率性的一面，陽明所謂「好言惡
　　　詈，直情率性」。百苗圖系列乃清代宮廷畫師為滿足中原人的對貴州人的好奇目
　　　光而畫的彩繪，此類彩繪有現代西方人類學的獵奇特點，其中大量的百苗圖系因
　　　恰好契合西方的獵奇心態被西方列強收羅轉移而遺失海外。但仍有一定社會文化
　　　史價值。我們從中也可認識貴州人未經文飾的「直情率性」。

隨著地理大發現、科學革命，全球經濟的發展、交通運輸之便利打破了近一千五百
年以前各自孤立而互不相干的歷史，全球的歷史越來越連結為一個統一的整體。[23]全球
化的核心有以下兩點：第一，是以西方科學制度為標準改造舊有制度，正如海德格爾
的 Gestell[24]一詞所描述的──科學制度和體系就如同建造大廈的座架，所有其他人力資
源、知識、物力和財力全都以科學為基準進行配置和安放，為科學的拓展而服務，而其
他的價值和體系都被敉平；第二，「上帝已死」，基督教的統治衰落，中世紀基督教的世
界變成近代的民族國家世界。[25]道的天崩地裂，不再有最高的信仰[26]。正統崩壞，異軍

23　詳情可參閱（美）斯塔夫里阿若斯著，吳象嬰等譯：《全球通史：從史前史到21世紀》北京大學出版
　　社，2006年。

24　Gestell一般翻譯為「座架」、「集置」，在德文中Ge-首碼本來就有「聚集」之意，海德格爾用這個詞
　　非常形象地表述了科學對世界的支配性作用和對其他事物敉平。在海德格爾的思域中，詩是存在的
　　地形學，但詩這種無規定的東西，恰好是科學所否定的東西。所以，海德格爾在談及存在在近代的
　　遺忘和淹沒時，針對的正是科學之Gestell。

25　關於基督教的信仰沒落對兩次世界大戰的影響可參閱阿克頓《近代史講稿》一書。阿克頓認為，近
　　代西方的兩次世界大戰，正是因為失去了基督教這個共通的信仰，才導致了分裂和內戰。參閱
　　（英）阿克頓著，朱愛青譯：《近代史講稿》上海：上海人民出版社，2007年。

突起，利益和世俗化權力壓倒精神文化。整個世界近代史是中國古代春秋戰國史的縮影：在近代人口急劇增長的生存壓力之下，各國間為生存而搶奪資源和地盤，戰爭連綿不斷，這在二十世紀上半葉爆發的兩次世界大戰表現得尤其明顯。

中國近代諸多變化奠定了我們今日思想和文化的格局：在學科分類上，傳統經史子集被現代的文史哲更換；在道學政教的關係上，古代道—學—政—教系統的瓦解，士人學而優則仕的傳統不再，士人也從古代的四民（士農工商）之首，變成了職業化體系中的知識分子[27]；而意識型態的內核更是打破了儒家大一統思想局面，變成了一個以馬克思為內核相容中西各家思想的形態。這種古今斷裂基本上是體制的大換血。深入骨髓般的古今斷裂使今日的學者想還原傳統，困難重重。

近代道學的崩潰，科學理性占主導地位，導致我們今天與傳統有很多脫節。歷史文獻和經傳注疏（如阮元編訂的注疏本十三經）固然可以給予我們一個還原歷史現場的通道；但是我們也更需要陽明的讀經智慧，以接引古人智慧在今日的再現。這種讀經智慧是「根」和「源」，不以古人固化之語言為標準，而是有自我良知之主宰。只有這樣讀經和用經，才可能突破古今斷裂，突破歷史沉厚帷幕在古今門口的梗阻，開出儒家思想的新局面和新氣象。

陽明龍場所悟「聖人之道，吾性自足」，在儒學經典裡實際上也有類似說法。比如，《尚書》說「顧諟天之明命」，《中庸》講「天命之謂性」，《大學》言「大學之道在明明德」均與陽明之說相合，佛家說聖人之性，人人本來具足，也與陽明之說不二。這種人人本來具足之靈明，陽明後來用「良知」一詞概括，甚為精煉到位。當陽明說良知第一義時，其實也是在強調心的主宰性，陽明說「心者，身之主也，而心之虛靈明覺，即所謂本然良知也。」[28]；「蓋天地萬物與人原是一體，其發竅之最精處，是人心一點靈明。」[29]；「人孰無根？良知即是天植靈根，自生生不息；但著了私累，把此根戕賊蔽塞，不得發生耳。」[30]此良知非外在，乃人本來具足之物。陽明常說，此良知需要自體自悟。

---

26 羅志田認為中國近代之紛亂是重心的喪失，道不再出於一，而是出於二，最終甚至以西方為標準的道出於一。在具體的表現上，就是各種傳統秩序的顛倒，比如古代以君子為典範，而近代則以力量為典範，強權壓倒公理，而整理國故時，傳統中的經權威地位的淡出，子和集的地位突顯。參閱羅志田：〈近代中國「道」的轉化〉，《近代史研究》2014年第6期，頁4-20；羅志田：〈由器變道：補論近代中國的「天變」〉，《探索與爭鳴》2018年第8期，頁118-124。在我的家鄉貴州省福泉市還出現一個非常有意思的例子，人與人之間的交往現在流行著一種「先兵後禮」的原則，與傳統的「先禮後兵」完全顛倒。

27 參閱羅志田：〈近代中國社會權勢的轉移：知識分子的邊緣化與邊緣知識分子的興起〉，《開放時代》，1999年第4期，頁5-26。

28 （明）王陽明：〈傳習錄‧答顧東橋書〉，王陽明撰、鄧艾民注：《傳習錄注疏》上海：上海古籍出版社，2017年，第137條，頁104。

29 （明）王陽明撰、鄧艾民注：《傳習錄注疏》上海：上海古籍出版社，2017年，第252條，頁230。

30 （明）王陽明撰、鄧艾民注：《傳習錄注疏》上海：上海古籍出版社，2017年，第222條，頁210。

若無自己的努力，旁人總難與力。關於「聖人之道，吾性自足」義，程顥說得很透澈：「聖賢論天德，蓋謂自家元是天然完全自足之物，若無所汙壞，即當直而行之；若小有汙壞，即敬以治之，使復如舊。所以能使如舊者，蓋為自家本質元是完足之物。若合修治而修治之，是義也；若不消修治而不修治，亦是義也；故常簡易明白而易行。」[31]

　　陽明自言龍場時已不出「良知」之意，只是「點此二字」不出。我們可從兩個方面看出陽明此言非虛：第一，是考察「聖人之道，吾性自足」與良知學說思想衍生關係；[32]第二，是從陽明貴州期間智化與思州太守之矛盾、尺牘止亂等致良知工夫實例中，可看出陽明此時致良知工夫實際上已經純熟（具體史實可參看下一節「四　陽明龍場事跡考」），而龍場後其致良知工夫經過歷次平叛之事上磨練的進一步鍛造，終臻化境。陽明自言「吾良知二字，自龍場以後，便已不出此意，只是點此二字不出」[33]確有其實，並非虛言。至於「良知」的明確提出，據錢德洪《年譜》的記載，系陽明在江西時期才提出的教學方法，但陽明自言其龍場時期已經不出「良知」之意。

四　陽明龍場事跡考

　　因錢德洪所編陽明《年譜》對陽明龍場一段記載不詳，現根據筆者研究陽明龍場悟道問題所挖掘的資料資訊，還原陽明龍場事跡如下。[34]

---

31 （宋）程顥、程頤：《二程遺書》卷一「二先生語一」（上海：上海古籍出版社，2000年，頁51。

32 事實上，陽明「心即理」、「知行合一」、「良知」都與「聖人之道，吾性自足」有深刻的內在思想勾連。日本陽明學研究者大場一央也注意到這個問題。他在《龍場大悟在王陽明思想形成中的位置》一文中認為之前的學者之所以不能注意及此，就是因為他們從表面字義去理解，好像「良知」和「心即理」是兩個術語，所以就無法理解他們的內在緊密關係，這實在是受近代西方概念哲學之影響。在他看來，倘若肯認龍場悟道對陽明思想學問立本之說，就需要仔細探查「心即理」、「知行合一」、「良知」三者的緊密關係。然三者內在究竟是何關係，此文並未論述。參閱（日）大場一央著，胡嘉明譯：《龍場大悟在王陽明思想形成中的位置》，《陽明學刊》第8輯，貴陽：貴州大學出版社，2016年，頁208。筆者經過深入研究和思考認為，「心即理」是「聖人之道，吾性自足」的內在義，而「良知」則是對「聖人之道，吾性自足」所描述之每個人具完備之明德的精煉提揭。「知行合一」乃是體悟明德之具體方法。三宗旨「心即理」、「知行合一」、「良知」包含有本體之描述，及精煉提揭，以及悟本體之方法。故可涵蓋一完整之思想體系，三者內在的勾連極其緊密而不可分。

33 （明）錢德洪：〈刻文錄敘說〉，吳光等編校：《王陽明全集》上海：上海古籍出版社，2014年，下冊，頁1747。

34 《年譜》中龍場一段較為簡略，筆者根據本論文的研究成果予以還原和補充。龍場一段事跡，只能根據陽明相關詩文、書信和有限的公文還原，無法準確還原到月份，故陽明龍場一段儘量按事件的先後順序予以還原，以便明瞭龍場事跡之來龍去脈。束景南的《陽明年譜長編》和郝永的《王陽明謫龍場文編年評注與研究》對陽明龍場進行了按月記載，但考其時間記錄，主要依靠陽明詩歌中反映的物候現象進行估算性的月份推定，並無切實證據可推定具體月份，其中除了極個別的為確定的之外，其餘都無法確切推定。鑒於此，筆者暫不做此種月份的考定，僅考證陽明龍場期間事跡的來

　　一五〇八年（正德三年）～一五一〇年（正德五年），陽明三十七～三十九歲，居貴州。

　　中原的驛站有相應編制和辦公處，然貴州民窮，資源匱乏，貴州驛站平常的運作主要靠當地土司貢獻馬匹和住宿，並無獨立的辦公和休息住宿之地（詳後）。陽明到龍場初無居所，在荊棘叢中結草庵以居。後探得玩易窩洞穴，暫且做避雨之地。然洞內僅一出口，裡面光線漆黑，居於其內，猶如身處棺材之中。居無所處，食不果腹，而劉瑾之人又隨時偵之，不得逃脫，臨此生死存亡之際，陽明動心忍性，靜坐中克生死之念。反覆沉潛，求諸於己，克念作聖，恍然大悟。悟格物之旨，在求諸己而已，向之求索於外物，誤矣。求諸己，非僅自省，乃在行上沉潛，悟入大道，體乾卦初九「潛龍，勿用」之理，培風積厚，待時而動。融合佛老之玄妙與儒家履事之功，如此，則打通任督二脈，知行合一，體用一源矣。

　　用之於驗證《五經》無不吻合。陽明在龍場「日坐石穴，默記舊所讀書而錄之」，經一年七個月的時間著成《五經臆說》，將五經的大旨注解完畢。其時，陽明聖學工夫已逐步大進，雖傷懷感悟，有思念家鄉之情，偶有自棄消極之念，卻能當下即反。而其奴僕未有如此聖人之功，生存條件惡劣，鬱悶憂傷，早已病倒。陽明燒火做粥飼之，又唱家鄉之越曲以釋其抑鬱和思鄉之情。如此境地，聖人可做之事，畢矣。因玩易窩洞內黑暗，後得當地百姓指路，尋得東峰一個更寬敞，陽光較好的洞居住，遂命之為「陽明小洞天」（陽明洞）。陽明自帶乾糧用盡之後，又模仿當地百姓火耕水溽之法學種莊稼。陽明觀稼既汲取當地人之經驗，又以聖學工夫格之，格理透澈，氣象平和，與昔之格竹大為不同。其《觀稼》詩云：「下田既宜稌，高田亦宜稷。種蔬須土疏，種蕷須土濕。寒多不實秀，暑多有螟螣。去草不厭頻，耘禾不厭密。物理既可玩，化機還默識。即是參贊功，毋為輕稼穡！」此詩反映出陽明格莊稼之理透澈，氣象廣闊而平和，理學工夫進入了「勿忘勿助長」的狀態。觀稼之「稼」，是事，而非格竹的對象化之物。此體現了陽明從對象化靜觀到知行合一方式的轉變。

龍去脈。參閱束景南：《王陽明年譜長編》上海：上海古籍出版社，2018年；郝永：《王陽明謫龍場文編年評注與研究》廈門：廈門大學出版社，2019年。

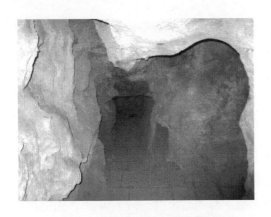

圖二　貴陽修文縣陽明玩易窩　　　　　　圖三　貴陽修文縣陽明洞

圖注：此二洞穴內部無任何光線，只能開閃光燈拍照。玩易窩洞內黑暗，只有一個出
　　　口，活像個墓穴，故楊德俊說《年譜》中的「石壙」實際上就是陽明將這個洞當
　　　做一個墓穴，而不是另外造一個石頭棺材。[35]王陽明因這裡居住條件實際太差，
　　　後聽取當地百姓建議，搬到光線較好的另外一個洞——陽明洞居住。此洞四通八
　　　達，光線比玩易窩要好很多。楊德俊考證說：石壙，有的《王陽明全集》點校
　　　本，以及其他有的書籍上印為「石墩」，是把古籍《王文成公全書》中「壙」字
　　　錄入文字時，搞錯成「墩」字了。在陽明好友，又是弟子的黃綰撰《陽明先生行
　　　狀》中，記載為「石廓」，《年譜》和《行狀》說的基本一致，有可能是當年刻書
　　　時把石壙寫成石廓了。查《辭海》，壙，本為「郭」的異文，假借為「窟」，窟穴
　　　之意。廓，為物體的外緣，如輪廓，廓處獨居，劍削曰廓等，壙與廓有相通之
　　　處。陽明自誓的石壙，即在今修文縣龍場鎮新春村的「玩易窩」下面的長方形小

35　筆者查閱王陽明《王文成公全書》，（明）謝廷傑明隆慶六年刻，陽明文獻匯刊影印，第7冊，成都：
　　四川大出版社，頁256，《王文成公全書》中的《年譜》所載確係「壙」字。楊德俊此說可取。

洞穴。王陽明應該是把這個窟穴當成石墎，即墓穴。他當時的心態是如果在這裡去世了，就把這個石墎當作墓穴，直接埋在裡面就可以了，以此表明他置之死地而後生的決心。「玩易窩」下面的石穴，就是王陽明石墎自誓的地方。

陽明不嫌棄貴州生活的簡陋，當地百姓日漸與之親近。時集夷人老幼親狎教導之，於是夷人樂從。諸夷以陽明穴居頗陰濕，請構小廬。欣然趨事，不月而成。後連續蓋君子亭、寅賓堂等屋舍，以供陽明居住和教學之用。[36] 諸生聞之，亦皆來集，請名龍岡書院，其軒曰「何陋」。湖南蔣信、冀元亨，貴陽陳宗魯、湯伯元、葉悟等數十人，聞訊來到龍岡書院學習。陽明之前因讀書求道過度勞累，身體本來就有病。來貴州因氣候的不適應又添新病，這使得他想念家鄉。陽明向龍場諸生說他準備回去了。龍場諸生問陽明：「夫子之言於朝侶也，愛不忘乎君也。今者謫於是，而汲汲於求去，殆有所渝乎？」陽明子曰：「吾今則有間矣。今吾又病，是以欲去也。」陽明不斷為自己後退而回護，甚至直接說「且吾聞之，人各有能有不能，惟聖人而後無不能也。吾猶未得賢也。而子責我以聖人之事，固非其擬矣。」陽明素以學聖人為志，如今卻想為保全自己而後退。龍場諸生反覆以聖人操守詰問陽明，為陽明克其動搖之心：「聖人不忘天下，賢者而皆去，君誰與為國矣！」[37] 龍場諸生有詰問，陽明就不斷為自己退縮而辯護，真可謂一山比一山高。若以兩方論辯較量來看，這篇〈龍場生問答〉頗為精彩。若以陽明理學工夫來看，此刻陽明實際上是在迴避自己的不足，是為自己退縮而辯護，實乃狡辯之計。這與陽明後來的「攻我短者是吾師」不同。身心之學須於己切身受用，而非僅僅在言語之間打轉。言語間看似縝密，事來之時，私欲縈繞，戕我天地萬物一體真樂之心，憂戚悲楚，實則於自身無任何受用處。故包括陽明在內大部分理學家都力主反求諸身，不提倡單純理論性的「口耳之學」。陽明在〈教條示龍場諸生〉中說：「使吾而是也，因得以明其是；吾而非也，因得以去其非。蓋教學相長也。諸生責善，當自吾始。」[38]

與貴州百姓的深入接觸中，陽明逐漸獲得了對少數民族的正見，他說：「其好言惡詈，直情率遂，則有矣。世徒以其言辭物采之眇而陋之，吾不謂然也。」陽明受貴州宣慰使安貴榮之請，為黔西修復的象祠作〈象祠記〉，借象受舜感化之事，表達了貴州少數民族也可感化之意。陽明突破了此前中原人對少數民族的「蠻夷」偏見，此系陽明日後能平定地方少數民族叛亂的重要前提。

---

36 陽明〈龍崗新構〉詩說：「諸夷以予穴居頗陰濕，請構小廬。欣然趨事，不月而成。諸生聞之，亦皆來集，請名龍岡書院，其軒曰『何陋』」。

37 （明）王陽明：〈龍場生問答（戊辰）〉，吳光等編校：《王陽明全集》上海：上海古籍出版社，2014年，中冊，頁1004。

38 （明）王陽明：〈教條示龍場諸生〉，吳光等編校：《王陽明全集》上海：上海古籍出版社，2014年，中冊，頁1075。

　　陽明龍場提出「聖人之道，吾性自足」、「知行合一」、「心即理」的命題，實際上已奠定了一生學問的根基，後來所揭「良知」二字不過是對龍場所悟的進一步熟化和提煉而已。陽明龍場期間致良知工夫實際上已趨成熟。其時，因百姓與陽明親近，引起貴州巡撫王質的關注。巡撫派奴僕前來察看，然奴僕驕縱不法，欺辱陽明。當地百姓與陽明血脈相連，不忍看陽明被辱，遂將奴僕痛打趕走。巡撫聞之，欲借貴州提學副使毛科使陽明屈服，然陽明正義凜然，舉禮儀之大旗，申明是巡撫奴僕和當地百姓之矛盾，非自己與巡撫之矛盾，自己日有三死，倘若要罰，也不畏懼。此信所反映出來的境界與致良知工夫頗得毛科欣賞。毛科欲重用陽明，請其主持貴陽文明書院。然陽明基於對毛科之觀察，認為其志不堅，難以施展自己講明聖學的抱負，故虛與委蛇，委婉謝絕。毛科因調遷離任，囑即將就任的席書說陽明是棟樑之材，要重用。席書學問本諸周程，與陽明思想多相契合，故而情投意合，相互切磋學問。席書欲與陽明辯朱陸鵝湖之辯，陽明卻不言，只以自己所悟「知行合一」告之。書起初不相信，連續幾天之後，才開始相信陽明之悟，說：「聖人之學，復睹於今日」。席書拜服陽明，率領貴陽諸生以師禮侍陽明。席書在邀請陽明主講文明書院信中恭敬有加，說「非科舉累人」，而是人自累於科舉，倘若陽明能在書院中「早以文學進於道理，晚以道理發為文章」，則「一舉而諸士兩有所益矣」。陽明終於感受到文明書院對聖人之學的尊重，遂欣然應之。

　　水（鴨池河）西彝族貴州宣慰司安氏在當地有上千年的統治歷史，甚至發展了自己的文字，宿有重望，是明代貴州最大的土司。其勢力之大，甚至想吞併水（鴨池河）東的小土司，龍場驛也在其勢力範圍內。龍場驛並非一個單獨的驛站，而是龍場九驛之一。龍場九驛是明初安氏一族的奢香夫人為答應朱元璋安定邊境，開通西南交通而建的驛站，一共有九驛，包括：龍場驛、六廣驛、穀裡驛、水西驛、奢香驛、金雞驛、閣鴨驛、歸化驛、畢節驛。[39]此前，貴州土司尾大不掉，朝廷鞭長莫及，朝廷監管地方的驛

39　《明史》〈貴州土司列傳〉記載奢香夫人設立龍場九驛的來由說：「自蜀漢時，濟火從諸葛亮南征有功，封羅甸國王。後五十六代為宋普貴，傳至元阿畫，世有土於水西宣慰司。靄翠，其裔也，後為安氏。洪武初，同宣慰宋蒙古歹來歸，賜名欽，俱令領原職世襲。及設布政使司，而宣慰司如故。安氏領水西，宋氏領水東。八番降者，皆令世其職。六年詔靄翠位各宣慰之上。靄翠每年貢方物與馬，帝賜錦綺鈔幣有加。十四年，宋欽死，妻劉淑貞隨其子誠入朝，賜米三十石、鈔三百錠、衣三襲。時靄翠亦死，妻奢香代襲。都督馬曄欲盡滅諸羅，代以流官，故以事撻香，激為兵端。諸羅果怒，欲反。劉淑貞聞止之，為走謳京師。帝既召問，命淑貞歸，招香，賜以綺鈔。十七年，奢香率所屬來朝，並訴曄激變狀，且願效力開西鄙，世世保境。帝悅，賜香錦綺、珠翠、如意冠、金環、襲衣，而召曄還，罪之。香遂開偏橋、水東，以達烏蒙、烏撒及容山、草塘諸境，立龍場九驛。二十年，香進馬二十三匹，每歲定輸賦三萬石。子安的襲，貢馬謝恩。帝曰：「安的居水西，最為誠恪。」命禮部厚賞其使。二十五年，的來朝，賜三品服並襲衣金帶、白金三百兩、鈔五十錠。香復遣其子婦奢助及其部長來貢馬六十六匹，詔賜香銀四百兩，錦綺鈔幣有差。自是每歲貢獻不絕，報施之隆，亦非他土司所敢望也。二十九年，香死，朝廷遣使祭之，的貢馬謝恩。」關於龍場驛的具體情況，另可參閱魏冬冬、胡振：〈明「龍場九驛」設立緣由及維護研究〉，《三峽大學學報（人文社會科學版）》2017年1月，頁49-54。

站龍場驛多未建設。且貴州民窮，資源匱乏。龍場九驛平常的運作主要靠當地土司貢獻
馬匹和住宿，並無獨立的辦公和休息住宿之地。龍場九驛日常安排表如下：

表一　龍場九驛日常安排表

驿站名	承走马匹及责任人	供馆	铺陈
龙场驿	23 匹,宣慰使花仡佬八寨苗民	宣慰使馆田	23 副
陆广驿	18 匹,头目陇革	头目陇革	18 副
谷里驿	19 匹,头目阿卜	头目熊阿白	19 副
水西驿	22 匹,永侧、织金等目民	头目阿苏	22 副
奢香驿	17 匹,头目化沙	头目以则	17 副
金鸡驿	21 匹,头目卧者	头目夜莫	21 副
阁鸦驿	18 匹,头目阿底	头目得吉	18 副
归化驿	24 匹,头目阿户	头目得吉	24 副
毕节驿	24 匹,头目阿体	头目阿体	24 副

（資料來源：魏冬冬、胡振根據郭子章《黔記》等資料繪製）[40]

安貴榮念陽明初到驛站，食住無所著落，生存條件惡劣，且聞朝廷有強化中央管轄
之意，故有意拉攏陽明，以拒朝廷勢力之深入。遂送金帛、布匹、大米、雞鵝、炭等物
與陽明，陽明認為金帛、布匹等乃結交大臣之物，故而辭之，只收下大米、雞鵝、炭等
生活必需品。得此接濟，陽明度過了莊稼收成前的難關。安貴榮後想撤掉驛站，清除中
央的管控勢力，陽明勸其說：「夫驛，可減也，亦可增也；驛可改也，宣慰司亦可革
也。由此言之，殆甚有害，使君其未之思耶？」隨後水（鴨池河）東土司宋然境內又發
生苗族阿賈、阿劄叛亂，叛亂人數達兩萬餘眾。[41]安貴榮為了趁機奪取地盤，居然按兵
不動，且有傳言說安貴榮為叛亂提供武器。陽明修書勸安貴榮說：「然則揚此言於外，
以速安氏之禍者，殆漁人之計，蕭牆之憂，未可測也。使君宜速出軍，平定反側，破眾
讒之口，息多端之議，弭方興之變，絕難測之禍，補既往之愆，要將來之福。」安貴榮

---

40 參閱魏冬冬、胡振：〈明「龍場九驛」設立緣由及維護研究〉，《三峽大學學報（人文社會科學版）》
　　2017年1月，頁52。

41 《明史》〈貴州土司列傳〉記載此次叛亂說：「先是，宋然貪淫，所管陳湖等十二馬頭科害苗民，致
　　激變。而貴榮欲並然地，誘其眾作亂。於是阿朵等聚眾二萬餘，署立名號，攻陷寨堡，襲據然所居
　　大羊腸，然僅以身免。貴榮遽以狀上，冀令己按治之。會阿朵黨泄其情，官軍進討。貴榮懼，乃自
　　率所部為助。及賊平，貴榮已死，坐追奪，然坐斬。然奏世受爵土，負國厚恩。但變起於榮，而身
　　陷重辟，乞分釋。因從末減，依土俗納粟贖罪。都御史請以貴筑、平伐七長官司地設立府縣，皆以
　　流官撫理。巡撫覆奏以蠻民不願，遂寢。宋氏亦遂衰，子孫守世官，衣租食稅，聽徵調而已。」

因此信而迅速出兵，幫助朝廷平定了叛亂。陽明字字緊扣安貴榮之良知，一紙書信說動安貴榮出兵平叛，明代文臣之中罕見，史上形象地稱此歷史事件為「尺牘止亂」。面對長官的威逼，不卑不亢，為長官致良知；勸安貴榮打消取締驛站的念頭，尺牘止亂等等事件都體現了陽明龍場時期致良知工夫已經成熟。

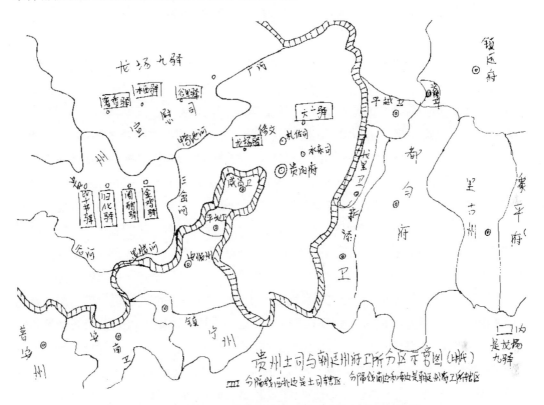

圖四　明代貴州土司與朝廷州府衛所分區示意圖[42]

圖注：分割線西北邊是土司轄區，貴州境內的大土司均集於其內。這片區域以鴨池河為
　　　界，水西是貴州宣慰司領地，水東是水東、紫佐等土司的領地。水西的彝族貴州
　　　宣慰司安氏在當地統治了上千年，甚至發展了自己的文字，宿有重望，是明代貴
　　　州最大的土司。分割線以南和以東主要是朝廷的州府衛所轄區，在州府周邊偶見
　　　小土司，但勢力極為弱小，故此圖未標出。

　　一五一〇年（正德五年），陽明三十九歲。陽明得毛科、席書賞識。席書後調職中央任禮部尚書。席書向皇帝極力推薦陽明。陽明也預先聞得朝廷變動的風聲，自度即將不久於龍場，作詩曰：「寄語峰頭雙白鶴，野夫終不久龍場」（〈龍崗漫興五首〉）。唯陽

---

42 本圖是筆者根據明代原始地圖資料繪製而成，包括譚其驤主編：《中國歷史地圖集》、明弘治年間趙
　　佐纂修的《貴州圖經新志・貴州宣慰司地理之圖》等資料。

明之前上書言辭激烈，躁進而得罪武宗，雖得禮部尚書席書極力推薦，仍不得武宗重用，[43]只是量之而遷湖南廬陵縣縣令。三月，陽明就任廬陵縣縣令。五月，張永與楊一清揭發劉瑾罪行，武宗下令以「反逆」罪將其淩遲處死。

五　陽明龍場期間對本體─工夫悖論的突破

　　本體─工夫間的悖論在於：如果沒有徹悟本體，本體－工夫未合一，那麼很有可能知行分離，表裡不一。[44]如此，又談何真正的工夫？其所談之本體，所言之悟，究竟只是虛象。而其間的關鍵正在事上磨練。陽明龍場前沉溺佛老，在道學境界上可以說已經很超邁了，但「庭前格竹」卻體現出陽明有急躁之象。陽明自言佛老之言措之於日用茫無所入。感覺在自己身上體用、知行仍有分離。而陽明龍場事上磨練的機緣才讓他進一步沉潛，積蓄力量。這種積蓄力量，當有如《莊子》〈逍遙遊〉裡講的大鵬在飛向萬裡之前，需要「培風」。《周易》的乾卦第一爻也說「初九，潛龍勿用。」陽明在龍場時只不過一個驛臣，沒有實權。且其學問一開始也未真正能知行合一、體用不二，經過龍場的事上磨練，在最底層的生活之事（如築屋、種莊稼之類）上體察到細微事物上的天道，道學的氣象上從之前的躁進轉入自然平和狀態。學問得以融通，悟格物致知之旨。悟出儒家之道簡易而廣大，佛老之學反而是「土苴」了。而陽明在生活中與下層百姓的深入瞭解，才使他對所謂的「蠻夷」獲得了真正的正見，拋棄了以前中原人傲慢和偏見，這是陽明以後能解決地方少數民族叛亂問題的根本性前提。因此，龍場的磨練不僅幫助陽明獲得了學問的關鍵性突破，而且也獲得了以後馳騁疆場、平定地方的資本。學問與事功交相推進。這些都是陽明被貶龍場時事上磨練所獲得的。陽明龍場期間的徹悟，也是陽明後來能本體─工夫合一的前提。當其為調停錢德洪和王龍溪間的爭論時，陽明實際上是已經將本體─工夫合一了，故而陽明可以統攝錢德洪從工夫到本體路線和

---

43 《明史·席書傳》記載說：「時執政者費宏、石珤、賈詠，書心弗善也，乃力薦楊一清、王守仁入閣，且曰：『今諸大臣皆中材，無足與計天下事。定亂濟時，非守仁不可。』帝曰：『書為大臣，當抒大略，共濟時艱，何以中材諉？』守仁迄不獲柄用。」從明史的這一記錄來看，在武宗的心目中，王陽明並無席書的政治才能，武宗此判斷有可據之處，陽明在龍場前的諸多躁進，如主山東鄉試時對朝廷的大勢批判，為救言官的直言上諫等等表明陽明比較躁進，沒有席書成熟老練。這些躁進，陽明在龍場期間才得以反省和糾正。唯此時武宗尚不知陽明龍場期間的進展，得等待陽明龍場後建功立業才逐步得以察明陽明能力之進展。

44 王見泉指出：本體─工夫的悖論的癥結在本體，本體不能離經驗太近，否則不成其為本體，也不能經驗太遠，否則流於虛玄，陽明後學正是在這種兩難中掙扎。參閱王見泉：〈陽明學的本體──工夫悖論與其教訓〉，《孔學堂》2020年第4期，頁82-90。其實王見泉所講的兩難正是儒佛之間的分界，這是陽明曾經的掙扎，但他在龍場期間解決了這個困惑。因此，陽明學的本體─工夫問題疑難必在陽明龍場悟道問題中尋找答案，陽明這裡是源泉，包含了問題的全貌和答案，而陽明後學僅是一部分影子。

王龍溪的從本體到工夫路線。從工夫到本體的路線，如何能有一個跨越，使得工夫本體合一呢？陽明在天泉證道時對錢德洪的回復為我們提示了線索：

> 先生曰：「有只是你自有，良知本體原來無有，本體只是太虛。太虛之中，日月星辰，風雨露雷，陰霾一氣，何物不有？而又何一物得為太虛之障？人心本體亦復如是。太虛無形，一過而化，亦何費纖毫氣力？德洪功夫須要如此，便是合得本體功夫。」[45]

按陽明之意，本體本身是虛空，沒有任何染著。而人與本體相隔，是因人自身的私念染著，阻礙了本體的虛空無礙。要能明白此點，那麼從工夫到本體的路線就能達到一種跨越，使得本體—工夫合一。這一點，如果用於分析陽明龍場期間的從工夫到本體的跨越的話，那麼就是陽明對生死之念之染著的突破和跨越。陽明因害怕死亡，曾經要逃避赴謫，在杭州逗留了好幾個月。後因鐵柱宮道士的點醒說逃亡可能會被劉瑾誣陷投敵禍及家人，他才繼續赴謫。到了龍場，陽明反省自己一切榮辱皆可忘，唯生死之念未克，遂靜坐以俟命。《年譜》說陽明靜坐之後，「久之，胸中灑灑」。靜坐之功當然不可泯滅，但另外一層面，卻是事上磨練給予陽明的啟迪和開悟。特別是陽明後來因身體不適想回家鄉，龍場諸生為說服陽明聽皇帝貶謫之命繼續留在貴州，為陽明堅定了聖人之志，對陽明克服生死之念起到了至關重要的作用，這使得陽明在日後戎馬生涯中不懼生死，堅持不懈。「不識廬山真面目，只緣身在此山中」，事上磨練中，他人的觀察和回饋，實際上是反照自己心體的明鏡。以此明鏡為鑒，方可克盡內心之私欲和雜念的染著。但此染著的徹底克去，說難也難，說容易也容易。難就是未得要領，一念念慢克，慢慢修。在佛學中，對於所謂的染，有種類繁多的區分。說容易也容易，就是要透過最上一機。也就是陽明點化錢德洪的那句「良知本體原來無有，本體只是太虛。……人心本體亦復如是。太虛無形，一過而化，亦何費纖毫氣力？」實際上與禪宗六祖慧能的偈語「菩提本無樹，明鏡亦非臺。本來無一物，何處惹塵埃」正好暗相契合。然而，此等對周遭世界與自身心體的虛空證和感受，非經一番磨礪和錘鍊不能經驗和超脫。龍場之謫中的生死考驗，長官的威逼等等事件，均是觸發陽明對虛空本體的感受，對自家心體與宇宙虛空同體的大徹大悟，才最後連生死之念也克盡了。此等生死之念的染著，我們分析陽明赴龍場途中，陽明害怕被劉瑾暗殺，曾有遠遁之意。我們仔細分析相關歷史材料卻發現劉瑾暗殺陽明根本無其實，《王陽明出身靖亂錄》中所編造的陽明托言投江之故事根本屬於荒誕的無稽之談：第一，一聲落水聲和一首絕命詩居然能矇騙高明的錦衣衛，純屬貶低錦衣衛之能力；第二，實際上劉瑾與陽明父親王華是同朝為官的好友，關係比較好，

---

45 見（明）錢德洪編：《年譜》，「六年丁亥，先生五十六歲，在越」條，《王陽明全集》上海：上海古籍出版社，2014年，下冊，頁1442。

不可能因陽明上諫書就殺掉陽明。[46]我們可以確定的事實是劉瑾為了監督陽明赴謫，確實派了錦衣衛暗中跟蹤。陽明因為發現被錦衣衛跟蹤，就害怕被劉瑾暗殺，擔心自己的生死存亡。遂有種種憂慮，也導致後來種種如托言投江逃脫一類無稽故事之演繹。此當是陽明心中為外在情勢所動，心體上拂動了恐懼之念。此種情形，與陽明後來平定朱宸濠之亂後，宦官江彬之誣陷陽明謀反，陽明絲毫不受觸動，形成鮮明對比：

> 江彬遣人來觀動靜。相知者俱請回省，無蹈危疑。先生不從，作〈啾啾吟〉解之，有曰：「東家老翁防虎患，虎夜入室銜其頭。西家小兒不識虎，持竿驅虎如驅牛。」且曰：「吾在此與童子歌詩習禮，有何可疑？」門人陳九川等亦以為言。先生曰：「公等何不講學，吾昔在省城，處權豎，禍在目前，吾亦帖然；縱有大變，亦避不得。吾所以不輕動者，亦有深慮焉耳。」[47]

陽明所謂「不輕動」的「深慮」恰好就在面對危險時心的動與不動，心動了則會產生懼怕，最終被危險（老虎）吞噬掉，假如心不動，無所恐懼，那麼就會像西家的小兒那樣「持竿驅虎如驅牛。」〈啾啾吟〉詩中所言，從事實上看未必可信，然而此譬喻恰好要講的是面對危險時懼與不懼的區別。我們當看其譬喻義，而不可糾其實在義。陽明面對劉瑾所派錦衣衛的跟蹤，假如不怕，按時間赴謫，那麼就沒有什麼危險。假如是懼怕之後就遠遁了，那麼很可能對陽明而言，就是真正的死亡通牒。好在陽明懼怕之後，沒有立即遠遁，而是詢問了鐵柱宮道士的意見，最終才選擇繼續赴謫。在準備赴謫時，陽明已經開始琢磨將佛學的空與儒家中庸之中進行會通理解，其詩云：「靜虛非虛寂，中有未發中。中有亦何有？無之即成空。」[48]將儒家「中庸」之「中」，與佛家「緣起性空」之「空」，聯於同一詩中。儒釋術語共闡道體，互為支撐，毫無軒輊。繼續赴謫途中，陽明寫下〈泛海〉詩，詩云：「險夷原不滯胸中，何異浮雲過太空！夜靜海濤三萬裡，月明飛錫下天風。」說明陽明此時已反思到對死亡和危險的懼怕心理縈繞於心體，而生死之念實際上在本體的虛空中本無此物，因此說「險夷原不滯胸中」。當然，陽明龍場前夕在生死之念上還是動了，與上述引文描述的情況確實有明顯差距。我們繼續看陽明龍場期間面對與貴州巡撫王質的矛盾中，面對危險，陽明確實有了進步，沒有輕易被外在的危險所觸動而感到恐懼。反而是鎮定自若，正義凜然，扭轉了局勢，獲得了新的生機和希望。

---

46 參閱（明）馮夢龍：《王陽明出身靖亂錄》杭州：浙江古籍出版社，2015年。

47 見（明）錢德洪編《年譜》，「十有五年庚辰，先生四十九歲，在江西」條，《王陽明全集》上海：上海古籍出版社，2014年，下冊，頁1406。

48 陽明被貶龍場，臨行前，其友湛若水歌九章以贈，崔子鐘和之以五詩，於是王陽明作八詠以答之。《王陽明全集》的編者將這八詠組詩命名為〈陽明子之南也其友湛元明歌九章以贈崔子鐘和之以五詩於是王陽明作八詠以答之〉太繁雜而無標點，容易引起誤解，故我將其簡化為〈和湛若水、崔子鐘八詠〉。見《王陽明全集》上海：上海古籍出版社，2014年，中冊，頁749-752。

　　本體之虛空不等於無。宇宙的虛空，乃是實存的，而非真正的無。了悟此點，那麼就能知曉其實我們所看到的現象，其實恰好不是無中生有，而只是個顯隱問題。此點在張載看來，恰好是儒家與佛老分疏的關鍵之處。陽明哲學義理層面的思辨，確實無法與張載相媲美。但陽明的辯證法，不在義理層面，而在實踐層面。陽明的知行合一，恰好是以其行動的邏輯，表達了其思想的邏輯。前述陽明龍場期間格物的進展，恰好說明陽明實際上已經在行上推進了儒家內在的嚴謹邏輯與生命之豐滿，與佛老虛無之傾向恰好不同。因此，當王龍溪用道家水晶宮的虛無體驗去描述陽明龍場悟道之時，實際上就沒有把握到儒家與佛老的關鍵分疏之處。

香港宋王臺詩與明代厓山詩的傳承關係

張燕珠

香港都會大學教育及語文學院

　　明代新會陳獻章重點書寫厓山，傳承文天祥的厓山詩史，記錄宋季海上行朝的變遷，保存相關的事蹟、人物、遺跡等。香港宋王臺與宋季事蹟淵源甚深，其滄桑巨變，觸動飽歷時代變遷的近代文人心靈，滲透著複雜的情思。晚清民初，以陳伯陶為首的廣東翰林寓居香港九龍，他們登臺飽覽勝景、憑弔懷古、雅聚賦詩等，展現深淺情懷。他們融入初始景觀、遺老身分或寓居身分，結合宋季歷史文化記憶、宋季及清季歷史事蹟，推動個人家國情至極致。其後編彙成香港第一部雅集《宋臺秋唱》。五十年末，香港趙族宗親總會舉辦徵詩活動，編著《宋皇臺紀念集》，保留大量珍貴文獻、古今詩詞等，延伸厓山詩史至宋王臺。這些作品主要是因石刻而引發文人歷史文化的記憶與想像，以誌民族精神和愛國情操。

　　學者傾向以明清兩代及民國初年連結宋季歷史的厓山詩歌及宋王臺詩詞、遺民陳伯陶與汪兆鏞、《宋臺秋唱》等為考察中心，討論歷代文人書寫宋季行朝的歷史意義與文化意蘊。「厓山」書寫方面，學者集中探討厓山行朝史、簡志、精神和詩史，厓山愛國與遺民心理，厓山文學景觀與嶺南文化的關係。[1]這種歷史文化內涵與文學意象，與宋王臺詩異曲同工，象徵亡國哀痛、故國之思、弔古傷今等。「宋王臺」書寫方面，學者傾向從遺跡及遺民的角度，研究宋王臺及其周邊遺跡，以及遺民如陳伯陶、汪兆鏞等事蹟。遺跡與遺民的關係方面，從遺民文學的角度看，以陳伯陶與九龍及宋史的關連、《宋臺秋唱》的懷古記憶及遺民抒情，以及「宋臺秋唱圖」為中心，析論宋末遺跡和九龍避地之間形構的地方感，建立香港離散詩學的參照脈絡和意義。[2]從歷史文化角度看，清朝遺老從「記憶意圖」，以詩文書寫宋王臺、侯王廟等宋季古蹟，說明遺民、古蹟和記憶的支援或撼動關係。[3]遺民方面，有綜述陳銘圭與陳伯陶生平事跡；[4]有分析陳

1　分別見張大年：〈導言——宋末厓山行朝的面面觀〉，收入《厓山詩選：宋末行朝詩史》香港：飲水書室，1991年，頁27-44；李亞飛：〈論崖山之敗愛國詞及其遺民心理〉，《邯鄲職業技術學院學報》2017年第3期，頁23-25；薛展鴻：〈崖山文學景觀研究〉，《五邑大學學報（社會科學版）》2017年第4期，頁15-19。

2　高嘉謙：〈刻在石上的遺民史：《宋臺秋唱》與香港遺民地景〉，《臺大中文學報》2013年第4期，頁277-316。

3　姚道生、黃展樑：〈空留古廟號侯王：論九龍城宋季古蹟的記憶及侯王廟記憶的歷史化〉，《思與言》2017年第2期，頁17-69。

伯陶遺民忠節觀之形成、特點、創作實踐及其深層意義；[5]有研究汪兆鏞往返原鄉與寓居地的遺民景地書寫，略論其敘事架構及追認意識比不上《宋臺秋唱》；[6]有析論汪兆鏞由身世之感建構詩詞主題，至晚年步入道禪境界的自我確認與身分重建；[7]有析論九龍城與宋史連結、以陳伯陶為首的清遺臣與九龍城、宋王臺等關係，兼論宋王臺秋唱的意義。[8]此外，有旁及寓港文人的離散書寫與香港意識。[9]綜合上述研究，為本文提供不少基礎背景。惟當中的厓山詩與宋王臺詩的研究較為獨立，並未進一步連繫兩者的傳承關係，故本文探究當中的史地脈絡，以觀照越代書寫宋季事蹟的文化意蘊。

一　憑弔千秋客夢孤──富場、官富場

官富場轄境廣闊，涉及鹽政。普遍稱作「官富場」，多指鹽官場署所。《宋會要》述及官富場為當時鹽場之一。製鹽、採珠、種香，是古代香港地區經濟活動中的三大行業。香港自古為產鹽之地，主要集中在九龍半島沿海及大嶼山、長洲等。據《填海錄》、《厓山志》、《宋史新編》、《清一統志》、《圖書集成》〈職方典〉、《宋會要》等文獻，饒宗頤辨證官富場是因官富山而得名。宋代以來，官富場是東莞四大鹽場之一。南宋初設於大奚山海南柵，包括整個九龍半島及新界。[10]《厓山志》云：「夏四月，帝舟次于廣之官富場。」[11]《宋史》〈忠義傳〉附錄杜滸傳云：「天祥移屯潮州，杜滸議趨海道，天祥不聽，使護海舟至官富場。」陳仲《二王本事》云：「景炎帝趨於富場。」清代嘉慶舒懋官、王崇熙《新安縣志》卷十八勝蹟略云：「官富駐驛。」《宋行朝錄》丁丑年四月：「帝舟次於此，即其地營宮殿，基址柱石猶存，今土人將其址改建北帝廟。」[12]

4　譚赤子：〈兩代文章見性情──陳銘圭、陳伯陶父子其人其文〉，《嶺南文史》2002年第1期，頁31-33。

5　董就雄：〈陳伯陶忠節觀試析〉，《文學論衡》2010年第17期，頁13-32。

6　余佳韻：〈流離與回返：民初廣東文人汪兆鏞的遺民風景〉，《成大中文學報》2016年第53期，頁111-154。

7　李杰：〈誰向虞淵挽夕暉：汪兆鏞的遺民身分及其自我建構〉，《華南師範大學學報（社會科學版）》2016年第2期，頁158-168。

8　趙雨樂：〈宋王臺──前清遺老的史跡追尋〉，收入《近代南來文人的香港印象與國族意識》香港：三聯書店（香港）公司，2016年，頁151-166。

9　張宏生：〈離散、記憶與家國──論民國初年的香港詞壇〉，《文學評論》2019年第6期，頁153-163。

10　饒宗頤著，鄭煒明編：《饒宗頤香港史論集》香港：中華書局香港有限公司，2019年，頁42-44。也見於「官富場」、「官富山」、「富場」條目，收入史為樂主編：《中國歷史地名大辭典》北京：中國社會科學出版社，2005年，下冊，頁1700、2627。

11　（明）黃淳等撰：《厓山志》廣州：廣東人民出版社，1996年，卷1，頁78。此條目也載於（清）阮元監修，李默點校：《廣東通志·前事略》，收入李默、林梓宗、楊偉群點校：《嶺南史志三種》廣州：廣東人民出版社，2011年，頁130。

12　轉引自胡從經編纂：《歷史的躄音：歷代詩人詠香港》香港：朝花出版社，1997年，頁19-20。

「富場」、「官富場」、「官富山」、「官富寨」、「官富九龍寨」及「九龍砦」相通，即今香港九龍塘至九龍城馬頭涌一帶。

　　明代已有吟詠「官富場」的詩篇。詩人不是抒寫鹽官場風光、鹽政，而是歎息亡國、痛惜宋末二帝（宋端宗趙昰，1269-1278；宋少帝趙昺，1272-1279）。二帝事蹟詳載於明代黃淳等人編撰的《厓山志》。[13]黃淳稱帝昰為「端宗皇帝」，使用「皇」字，區別《宋史》〈二王紀〉、〈二王本末〉。正史不列二帝為宋帝，惟因行朝悲壯收結，孤忠可歌可泣，普遍接受二帝為皇帝。侯琚〈官富懷古〉云：

　　　　草舍離宮一壟坵，夕陽高照舊硐州。許多忠魄歸何處？黃葉蘆花冷淡秋。[14]

此詩寄懷宋末二帝的事蹟。「硐州」，是宋季行朝覆滅前最後的行都，端宗駕崩地點，也是少帝登位之地，其地距離雷州不遠，史家有化州、大嶼山之辨。[15]鄧孕元〈官富懷古〉云：

　　　　野岸維舟日已哺，故宮風色亂藫薀。百年天地留殘運，半壁江山入戰圖。鳥起荒
　　　　臺驚夢短，龍吟滄海覺愁孤。豪華終古俱陳跡，剩有忠良說丈夫。[16]

詩懷宋室，忠良留存。

　　近代寓港文人也寫下不少吟詠「官富場」的詩篇。陳伯陶〈宋皇臺懷古並序〉詩序云：

　　　　九龍古官富場地，明初置巡司。嘉慶間總督百齡築砦，改名九龍。道光間復改官
　　　　富巡司為九龍巡司，而官富場之名遂隱。其地東南有小山，瀕海上有巨石刻曰
　　　　「宋王臺」。[17]

清朝遺老多在文學作品使用「九龍砦」以明志。陳伯陶〈登九龍城放歌〉詩題云：「九龍砦土人呼之曰城。」[18]吳道鎔〈偕陳燾公（伯陶）張闇公（學華）伍銓公（銓萃）賴

13　（明）黃淳等撰：《厓山志》，卷1，頁35-36。

14　胡從經編纂：《歷史的迴音：歷代詩人詠香港》，頁19。

15　饒宗頤著，鄭煒明編：《饒宗頤香港史論集》，頁67。饒宗頤從北宋《太平寰宇記》、鄧光薦《文丞相傳》、《新元史·忙兀台傳》、《清一統志》、《宋史》〈陳宜中傳〉等歷史文獻，考證硐州非在香港大嶼山，應在化州吳川縣南海中，見〈論硐州非大嶼山〉及〈硐州非大嶼山（續論）〉二文，頁67-98。簡又文在〈宋末二帝南遷輦路考〉及〈硐州問題之再研究〉二文中，主張硐州在大嶼山，收入簡又文、《宋皇臺紀念集》編印委員會編：《宋皇臺紀念集》香港：趙族宗親總會，1960年，頁122-174、187-199。

16　胡從經編纂：《歷史的迴音：歷代詩人詠香港》，頁22。

17　陳伯陶：《瓜廬詩賸》卷下，收入王偉勇主編：《民國詩集叢刊》（第一編）臺中：文听閣圖書公司，2009年，24冊，頁223-224。

18　陳伯陶：《瓜廬詩賸》卷下，收入王偉勇主編：《民國詩集叢刊》（第一編），24冊，頁215。

智公（際熙）遊九龍砦訪宋季遺蹟〉。[19]左秉隆〈遊九龍城〉云：

> 今代九龍地，宋時官富場。我來尋勝蹟，亮節憶侯王。廟古依鵝嶺，城堅負鶴崗。登高一以眺，海口集番航。[20]

此詩直述九龍城即宋時官富場，描寫附近的「勝跡」，如侯王廟、[21]宋王臺等，官富場曾是海上交通航道。蘇澤東〈官富場懷古〉云：

> 官山府海啟皇圖，曾泊戈船碧浪隅。保護舟師傳杜滸，會攻城寨令唆都。間關百戰臣心瘁。憑弔千秋客夢孤。誰謂窮荒非樂土，漁歌樵唱笑相呼。[22]

此詩借史抒懷，援引宋史和元史記載官富場事蹟，宋亡的土地卻換成粵人的樂土，惟一切都付漁樵笑談中。近代文人由歎息孤忠情懷，轉投歷史事實，淡化個人主觀情思。「官富場」，早已成為過去，文人的悲愴之情漸減。以「官富場」、「富場」為詩題、詩旨的數量漸減，它只是詩的一部分內容，如「富場憑弔踏歌還」（陳景梁詩）、「官富場空莽何處」（梁洧詩）、「驅車富場路二王」（蘇澤東詩）等，試圖在宋王臺中結合宋亡歷史與遺民情懷，以詩存史。

二　孤臣血淚洒南風——厓山詩原型

「厓山」詩篇的原型，源自文天祥詩。「文信國公，身罹夷變，目擊宋亡，發為詩歌，慷慨悲憤」、「其憂如板蕩，其思如黍離，其憤厲激切」。[23]文天祥〈哭厓山〉云：

> 寶藏如山席六宗，樓船千疊水晶宮。吳兒進退尋常事，漢氏存亡頃刻中。諸老丹心付流水，孤臣血淚洒南風。早來朝市今何處，始悟人間萬法空。

詩敘寫行朝壯觀卻頃刻覆亡海上，一年後再渡厓山，遙憐故國，淚灑南風。這首詩充分反映文天祥詩的用語：「孤臣」、「淚」、「血」。在詩歌裡，文天祥屢次自稱「孤臣」，如〈愧故人〉「玉勒雕鞍南上去，天高月冷泣孤臣」、〈元夕〉「孤臣腔血滿，死不愧廬陵」等。他也屢次帶「淚」寫英雄末路、報國無望之悲，如〈戰場〉「垓下雖雄羞故老，長安咫尺泣孤囚」等，並多用「血」字寫自己滿腔英雄遺恨，如〈金陵驛〉「從今別卻江

19 吳道鎔撰：《澹盦詩存》臺北：大華印書館，1937年，頁15-16。

20 胡從經編纂：《歷史的跫音：歷代詩人詠香港》，頁57。

21 原名楊侯王廟，在九龍宋王臺舊址西北白鶴山上。陳伯陶考訂為供奉楊亮節，見〈侯王古廟聖史牌記〉。饒宗頤駁斥其論，楊侯王廟早建於道光以前。「侯王廟」是通稱，沒有定祀，是上繫楊姓者，以楊氏為宋季外戚，累代軒冕。饒宗頤著，鄭煒明編：《饒宗頤香港史論集》，頁104-106。

22 見〈卷四·文藝之部〉，收入簡又文、《宋皇臺紀念集》編印委員會編：《宋皇臺紀念集》，頁239。

23 （明）黃淳等撰：《厓山志》，卷5，頁546。

南日，化作啼鵑帶血歸」等。[24]文天祥以賦筆述事，重視詩教化的社會功能。從德祐二年（1276）起，他書寫許多悲壯的厓山詩篇。他被元軍扣押，脫陷南歸，寫成《指南錄》一〇九首；由五坡嶺（今廣東海豐縣北）被執北行，在獄中寫成《指南後錄》一六二首；身繫在獄中有感而賦《吟嘯集》六十四首及《集杜詩》（一名《文山詩》）二百首。[25]他是南宋末朝大臣，力圖恢復社稷卻無望，被執入獄，目擊厓海之戰，宋軍慘敗的經過，以詩證史，泣鬼神動天地。

　　南宋海上行朝由碙州遷至新會厓山，張世傑以此山為天險，可扼以自固。帝昺祥興元年（1278）十一月，文天祥駐兵潮陽，劉子俊自江西帶兵趕至，遂討平潮州海盜陳懿、劉興之亂，劉死陳逃，忽聞海上消息，指元軍首領張弘範以水師從明秀下海，以步兵從漳泉入潮州，水陸並進。文天祥飛報朝廷，移駐海豐入南嶺圖鞏固根據地，張弘範軍隊渡海港，追至五坡嶺，文天祥正在營帳中宴客，眾不及戰，文天祥遂被執，吞下毒藥腦子不死，病逾十多天又不死，但仍一心求死。張弘範再三威逼他就範，文天祥乃賦〈過零丁洋〉詩，張看後不敢再逼迫他，更加嚴密守護他，待之以禮。[26]祥興二年（1279）二月，文天祥在元軍船上，聽到陸秀夫負帝昺蹈海就義，傷痛之餘，賦《集杜詩》二百首以弔。後世把這段歷史譜成〈厓山恨〉京劇、〈終南魂〉潮劇等地方劇目，[27]頌讚三忠浩然氣節。文天祥自四十歲（1276）起，從鎮江元營起，一路從海道意欲南歸海上行朝以中興南宋，卻目睹南宋亡於厓海之上，故多寫海洋、海戰等詩篇，以詩紀史。「祥興」是《集杜詩》的概括性主題，記述宋末祥興年間覆亡。[28]他的一百四十多首與海相關的海洋詩歌，呈現「空間」、「勝地」、「理想世界」等傳統意象；並寄託「南歸的希望」、「殺戮的戰場」的內涵。[29]與海上行朝事蹟的詩歌書寫基本成型，包括「厓

---

24 修曉波：《文天祥評傳》南京：南京大學出版社，2002年，頁292。

25 張大年：《厓山詩選：宋末行朝詩史》，頁38。

26 《宋史》〈文天祥傳〉，轉載（清）阮元監修，李默點校：《廣東通志》〈前事略〉，收入李默、林梓宗、楊偉群點校：《嶺南史志三種》，頁139-140。文天祥傳也見於〈三忠傳‧文天祥〉、郭篤周〈文丞相傳〉，收入（明）黃淳等撰：《厓山志》，卷2，頁126-157、卷6，頁685-694。關於文天祥的時代背景、家世概況等早期少兒讀物，見孫毓修編：《文天祥》（上海：上海商務印書館，1933年）；易君左編著：《文天祥》（南京：正中書局，1943年）；任蒼廣：《文天祥》（上海：大方書局，1946年）；王德亮編著：《文天祥》（上海：中華書局，1947年）……等等。專著研究文天祥的事蹟，見王夢鷗：《文天祥》（南京：勝利出版公司，1946年）；楊德恩：《文天祥年譜》（臺北：臺灣商務印書館，1947年）；霍必烈：《文天祥傳》（臺北：國際文化事業，1989年）；修曉波：《文天祥評傳》（南京：南京大學出版社，2002年）；俞兆鵬、俞暉：《文天祥研究》（北京：人民出版社，2008年）；等等。

27 見郭濟生：〈厓山恨〉，《保安半月刊》1936年第1期，頁50-54；第3期，頁43-47；第4期，頁42-43；沈湘渠：〈終南魂〉，《劇本》1994年第4期，頁17-33。

28 顏智英：〈末世孤臣的海戰詩比較析論：文天祥、張煌言〉，《海洋文化學刊》2015年第18期，頁63-109。

29 顏智英：〈一山還一水，無國又無家——文天祥海洋詩歌文化意涵探析〉，《漢學研究》2016年第3期，頁285-318。

山」、「海」、「孤臣」、「淚」、「血」、「亡」等用語。《厓山志》存大量宋明清三代厓山題詠詩賦，[30]宋末厓山詩存至少十三家三十三首詩、元明清至少九十八家一七四首詩、近當代至少五十八家一○五首。[31]

三　吟遍天涯歸未得——厓山詩延續

明代廣東詩壇的愛國詩、民族詩紛陳，名家輩出。他們沿用傳統題材的，有吟詠厓山或厓門，如趙瑤〈登厓山觀奇石〉、杜璁〈厓山弔古〉、李之世〈厓山弔古〉、梁有譽〈厓門弔古〉等；相關人物的，有何維柏〈楊太后像讚〉、宋濂〈文右相像贊〉、〈陸丞相像贊〉等；祠廟古蹟的，有李東陽〈大忠祠〉、吳寬〈大忠祠〉、章元應〈全節廟〉、王綸〈全節廟〉、黃瑜〈馬侍郎南寶故宅〉、李翔陽〈楊太后陵〉。明人又創造新的題材，主要是讀文天祥作品感懷，如金幼孜〈讀文丞相傳有感〉、胡儼〈閱文山集漫述〉二首、解縉〈讀文山詩〉等，敬仰其英雄氣節。「有明一代，士大夫爭尚氣節，死事之烈，逸民之眾，超越前史。」[32]弘治十三年（1500），廣東僉事徐紘奏請把慈元殿列入國家祀典，賜廟額曰「全節」，故稱「全節廟」。元末明初及明末清初，遺民藉助宋亡伸張正氣，尤其是明末殉國者視死如歸，守義者老死於山巔水涯而不悔者不計其數。

元末明初吟詠「厓山」的詩篇，在海洋奇景中加入歷史文化記憶，歎息歷史興亡。汪廣洋〈嶺南雜詠〉其五云：

> 牂牁流水碧潺潺，潮落湖生草木閒。一片海雲吹不起，越人遙指是厓山。

時人面對海洋奇觀，在海潮起落中遙望厓山，前朝舊事新恨不言而喻。楊維楨〈古觀潮圖〉云：

> 八月十八睡龍死，海龜夜食羅剎水。須臾海壁竉赭門，地卷銀龍薄于紙。艮山移來天子宮，宮前一箭隨西風。劫灰欲死蛇鬼穴，婆留朽鐵猶爭雄。望海樓頭誇景好，斷鰲已走金銀島。天吳一夜海水移，馬蹀沙田食沙草。厓山樓船歸不歸，七歲呱呱啼軹道。

詩人敘寫錢塘江上觀潮的過程，白天波瀾壯闊，晚上詩情畫意，在看潮聽汐中，想像前朝歷史。末二句詠趙宋觀潮事，由景至情、由今至古、由錢塘江至厓山，追思厓山是海

30　厓山題詠詩賦，收入（明）黃淳等撰：《厓山志》卷5，頁545-673、卷6，頁801-833、卷7，頁835-983。

31　張大年：《厓山詩選：宋末行朝詩史》香港：飲水書室，1991年。

32　豫道人：〈後序〉，收入陳伯陶纂，謝創志整理：《勝朝粵東遺民錄·補遺》上海：上海古籍出版社，2011年，頁319。

上行朝的終點，感歎幼帝命不由己。此時，文天祥式的報國戰鬥、亡國憤懣等複雜情思退卻。

　　新會陳獻章存二千多首詩，吟詠厓山及其周邊的詩篇有三十一首，[33]是厓山詩的代表，包括五言古詩〈厓山看大忠祠豎柱，阻風，七日後發舟，用舊韻〉；七言古詩〈與世卿同遊厓山作〉、五言律詩〈重過大忠祠〉、〈陶僉憲約遊厓山，立張陸公祠〉、〈遊厓山，次李九淵韻二首〉；七言律詩〈弔厓〉（一名〈過厓山〉）、〈奉陪趙提學厓山慈元殿弔古〉、〈與廷實同遊圭峰，別後奉寄，且申後來厓山之約二首〉、〈廷實累約遊厓山不遂，世卿在數千里外，不期而同，固亦有數，次舊韻寄廷實〉、奉陪方伯東山劉先生往厓山舟中作〉、〈東山至厓山，議立慈元廟，因感昔者夢中之言，成詩呈東山〉、〈宋行宮〉、〈次韻孫御史擬弔厓〉；五言絕句〈題慈元廟〉；七言絕句〈題慈元廟，呈徐嶺南紘〉、〈晚發厓山〉、〈厓山雜詩六首〉、〈渡厓海〉等。陳獻章多賦史事或描寫景觀，以此帶出國家興亡繫於忠良。當中的〈弔厓〉云：

> 天王舟楫浮南海，大將旌旗仆北風。義重君臣終死節（一曰「世亂英雄終死國」），時來胡虜亦成功。身為左衽皆劉豫，志復中原有謝公。人眾勝天非一日，西湖雲掩鄂王宮。

詩記錄行朝覆亡原因，頌讚君臣義重節氣，並遐想忠良復興江山之時。〈厓山看大忠祠豎柱，阻風，七日後發舟，用舊韻〉云：

> 青青奇石草，上有牛羊躅。汹汹厓門水，遠帶湯瓶綠。浮雲散孤嶼，初日明村曲。言歸輒風濤，無乃疑張陸。遲遲重遲遲，畏此波心木。

詩描寫厓山奇石、厓海汹濤、湯瓶景觀，忠良張世傑、陸秀夫卻不歸。「奇石」，是指宋亡後，張弘範命人在厓山摩崖題刻「鎮江大將軍張弘範滅宋於此」十二大字。湯瓶山與厓山相對如門，故稱為「厓門」。〈厓山雜詩六首〉云：

> 寒雲黯黯日模糊，南有蒼厓對撚鬚。今夕孤舟不成寐，白鷗飛盡我踟躕。（其一）
> 北風半夜卷滄溟，杖屨船頭候曉晴。滿目寒雲吹不散，一帆細雨濕湯瓶。（其二）
> 萬古青山自落暉，白鷗穿破水雲飛。孤舟江畔無情思，閒與兒童詠綠衣。（其三）
> 北風何事更長吹，盡日孤帆逗水湄。吟遍天涯歸未得，江神應愛石齋詩。（其四）
> 肩輿迓我走衝煙，山鳥窺人下啄粒。十里風光奇石角，一江晴色霧潭前。（其五）
> 白鷗黃犢任西東，沙草傷心對朔風。今日江邊題舫子，詩人若是半山翁。（其六）

組詩轉化文天祥的「孤臣」為眼前的「孤舟」、「一帆」等，使用陰冷字詞狀景，如「寒

---

33 見〈卷四・文藝之部〉，簡又文、《宋皇臺紀念集》編印委員會編：《宋皇臺紀念集》，頁223-226。
　　（明）陳獻章著，孫通海點校：《陳獻章集》北京：中華書局，1987年。

雲」、「蒼厓」、「滄溟」等，直接抒發「不成寐」、「無情思」、「歸未得」、「傷心」等情思。弘治四年（1491），陳獻章和前廣東右布政劉大夏，奉命建慈元殿，立祠於大忠祠之上，以祀景炎慈元楊太后。陳獻章記述與宋季覆亡事的相關人物，在祠廟紀念他們，包括慈元太后、文天祥、張世傑、陸秀夫，以詩證人。諸如：

〈奉陪趙提學厓山慈元殿弔古〉

信國諸臣近有碑，一陵瀕海尚堪疑。荒山野水無人到，落日輕風送我旗。
天地幾回人變鬼，風波萬里母將兒。萋萋芳草慈元下，邂逅漁樵問舊時。

〈題慈元廟〉

慈元一片石，長留何處山。厓門潮日至，雪浪飛天關。

〈重過大忠祠〉

宋有中流柱，三人吾所欽。青山遺此廟，終古厭人心。
月到厓門白，神遊海霧深。興亡誰復道，猿鳥莫哀吟。

許燦同樣記述海上失行朝，頌揚三忠英魂長存，融入文天祥詩的「丹心」、「孤臣」、「淚」等用語，以史鑑今。諸如：

〈弔文丞相天祥〉

胡塵昏帝闕，龍馭避天驕。壯士丹心在，樓船王氣消。
人間無故土，海上失行朝。慟哭燕山道，黃冠歸夢遙。

〈弔陸丞相秀夫〉

滄溟方擊楫，金屋尚垂簾。國事關心苦，朝衣泡淚沾。
天涯扶日角，水底抱龍髯。廟貌猶生氣，千秋肅具瞻。

〈弔張太傅世傑〉

憶昔焦山戰，人人不顧身。孤臣空有淚，九廟已無神。
波浪翻天惡，英雄屬鬼鄰。海陵回首處，故國已迷津。[34]

四　西望厓山血模糊──宋王臺再現厓山詩史

近代寓居香港的遺老因地緣而轉化「厓山」詩史，成就獨特的吟詠「宋王臺」詩篇。吳道鎔指出「宋王臺」巨石與宋季事蹟的直接關係，也說明文人弔古傷今的動因。其云：

---

34 （明）黃淳等撰：《厓山志》卷5，頁650-651。

九龍海汭，巒嶂沓匝，中有崔嵬崎列者。三大書深刻曰「宋王臺」。臺南平眺，綠樹寒蕪，風煙掩抑。有村曰「二王殿」，居民沿故稱，莫詳所自久矣。辛壬（指辛亥年、壬子年，1911年、1912年）之交，屬人（陳伯陶）卜居其地，自號「九龍真逸」。登覽之暇，鈎考史乘，知其地為宋季南遷之官富場；村即以宋故行宮遺址得名。……自是而後，懷古之士，俯仰憑弔，稍稍見之吟詠。……蓋痛河山之歷劫，懷斯人而與歸，其歌有思焉，其聲有哀焉。……[35]

「宋王臺」的史地考證，據嘉慶《新安縣志》卷十八〈勝跡略・古跡〉記載：「宋王臺在官富之東，有磐石，方平數丈。昔帝昺駐蹕於此，臺側巨石舊有『宋王臺』三字。」[36]黃佩佳指出當作「宋二王臺」名稱，云：

香港新界之名勝，以九龍宋王臺為最著。……然人皆稱之曰「宋王臺」，且曰此宋帝昺登臨處也。是說未嘗不可，惟不若「宋二王臺」之貼切，蓋所以志益王昰與衛王昺也。史稱元世祖至元十三年三月以後，正統當歸於元。益王以是年五月，即帝位於福州。其明年四月，始偕衛王昺來官富場。援以史例，實不能稱益王昰為帝，衛王昺更不能帝矣；故稱曰二王。惟其後之秉筆續綱目者，於景炎、祥興，仍用大書紀年。此殆以其為宋室之帝子，宋亡而仍帝之者，寓惋惜於敬也。[37]

清朝覆亡，遺老避走，寓居香港。自此，登宋臺放歌，感懷宋季遺跡者不絕。較著名的有陳伯陶、吳道鎔、黃佛頤、賴際熙、李景康、張德炳、姚筠、凌鶴書、黃映奎、張其淦、黃瀚華、陳景梁、祁正、梁洎、方啟華、蔣航、蘇澤東等十七名遺老。蘇澤東輯錄作品而成《宋臺秋唱》三卷，附陳伯陶錄吟詠宋王臺二十三首詩、五篇文，輯陳伯陶九龍城山居詩十九首及諸遺老酬答其詩三十一首弟子陳步墀《宋臺集》十八首詩於後。[38]據他們的詩的題記時人，宋王臺詩不是一時之作，應屬一九一七年或之前的。吳道鎔是在癸丑（1913）秋日寫詩，梁洎在冬暮及丁巳（1917）春登臺至少兩次，蘇澤東則是在丙辰春及過九龍山時賦詩，等等。宋王臺是舊式文人遊覽、懷古、賦詩、交遊、雅聚等

---

35 吳道鎔：〈序〉，收入蘇澤東編：《宋臺秋唱》香港：方仲琛等印刊，1979年。

36 葉靈鳳：《香島滄桑錄》香港：中華書局香港公司，2011年，頁178。

37 黃佩佳遺著：〈九龍宋王臺及其他〉，收入簡又文、《宋皇臺紀念集》編印委員會編：《宋皇臺紀念集》，頁97-104。

38 蘇澤東編：《宋臺秋唱》香港：方仲琛等印刊，1979年。蘇澤東於民國六年（1917）輯《宋臺秋唱》三卷，由張學華題「宋臺爍唱」四字、伍德彝繪「宋王臺秋唱圖」、吳道鎔與黃佛頤序文、黃瀚華跋文等。1979年，潘小磐複印「聚德堂叢書本」及陳步墀《繡詩樓叢書》第二十一種《宋臺集》合刊並寫跋文，是現存的通行本，惟流通數量甚少。《宋臺集》有雲僧與賴際熙題字、劉福芳繪「宋臺秋唱圖」、馮文鳳詩題「宋臺秋唱圖」、陳步墀等人詩題四幀合照、陳伯陶等人詩文手稿等。本文依此版本為據。詩篇數量統計，組詩算作一首。

平台。文人經常在不同時節偕友登臺，或個人重訪遺址，建構他們心目中不同層次的歷史文化記憶，表達亡國之恨、身分困惑等情懷，弔古抒今。《宋臺秋唱》的核心主題是宋王臺等遺跡的詠物與懷古書寫。[39]酬唱者皆以陳伯陶為核心，活動的重要意義是存趙必璩傳記與詩詞，以及遺老次和原韻遙祀祝趙必璩生日詩詞。他們「志懷隱逸，流連山海，弔古感懷，不覺形之篇什」，風格「多含蓄凝鍊，大雅不群」。[40]民國以後，晚清遺民不斷組織詩社唱和，時有雅集。超社、逸社是民國初年清朝遺民詩人在上海組織的詩社，社中詩人均是晚清民初詩壇巨匠，他們基本秉持宗宋詩風，由黃庭堅而追崇蘇軾，於蘇軾生日社集行壽蘇會的風氣正是在他們的推動下產生廣泛影響。[41]廣東遺老因地緣關係，選擇寓居香港，延續這種借宋賢生日雅集詩酒酬唱的風尚，又自覺地吸收宋詩的特色，融入敘述、寫景、抒情、議論於詩中。《宋臺秋唱》是隱逸之士懷古的代表，遂成為香港舊體文學的經典，而書寫別具歷史意義的「宋王臺」，在香港舊體詩詞佔據重要的席位，幾乎是近代文人的共同記憶和創作載體。因此，史、物、景、情，得以融入詩篇，由宋亡到清亡、由厓山到宋王臺，通過石刻象徵宋代遺風，重構他們想像中的歷史文化記憶，彰顯民族氣節和愛國精神。他們是民國初年香港文壇的中堅分子，開創香港舊體詩詞吟詠宋季事蹟新的一頁，以詩詞完善九龍宋史。

　　陳伯陶側重於眼前的荒涼景象，繼承文天祥筆下的「孤」、「血」、「淚」等特徵，跨代傳遞遺恨，借宋亡悼清亡。〈宋皇臺懷古並序〉（節錄）云：

> 朔方白雁翔杭湖，五更頭叫頭白烏。龍爪合尊朝上都，遺二龍子南溟逋。金甲神人斗膽矗，戈船閩廣相提扶。行宮草創三十所，富場柣桓閱規模。零丁惶恐節義徒，麻衣草屨來于于。鐵石忠肝一團血，誓徇塊肉捐微軀。秀山瘴疫井澳颶，當年弓劍號龍胡。不知天祐趙氏無，黃龍復隱碙州郭。浮沉袍服魚腹見。慈元殿下生青蕪，茲臺兀立海裔孤。西望厓山血模糊，化為朱鳥張其咮。海潮不起群噍呼，臬羽所南足跡絕。遺黎老死云誰吁？君不見臨安宮禁，啼鵑鴣蘭亭坏土。冬青枯建炎陵闕，一朝盡何況航海。行崎嶇，噫！庚申帝亡，亦如此和林草荒，雪塞塗彼送子英。胡為乎？[42]

宋時文天祥朝南痛懷宋室，民國時期陳伯陶記述蒙古軍南下滅宋，二位幼帝逃難，開始

39　高嘉謙：〈刻在石上的遺民史：《宋臺秋唱》與香港遺民地景〉，《臺大中文學報》2013年第41期，頁299。陳伯陶是《宋臺秋唱》的中心，見陳仁啟：〈亡國感：古典香港，香港古典，遺民們的《宋臺秋唱》〉，收入《明報·星期日文學》2020年2月2日，網址：〈http://ktoyhk.blogspot.com/2020/02/20200202_12.html〉，瀏覽日期：2021年7月10日。

40　羅香林：《香港與中西文化之交流》香港：中國學社，1961年，頁197。

41　焦寶：〈論晚清民國報刊詩詞中的東坡生日雅集〉，《社會科學研究》2016年第4期，頁185-191。

42　蘇澤東編：《宋臺秋唱》香港：方仲琛等印刊，1979年，卷中，頁2上、下。

海上行朝。陳伯陶加入「富場」、「零丁洋」、「塊肉」、[43]「趙氏」等史地元素，義憤填膺，朝西追憶厓山海戰，復現行朝播遷的經過和結果，仿如置身歷史現場。其〈宋行宮遺瓦歌並序〉（節錄）云：

> 官富場前宋行殿，荒村廢址青蕪徧。野人耕地得遺瓦，赭黝相兼餘碎片。……凄涼故國哭杜鵑，零落舊巢悲海燕。手揩此瓦重摩挲，惆悵遺基淚如霰。[44]

詩以今昔對比筆法，敘述官富場遺史，以及改為農地的現況，記憶中的歷史如眼前的「碎片」，淚灑「遺瓦」。其〈登九龍城放歌〉（節錄）云：

> 鯉魚風緊鮫人泣，鯉魚門開巨鯨入。飛雲蓋海駕轟濤，直拍九龍城下濕。……城邊野老長苦飢，我亦寓公歌式微。內蛇外蛇鬭未已，橫流滄海吾安歸。吁嗟乎，橫流滄海吾安歸。[45]

詩人想像厓山海戰，轉化為香港鯉魚門的洶湧濤聲，當時海盜未平，北望神州，自稱「寓公」，連續感歎「橫流滄海吾安歸」，內心的掙扎和處境的困惑如海濤起伏不平。陳伯陶徒弟陳步墀沒有出席宋臺秋唱雅聚，補賦〈九月十三日宋趙秋曉先生生朝，子礪師集同人設像祀之，後至補題〉，閒時賦〈丙辰春日侍家子礪師登宋王臺懷古〉四首及〈秋日同姚俊卿、張輝庭諸子重登宋王臺，用輝庭韻〉兩首。他在春秋二季重訪宋王臺，懷古詠史，心牽宋季事蹟，惟其追認歷史身分的意識比不上其師陳伯陶輩般強烈。如「我侍南豐來弔古，瓣香初上鯉魚門」、「可憐甲子門前水、留與荒臺一例看」、「潮來有恨成千古，國破何關打五更。正是江花江草日，白頭吟罷淚縱橫」、「片石蒼涼餘帝業，一年容易又秋過。從知古恨如今恨，便把長河作淚河」等詩句，直抒歷史變遷，歎逝千古恨事。

陳伯陶姻親賴際熙〈登宋王臺作〉二首云：

> 九州何更有埏垓，小絕朝廷此地開。六璽蟠龍潛海曲，百官牆壁倚山隈。難憑天塹限胡越，為訪遺碑剔草萊。宋道景炎明紹武，皇輿先後總南來。

> 登臨遠在水之湄，豈獨興亡異代悲。大地已隨滄海盡，怒濤猶挾故宮移。殘山今屬周原外，塊肉曾無趙氏遺。我亦當年謝皋羽，西臺慟哭只編詩。[46]

43　《二王紀》記載：「太后聞昺死，撫膺大慟曰：『我忍死間關至此者，正為趙氏一塊肉爾，今無望矣！』遂赴海死。」詩人遂以「趙氏塊肉」或「塊肉」入詩，含骨肉、失親之痛。（清）阮元監修，李默點校：《廣東通志》〈前事略〉，收入李默、林梓宗、楊偉群點校：《嶺南史志三種》廣州：廣東人民出版社，2011年，頁137。

44　蘇澤東編：《宋臺秋唱》卷中，頁3上、下。

45　蘇澤東編：《宋臺秋唱》卷下，頁1下、2上。

46　蘇澤東編：《宋臺秋唱》卷中，頁7上、下。

詩運用賦的手法，說明朝代更替的歷史現象，沖淡陳伯陶的遺恨憤懑。「塊肉」、「趙氏」等連繫行朝的事實，進入文人的視域。賴際熙的徒弟李景康〈奉陪荔垞師遊九龍宋王臺兼訪厲人山居〉云：

> 片雲亂石出，孤鳥寒林還。野草入天末，清江明遠山。
> 古人獨不見，巖壑空躋攀。闤巷郊原外，荊扉難犬間。
> 先生有道者，白髮猶朱顏。讀易來玄鶴，添香勞綠鬟。
> 追陪歸舊徑，回望掩重關。[47]

詩描繪遺址四野荒涼景色，眼前盡是「亂石」、「孤鳥」、「寒林」、「野草」等淒清景觀，惆悵尋古人不見。「亂石」似是追步明代厓山詩的「奇石」，歷史感強烈。李景康經常與前輩遺老交遊，見證保存宋王臺遺址的經過，寫〈紀賴太史等保全宋王臺遺址〉，[48]留下珍貴的香港宋史文獻。

　　宋王臺及其周邊遺跡植根於文人的內心，成為歷史文化符號，在不同時空中、在香港舊體詩詞中，反覆出現。一九五八年，香港趙族宗親總會理事長趙聿修、簡又文因編著《宋皇臺紀念集》，存一五二家二五〇首詩、七首詞、一篇賦、四篇文章，[49]傳承「宋皇臺」的民族精神。徵詩活動吸引活躍於詩詞壇的文人參與，如風社社員陳崇興、陳菊坡、呂化松、陳希農等十五家，及文化界名人鄭水心、李景康、吳肇鍾、吳天任、陳荊鴻、伍憲子、何叔惠、于右任、張紉詩、蘇文擢、潘小磐等三十二家，存六十首詩。而吳肇鍾、陳荊鴻、伍憲子、潘小磐等人，是同社社員。該活動促進不同詩社社員交流創作，聯手推動這椿盛事。宋季事蹟與歷史遺跡，遂成為近代文人的書寫對象和歷史文化記憶，也是香港舊體文學的重要創作題材。香港遺跡以宋王臺為主，其餘有二王村、宋行宮瓦、金夫人墓、侯王廟等。早期的作品多復現歷史遺跡，如「厓山」、「厓門」、「官富」、「官富場」、「宋臺」、「宋王臺」、「零丁洋」等，又復現歷史事件，如「塊肉」、「趙氏塊肉」、「丹心」、「孤忠」、「孤臣」等。「宋王臺」或「宋皇臺」互用，惟意義有別。而位於九龍馬頭涌的「宋王臺」巨石刻下宋史滄桑巨變，二帝駐蹕於此，見證孤忠無力挽天的歷史。

　　一八九八年，立法委員會華僑代表何啟提出保存宋王臺條例議案，倡議保存距當時

47　蘇澤東編：《宋臺秋唱》卷中，頁7下。

48　香港工務局宣布出投宋皇臺遺址，太平紳士李瑞琴告知賴際熙。賴氏致電香港大學副監督伊理爵士，請其轉電梅督收回成命，俾得保全宋臺古跡。工務局指出遺址土地遼闊，他日仍可開投。賴氏轉商李氏，李氏捐建石垣。華民政務司夏理德奉命工務局長，勘察遺址定出疆界。李氏沿界捐建石垣，沿路旁建立牌坊，賴氏與陳伯陶先後捐館。陳氏詳細考據宋臺事蹟，撰〈九龍宋王臺新築石垣記〉碑記，收入李景康著，陳本照主編：《李景康先生詩文集》香港：永德印務，1963年，頁13上、下。

49　見〈卷四‧文藝之部〉，簡又文、《宋皇臺紀念集》編印委員會編：《宋皇臺紀念集》，卷4，頁207-260。

六百年的歷史古跡，次年通過，訂立「宋皇臺保存條例」，豎碑禁人採石，碑刻中英文字：「Sung Wong Toi Reservation Quarry Absolutely Forbidden 此地禁止採石以保存宋王臺古蹟」（已佚）。[50]當時碑刻和石刻都是「宋王臺」三字，港英政府為表重視華人的地位，條例易名為「宋皇臺」。一九五六年，政府擴建啟德機場，把九龍宋皇臺遺址夷為平地，另建宋皇臺紀念公園，移「宋王臺」石刻置園內，供後人憑弔。一九五九年香港政府立碑紀念，簡又文〈九龍宋皇臺遺址碑記〉云：

> 宋皇臺遺址在九龍灣西岸，原有小阜名聖山者。巨石巍峨，矗峙其上，西面橫列元刻宋王臺牓，書旁綴清嘉慶丁卯重修七字。……考臺址明清屬廣州府新安縣，宋時則屬廣州郡東莞縣，稱官富場。端宗正位福州，以元兵追迫，遂入海。由是而泉州而潮州而惠州之甲子門，以景炎二年春入廣州。治二月，舟次於梅蔚。四月進駐場地。嘗建行宮於此，世稱宋皇臺。……後此山，君臣所踐履者，同為九州南盡之一寸宋土，供後人憑弔而已。石刻宜稱皇，其作王，寔沿元修宋史之謬。於本紀附二王，致誤今名。是園曰宋皇臺公園。園前大道曰宋皇臺道。皆作皇，正名也。……一九五七年歲次丁酉冬月，新會簡又文撰。文台山趙超書丹。而選材監刻，力助建碑，復刊行專集，以長留紀念者，則香港趙族宗親總會也。[51]

五　餘論

因遺老及難民避居九龍城，宋皇臺紀念公園位於九龍城，於是大部分書寫九龍城的舊體詩詞，也是與該歷史遺跡及文化記憶相連。在五、六十年代，香港湧現不同類型的選集，有存當代香港舊體詩人的《現代詩選》第一集，[52]諸如倫玉階〈過宋王臺〉（詩題云「香港未淪陷前作」）、陳尚志〈宋王臺〉、冼明昌〈重訪宋王臺殘蹟〉等，仍然以登臺憑弔傷帝魂憂國事為重心。有存居港澳臺、僑居星馬泰越華人的《網珠集》、《網珠續集》，[53]諸如陳蝶衣〈過宋王臺公園感賦〉、劉毅父〈宋王臺〉等，以「景炎史蹟」、「趙家片土」等，憶千載事抒酸辛淚，歷史感慨無限。有存詩社課題的《風社詩畫集》

---

50 方亮：〈宋皇臺懷古〉，《星島日報》1956年7月8日，收入簡又文、《宋皇臺紀念集》編印委員會編：《宋皇臺紀念集》，卷5，頁261-264。

51 在宋皇臺公園入口兩傍豎立了兩塊石碑刻，一中一英，述說宋室南下及宋皇臺的歷史與地方變遷，見〈九龍宋皇臺遺址碑記〉，收入《香港浸會大學圖書館藝術珍藏》，網址：〈https://bcc.lib.hkbu.edu.hk/artcollection/r020/〉，瀏覽日期：2012年7月10日。有關宋王臺與宋季史蹟，也見陳伯陶〈九龍宋王臺新築石垣記〉，收入陳紹南編：《代代相傳：陳伯陶紀念集》香港：Auto Printing Press Ltd.，1997年，頁75。

52 見《現代詩選》編纂處：《現代詩選》香港：友信印務館，1956年。

53 見郭亦園編：《網珠集》香港：S.N.，1964年；郭亦園編：《網珠續集》香港：S.N.，1969年。

第二卷，[54]諸如楊逸駿〈過九龍城〉等，抒發百年滄桑巨變、歷史浮沉。這些作品皆有「宋王臺」及「九龍城」的身影。它們描寫自然、地理和遺跡，更是融入自身經歷和記憶於土地之中。清朝遺老及戰亂難民避難香港殖民地，寓居九龍城或僑居東南亞，無根的文化鄉愁是他們的心結。因此，他們竭力把所寄寓的香港與中國的大歷史連上關係，「宋王臺」及「九龍城」便成為這關係的接口。換言之，殖民地和過客身分，是「宋王臺」及「九龍城」成為作品中不斷復現的精神象徵和文化源頭。直至六十年代末，香港社會經濟陸續恢復秩序，書寫「宋王臺」及「九龍城」的數量明顯減少，也沒有前賢厚重的歷史家國情懷，但仍然是創作舊體詩詞的好題材。雖然如此，香港新詩卻繼承「九龍城」題材，並加上九龍城寨，書寫貧苦大眾的底下生活，如胡明樹〈詠九龍城風景砲〉、袁手拍〈後街〉等。[55]近年，九龍城及九龍城寨，也是研究香港開埠史的熱點。[56]因為九龍城寨這個三不管的特殊現象，使歷史、地理和文學再次結合。隨著香港鐵路「宋皇臺」站通車，不少宋室珍貴文物重現人間，相信有關的研究不斷。

---

54 見《風社詩畫集》編輯委員會：《風社詩畫集》香港：永德印務，1970年。

55 見陳智德主編：《香港文學大系一九一九～一九四九：新詩卷》香港：商務印書館，2014年，頁210-211；陳智德編：《三、四○年代香港詩選》香港：香港嶺南大學人文學科研究中心，2003年，頁99-103。

56 見趙雨樂、鍾寶賢編：《九龍城》香港：三聯書店（香港）公司，2001年。

才德之間：明末清初女性文學
創作身分認同的焦慮
——以沈宜修《鸝吹集》為中心

謝賢良

北京　中國人民大學國學院

　　如果把目光投向明末清初[1]這一時間段，對於中國古代的女性而言，這或許是最好的時代，也是最壞的時代。一方面，個性啟蒙思潮為之前備受壓抑的女性提供了相對平等的社會地位和更為開闊的創作空間，女性開始自覺意識到自身創作的價值和地位；另一方面，男權文化和商品經濟的發展也帶來了對女性的物化和規訓，女性愈發呈現為被「凝視」的客體。

　　身分認同是心理學和社會學的一個概念，指一個人對於自我特性的表現，以及與某一群體之間所共有觀念的表現。簡言之，身分認同是一個定義自我與區別於他者的過程。而在這一過程中，具體體現為女性是如何對自我進行書寫和審視的。具體到文學創作領域，以男性為中心的主流社會乃至女性群體自身對女性的認知和價值判斷，均從總體上呈現出矛盾和衝突的特徵。在這一過程中，女性對自身身分的認同呈現出在「才女」與「賢婦」之間的矛盾和掙扎，而歸根到底還是呈現出棄才從德的趨勢。本文試圖從這一時期的女性文學創作出發，探求其對自身的身分認同矛盾中焦慮，並結合時代環境，從這種焦慮中剖析當時女性所處的地位和境遇。

一　明末清初女性文學創作的繁榮

（一）女性創作繁榮的階級性和地域性

　　據胡文楷的《歷代婦女著作考》記載，明清兩代女性作家達三七五〇人，占整個中國古代女性作家總數的百分之九十以上，有案可查的女性著作達三千多種。其實從明末起，女性文學家就開始大量出現，既有作家群如商祁、蕉園兩大家族的女

1　本文借用史學界對「明末清初」這一概念的主流界定，即明嘉靖年間至清康熙年間。

詩人群、蘇州「午夢堂」葉氏家族、山陰祁氏家族、桐城「名媛詩社」、吳江「吳中十子」等，也有傑出個體如王端淑、沈宜修、顧若璞、商景蘭等。

可以說，明末清初這一時間段是女性文學創作的黃金時期，一方面，較為安定的環境給她們提供了學習和創作的前提；另一方面，由地域所構成的文學世家所構建起的一套成熟的教育體系使得女性得以接觸到高水準的文藝薰陶。需要注意的是，儘管這一時期女性的整體創作呈現出繁榮的趨勢，但是仔細考察這些文壇女性的身分，絕大多數都是仕宦之後，普通女性仍然和文學創作無緣。從某種意義上講，男女性別的差異可能比不上大家閨秀和平民女性的差距。因而對明末清初女性文學研究，主要視角還是集中在知識分子家庭的女性親眷，其本身帶有的特殊之處不可不察。

除了出身的階級性之外，地域性也是這一時期女性文學創作繁榮的特點之一。文學世家孕育了女性作家，而文學世家間的聯姻更進一步成就了女性文學，這些也是文學世家區別於文學流派而明顯具有家族文化的特徵之所在。可以發現，上文所提到的傑出個體和團體女性文學家大都集中在江南地區，尤其以吳中為盛。由於江南地區較為發達的經濟水準和文化積累，形成了許多名門世家望族。這些家族大都重視文教，在對子女的教育中傾注了大量的心血和資源，由此形成了深厚的家學淵源和文化積澱。並且各個家族之間互相溝通，交流切磋，形成了文學集體創作的風潮。

此外，各個文學家族之間還存在著世代聯姻的現象，這更加促進了江南地區整體的文教交互，往往會形成一個新的文學創作團體，由此帶來世代之間都保持文學創作的穩定水準。其中最為典型的代表便是吳江沈氏這一家族，其中沈宜修更是作為明末清初文學創作水準最高的女性之一，具有極強的代表性。

（二）吳江沈氏及沈宜修其人

沈宜修出生於著名的吳江沈氏，這一家族是明末清初享有盛名的文學世家。沈氏自始祖沈文於元末明初由浙江遷入吳江後，世居此地，至清同治時沈桂芬一代，綿延四百餘年，共歷十七世。期間科甲蟬聯，文人輩出，先後共有文學家一百四十九人，作品集百餘部，並且出現了科舉上「沈氏五鳳」和文學創作上的「沈氏八龍」，世代簪纓，一門風雅，人才濟濟。

吳江沈氏文學世家不僅僅有一兩位女性作家，而是出現了一個女性作家群體，見於這個家族乾隆間自編詩集《沈氏詩錄》中的女作家有沈宜修等二十一位。這二十一位女作家共著有詩文詞曲集十九種。其中最為突出的便是沈宜修。

沈宜修，字宛君，生於明萬曆十八年（1590），卒於崇禎八年（1635），為吳江沈氏文學世家第六代作家。她自幼年便生活在文學世家，飽受薰陶。沈宜修的伯父沈璟是明代戲曲理論家、作家。沈宜修的父親沈珫曾任山東副使，被譽為「沈氏五鳳」之一。沈

宜修的胞弟沈自徵所作雜劇《漁陽三弄》被時人評為明代以來「北曲第一」。其後與同樣為吳江地區名門望族的葉紹袁成婚，婚後琴瑟和諧，有著大量的文學創作。晚年因女兒相繼離世，悲痛過度後身亡。沈宜修與葉紹袁育有五女八子，皆有文藻，其幼子葉燮，其女如葉小紈、葉紈紈、葉小鸞都幼承母業，並有文采，可謂是「彤管之盛，萃於一門」。

二　《午夢堂集》中的女性自我書寫與身分建構

《午夢堂集》，乃明葉紹袁於崇禎九年（1636）為其妻女等人精心編輯的一部詩文合集，包含七種詩詞集：其妻沈宜修《鸝吹》、長女葉紈紈《愁言》、三女葉小鸞《返生香》、次子葉世偁《百旻草》、三子葉世倥《靈護集》、自著《秦齋怨》、次女葉小紈《存餘草》；二種其他選輯本：自輯《屺雁哀》和其妻所輯《伊人思》；另有其本人之作《窈聞》、《續窈聞》、《瓊花鏡》、《彤奩續些》，葉小紈所撰雜劇《鴛鴦夢》。收錄近百人，其中不僅收錄了葉氏一家的文學創作，也對研究晚明社會、文學、風土人情有重要價值。

《午夢堂集》[2]中大量收錄了沈宜修及其女兒的作品，其作為晚明最有名的女性創作家族，從中可以窺得明末清初之際女性創作中的自我書寫。其中尤以沈宜修所著《鸝吹集》成就最高，沈宜修畢生致力於文學創作，留有《鸝吹集》一卷，收錄其詩歌六百三十四首、詞一九〇首，另有擬連珠十一首、騷序各一篇，賦三首以及傳二篇。從題材上分，大致可以分為五種：感懷時序、贈別思人、詠物題畫、佛理禪趣、悼亡傷懷。這些文學創作格調近古，取法乎上，詞采清麗，氣韻不俗。清人徐乃昌曾將《鸝吹集》中的詞作編為一卷，收入《百家閨秀詞》。閱讀沈宜修及其女兒的文學創作，不難發現她們身上既帶有鮮明的女性書寫共性特徵，又各有其特點，綜合來看具體可以概括為以下三種女性對自我的認知和書寫。

（一）肆意縱情的才女

沈宜修早年便受到較為良好的文學薰陶，擅長文學創作，是一個早慧的才女。根據其夫葉紹袁的回憶，沈宜修在文學方面的才華突出，幾乎可以比肩比肩謝道韞、劉令嫻等歷史上有名的才女，「經史詞賦，過目即終身不忘。喜作詩，遡古型今，幾欲追步道蘊、令嫻矣。」透過閱讀其詩詞創作，可以發現其文采的傑出。

沈宜修擅長詩歌創作，尤其是七絕的創作。其中最有代表性、成就最高、最為後人

2　（明）葉紹袁原編，冀勤輯校：《午夢堂集·總目錄》北京：中華書局，2015年1月。以下所引詩詞皆從此本，為避繁複，不再出注。

所稱道的當屬她的《詠梅花詩一百首》，茲舉數篇如下：

> 寂寞窮冬花事貧，故吹風雪裂銀鱗。天生瘦骨支寒歲，羞占東君第一春。（其四）
>
> 素魄含芳照玉臺，夢回殘月影徘徊。獨憐芳信雙魚遠，幾許閑愁怯自裁。（其二十八）
>
> 鳴鳩拖雨過芳洲，曆落閑庭氣味幽。為蔔歸期數花朵，折來斜插玉搔頭。（其五十四）

從以上三首詩中可見沈宜修的詩歌創作水準之高，幾乎做到了「無雌音」的地步。第一首寫梅花在嚴寒時節開放，頂風傲雪、瘦骨站立在嚴寒之中，體現梅花高潔傲岸的品格，第二首透過用典，描寫出梅花在月光下纏綿徘徊的景致，表現出詩人內心渴望表達而又反覆思量剪裁的閑愁。第三首透過描寫閨中女子透過數花朵來占卜心上人回來的時間，一句「折來斜插玉搔頭」寫盡風流瀟灑氣象，使得情致昂揚，讀來頗有豪氣。從這幾首詩中可以窺見沈宜修文學創作的水準高妙，氣象不俗，立意瀟灑，遣詞造句細膩婉約，可以算得上是當時文壇中一傑出代表。

除了詩歌創作之外，沈宜修還長於寫詞，尤工小令。其詞意境優美，典雅婉麗，哀豔沉迫。如其〈憶王孫〉：

> 天涯隨夢草青青。柳色遙遮長短亭。枝上黃鸝怨落英。遠山橫。不盡飛雲自在行。

其詞深情緬緲，以夢中之景出發，從芳草萋萋遙想到柳色青青，在長亭送別之際，聽見枝頭上黃鸝鳥的鳴叫，好似在埋怨落花無情。此處想像巧妙，以黃鸝之怨落花來代指自己內心的閨怨，描寫細膩，抒情委婉，似無理之語而逸趣橫生。結句以飛雲自在行之景收束情感，暗指所思念之人的離開是無法停下的，留下想像空間，言有盡而意無窮。全詞意蘊綿緲，將對遊子的思念表達得十分含蓄曲折，詞情一波三折，以典雅的筆觸、婉轉的手法，將感情表達得端莊而雅致，在一片細膩雅致中留下淡淡的愁思。除了端莊雅正之外，其詞還有較為婉約豔媚的一面。如〈浣溪沙·春情〉：

> 淡薄輕陰拾翠天。細腰柔似柳飛綿。吹簫閑向畫屏前。
>
> 詩句半緣芳草斷，鳥啼多為杏花殘。夜寒紅露濕秋千。

全詞以描寫春情為主題，從輕陰的天氣到嫩柳吹棉的環境，再引入閑來吹簫的人物活動，以典雅之詞營造出柔麗的環境。下片以芳草萋萋、杏花殘，露詩秋千的意象營造出香豔浪漫的景色，全篇沒有明確的主題和人物活動，然而勾勒出了典雅清麗、哀而不傷的氛圍，含蓄委婉的表達了自己在春日裡的閨思之情。

綜上所述，從其詩詞創作中，可以看出沈宜修詩詞創作的造詣之深、成就之高，融典雅與清麗、深沉與靈動於一爐，婉轉而有丘壑，嫵媚而見蒼涼，才女之風度盡顯。

（二）居家操持的賢妻

据記載，沈宜修為家中長女，自幼喪母，很早就開始料理家政，並且秩序井然。「八歲喪母顧恭人，煢煢嫠疾，即能秉壺政，以禮肅下，閨門穆然。」其出嫁後也擅長操持家政，對待家僕傭人都十分和善，以至於到其去世時候「婢女哭於室，僮僕哭於庭，市販哭於市，村嫗、農父老哭於野，幾於舂不相、巷不歌矣。」[3]是一個典型的善於居家操持的賢妻。

於沈宜修而言，其自身突出的文學才能變成了相夫教子的工具，她透過自己的文學素養完成對孩子的啟蒙教育，「四五歲，君即口授《毛詩》、《楚辭》、《長恨歌》、《琵琶行》，教輒成誦，標令韶采，夫婦每以此相慰。」[4]後來隨著子女的長大成人，文學創作又成了和子女日常遊戲玩樂之作。在《午夢堂集》中屢屢可以見到她和子女在日常生活中透過詩詞場合來吟詠遊戲，這一方面的文學創作缺乏深刻的內涵和真摯的情感，從中體現出的是一個聰慧母親與子女酬唱的幸福家庭生活圖景。如以下這三首沈宜修與女兒的唱和詩：

〈題疏香閣〉次長女昭齊韻

旭日初升棍，瞳曨映綺房。梨花猶夢雨，宿蝶半迷香。
輕陰籠霞彩，繁英低飄翔。待將紅袖色，簾影一時芳。
海棠還折取，拂鏡試新妝。新妝方徐理，窗外弄鶯簧。

〈題疏香閣〉次仲女蕙綢韻

遠碧繞庭色，參差映日明。竹間翠煙發，竹外雙鳩鳴。
徑曲繁枝嫋，嫣紅入望盈。博山微一縷，煙浮畫羅生。
芳樹清風起，颻颻落霞輕。

〈題疏香閣〉次季女瓊章韻

幾點催花雨，疏疏入畫樓。推簾望遠墅，爛錦盈汀洲。
昨夜碧桃樹，凝雲綴不流。朝來庭草色，挹取暗香浮。
飛瓊方十五，吹笙未解愁。次第芳菲節，琬琰知未休。

從中不難看出沈宜修所教育子女過程中的文學薰陶之盛，同樣也體現了作為良母的沈宜修和子女相處的其樂融融。除了母親的身分之外，沈宜修還是一個賢慧體貼的妻子，由於葉紹袁常年在外做官，夫妻二人長期兩地分居，直到葉紹袁中年不滿朝政的昏暗歸鄉

3　（明）葉紹袁原編，冀勤輯校：〈鸝吹‧附集‧傳‧亡室沈安人傳〉，《午夢堂集》北京：中華書局，2015年1月，第1版，頁278。

4　《午夢堂集》，頁279。

後二人才得以長久相處。在這一聚少離多的過程中，沈宜修對丈夫有著濃濃的思念之情，也體現在其詩歌創作中：

〈送仲韶北上〉

小綠吹雙黛，芳菲映翠樓。鶯湘侵別思，駕錦怨香篝。

行色風塵遠，蕭蕭若素秋。去歲花時節，銜杯南陌頭。

今年桃李候，復送遠行舟。楊柳何須問，攀條豈自由。

年年苦攀折，顧影亦堪愁。垂絲懸落日，遠浦自輕鷗。

春妍正無賴，杜若遍汀洲。含情題芍藥，待燕卷簾鉤。

蘼蕪隨處綠，青鬒不容留。萬仞山橫碧，蒼煙日夜浮。

落花徒有感，啼鳥暮庭幽。回波幾千折，別恨長悠悠。

明明天上月，難逐素光流。聊歌送君曲，且作無情遊。

這首詩是送丈夫北上出仕，即使是面對要遠行的丈夫，她的情感表達也是含蓄而委婉的，將兒女私情掩蓋不談反而安慰丈夫「且做無情遊」，這或許是沿襲了詩歌一慣所帶有的哀而不傷的傳統。然而從葉紹袁給她所寫的傳記中我們也可以看到一個賢妻良母的形象：

君性識弘遠，姿度高朗，誦「薄澣我衣」，即曰：「後妃尚爾，我輩豈宜靡奢。」殊有桓車騎著故衣之想，經年不一更換。……往時余所從貸之家，以貸久不償，恐又複言貸，盡塞耳避走，故自賦歸來，僅僅徵藉數畝之入，君或典釵枕佐之，入既甚罕，典更幾何？日且益磬，則挑燈夜坐，共誦鮑明遠〈愁苦行〉，笑以為樂。諸子大者與論文，小者讀杜少陵詩，琅琅可聽。兩女時以韻語作問遺，瓊章未嫁，耀傾城之姿，晻映琴樽風月間，太宜人又揄景，強匕箸，君語我曰：「慎勿憂貧，世間福已享盡，暫將貧字與造化藉手作缺陷耳。」[5]

從這一段記載中可以發現，沈宜修婚後已然自覺成為了一個賢妻良婦，她的文學積累大多成為其體現其女德的證據。如她節儉持家，吟誦「薄澣我衣」；在窮困時挑燈夜坐，吟誦鮑照的〈愁苦行〉來表達君子固窮的氣節；透過談論文章和吟誦杜甫詩歌來啟蒙孩子。在這一描述下，沈宜修逐漸走出了才女的任性爛漫形象，逐漸轉為一個相夫教子、勤儉持家、安貧樂達的優秀妻子形象，這一形象也符合當時社會對女性的期待——一個溫柔持家的賢妻良母。

5　《午夢堂集》，頁279。

（三）言聽計從的兒媳

中國社會中的「賢妻」一直具有兩重評價體系，一方面需要得到丈夫的認可，另一方面更要得到婆婆的肯定。婆媳關係一直是從古至今一個賢妻良母所必須處理好的關係。而沈宜修在這一方面表現出了對婆婆絕對的服從，根據其夫葉紹袁的記載：

> 時先大夫早謝世，宦橐如霜明，身後幾不能謀生。強宗悍族，又以餘弱子，日尋諸穿墉，以故太宜人望餘，不啻朝青霄而夕紫闥也。恐以婦詩分咕嗶心，君因是稍拂太宜人意。君既不敢違太宜人，又惘惘然恐失高堂歡也，清宵夜闌，衫袖為濕，其性孝而柔如此……君因太宜人不欲作詩，遂棄詩，清畫虛寂，閒庭晏然，彤管有煒，兀兀為余錄帖括耳。余時發憤下帷，覃精伏生之書，每一義就，即倩君指下，衰積成帙，友人覽者，靡不歎衛夫人遺風，端麗可愛也……丙夜，太宜人猶剌剌女紅不休，君不以罷或先止，太宜人命之入，乃入。然攄幽寄嘅、黯風颯雨時，鶯花寫悶，雁影攝愁，方絮尺蹝，盈奩格矣。太宜人雅命小婢偵之，云「不作詩」，即悅；或云「作詩」，即怊怊形諸色。君由是益棄詩，究心內典，竺幹秘函，無不披覯，楞伽維摩，朗晰大旨，雖未直印密義，固已不至河漢。

由於其婆婆知道沈宜修擅長文學創作，擔心其夫妻二人會因為文學酬唱耽誤葉紹袁科舉，於是要求沈宜修不再進行文學創作。即使沈宜修十分熱愛文學，但她也不敢違背婆婆的意願，只能獨自一人在半夜哭泣，然而即使如此難過她也堅持放棄了文學創作，改為給自己的丈夫謄抄考試的經帖。當她的婆婆每次和她一起做女紅到深夜，她也從來不提前停下或者離開，一直等到婆婆許可之後才去休息，每到了適合進行詩歌創作的時候，她的婆婆還會命令下人去監視她是否在寫詩，一旦寫詩就會遭遇冷眼，於是她再也沒有繼續進行詩歌創作，開始研究枯燥的佛經。

從這些故事記載中不難看出沈宜修對婆婆的俯首貼耳、言聽計從。一個妙齡熱愛文學創作的少女，由於婆婆的反對於是再也不進行文學創作，反而開始研究佛典。這一轉變過程中沈宜修必然是不情願的，但即使是不情願，她也選擇順從，只是在「清宵夜闌，衫袖為濕」。在這一過程中，沈宜修為了獲得婆婆的認可，主動放棄了自己熱愛的文學，這一主動的行為體現了沈宜修自己渴望成為被肯定和認同的賢妻身分。

三　女性自我的身分認同——自身與他者

女性對自身身分的認同不僅僅來自女性群體本身，往往還來自社會上掌握話語權的另一群體——男性。晚明之際，即使一部分女性的地位和受教育程度有所提高，但這絕不代表女性開始走向獨立，反而這不過是由男性主導的社會的一種新型審美範式。在這

一過程中，所有女性最終的歸宿還是家庭，所有女性的價值還是被外界定義而非自我賦予的。

（一）「才女」與「賢婦」——女性的身分焦慮

根據上文所述，沈宜修擅長詩詞，婚後與丈夫酬唱應和，但婆母馮太夫人卻極力反對，她常常「清宵夜闌，衫袖為濕」，最終棄詩。這並非是孤例。女畫家傅道坤才藝非凡，出嫁之後卻從不以丹青示人。名媛馬閑卿善山水白描，畫畢即裂之，不以示人，曰：「此豈婦人女子事乎？」[6]即使在明末清初之際，女性開始有了一定文學創作的空間，也有展示自身才華價值的機會，然而這種「才女」身分往往是愛好性的，不被世俗所認可的特殊身分。女子一旦出嫁，其自我身分便發生改變，從一個自然屬性的「才女」轉變為一個社會屬性的「賢婦」。在這一過程中，其自身的掙扎和反抗都會為社會範式所規訓，甚至形成了這樣一種身分轉變的傳統，即婚姻生活成為自然割裂女性自身價值與家庭價值的界限。而大多數女性試這種轉變為理所應當的，倘若不遵循這種原則，她們可能會經受自身道德的拷問和社會的非議。

在這一情況下，女性的自我身分認同開始陷入到一種二元對立的矛盾之中，一方面，這些女性自幼受到過良好的教育和系統的文學藝術訓練，在創作酬唱中也認識到了自身文學藝術創作的價值；另一方面，女性又時時被傳統的女德觀念束縛，將自己的才華視作閒暇消遣的末技，在與相夫教子、持家奉老產生衝突時選擇主動放棄，使自身從文學創作的「才女」轉為一個家庭需要、姑婆滿意的「賢婦」。無論你有多麼出色的文采，出身在多麼顯赫的家族，甚至你擁有超越男性的文藝素養，但這些都不足以成為你打破「賢妻」身分的憑據。

在這一過程中的女性是痛苦的，她們能夠意識到自身所創作出的價值，但是她們需要親手親手將這一部分價值封印起來，從筆墨酬唱轉入洗手作羹湯，從才女轉為丈夫和婆婆都認可的好媳婦，從一個縱情的少女變成孩子們的好母親，在這樣身分的轉化和割裂中，女性呈現出鐘擺式的迷茫和焦慮。

（二）「好德」與「好色」——男性的審美範式

沈宜修的丈夫葉紹袁感懷妻子的偉大，於是提出了對女性評價的「三不朽」即「丈夫有三不朽，立德立功立言，而夫人亦有三焉，德也，才與色也」。這一德、才、色並舉的方式被認為是對女性的尊重，因為這一說法打破了傳統的德才對立即「女子無才便

6　（明）周暉撰，張增泰點校：《金陵瑣事》南京：南京出版社，2007年，頁81。

是德」的說法，認為女子的品德、才華、外貌都是值得肯定和稱讚的。然而，這一說法實質上並未跳脫出男性對女性評價的傳統窠臼，這一認同的標準依然是被塑造出的而非女性所本身帶有的。這一評價體現了晚明之際男性對女性評價標準的兩種割裂，即「好德」與「好色」。

好德與好色原本作為儒家傳統文化中一截然對立的概念，孔子曰：「吾未見好德如好色者也。」[7]然而在明末清初之際，男性對女性的評價呈現出德與色並重的傾向，他們一方面在家庭生活中讚賞具備德言容功的賢妻良母，另一方面又在休閒消遣中追求色藝雙絕的紅顏知己。他們鼓勵女性讀書學習，但是反對女性在相夫教子時還保持文學創作的習慣。歸根結底，這還是對女性的一種物化，認為女性在某些階段擁有這些屬性有助於男性的賞玩。

此時的男性一方面肯定女性某些方面的價值，另一方面又帶著有色眼鏡進行審視。如清代文學家李漁，他在一定程度上肯定了女性的才華，並重視女性教育，但他同時也說：「買妻如買田莊，非五穀不殖，非桑麻不樹，稍涉遊觀之物，即拔而去之，以其為衣食所出，地力有限，不能旁及其他也。買姬妾如治園圃，結子之花亦種，不結子之花亦種；成蔭之樹宜栽，不成蔭之樹亦栽，以其原為娛情而設，所重在耳目。」[8]把女性視作買賣土地，認為不同的情況需要不同的女性，而女性身上所帶有的特質不過是被挑選來滿足自身的需求。故而在這一時期從表面上看女性似乎有了更多的空間和更平等的看待，然而從實質上看，「這些遵循男性審美理想範式而塑造出來的女性之美就如同一朵盛開在鏡中的虛幻之花，以女性的覺醒與反抗為表像，但實質卻是男權文化的清晰映照。」[9]歸根到底還是基於男性功利視角下對女性身分的規定和固化。

綜上，明末清初女性的地位和受教育情況得到了改善，也出現了像沈宜修這樣的優秀女性文學家，然而她們對自身身分的認同還是處在「才女」和「賢婦」的矛盾之中，這一焦慮來源於女性自身被社會規訓的無力感，而背後的核心依舊是男權社會對女性的異化。女性具備接觸的文學能力，而又受制於社會範式，無法將自身的能力全然施展，甚至還會為了家庭和諧而自毀才華，這不僅是沈宜修的個人悲劇，更是明清之際性別權力之間的深刻矛盾。

7　（魏）何晏撰，高華平校釋：〈衛靈公第十五・校釋〉，《論語集解校釋》瀋陽：遼海出版社，2007年10月，頁308。

8　（清）李漁著，傅旋琮主編：《閒情偶寄》瀋陽：萬卷出版公司，2009年，頁162。

9　曹佳麗：〈「最好的時代」與「最壞的時代」——從文藝創作看明末清初女性審美觀的矛盾衝突〉，《四川戲劇》2016年9月，頁159-161。

船山《乾》卦「相道」思想的內涵

王世中

北京師範大學哲學學院

　　在王船山《周易外傳》乾卦中，大量談及道，這樣乾和道就有了不可分割的聯繫。船山在《乾》卦中提到「相道」的問題，這一問題直接關聯著船山的天人關係及其思想的特點。

一　乾與天道

　　首先來看道和乾的涵義。道為何物？「道體乎物之中，以生天下之用者也。」[1]「道者，物所眾著而共由者也。物之所著，惟其有可見之實也；物之所由，惟其有可循之恆也。」[2]我們可知，道對事物而言有著兩方面的特徵，所著和所由。所著表明，道是由萬物所共同彰顯的，透過事物瞭解道。所由表明，萬物之變化依據道，道是一種規範。船山用太極陰陽的觀念去解釋道。《張子正蒙注》有言：「道者，天地人物之通理，即所謂太極也。」[3]可見在船山看來道就是太極，這兩個概念是互通的，都指天地人物之通理。《周易內傳》「陰陽者，太極所有之實也。」[4]「合之則為太極，分之則謂之陰陽。」[5]「陰陽之本體，絪縕相得，合同而化，充塞於兩間，此所謂太極也，張子謂之太和。」[6]道的具體內容就是太極，就是陰陽之運動整體。太極不能等同於陰陽，而是陰陽的絪縕相得、合同而化。而太極的所具有的特徵就是太和，「太和，和之至也。……陰陽異撰，而其絪縕於太虛之中，合同而不相悖害，渾淪無間，和之至也。」[7]太和是和之至，陰陽二氣存在最完美的狀態，「合同而不相悖害，渾淪無間」。透過太極之太和的至善性質，來說明道的至善性質。總的來說，道在船山這具有最高的依據性。劉梁劍在其文章中認為「在氣化過程中，陰陽交際，而陰陽在交際中既相輔相成，

1　（清）王夫之：《周易外傳》，《船山全書》長沙：岳麓書社，第一冊，1998年，頁821。
2　（清）王夫之：《周易外傳》，《船山全書》長沙：岳麓書社，第一冊，1998年，頁1003。
3　（清）王夫之：《張子正蒙注》，《船山全書》長沙：岳麓書社，第十二冊，1998年，頁15。
4　（清）王夫之：《周易內傳》，《船山全書》長沙：岳麓書社，第一冊，1998年，頁524。
5　（清）王夫之：《周易內傳》，《船山全書》長沙：岳麓書社，第一冊，1998年，頁525。
6　（清）王夫之：《周易內傳》，《船山全書》長沙：岳麓書社，第一冊，1998年，頁561。
7　（清）王夫之：《張子正蒙注》，《船山全書》長沙：岳麓書社，第十二冊，1998年，頁15。

又保持分際既有不測之神妙，同時又不是紊亂無序。因此，氣化過程仿佛一直受著某種神秘力量的分劑調節和主持支配。這一神秘力量無以名之，且稱之為道」[8]。這裡點出船山的道所具有的神妙特點，具有一種崇高性。在船山的理氣關係中，理依於氣，理是事物運行的法則；道和理有一定的相似性，甚至在某些語境下是通用的。但道的使用是在更高、更抽象、更全面的層面去論說的，所以船山把道和太極、太和、天地人物之通理相聯繫。

乾為何物？乾乃氣之舒也：

> 《周易內傳》：乾，氣之舒也。陰氣之結，為形為魄，恆凝而有質。陽氣之行於形質之中外者，為氣為神，恆舒而畢通，推蕩乎陰而善其變化，無大不界，無小不入，其用和煦而靡不勝。故又曰「健」也。此卦六畫皆陽，性情功效皆舒暢而純乎健。其於筮也，過揲三十有六，四其九，而函三之全體，盡見諸發用，無所倦吝，故謂之乾。[9]

> 《周易稗疏》：「乾之為字，從軋从乙。軋，日出之光氣；乙，氣之舒也。六陽發見，六陰退處於內，如朝日之生，清朗赫奕，無讖陰之翳滯，物以之蘇，事以之興，此乾之本意，而元亨利貞四德皆備，固不可徒以健名之。」[10]

乾是陽氣之發用流行。此處之舒當為伸展之意。根據下文「恆舒而畢通」、「性情功效皆舒暢而純乎健」可知，舒乃舒展、舒暢。氣之舒說明，乾乃表示氣之舒展、發用流行之意。船山接著又以陰氣陽氣之區別，來說明乾乃陽氣之舒暢流行。陰氣為形、為恆凝而有質，從類似於現在所謂的「質料」涵義，對陰氣進行描述。而乾為陽氣，它行之於形質之中外，不是凝而為質。陽氣既為氣又具有神的特點。神是說明陽氣對陰氣的推蕩及表現出來的神妙特點，不論作為神仙之神還是神妙之神，意皆可通。陽氣發用舒暢，對陰氣進行推蕩並善其變化，無所不至。總的來說，陽氣對陰氣有規範之功效。陽氣的發用表現出和煦和靡不勝的特點，船山稱之為健。乾是對氣之舒的形容，氣之舒所具有的特點又稱為健，乾就有健義。但同時船山強調乾不可徒以健名之，乾有健義但不能以健來囊括乾。

乾乃元亨利貞四德皆備。船山認為乾卦為純陽之體，其六畫皆陽，從筮法來看皆為陽數。純陽發用流行，沒有倦吝。六陽發見，六陰退藏。乾為純陽發用，其德為元亨利貞。「《說卦》云『乾健也者』，以在人之德加諸卦之辭，謂在卦為乾者，於人之德性為健也。」[11]用健，是把人之德加在卦上，對卦來說德是乾，對人來說的是健。天行健是

8　劉梁劍：〈論王船山的天道觀〉，《思想與文化》2006年第1期，頁263。

9　（清）王夫之：《周易內傳》，《船山全書》長沙：岳麓書社，第一冊，1998年，頁43。

10　（清）王夫之：《周易稗疏》，《船山全書》長沙：岳麓書社，第一冊，1998年，頁749。

11　（清）王夫之：《周易稗疏》，《船山全書》長沙：岳麓書社，第一冊，1998年，頁749。

用來稱讚乾的，而不可為天行乾。所以對乾來說，元亨利貞才是其德性。元亨利貞雖為乾之德，同時它又表示天道。

> 元、亨、利、貞者，乾之德，天道也。君子則為仁、義、禮、信，人道也。理通
> 而功用自殊，通其理則人道合天矣。「善之長」者，物生而後成性存焉，則萬物
> 之精英皆其初始純備之氣發於不容已也。「嘉之會」者，四時百物互相濟以成其
> 美，不害不悖，寒暑相為酬酢，靈蠢相為事使，無不通也。「義之和」者，生物
> 各有其義而得其宜，物情各和順於適然之數，故利也。「事」謂生物之事。「事之
> 幹」者，成終成始，各正性命，如枝葉附幹之不遷也。此皆以天道言也。[12]

元指萬物生成初始之時，亨指萬物相濟以成其美，利指萬物各得其宜而生利，貞指萬物之成、各正性命。作為乾之德的元、亨、利、貞是對天道的揭示。同時天道的元、亨、利、貞落在人身上，就是作為人道的仁、義、禮、信。船山認為人道和天道其理通，只是在不同事物上其功用表現不同，人道和天道在根本上是相合的。船山在這裡說「乾之德，天道也」，但我們知道乾坤並建的思想，何以單單只有乾就可以表示天道？

船山對此亦有回應。「《周易》並建乾、坤為太始，以陰陽至足者統六十二卦之變通。而此以純陽為乾者，蓋就陰陽合運之中，舉其盛大流行者言之也。……乾於大造為天之運，於人物為性之神，於萬事為知之徹，於學問為克治之誠，於吉凶治亂為經營之盛，故與坤並建，而乾自有其體用焉。」[13]從陰陽相互作用運動的方面來看，純陽的乾其有盛大流行的特點。就乾坤二者比較而言，乾的特點是健，坤的特點是順。乾代表一種健動性、積極性，「天之運、性之神、知之徹、克治之誠、經營之盛」都是在說明這種主動性。張學智同樣在此處認為「乾主有、主動及健順一體，是一切主動力量的根源所在。」[14]所以乾相對於坤來說，是處於主動地位的，而坤則是順承乾的。乾德所彰顯的「元亨利貞」，就是對天道的反映。所以用乾來和天道相對應，並不和乾坤並建相衝突。船山同時說天道和人道是相通的，人道也是對天道的反映。天道更側重從萬物層面訴說，道和天道在內容上是互通的。所以乾便和道對等起來。

二　相道的提出

根據前文可知船山把乾與道對等起來，這樣我們便可以從乾來看船山對道的態度。船山認為：

12　（清）王夫之：《周易內傳》，《船山全書》長沙：岳麓書社，第一冊，1998年，頁59。

13　（清）王夫之：《周易內傳》，《船山全書》長沙：岳麓書社，第一冊，1998年，頁43。

14　參見張學智：〈王夫之《乾》卦闡釋的兩個面向〉，《北京大學學報（哲學社會科學版）》2011年2月，頁14。

道，體乎物之中，以生天下之用者也。物生而有象，象成而有數。數資乎動以起用，而有行；行有得於道，而有德。因數以推象，道自然者也，道自然而弗籍於人；乘利用以觀德，德不容已者也，致其不容已而人相道。道弗籍於人，則人與物俱生以俟天之流行，而人廢道；人相道，則擇陰陽之粹以審天地之經，而易統天。故乾取象之德而不取道之象，聖人所以扶人而成其能也。蓋曆選於陰陽，審其起人之大用者，而通三才之用也。天者象也，乾者德也，是故不言天而言乾也。[15]

首先船山提出「道自然」的觀點。事物生成是有象的，一個現實之物必是有形有象的。當一個事物有其象的時侯，它必然具有內在的數理。因為像是和具體事物直接相關的，一個事物有象之時便表明其具體化、現實化，一個具體之物其內在的理數是有限的、確定的。事物便可以依據其內在之具體之理數運行變化，天道下落在具體事物之中，這便是德。象和數雖然說是兩個東西，其實是一體的。從現實存在層面來看，象必具其理數，一個無形無象的東西，我們是把握不到其理數的。透過理數來看象，也就是說透過事物自身的理數來看事物的運行，那麼在這個意義上，道的運行就是自然而然的。船山亦強調，這種「自然」是指不是人的行為刻意為之，而是一種天然的發生。所以事物之生成變化是按照其內在的理數，道是自然發用流行的。同時船山又提出「相道」的觀點。事物依據自身的理數發用流行，其背後依據來源於道，這種具體事物從道那裡獲得的性質，就稱為德。德是道下落在具體現實之物的表現。就具體事物自身來說，每個事物都有其德，正是這個具體事物之德才使得具體之物成為具體之物。這樣的行為是「道自然」的，是不得不然。船山認為人如果推知、研究這個不得不然之德，那麼便可以輔助道的運行。船山又說人和物在生成以後，若只是單純的依據道的自然而發用，那麼這樣的行為對於人來說是一種「廢道」的行為。人的行為若像自然之物那樣，這便是「廢道」。「廢道」與「相道」相對，人若不輔佐道的運行，則就是一種「廢道」的行為。

「道自然」指出了事物按照自身之理數運行變化，而具體事物也是「德不容已」的，那麼人何以要去「相道」呢？其實船山的「相道」「廢道」不是對道而言的，而是對人而言的。「相道」這一行為的發生主體是人，人輔助道的運行其實是人輔助自己的生存。人「相道」的目的在於人，為了人更好的是生存發展。船山認為「陰陽生人而能任人之生，陰陽治人而不能代人之治。既生以後，人以所受之性情為其性情，道即與之，不能複代治之。」[16]船山指出人生成之後有自己的性情，這個性情雖來自於道，但人的行為並不是單純的「道自然」，而表現為人自己治理自己的行為。這裡是在說人具有自主能動性，這使得「相道」的發生成為可能。此外，事物的運動變化不一定都有利

15 （清）王夫之：《周易外傳》，《船山全書》長沙：岳麓書社，第一冊，1998年，頁821。
16 （清）王夫之：《周易外傳》，《船山全書》長沙：岳麓書社，第一冊，1998年，頁992。

於人的生存。船山認為「象日生而為載道之器，數成務而因行道之時。器有大小，時有往來；載者有量，行者有程。亦恆齟齬而不相值。春霖之灌注，池沼溢而不為之止也；秋潦之消落，江河涸而不為之增也。若是者，天將無以佑人而成之務矣。」[17]事物有其器量的大小，處在變化之中；事物的功用運行有其時，也處在變化之中。這樣便會出現不相值的情況，對人來說是無法佑人的。比如春季多雨之時，會形成水患；秋季少雨之時，會出現旱災。這種情況於人而言是不利的，所以就需要人去相道。這體現出船山延天佑人的思想。

船山在《外傳・繫辭》說到「聖人與人為徒，與天通理。與人為徒，仁不遺遐；與天通理，知不昧初。將延天以祐人於既生之餘，而《易》由此其興焉」[18]「與天通理」是說對天道的理解與掌握，在此之後便可以延續天道護佑人的發展。這一思想與《乾》卦中的相道思想相呼應。

王夫之在《外傳》乾卦開篇就強調人相道的問題，應當受到了明清之際所興起的「實學」思潮的影響。人相道的這一行為，體現出船山對人發揮自己主動性的重視。人的生存不是完全聽從上天的安排，人要發揮自己的主動性去改變一些條件，來幫助人的發展。輔助天地的運行以護佑人的發展，這一行為表明人的所作為不再是僅是心性的功夫，亦是實實在在事功。若只談心性之功，則所變化只在自己心性，而相道之行為便無從發生。相道從天人之間關係入手，落實於人自身，以循天道護佑人的發展為目的。

三　乾卦的「相道」之要

乾卦所具有的健行的思想，在這裡不再贅述，相道亦是需要健行不息的。這裡主要說一下其他的觀點。

（一）智無專位，德為根基

「元亨利貞」四德既作為天道，又與人道相合。人若想要「相道」，必要明瞭此四德對人昭示了什麼內容。船山在此特地將「貞」解釋為「信」，與宋易解釋不同。這表明船山對於人如何行四德的看法。

船山說天之道為元、亨、利、貞，與此對應的人之道為仁、義、禮、信。但在宋明易學中，元、亨、利、貞對應的是仁、義、禮、智。胡瑗說「故四者在《易》則為元、

17　（清）王夫之：《周易外傳》，《船山全書》長沙：岳麓書社，第一冊，1998年，頁993。

18　（清）王夫之：《周易外傳》，《船山全書》長沙：岳麓書社，第一冊，1998年，頁993。

亨、利、貞，在天則為春、夏、秋、冬，在五常則為仁、義、禮、智。」[19]理學大家朱
熹說「以天道言之，為元亨利貞；以四時言之，為春夏秋冬；以人道言之，為仁義禮
智；以氣候言之，為溫涼燥濕；以四方言之，為東南西北。」[20]「元亨利貞」作為一個
天道，貫通於四時、氣候、四方、人性之中。船山為什麼一反宋明的傳統，把「貞」解
釋為信，而不是智呢？

　　船山有言「『貞者，事之幹也』，信也。于時為冬，于化為藏，于行為土，於德為
實，皆信也。」[21]船山認為與「貞」對應的是冬、藏、土、實，這些事物皆和幹、正固
有關，所對應的應該是信。如果「貞」對應的是信，那便和宋易說法相違背，那原來的
智將何在？船山認為「《象》曰：『大明終始，六位時成』，則言智也。」[22]船山把智和
位聯繫起來，認為智不是限於一個固定之位，而是和「時位」有關。智因時而成位。船
山舉例子說明智和四德的關係，認為智和仁相結合便可以知道愛之真，智和禮相結合便
可以知道敬之節，智和義相結合便可以知道制之宜，智和信相結合便可以知道誠之實。
所以智無專位。船山又認為智有其重要作用，也是尊貴的。智的重要作用在於「知」，
「知」的能力使得四德更好的實現自身，比如「擇不處仁，焉得智」，「擇」便是「智」
的能力的發用，更好地實現仁。同時「智」亦需要四德規範。船山認為「四德可德，而
智不可德。」[23]智不能作為德的原因就在於，智是知的能力，不與四德相配合會出現不
善的情況。智若沒有仁的規範便會刻薄，智沒有禮的規範便會輕浮，智沒有義的規範便
會詐偽，智沒有信的規範便會詭譎。所以智不可單獨為德。

　　船山不把智作為四德之一，原因就在於智容易滑向詐偽。所以智沒有作為四德之
一，與天道相通。人相道的行為，必是智慮發用的行為，相道的前提便在於對道的認
識。船山對此加上附加條件，智要有德的基礎。船山批評佛老「上善若水」、「瓶水青天
之月」的妙悟，批評對於刑名、權謀的智慮；認為它們皆崇智廢德。所以人相道要以德
為根基，不能玩弄巧智。只有明白這些，才能真正明白《周易》所揭示的道理，並且是
法天正人最好的標準。

（二）元為始，乃「利物和義」

　　從時間上來看「元亨利貞」是有時間先後之序的，元有初始之意。「物皆有本，事皆
有始，所謂『元』也。」[24]乾卦之元乃是對天道的揭示，乙太和清剛之氣生起人物，「皆

19　（宋）胡瑗：《周易口義》，《文淵閣四庫全書》臺北：臺灣商務印書館，1986年，頁176。

20　（宋）黎靖德：《朱子語類》北京：中華書局，1986年，頁1690。

21　（清）王夫之：《周易外傳》，《船山全書》長沙：岳麓書社，第一冊，1998年，頁824。

22　（清）王夫之：《周易外傳》，《船山全書》長沙：岳麓書社，第一冊，1998年，頁824。

23　（清）王夫之：《周易外傳》，《船山全書》長沙：岳麓書社，第一冊，1998年，頁824。

24　（清）王夫之：《周易外傳》，《船山全書》長沙：岳麓書社，第一冊，1998年，頁50。

天至健之氣以為資而肇始」[25]。船山也同意元為肇始之意，但他批評以成敗先後論始。

船山引「先儒之言『元』曰：『天下之物，原其所自，未有不善。成而後有敗，敗非先成者也；有得而後有失，非得而何以有失也』」，批評到「『原其所自，未有不善』，則既推美於大始矣。抑據成敗得失以征其後先，則是刑名器數之說，非以言德矣」。[26]先儒認為有成必有敗、有得必有失，對元來說亦是如此。此說當為程子觀點。[27]船山認為不能這樣理解元，從成敗得失的先後順序來理解元，是從「刑名器數」角度的看法，並不是從德的角度看的。元是「善之長」，是「萬物資始」，「統大始之德，居物生之先者也」。[28]元表示的是「生生之大始」，是在「物生之先」的層面論述的。物生之後，是一個現實的、有的層面，得失成敗是人事之究竟，不可以「成、得」論說元。

船山認為儒家之所以用「成、得」來解釋元，目的是為了破釋氏的邪說。佛教合成敗、齊得失，立真空之宗旨。總、別、同、異、成、壞六相皆一念緣起所致，其為「空」，無實在的本性。批評到「敗者敗其所成，失者失其所得，則失與敗因得與成而見」。[29]敗和失行為的產生得有一個前提，便是成與得。若沒有成與得，敗和失的行為是無法出現的。在船山看來肯定成與得是為了說明「有」這個前提，或者說「有」是世界存在的根本。船山認為敗和失是「人情弱喪之積，而非事理所固有」[30]，也就是說成和得是事理本然，敗和失因人事而來。這該怎麼理解呢？船山舉例子說有木材可以做成車，有土可以做成器物。車、器物始於木、土，木、土經過人的加工成為車、器物。船山稱之為「既成既得」「利物和義」，這樣的行為是「成」卻沒有敗失的情況發生。[31]由此我們可知船山所說的敗失是因人情弱喪而來，指的是人的行為沒有達到「利物和義」的狀態。

「利物和義」是天理流行之功效，就其本然的層面來看並沒有成與得、敗與失。成敗得失是相對而出現的，其原因在於人事。船山肯定程子看到了「成與得」，也就是世界是「有」的存在方式，由此來批評佛教的觀點。但船山批評到把「成與得」作為「元」是不可取的，因為這樣不足以說明世界之本的「生生之仁」，不足以說明「元者，善之長也」。理解「元」要以「利物和義」的方式進行，如若不這樣，雖然儒家可

25　（清）王夫之：《周易外傳》，《船山全書》長沙：岳麓書社，第一冊，1998年，頁50。

26　（清）王夫之：《周易外傳》，《船山全書》長沙：岳麓書社，第一冊，1998年，頁825。

27　參見（宋）程頤、程顥著，王孝魚點校：《二程集》北京：中華書局，1981年，頁769。大有卦象傳「元者物之先也。物之先豈有不善者乎？事成而後有敗，敗非先成者也；興而後又衰，衰固後於興也；得而後有失，非得則何以有失也？至於善惡、治亂、是非，天下之事莫不皆然，必善為先，故《文言》曰『元者善之長也』。」

28　（清）王夫之：《周易外傳》，《船山全書》長沙：岳麓書社，第一冊，1998年，頁825。

29　（清）王夫之：《周易外傳》，《船山全書》長沙：岳麓書社，第一冊，1998年，頁826。

30　（清）王夫之：《周易外傳》，《船山全書》長沙：岳麓書社，第一冊，1998年，頁826。

31　詳細參見，王夫之：《周易外傳》，《船山全書》長沙：岳麓書社，第一冊，1998年，頁825。

以破除佛教的「空」，但卻會落入法家名實之流，滑向功利主義；這樣就不能說明「元」是仁，是善之長。「元」作為大始，便在於功於天下，利於民物。君子當仿此道以長人，而不是以成敗得失而論。相道須本此旨。

（三）盡道時中以俟命

船山認為卦有六位，但不能因位而定貴賤，位表示的是先後，先後體現的是時。「惟既已成乎卦也，則亦有其序也。不名之為貴賤，而名之曰先後。先後者時也，故曰『六位時成』。君子之安其序也，必因其時。先時不爭，後時不失，盡道時中以俟命也。」[32]一個卦形成之後，其表現有初、二、三、四、五、上的序列。這種秩序不能稱之為貴賤，不能因其有這樣的順序而認為其貴賤而被安排。這樣的序列表現的是先後的順序，先後不決定貴賤，只是說明這樣一種事實。造成先後順序的原因在於「時」，所以《周易》中說「六位時成」。比如說初表現的時為潛，二表現的時為見，三表示的時為惕，四表示的時為躍，五表示的是時之飛，上表示的是時之亢。

「易不言中而中可擇矣。」[33]《易》雖然沒有專門的篇幅論述中，但我們可以從中發現中的思想。船山說保合太和是最完滿的狀態，不保合太和則會出現有餘和不足的現象。「乘而下退，息于田而為不足；乘而上進，與於天而為有餘。……勉不足謂之文，裁有餘謂之節，節文具而禮樂行，禮樂行而中和之極建。」[34]為了保證保合太和的狀態，就需要節文、禮樂的裁制。而九三代表的乾乾、惕若之德，表明的就是君子發揮自己的知能以執中的思想，時刻注意補救有餘和不足。「此九三之德，以固執其中，盡人而俟天也。」[35]君子當依據九三健行執中，透過盡人事並隨天之運行而達到相道的結果。時中是對天道運行的一個方面的揭示，所以君子的行事也應要遵循時中。

四　總結

船山透過對《乾》卦的分析，認為元、亨、利、貞四德，不僅是乾之德還是對天道、人道的反映。天道、人道和乾之四德相聯繫，乾之四德是透過《周易》表示天道、人道。所以船山站在天道的立場上，在乾卦中提出人要相道的觀點。船山依據乾卦表達出他對相道的觀點，人們相道首先要乾健有為，以剛健有為態度面對這個世界。其次說明人的行為雖依賴於知能，但要把德作為根本，人的相道行為不能流于智巧。人的相道

32　（清）王夫之：《周易外傳》，《船山全書》長沙：岳麓書社，第一冊，1998年，頁827。

33　（清）王夫之：《周易外傳》，《船山全書》長沙：岳麓書社，第一冊，1998年，頁831。

34　（清）王夫之：《周易外傳》，《船山全書》長沙：岳麓書社，第一冊，1998年，頁831。

35　（清）王夫之：《周易外傳》，《船山全書》長沙：岳麓書社，第一冊，1998年，頁831。

行為要做到「利物和義」，是為了功於天下、利於民物，而不是為了小利。同時相道的行為要遵循時中，盡人而俟天，達到保合太和的結果。

　　船山相道的思想，其落腳點在於「佑人」。相道不是對道的征服，不是以掌控道為目的，其目的在於人自身。船山說「道行于乾坤之全，而其用必以人為依。不依乎人者，人不得而用之，則耳目所窮，功效亦廢，其道可知而不必知。聖人之所以依人而建極也。」[36]依人而建極，便是以人為行道的目的。相道本身是一種行、一種實踐行為，以此來看，船山天人關係的視角，最終是落在人身上的。這樣從人自身出發的視角，便會在天人關係中突出人道的價值，人相道的行為便是實現人道。天道中的人道便會得到突出，人道之善便會得到突出。所以在船山看來貞就不能解釋為智，應解釋為信；智容易滑向詐偽，不符合人道之德的善性，便也不符合天道的善性。「利物和義」也表明，若以成、得解釋元是不能表示世界的生生之仁，不符合德的善性。同時船山亦未忽視「天道」之客觀，在發揮人的主動性的同時，亦要明白事物發展有其時，人相道要依時處中，以達到保合太和的善。我們可以看到在相道活動中，船山對於「德」的重視，這個「德」出於人而合於天。

36　（清）王夫之：《周易外傳》，《船山全書》長沙：岳麓書社，第一冊，1998年，頁850。

清初蘇州戲曲的題材變遷及其與
元曲的精神映照

任剛

北京師範大學

　　清初以李玉、葉時章、尤侗、吳偉業等為主要創作主體的蘇州戲曲，在理論、創作、演出等方面均取得了突出成就，在戲曲發展史上具有過渡意義，由此也獲得了多維的研究視角與可不斷拓展的豐厚價值。[1]它非但有切入當時當地文化肌理中去的橫向研究價值，也有著作為窯會地位繫入整個戲曲發展脈絡的縱向審視意義。本文擬以戲曲題材分布格局為線索，將清初蘇州戲曲置於戲曲發展史中加以對比、觀照，以期重新認識其基本特徵與整體風貌。

　　早在明初，朱權根據元代雜劇已然奠定的題材選擇格局，將雜劇題材分為「十二科」，[2]其分類全面、細緻，被之後曲家廣泛接受，成為包括傳奇在內整個古典戲曲題材分類的基本模式。近現代學者如江巨榮、歐陽光等也多基於此對戲曲題材進行分類。[3]綜合諸家所言，同時參考戲曲發展的具體情形，以反映對象、表現主題為標準，本文將戲曲題材分為社會政治、男女風情、世情倫理、英雄傳奇、文士際遇、仙佛鬼怪、公吏斷案、祝嘏慶賞八類。

　　之於清初蘇州戲曲的題材類型，蘭香梅將蘇州派戲曲分為愛情劇、社會政治劇、清官豪傑與清官公案類劇、世情道德倫理劇四類。[4]均不出上文所述八種戲曲題材類型之外，而且這些類別相對簡單，不能反映清初蘇州戲曲作品題材的豐富性。

　　鑒於此，本文以社會政治等八種題材類型為分類框架，對整本現存的八十五種清初

1　本文「清初」的時間界定借鑑胡忌、劉致中《昆劇發展史》（北京：中華書局，2012年）觀點，為清
　　廷入關之順治元年（1644）與平定三藩之康熙二十年（1681）之間。此際蘇州府領一州七縣：吳
　　縣、長洲縣、吳江縣、常熟縣、崑山縣、嘉定縣、太倉州及其所領崇明縣。
2　（明）朱權《太和正音譜》：「一曰神仙道化。二曰隱居樂道（又曰林泉丘壑）。三曰披袍秉笏（即君
　　臣雜劇）。四曰忠臣烈士。五曰孝義廉節。六曰叱奸罵讒。七曰逐臣孤子。八曰鈸刀趕棒（即脫膊雜
　　劇）。九曰風花雪月。十曰悲歡離合。十一曰煙花粉黛（即花旦雜劇）。十二曰神頭鬼面（即神佛雜
　　劇）。」參考俞為民、孫蓉蓉主編：《歷代曲話匯編・明代編》合肥：黃山書社，2009年，集一，頁39。
3　江巨榮：《古代戲曲思想藝術論》上海：學林出版社，1995年，頁12；歐陽光：《元明清戲劇分類選
　　講》北京：高等教育出版社，2007年，頁33。
4　蘭香梅：《蘇州派研究》南京：南京大學文學院博士論文，2003年，頁16。

蘇州戲曲作品進行題材劃分，[5]詳見表一：

表一　清初蘇州戲曲作品題材分類細目表[6]

題材類型	戲曲作品	總數	百分比
社會政治題材	《西臺記》、《臨春閣》、《吊琵琶》、《峴山碑》、《虞山碑》、《兩鬚眉》、《千忠戮》、《萬里圓》、《連城璧》、《清忠譜》、《一品爵》、《吉祥兆》、《黨人碑》、《御袍恩》、《竹葉舟》、《朝陽鳳》、《翡翠園》、《籌邊樓》、《蓮花筏》、《錦雲裘》、《御雪豹》、《瓔珞會》、《艷雲亭》、《萬壽冠》、《牡丹圖》、《漁家樂》、《血影石》、《軒轅鏡》、（《龍燈賺》）、《人中龍》、《回春記》	31	36.47%
男女風情題材	《長門宮》、《燕子樓》、《秣陵春》、《眉山秀》、《幻緣箱》（《玉殿緣》）、《稱人心》、《琥珀匙》、《文星現》、《龍鳳錢》、《秦樓月》、《石麟鏡》、《玉鴛鴦》、《非非想》	14	16.47%
世情倫理題材	《快活三》、《讀書聲》、《紫瓊瑤》、《四大慶》、《錦衣歸》、《聚寶盆》、《海烈婦》、《五代榮》、《兒孫福》、《胭脂雪》、《迎天榜》	11	12.94%
英雄傳奇題材	《麒麟閣》、《牛頭山》、《昊天塔》、《風雲會》、《如是觀》、《金剛鳳》、《英雄概》、《萬年觴》、《奪秋魁》	9	10.59%
文士際遇題材	《通天臺》、《讀離騷》、《桃花源》、《清平調》、《老客婦》、《奇男子》、《鈞天樂》	7	8.24%
公吏斷案題材	《五高風》、《未央天》、《十五貫》、《乾坤嘯》、《吉慶圖》、《四奇觀》	6	7.06%
仙佛鬼怪題材	《黑白衛》、《太平錢》、《醉菩提》、《海潮音》、《釣魚船》、《長生樂》	6	7.06%
祝嘏慶賞題材	《雙福壽》	1	1.18%

　　具有時段與地域雙重限制的清初蘇州，得以對應、填充戲曲題材基本格局，可見其題材的廣泛性與覆蓋性。

　　進一步分析清初蘇州戲曲題材的分布比例及其與元明兩代的對照情況（見表二），[7]

5　部分作品題材交叉，主題多重，為便於研究、統計，本文以這些劇作最外顯、突出的題材、主題為依據進行類別劃歸。

6　該表中的數字為清初蘇州某類題材劇作總數，對應的百分比為該類題材劇作數量占清初蘇州劇作總數的百分比，表二同此。

7　為保證統計的有效性、統一性，除清初蘇州戲曲作品採錄於曲目著作、地方史料、學界研究等文獻

有一些新的發現。

表二　元明戲曲與清初蘇州戲曲題材分布對照表

	社會政治	男女風情	世情倫理	英雄傳奇	文士際遇	公吏斷案	仙佛鬼怪	祝嘏慶賞
元代	41 25.95%	29 18.35%	34 21.52%	9 5.70%	9 5.70%	19 12.03%	17 10.76%	0 0%
明代	70 15.12%	151 32.61%	101 21.81%	12 2.59%	38 8.21%	6 1.30%	62 13.39%	23 4.97%
清初蘇州	31 36.47%	14 16.47%	11 12.94%	9 10.59%	7 8.24%	6 7.06%	6 7.06%	1 1.18%

從共時性維度來看，元代英雄傳奇與文士際遇題材戲曲比例最小，均占百分之五點七〇，明代占比最小的題材為英雄傳奇與公吏斷案題材，分別僅占百分之二點五九、百分之一點三〇，清初蘇州戲曲比例最小的題材為公吏斷案與仙佛鬼怪題材，均占百分之七點〇六。以元明兩代為參照，清初蘇州戲曲題材的分布比例趨近元代，更為均衡。以清初其他地區為參照，蘇州戲曲題材分布同樣呈現出均衡特徵：清初戲曲的地域分布呈現出大分散、小聚集的特徵，集中分布於蘇州（85種）、杭州（18種）、常州（13種）等江浙一帶。蘇州整本現存劇作占清初整本現存、作地可考劇作的百分之四十四點七九，幾近半數，是唯一一個覆蓋社會政治等八種題材類型的地區。

　　從歷時性維度來看，元代到明代再至清初蘇州，除世情倫理、文士際遇兩題材分別大體呈現降、升趨勢外，社會政治、英雄傳奇、公吏斷案三類題材呈現出先降後升的「V」型趨勢，男女風情、仙佛鬼怪、祝嘏慶賞三類題材則呈現出先升後降的「Λ」型趨勢。其中，明代戲曲均為轉折點，而清初蘇州戲曲與元代戲曲題材的分布與嬗變有著

外，元明兩代、清初戲曲作品的具體信息均主要參考李修生主編《古本戲曲劇目提要》北京：文化藝術出版社，1997年，下文簡稱《提要》）。其中，「元明間無名氏雜劇」共六十種因無法明確具體朝代，不計入此處統計；「宋、元、明南戲」除《張協狀元》、《宦門子弟錯立身》、《小孫屠》、《琵琶記》、《荊釵記》、《白兔記》、《拜月亭》、《殺狗記》八劇歸入（宋）元代外，其餘四十劇歸入明代。元代戲曲共一五八種，其中雜劇一五〇種，南戲八種；明代戲曲共四六三種，其中雜劇二一二種（其中含《提要》誤歸入「清雜劇」的《鴛鴦夢》、《鐵氏女》、《雙鶯傳》三種），南戲四十種，傳奇二一一種（明傳奇實際為二一〇種，因高濂《節孝記》「節」、「孝」二部分述陶潛棄官隱居與李密夫婦孝親事，分屬文士際遇、世情倫理題材，此處將其視作二劇進行統計。這二一〇種明傳奇中含《提要》誤歸入「清傳奇」的《翻西廂》、《續情燈》、《天馬媒》、《佔花魁》、《一捧雪》、《永團圓》、《人獸關》、《荷花塘》、《十錦塘》、《鸝（霜鳥）裝》、《西樓記》、《三報恩》十二種，不含《提要》誤歸入「明傳奇」的《回春記》傳奇）。另外，部分劇作本為一個組劇，《提要》則以分劇標目，如葉憲祖《四艷記》，《提要》分列〈天桃紈扇〉、〈碧蓮繡符〉、〈素梅玉蟾〉、〈丹桂鈿合〉四劇，類此現象，本文悉遵《提要》原書處理。

某種相似性，或說映照關係。

綜上所述，清初蘇州戲曲題材分布呈現出多樣均衡、趨近元代（下文亦簡稱「趨元」）的整體特徵。本文將主要圍繞此二點的表現、成因進行集中探討。

一　社會動亂與清初蘇州戲曲的時代書寫

透過表二可以發現，清初蘇州男女風情、世情倫理、仙佛鬼怪三類題材戲曲比例與元明兩代相比均不占優勢；公吏斷案題材戲曲相較於元代戲曲，祝嘏慶賞題材相較於明代戲曲，也不占優勢；社會政治、英雄傳奇、文士際遇三類題材戲曲比例則明顯高於元明戲曲，成為清初蘇州戲曲最突出、最具特色的題材類型。而它們的突顯，與明末清初複雜動蕩的時代形勢有著密切聯繫。

清初蘇州整本現存的社會政治題材戲曲共三十一種，占整本現存全部劇作的百分之三十六點四七，足以說明社會政治題材戲曲在清初蘇州戲曲中的突顯性與重要性。首先，就清初蘇州戲曲自身而言，社會政治題材戲曲在八種題材類型中居首位，且遠超居於其次的男女風情題材（十四種，占16.47%），是清初蘇州戲曲最主要的題材。其次，社會政治題材戲曲在元代共四十一種，占百分之二十五點九五，在八種題材類型中居首位；在明代為七○種，占比百分之十五點一二，居第三位；到清初蘇州，社會政治題材再次成為最主要題材。第三，與清初其他地區相較（杭州四種，占比百分之二點○八；寧波、揚州、青州各二種，占比百分之一點○四；松江、奉天、登州、真定各一種，占比百分之○點五二），蘇州地區社會政治題材戲曲均占有突出優勢。

在這三十一種劇作中，共二十三種以朝廷忠奸鬥爭為核心主題，十九部涉及朝廷與外邦、異族、匪寇的政治軍事鬥爭。素材出於虛構（朱佐朝《瓔珞會》、《御雪豹》傳奇），或取自歷史（朱佐朝《漁家樂》、朱素臣《朝陽鳳》傳奇），上自戰國，下迄當下，共同刻畫「文臣妒忌，武將又貪財」[8]的官場生態，褒忠斥奸，表達「要除著山魈鬼魅，掃封疆一朝」[9]的「顛沛勤王」[10]理想。而牽系李自成、張獻忠農民起義、明清易代、南明政權流徙南方等諸多事件的明清鼎革，作為一場輻射全國的社會災難，為清初蘇州戲曲作家提供了豐富的現實素材與戲曲話題。如朱葵心《回春記》、李玉《兩鬚眉》、《萬里圓》傳奇直接敷寫李自成、張獻忠農民起義、福王新立、清軍入關等時事。

8　（清）李玉、朱佐朝：《一品爵》第十二齣〈屈招〉，載李玉著，陳古虞、陳多、馬聖貴點校：《李玉戲曲集》上海：上海古籍出版社，2004年，下冊，頁1705。

9　（清）朱佐朝：《軒轅鏡》第十四齣〈擊虜‧太平令〉，《古本戲曲叢刊三集》影印程硯秋玉霜簃藏舊抄本，北京：文學古籍刊行社，1957年。

10　（清）吳偉業：《臨春閣》第四齣，載吳偉業著，李學穎集評標校：《吳梅村全集》上海：上海古籍出版社，1990年，下冊，頁1381。

原本用以重現歷史、反映黨爭的歷史劇，在清初蘇州作家筆下，也因甲申之變被賦予了反思興亡、肅整朝綱的時代意義，借前朝易代與漢弱番強的形勢寄託「邦國殄瘁，寇盜縱橫」[11]形勢下哀悼、懷念、反思等遺民情感。如曾任弘光朝光祿卿、永歷朝梧州知府的陸世廉，從宋末抗元英雄文天祥、張世傑、謝翱等的勤王攘夷事跡中照見自己、尋得共鳴，借以抒發「故國摧如掃……平白地乾坤顛倒」[12]的亡國之悲，隱曲宣洩新朝下眷戀故國又有所畏忌的內心悲慟。吳偉業《臨春閣》與尤侗《吊琵琶》二部雜劇也是如此。與此同時，清初蘇州戲曲作家還敷演其他具有轟動效應的社會政治事件，它們在興圖換稿的時代語境下有著特殊的政治意味。如《峴山碑》、《虞山碑》二部雜劇分別為常熟諸生陸曜與程端完成於康熙十一年（1672），均謳歌康熙年間本地知縣於宗堯清廉公正、愛民如子的事跡。於宗堯生於清朝，出任清朝官職，宰虞惠政使他成為「仰見聖天子勤恤民隱之至意」[13]及「為後之牧民者勸」[14]的新朝模範。程端、陸曜的雜劇創作有著清朝統治鞏固、反清情緒逐漸平息的標識性質，劇作主題、情感作為對立面、終結者得以與興亡悲慨、歷史反思進入同一邏輯序列。凡此，皆使滿漢更替、明清鼎革及由此產生的民族情緒、家國認知、歷史反思、自強心理等成為清初蘇州社會政治題材戲曲的主流話題與核心內容。

　　清初蘇州整本現存的英雄傳奇題材戲曲作品共九種，占清初整本現存全部劇作的百分之十點五九。與明代（十二種，占百分之二點五九）相比，所占比重明顯回升，並超過元代（九種，占百分之五點七〇）近一半。這些作品主要鋪敘楊家將（李玉《昊天塔》傳奇）、岳飛（李玉《牛頭山》、朱佐朝《奪秋魁》、張大復《如是觀》傳奇）、李存孝（葉稚斐《英雄概》傳奇）、錢婆留（張大復《金剛鳳》傳奇）等英雄的壯烈故事。它們多以朝代更迭、國家危難之際為時代背景，如《麒麟閣》中羅藝言「一時上邊一十八處擅稱年號，後邊叛臣草寇不可枚舉」[15]，《英雄概》中孟捷海稱「只因唐家失政，四海亂離。浙東反了裘甫，淮南反了龐勳，曹州反了尚君長，濮州反了王仙芝」[16]。在鋪敘英雄成長時，不時加入朝廷內部的善惡忠奸鬥爭，惡化英雄形象的生存環境，突顯英雄氣概。《如是觀》即延續了岳飛題材秦、岳對立的故事框架，《昊天塔》則先後設置

---

11 （清）李玉：《兩鬚眉》第一折〈敘別〉，載李玉著，陳古虞、陳多、馬聖貴點校：《李玉戲曲集》，下冊，頁1203。

12 （明）陸世廉：《西臺記·繞池游》，載王永寬、楊海中、廖書儀選注：《清代雜劇選》鄭州：中州古籍出版社，1991年，頁65。

13 （明）顧宸：〈遺愛集序〉，《遺愛集》卷首，中國國家圖書館藏清康熙刻本。

14 （明）程端：〈虞山碑序〉，《遺愛集》。

15 （清）李玉：《麒麟閣》第二本第四齣〈看報〉，載李玉著，陳古虞、陳多、馬聖貴點校：《李玉戲曲集》，中冊，頁504。

16 （清）葉稚斐：《英雄概》第十折，《古本戲曲叢刊三集》影印長樂鄭氏藏抄本，北京：文學古籍刊行社，1957年。

楊家群英與潘仁美、王欽若的忠奸鬥爭。特殊、一致的時代設置與不時出現的忠奸鬥爭內容，使清初蘇州戲曲中的英雄傳奇題材帶有了社會政治題材的特徵，二者在一定程度上呈現出合流趨向。這種現象的出現，同樣源自明清鼎革的時代背景。國破家亡後的蘇州戲曲作家借助對「雄起起有擎天業……英烈貌巍巍非等別」[17]英雄群體的贊美與呼籲，暗含了「扶危賴得賢臣力，重整山河六百州」[18]的時局認知與「何人重把頹風整，掃除邪暴拯生民」[19]的共同期許。

　　清初蘇州現存七種文士際遇題材戲曲作品，占整本現存全部劇作的百分之八點二四，超出元明兩代同題材戲曲所占比重（元代九種，占百分之五點七○；明代三十八種，占百分之八點二一）。尤侗《讀離騷》、葉奕苞《奇男子》二種雜劇，尤侗《鈞天樂》、黃祖顓《迎天榜》二種傳奇延續此前的文士不遇主題，剖白「一任螢光雪影挨黃卷，巴不到上青天」[20]的志向，抒發「一生不得文章力，欲上青天未有因」[21]的憤懣。其中多夾雜著淪落文人對「剛湊著頭腦冬烘雙眼瞎，硬填上了野草閒花」[22]科場亂象的尖刺嘲諷，及對「英雄漸作馮唐老，被他人舌簸唇描」[23]世態炎涼的切身體驗。如明代文人戲曲作家一樣敷寫文人吟詩作對、大小登科之風流生活的戲曲僅有尤侗《清平調》雜劇。而該劇齣離史實編織李白高中狀元的幻象，也不過是透過「為青蓮吐氣」[24]，宣洩科場困頓之作者與同樣不遇之杜濬等人的憤慨。如杜濬閱讀該劇之後言：「計余棄場屋已三十餘年，理在悲喜之外。則又胡然而喜，胡然而悲。」[25]事實上表達的是與上述四劇相同的不遇主題。

　　在清初蘇州七種文士際遇題材戲曲作品中，區別於元明同題材戲曲、較具特色的是吳偉業《通天臺》、葉奕苞《老客婦》、尤侗《桃花源》三部探討文人出處抉擇與仕隱思想的雜劇。特別是前二者，具有對明清鼎革時代劇變的特別觀照。《通天臺》是吳偉業借鑑、傳承湯顯祖夢幻藝術創作的一部寫心劇。[26]由梁入魏、羈留長安的沈炯作為吳偉

17　（清）朱佐朝：《奪秋魁》第十二齣〈法場恩放·得勝令〉，《古本戲曲叢刊三集》影印北京大學圖書館藏舊抄本，北京：文學古籍刊行社，1957年。

18　（清）葉稚斐：《英雄概》第三十一折。

19　（清）李玉：《牛頭山》第十六齣〈三霸·川撥棹〉，載李玉著，陳古虞、陳多、馬聖貴點校：《李玉戲曲集》，中冊，頁641。

20　（明）黃祖顓：《迎天榜》第一齣〈祠集·解三酲〉，《古本戲曲叢刊五集》影印綏中吳氏藏清康熙刊本，上海：上海古籍出版社，1986年。

21　（清）尤侗：《鈞天樂》第六齣〈澆愁〉，載尤侗著，楊旭輝點校：《尤侗集》上海：上海古籍出版社，2015年，冊中，頁1066。

22　（清）葉奕苞：《奇男子》第一折〈風入松〉，載葉奕苞：《經鉏堂樂府》，清康熙刻本。

23　（明）黃祖顓：《迎天榜》第十四齣〈察意·劉潑帽〉。

24　梁玉立：〈評李白登科記〉，載尤侗著，楊旭輝點校：《尤侗集》，中冊，頁1048。

25　（清）杜濬：〈李白登科記題詞〉，載尤侗著，楊旭輝點校：《尤侗集》，中冊，頁1047。

26　周維培稱：「吳偉業的戲曲創作在方法上是浪漫主義的，在情節處理上是幻想奇特，甚至是荒誕詭譎

業的歷史投射，在通天臺下的大醉一場宣洩而出的是為梁朝諸帝嗟嘆唏噓、「山繞故宮，寒潮向空城打，杜鵑血揀南枝直下」[27]的故國情感。不過，前朝眷念之外，還不時滲透著身世飄零、有才不遇之感。起初用來反襯、烘托梁武帝王業的漢武帝，逐漸轉為沈炯心嚮往之的對象：「若遇漢武好文之主，不在鄒、枚、莊、馬下矣。」[28]這種嚮往透過夢境得以實現，醉夢里，漢武帝贈與高官厚祿，但迫於家國觀念的道德壓力，沈炯婉言謝絕。這出新皇徵召、才子辭官的戲碼，同樣出現於葉奕苞《老客婦》雜劇，應當也是吳偉業、葉奕苞等人仕清前在腦海中不斷預演的場景。它一方面滿足著他們才學受人賞識的渴望，一方面又不致貽人屈節改仕之口實。夢幻、幽微又有些巧妙的藝術方式，恰恰表露了明清鼎革給一代文人所帶來的深層、複雜影響。而尤侗等人著意申抒不遇憤慨的戲曲創作，在明清易代的特殊時代下，也具有了「不合時宜」[29]的審美特徵。

　　其實，不僅是社會政治、英雄傳奇、文士際遇三者，其他題材也受到明清之際動亂的影響，摻雜、附帶了相對豐富的社會政治內容。男女風情題材如吳偉業《秣陵春》、朱佐朝《石麟鏡》等傳奇，世情倫理題材如張大復《紫瓊瑤》傳奇，公吏斷案題材如李玉《五高風》、朱佐朝《乾坤嘯》等傳奇，仙佛鬼怪題材如尤侗《黑白衛》雜劇，唯一的祝嘏慶賞題材劇《雙福壽》，上卷也涉及西漢周勃平定邊寇之事。此處以葉奕苞《燕子樓》雜劇為例，詳細說明。該劇寫唐朝名妓關盼盼為禮部尚書張建封堅守苦節十年，後因白居易以詩諷喻而自盡殉節，是典型的男女風情題材。作者葉奕苞的父親葉國華，師長葛芝、葉宏儒，友人朱用純均為明遺民，兄長葉奕荃死於清兵戰火。親友熏染、離亂記憶與「磊砢善使氣」[30]的性格相契，葉奕苞心懷故明、期冀恢復，入清後曾寫下〈文國十笏庵拜觀崇禎皇帝御書〉〈崇禎皇帝輓歌詞（甲申五月）〉等詩歌，[31]《經鋤堂集》此後因之而被冠以「荒誕悖逆，語多狂吠」[32]之名被禁毀。葉奕苞有著明顯、深厚的遺民情感。《經鋤堂樂府》作於順治末到康熙十年（1671）之前，[33]甲申（1644）之變過去不到三十年。葉奕苞選擇關盼盼守節素材，應當受到楊維楨〈老客婦謠〉以男女

的。在這一點上，明中葉浪漫主義劇作家湯顯祖給予他巨大的影響。」見其〈惆悵興亡繫綺羅——試論吳偉業的戲曲創作〉，《藝術百家》1988年第1期，頁112-113。

27　（清）吳偉業：《通天臺》第一折〈賺煞尾〉，載吳偉業著，李學穎集評標校：《吳梅村全集》，下冊，頁1393。

28　同前註，頁1392。

29　（清）尤侗：《鈞天樂》第一齣〈立意·蝶戀花〉，載尤侗著，楊旭輝點校：《尤侗集》，中冊，頁1057。

30　（清）陳維崧：〈葉九來詩集序〉，載陳維崧著，陳振鵬標點，李學穎校補：《陳維崧集》上海：上海古籍出版社，2010年，上冊，頁16。

31　（清）葉奕苞：《經鋤堂集》，清康熙刻本，卷2、3。

32　（清）姚覲元輯：《清代禁毀書目》北京：商務印書館，1957年，頁304-315。

33　杜桂萍：〈葉奕苞經鋤堂樂府相關史實考〉，《文學遺產》2008年第3期，頁117-118。

之事寄寓家國情感的啟發，在其中幽微曲折地注入了故國之念和有關忠孝氣節的思考。他本人即作有以楊維楨辭官為本事的《老客婦》雜劇，並與《燕子樓》一同收入《經鋤堂樂府》。總體來看，明清之際的時代動亂給清初蘇州戲曲題材帶來了全局滲透與系統影響，社會政治內容成為滲透於各類題材、籠罩清初蘇州劇壇的重要話題，同時也與作家、文體等多重因素共同賦予了清初蘇州戲曲區別於元明戲曲的新鮮氣息與時代色彩。

二　傳統話題與清初蘇州社會的多維摹寫

除了社會政治、英雄傳奇、文士際遇三類與時代動亂密切相關的戲曲題材之外，男女風情、世情倫理、公吏斷案、仙佛鬼怪、祝嘏慶賞等其他題材雖然也受到時代動亂的滲透，但總體上依舊延續了元明兩代的話題範圍，從多個維度豐富、反映著清初蘇州整個社會。

首先是男女風情題材。不論是與明代戲曲還是與整個清初戲曲相比，清初蘇州該題材戲曲均不占優勢，目前整本留存十四種，占百分之十六點四七。這些劇作仍以男女戀愛為主，表現「功名當奪狀頭，婚姻宜配才女」[34]大小登科的才士風流。但反映內容豐富，視野開闊，情節曲折，具有較強的倫理教化性質，不再像元明戲曲一樣側重贊揚男女雙方對愛情的大膽追求，描摹男女雙方複雜細膩的戀愛心理。具體來說，主要體現在三個方面：首先，男女風情與社會政治題材相融合，男女離合在呈現愛情發展過程的同時，牽帶出風雲變幻的歷史場景與忠奸鬥爭等政治內容。關於此點，上文已論，此處不再贅述。其次，戀愛中的男女主人公多為禮教規約，對愛情的表達與追求克制而理性。如朱素臣改編的《西廂記演劇》對張生、崔鶯鶯男女幽期作了反思，並將第五本刪去：「《西廂》為俗筆顛倒，足為文人無行者之戒，至男女幽期，不待父母，不通媒妁，只合之草橋一夢耳。而續貂者必欲夫榮妻貴，予以完美，豈何以訓世哉？故後四折不錄。」[35]另外，男女雙方精神層面的彼此欣賞與戀愛關係的專一對等不再被強調，《幻緣箱》、《稱人心》等七劇均立足於「雙美團圓恩愛饒」[36]的一男二女戀愛關係，《玉鴛鴦》甚至設置一才子與三佳人的風流故事。女性整體上具有「三從四德效于飛，願取百歲絲蘿著錦衣」[37]的倫理追求。在如此立意與設置下，《文星現》等少數劇作儘管繼承

34　（清）陳二白：《稱人心》第二齣〈客館〉，《古本戲曲叢刊三集》影印舊抄本，北京：文學古籍刊行社，1957年。

35　（清）李書雲：〈西廂記演劇序〉，王實甫撰，李書樓參酌，朱素臣校訂：《西廂記演劇》，清康熙中葉刻本，卷首。

36　（清）陳二白：《稱人心》第二十四齣〈雙圓·尾〉。

37　（清）朱佐朝：《石麟鏡》第三十一齣〈尾〉，《古本戲曲叢刊三集》影印程硯秋玉霜簃藏舊抄本，北京：文學古籍刊行社，1957年。

了明後期主情思想，宣揚「普天下多情只有咱共你」[38]的情至主題，但整體來看，清初蘇州男女風情題材戲曲有著明顯的世俗色彩與倫理追求。這恰與當時崇尚實學的思想潮流聲氣相通。第三，清初蘇州男女風情題材戲曲沿襲了晚明戲曲「演奇事，暢奇情」[39]的審美風尚，《秣陵春》、《琥珀匙》中的代嫁，《稱人心》、《眉山秀》中的女扮男妝，《龍鳳錢》、《石麟鏡》中的二女替換，《非非想》、《文星現》中的冒名，等等，均透過巧合、誤會使戲曲情節呈現出「接木移花恁變幻」[40]與「真真幻幻奇情宅」[41]的離奇、波折樣態。

　　清初蘇州世情倫理題材戲曲整本現存十一種，占百分之十二點九四，低於元明兩代同題材戲曲所占比例（元代三十四種，占二十一點五二；明代一〇一種，占百分之二十一點八一），以家庭、鄰里、市井生活為主要內容。其中，《快活三》、《讀書聲》、《錦衣歸》三部傳奇均演繹翁婿矛盾，女方家長起先因門第觀念、貧富差距斷絕女兒與男方往來，待男方獲得財富、功名之後，才承認雙方婚姻，反映了明末清初的婚姻觀念。《四大慶》、《五代榮》、《兒孫福》三部傳奇表現封建家庭一門富貴、兒孫滿堂、鐘鳴鼎食、吉慶祥和的景象，反映市井百姓對「多福多祿多壽多男四大吉慶」[42]的世俗追求，與「痴人直恁福非輕」[43]等生活觀念。《聚寶盆》傳奇透過蘇州漁民沈萬三一家圍繞聚寶盆的升降起伏傳達了財富致禍、安分守己的生存智慧。因「奢華太過，喜變為憂」的沈萬三在面對無意中掘得的金銀時，不禁慨嘆：「這青蚨是陷人坑塹」，「倒不如守貧賤，也落得無慮無牽」。[44]《紫瓊瑤》、《海烈婦》、《胭脂雪》則敷演家族乏嗣、婦女守節、欠錢逼債等內容。整體來看，清初蘇州世俗倫理題材戲曲一定程度演繹了明末清初蘇州地區的世俗生活，對船夫（《讀書聲》中戴老大）、漁夫（《聚寶盆》中沈萬三）、皂吏（《胭脂雪》中白懷）等下層百姓給予關注，反映「來吃了東西，多記在賬上，一個店弄得精

38　（清）朱素臣：《文星現》第二十齣〈私遁‧懶畫眉〉，載張紅霞：《朱素臣傳奇研究》附錄《朱素臣戲曲集》開封：河南大學文學院博士論文，2012年，頁262。

39　削仙　：〈鸚鵡洲小序〉，載吳毓華編著：《中國古代戲曲序跋集》北京：中國戲劇出版社，1990年，頁157。

40　（清）朱素臣：《龍鳳錢》第二十齣〈驚變‧三學士〉，載張紅霞：《朱素臣傳奇研究》附錄《朱素臣戲曲集》，頁286。

41　（清）李玉：《眉山秀》第二十八齣〈團圓‧江兒水〉，載李玉著，陳古虞、陳多、馬聖貴點校：《李玉戲曲集》，中冊，頁1012。

42　（清）葉稚斐、朱素臣、丘園、盛濟時：《四大慶》第四本第十六場，《古本戲曲叢刊五集》影印中國藝術研究院戲曲研究所藏泰縣梅氏綴玉軒抄本（上海：上海古籍出版社，1986年）。

43　同前註，第一本第七場。

44　（清）朱素臣：《聚寶盆》第二十四齣〈掘藏‧二郎神〉〈集賢賓〉，載張紅霞：《朱素臣傳奇研究》附錄《朱素臣戲曲集》，頁194-195。

光」[45]「生下一男，暫掩族中耳目，息了他們侵占家私的念頭」[46]等陸離世情，譏刺縣令「三甲出身，百里受命，苞苴是路」[47]，蔑片「管他生和死，只顧自通榮」[48]的澆薄世風。不過，相較而言，清初蘇州世情倫理題材戲曲既缺少元代戲曲「有錢的無才學，有才學的卻無錢⋯⋯都是些要人錢諂佞臣⋯⋯都是些裝肥羊法酒人皮圈，一個個智無四兩，肉重千金」[49]的批判鋒芒，又鮮有《中山狼》、《歌代嘯》、《齊東絕倒》等明代同題材戲曲「幾於謗毀聖賢」[50]的諷刺力度，團圓吉慶的娛樂性與積德行善的教化性是清初蘇州世情倫理題材戲曲共同的審美趨向。

公吏斷案題材戲曲在明代處於整體消沈（共六種，占百分之一點三）的狀態，清初蘇州作家則接續元代傳統，並予以光大。該類題材戲曲整本現存六種，占清初蘇州整本現存劇作總數的百分之七點〇六。鋪敘訴訟、斷案過程，謳歌、呼籲如包拯（《五高風》《乾坤嘯》）、王六綱（《吉慶圖》）、聞朗（《未央天》）等「日斷陽，夜斷陰，纖微不漏；直則生，曲則死，毫忽難饒」[51]的清官，同時反映男女通姦、家庭矛盾等現實問題，是主要內容，整體上延續了元代同題材戲曲的基本主題。不過，與元明同題材戲曲相比，清初蘇州的公吏斷案題材戲曲創作也表現出兩個特徵：第一，《未央天》、《十五貫》等反映家庭內部與鄰里之間通姦問題、財產糾紛的傳統主題之外，忠奸鬥爭、政權對峙等作為時代主題也成為重要表達維度。《五高風》中包拯所斷之案的實質是文洪、文錦父子與尤權、尤仁父子的忠奸鬥爭，其中寄託著作者「若無奸佞賊，怎得失江山」[52]的政治反思。《乾坤嘯》中「韋妃欲陷烏後奪嫡，亦疑暗指鄭妃。宮中搜出利刃，則又影響萬曆初年王大臣及末年張差事」[53]，政治色彩同樣濃郁。關於此點，前文已有論述。第二，《吉慶圖》的對立雙方清官王成與惡少王六綱是父子關係，《乾坤嘯》中包拯審判對

45　（清）朱佐朝：《五代榮》第四齣，《古本戲曲叢刊三集》影印程硯秋玉霜簃藏舊抄本，北京：文學古籍刊行社，1957年。

46　（清）朱佐朝：《五代榮》第十五齣。

47　（清）朱素臣：《錦衣歸》第八齣〈陷罪〉，載張紅霞：《朱素臣傳奇研究》附錄《朱素臣戲曲集》，頁115。

48　（清）朱素臣：《聚寶盆》第十三齣〈私訪·風入松〉其二，載張紅霞：《朱素臣傳奇研究》附錄《朱素臣戲曲集》，頁174。

49　（元）宮天挺：《死生交範張雞黍》第一折，載臧懋循選，王學奇主編：《元曲選校注》石家莊：河北教育出版社，1994年，冊三，卷上，頁2432-2434。

50　西湖竹笑居士：〈齊東絕倒評語〉，載沈泰編：《盛明雜劇》，影印誦芬室刻本，北京：中國戲劇出版社，1958年。

51　（清）朱佐朝：《乾坤嘯》第二十一齣，《古本戲曲叢刊三集》影印清抄本，北京：文學古籍刊行社，1957年。

52　（清）李玉：《五高風》第十四齣，載李玉著，陳古虞、陳多、馬聖貴點校：《李玉戲曲集》，冊下，頁1143。

53　董康編著，北嬰補編：《曲海總目提要（附補編）》卷27「乾坤嘯」條（北京：人民文學出版社，2012年版），冊中，頁1306。

象是皇帝寵妃韋後，二人是君臣關係。如此血脈至親、利害相關的形勢下，王成稱「正刑科，豈惜親生」[54]，包拯稱「但知著法度，不知著天子」[55]，最後均選擇嚴依法律，一定程度上與明清之際顧炎武、王夫之、黃宗羲的倫理政治反思相呼應，反映了較為先進的法治意識。而不論是新出現的社會政治內容，還是先進的法治意識，實際上都折射著清初蘇州公吏斷案題材戲曲對時代問題、社會現實的緊密追蹤和深切關注。

　　清初蘇州整本現存的仙佛鬼怪題材戲曲數目及所占比重與公吏斷案題材相同，共六種，占百分之七點〇六，低於明代同類題材（共六十二種，占百分之十三點三九），延續了元代同題材戲曲釋道宣教（如馬致遠《岳陽樓》、《黃粱夢》、《任風子》雜劇）與呈奇演怪（如無名氏《鎖魔鏡》雜劇）兩大基本主題。其中，《海潮音》、《醉菩提》、《釣魚船》三劇均由張大復創作，這與他隱居蘇州閶門外寒山寺醉心佛典的個人經歷有關。前二劇分別借戲曲鋪敘觀世音、道濟事跡，闡發釋教教義。《釣魚船》、《長生樂》、《太平錢》、《黑白衛》四劇則透過架構超現實時空，虛撰離奇情節，追求「惝恍離奇」[56]的敘事性與因果循環等民間趣味。除《釣魚船》中「錢神力，路已通。始信幽冥，盡可彌縫」[57]的世風嘲諷，《黑白衛》雜劇「令天下無義氣丈夫心悸」[58]之作意，整體來看，清初蘇州仙佛鬼怪題材戲曲缺乏元代同題材戲曲的俗世摹寫與現實批判，而有較強的娛樂性與頌禱性。例如，《釣魚船》地曹崔珏唱「聖主掌山河，盡是堯天舜雨。升平風景，端的是水不揚波」[59]，《長生樂》頌贊「遙觀帝闕文明秀，處處賢良輔轍，鞏固山河億萬秋」[60]。

　　這些劇作頌贊禱祝、點綴升平的內容表達及其戲曲功能與祝嘏慶賞題材相似，不過，後者表現得更為單純、顯著。祝嘏慶賞題材戲曲多為歌舞劇，「排場至為熱鬧，曲文辭藻濃郁」[61]，主要敷演君臣、神仙、外國等慶賀萬壽、元宵等節令，歌贊太平盛世。該類題材開始出現且興盛於明代，如朱有燉《八仙慶壽》、《牡丹仙》、無名氏《太平宴》、《群仙祝壽》等，共二十三種，均為雜劇，占明代整本現存劇作的百分四點九七。清初蘇州整本現存的祝嘏慶賞題材戲曲僅《雙福壽》傳奇，以周勃平寇、東方朔偷

54 （清）朱佐朝：《吉慶圖》第三十三齣〈絮圓・畫眉序〉，《古本戲曲叢刊三集》影印梅氏綴玉軒藏舊抄本，北京：文學古籍刊行社，1957年。

55 （清）朱佐朝：《乾坤嘯》第二十四齣。

56 （清）彭孫遹：〈黑白衛題詞〉，載尤侗著，楊旭輝點校：《尤侗集》，中冊，頁1034。

57 （明）張大復：《釣魚船》第二十一齣〈蠻牌令〉，《古本戲曲叢刊三集》影印大興傅氏藏舊抄本，北京：文學古籍刊行社，1957年。

58 （清）彭孫遹：〈黑白衛題詞〉，載尤侗著，楊旭輝點校：《尤侗集》，中冊，頁1034。

59 （明）張大復：《釣魚船》第十六齣〈泣顏回〉。

60 （清）袁於令：《長生樂》第四齣〈瑤臺・尾〉，《古本戲曲叢刊三集》影印清同治四年曹春山校訂本，北京：文學古籍刊行社，1957年。

61 王季烈：《孤本元明雜劇提要》「賀元宵」條，載王季烈、葉德均《孤本元明雜劇提要　宋元明講唱文學》北京：中國戲劇出版社，2015年，頁113。

桃二事點染漢武帝時期福壽雙臻、「四海升平，八方拱服」[62]的太平景象，遠沒有明代同題材戲曲創作之繁盛。

三　題材變遷與清初蘇州戲曲的「趨元」現象

　　梳理清初蘇州八種戲曲題材的鋪排內容可以發現，與元明戲曲相比，社會政治內容的集中湧現，及其圍繞明清易代的藝術表達和系統思考構成了清初蘇州戲曲在題材、主題層面的最顯著特徵。這一特徵的形成，既有明清之際社會動亂的時代因素，也是隨著元代至清初的時代推移、社會變遷、觀念發展，戲曲文體承續、發展、演進的結果。

　　以由近及遠、向上逆溯的次序審視，清初蘇州戲曲中社會政治內容的大量出現，是繼承、發展明中後期社會政治題材戲曲創作潮流的結果。明代目前整本現存的社會政治題材戲曲作品共七十種，占明代現存全部劇作的百分之十五點一二，是次於男女風情、世情倫理之後的第三大題材類型。前期戲曲作家延續元代戲曲的文化傳統與民間趣味，鋪敘春秋戰國、三國魏晉等歷史時期的政權鬥爭、王朝更迭，歌頌忠臣義士、謀士良將，傳達明君賢臣、仁義禮智信等具有普世價值的儒家政治理想。政治腐敗、閹豎專權從嘉靖朝起愈演愈烈之後，以李開先《寶劍記》、梁辰魚《浣溪沙》、闕名《鳴鳳記》三部傳奇為代表，中後期戲曲側重鋪敘朝廷內部的忠奸鬥爭、民族戰爭，表現出趨近政治現實的藝術姿態。特別是社會矛盾尖銳、實學思潮盛行的明朝末年，劇壇湧現出一批關切當代政治鬥爭與國家局勢的戲曲作品。以反閹時事劇為例，「魏璫敗，好事者作傳奇十數本」[63]。此外，如徐渭《雌木蘭》雜劇、湯子垂《續精忠》傳奇等近一半英雄傳奇題材戲曲也以忠奸黨爭、國家局勢為背景。緊隨其後的明清鼎革及其異族易代性質，為清初蘇州戲曲作家提供了迥異於明代的全新視野。他們在繼承、順應明中後期戲曲潮流的基礎上，豐富、發展、壯大了社會政治題材及相關題材戲曲的創作。社會政治內容由此成為滲透於各類題材、籠罩清初蘇州劇壇的核心話題。

　　清初蘇州戲曲中社會政治內容的大量出現，還是明代拓展戲曲題材、打開戲曲市場的客觀需要。清初蘇州戲曲與整個明中後期社會政治題材及相關戲曲一起，共同改變、扭轉了明代戲曲整體上狹窄、重復的題材格局與文人化的審美趣尚。清初蘇州戲曲作家登上劇壇之前的明朝，是中央集權、大一統的漢族政權，儘管從英宗朝開始朝廷內外紛爭始終不斷，但整體來看，戲曲發展仍有一個相對和平穩定的政治環境。漢族當政、國家統一也使文人儒士的仕途理想、生存環境得到一定保障。再加上伴隨商品經濟發展、

62　（明）張大復：《雙福壽》下卷第三齣，《古本戲曲叢刊三集》影印梅氏綴玉軒藏舊抄本，北京：文學古籍刊行社，1957年。

63　（明）張岱著，衛紹生譯評：《陶庵夢憶》卷8「冰山記」條，長春：吉林文史出版社，2001年，頁167。

市民階層壯大而出現的文化權力下移趨勢，以文人階層為主角的社會文化模式逐漸取代了以貴族為主角的社會文化模式，[64] 戲曲成為文士實踐文化權力的重要文體，「自縉紳、青襟，以迨山人、墨客，染翰為新聲者，不可勝紀」[65]。百分之二十三點八一的戲曲作家透過科舉進入仕途，百分之四點九一為諸生、舉人，其餘亦多習舉業，戲曲作者身分與劇作風貌帶有濃郁的文人化特徵。就題材分布來看，據筆者統計，宣揚主情思潮同時契合文人審美趣味的男女風情題材戲曲共一五一種，占明代現存全部戲曲的百分之三十二點六一，是明代戲曲最主要的題材類型。明代社會政治題材戲曲的創作成就雖然並不遜色，劇作數量（七十種，占百分之十五點一二）卻不足男女風情題材的一半，遠無法與之相埒。此外，明代還集中出現二十三種祝嘏慶賞題材戲曲，占明代整本現存全部劇作的百分之四店九七，圍繞祝壽、慶典，雍容典雅，如朱有燉《八仙慶壽》、《靈芝慶壽》雜劇等。文士際遇題材戲曲中也出現十八種摹寫閒情逸致、詩酒風流文士生活的作品，如許潮《蘭亭會》、《同甲會》雜劇、謝讜《四喜記》傳奇等，占該題材劇作總數近一半。它們以典雅化、文人化的審美趣味與男女風情題材一起，烘托出明代戲曲題材單一、重復、集中且遠離現實的整體傾向。

　　以清初蘇州戲曲為典型代表，從明中期到清初的社會政治題材及相關戲曲創作潮流在很大程度上調和、扭轉了男女風情題材占主導的整個明代戲曲特別是明前期戲曲。這種突顯的轉向性質，正如鄭振鐸評價《鳴鳳記》傳奇所言：「傳奇寫慣了的是兒女英雄、悲歡離合，至於用來寫國家大事、政治消息，則《鳴鳳》首為嚆矢。」[66]具體來講，關於戲曲題材布局的開拓轉換、豐富發展，明中期三大傳奇僅是開始，晚明則漸次發展、不斷壯大。而此前所積累的豐富藝術經驗進一步為清初社會文化所激發，在清初蘇州戲曲作家的踴躍參與和積極推動下，社會政治內容成為當時劇壇的主流話題，戲曲題材開拓、豐富的轉向特徵尤為明顯。萬山漁叟為李玉《兩鬚眉》傳奇所作敘言：「一笠庵主人錦心繡腸，援筆隨風，片片霏玉，以黃絹少婦之詞，寫天懷發衷之事……豈猶是宋艷荀香，揣摩兒女子幽夢柔情，咿咿啞啞，作『曉風殘月』之調，以宕人心魄，迷人耳目已哉？」[67]「豈猶是」三字，即表露了對李玉等人開拓、轉換戲曲題材的準確感知。即便在清初蘇州男女風情題材戲曲中，「男女主人公的戀愛過程始終伴隨著一場政治鬥爭。愛情或被忠與奸的互相參劾所沖淡，或與道德說教相扭結」[68]，也已經沒有了如《牡丹亭》一樣的粉奩香氣、生死纏綿。大多出現於明代戲曲，才色相侔、姿態翩躚

64 郭英德：《明清傳奇史》北京：人民文學出版社，2012年，頁34。

65 （明）王驥德：《曲律》卷四「雜論第三十九下」，載俞為民、孫蓉蓉編：《歷代曲話匯編・明代編》，集二，頁127。

66 鄭振鐸：《插圖本中國文學史》濟南：山東美術出版社，2009年，下冊，頁967。

67 萬山漁叟：〈兩鬚眉敘〉，載李玉著，陳古虞、陳多、馬聖貴點校：《李玉戲曲集》，下冊，頁1792。

68 康保成：《蘇州劇派研究》，頁72-73。

的少女形象，也發生一定變化，出現了像《金剛鳳》中李鳳娘「香奩深處隱戈矛，胭脂水，礪吳鈎，談兵斜月傍花妝」[69]與鐵金剛「不去刺繡描花，偏喜輪槍弄棒。殺人放火，是他傅粉塗朱；跳澗爬山，是他臨妝對鏡」[70]的男性化形象。它們進一步促成了舞臺上武旦、刀馬旦、刺殺旦等新腳色的出現。清初蘇州戲曲作家對戲曲題材的轉換、開拓還體現在對自身創作及男女風情題材之外其他題材的突破、改變上：「明王朝的一朝覆亡，使蘇州派企圖用道德加藝術救世的幻想徹底轟毀……他們的注意力從下層市民的平凡生活轉向風雲變幻、尖銳激烈的政治鬥爭。」[71]他們對明清鼎革及其帶來的連鎖影響知覺敏銳，並應時代要求，具有開拓文學題材、轉換審美風格的明確意向。吳偉業即言：「方海寓多事，士不能為〈饒歌〉〈鼓吹〉諸曲，鋪揚武功，而徒詠牛清之月，問莫愁之湖，張譏清談，豈能效蕭郎破賊，塵尾蠅拂，可燒卻耳！」[72]《四庫全書總目提要》稱：「偉業少作，大抵才華艷發，吐納風流，有藻思綺合，清麗芊眠之致……及乎遭逢喪亂，閱歷興亡，激楚蒼涼，風骨彌為遒上。」[73]這一評價事實上代表性地言明了明清鼎革過後，包括蘇州戲曲在內的整個清初文學的風氣轉向。

清初蘇州戲曲對明代戲曲題材布局的突破、扭轉，形成了趨近元代戲曲，與元代戲曲題材布局、思想精神的隔代映照。首先，社會政治題材戲曲作品在元代現存四十一種，占元代現存全部劇作的百分之二十五點九五，位列各戲曲題材之首。這些作品延續宋元講史話本的主題思想、民間趣味，多鋪敘並立政權之間的軍事鬥爭（如鄭廷玉《楚昭公》雜劇），摹繪歷史風雲，透過朝廷對外戰爭與朝內忠奸鬥爭呼籲儒家傳統政治倫理（如無名氏《衣襖車》、《飛刀對箭》雜劇），基本奠定了此後同題材戲曲的內容格局，有著鮮明的政治傾向。其次，元代戲曲作家書會才人的身分與淪落下層的特殊經歷，使他們多關注市井平民的窮富遭際（鄭廷玉《看錢奴》雜劇）、富貴家門的乏嗣焦慮（武漢臣《老生兒》）、母子離合（永嘉書會才人《白兔記》南戲）與兄弟之義（徐仲由《殺狗記》南戲）等內容。這類吏治腐敗、階級壓迫、家庭倫理的世俗內容主要體現於世情倫理、英雄傳奇與公吏斷案題材。現存元代戲曲中，這三類題材共有六十二種，占現存全部元代戲曲作品的百分之三十九點二五，是當時戲曲創作的主流話題。居元代戲曲題材之首的社會政治題材戲曲與作為當時戲曲主流話題的世俗內容共同形成了元代戲曲關懷社會、政治、人生的寫實精神。

以此，清初蘇州戲曲題材布局對元代戲曲的趨向，實際上意味著元代戲曲寫實精神

69　（明）張大復：《金剛鳳》第三齣〈女冠子〉，《古本戲曲叢刊三集》影印上海圖書館藏舊抄本，北京：文學古籍刊行社，1957年。

70　同前註。

71　康保成：《蘇州劇派研究》，頁90。

72　（清）吳偉業：〈扶輪集序〉，載吳偉業著，李學穎集評標校：《吳梅村全集》，下冊，頁1204-1205。

73　（清）永瑢：《四庫全書總目》卷一七三集部別集類二六，北京：中華書局，1965年，頁1520。

的傳承、接續與回歸。這一戲曲史現象的出現，與二者相似的政治環境、社會背景有關。經過七十多年的徵戰殺伐，蒙古族相繼消滅金、南宋，建立了大元帝國。立國之後，依舊不斷對外擴張，戰亂頻仍。而清軍入關、屠戮江南，抗清鬥爭持續發生的清初，與元代一樣動蕩不安。何況清與元均為少數民族政權，在漢人眼裡，有著外夷代華、文明中斷的共同憂慮，面臨民族歧視的相似境遇。對元人而言，從南宋滅亡（1279）到元仁宗延祐二年（1315），科舉制度中斷數十年，即便之後恢復，南人與漢人的取士名額也受到限制。被政府與科舉遺棄，或因宋元鼎革不屑仕進的部分文人，便以編劇作生涯，甚而「爭挾長技自見，至躬踐排場，面傅粉墨，以為我家生活，偶倡優而不辭」[74]。在元代有劇作傳世的五十二名戲曲作家中，有三十二位流落市井，或生平不詳，占百分之六十一點五四，其餘二十人（占百分之三十八點四六）雖有任官經歷，卻也多為書院山長、路吏、務官、提舉、掾吏等閒職胥吏。他們將綿延幾千年的明道救世之心投入親身濡染、深入體察的世俗社會與市井平民之上，抒發「空學成補天才，卻無度寒計」[75]的不遇牢騷，同時也順應全真教的興起，表達在異族統治下看淡名利，「跳出了十萬丈風波是非海」[76]的超脫志趣。清朝儘管在入關之前就對漢族文化表現出了吸納學習的積極態度，順治二年（1645）便開設科舉，但明清易代所附著的民族鬥爭、華夷之辨性質令不少文人踐履氣節，絕仕新朝，除吳偉業、尤侗之外，清初蘇州其餘二十位戲曲作家入清後均無任官經歷或生平不詳。[77]他們同樣淪落下層，走近民間，在以戲維生的同時也借曲傳心，抒發與元人類似的現實關切、歷史感慨和圍繞個體價值實現、窮通際遇的出處思索。

只是，不論「類似」，還是「回歸」，清初蘇州戲曲對元代戲曲都不是簡單的重復。在對寫實精神的具體踐履中，元代戲曲傾向於世俗描寫，清初蘇州戲曲則更多政治關切。英雄傳奇題材戲曲表現內容的嬗遞能明顯呈現這一變化。元代戲曲中該題材劇作共九種，其中高文秀《雙獻功》等六部取材於水滸故事的雜劇均表現鋤強扶弱、替天行道主題，僅陳以仁《存孝打虎》、朱凱《昊天塔》二部雜劇關涉政治內容。在明代十二部英雄傳奇題材戲曲中，世俗、政治主題參半。清初蘇州九種英雄傳奇題材戲曲則全部表現社會政治主題。與元代相比，清初蘇州戲曲對社會政治話題特別是朝廷內部的忠奸鬥爭、對外的軍事鬥爭表現出了濃厚的興趣。

首先，這源自有明一代朝廷黨爭、內憂外患的社會現實與明清之際朝代更迭、動亂

74　（明）臧晉叔：〈元曲選序二〉，載臧懋循選，王學奇主編：《元曲選校注》，冊一，卷上，頁11。

75　（元）鄭光祖：《王粲登樓》第三折〈滿庭芳〉，載臧懋循選，王學奇主編：《元曲選校注》，冊二，卷下，頁2108。

76　（元）宮天挺：《七里灘》第四折〈離亭宴煞〉，載隋樹森編：《元曲選外編》北京：中華書局，1959年，冊二，頁455。

77　陸世廉曾在明末任廣州府通判，弘光時任光祿卿，永曆時任梧州知府，但入清後隱居不出。

騷然之下對這一社會現實的深沈反思。李玉、葉稚斐、朱素臣、畢魏合撰的《清忠譜》傳奇「事俱按實，其言亦雅馴」[78]，即鋪排天啟七年（1626）蘇州市民的反閹黨事件及其所涉及的東林黨人與魏忠賢之朝廷鬥爭。吳偉業為該劇所作序稱：「假令忠介公（按，指周順昌）當日得久立於熹廟之朝，拾遺補過，退傾險而進正直，國家之禍，寧復至此？」[79]如若當初的設想與悔憾代表著清初蘇州戲曲作家「以朝中大臣或統軍大將之間的矛盾鬥爭為經，下層人民穿插其中為緯，經緯交織」[80]，反覆摹寫朝廷內外鬥爭的戲曲創作意圖與興亡反思色彩。而這，恰恰是清初蘇州戲曲區別於元明兩代同題材戲曲作品的地方。

　　其次，與元代相比，清初蘇州戲曲作家對朝廷內外鬥爭的特殊關注還與他們身分特徵及政治意識的突顯有關。元代作為第一個由少數民族建立的大一統政權，漢人、南人受到明顯的民族歧視。他們大多被排斥在政權體系之外，參政意識、熱情受到束縛、削減。而由漢族重新掌握政權的明朝，立國之初即重視科舉，儒生文士經邦濟國、實現人生理想的道路重被接續。日益嚴峻的內憂外患、忠奸鬥爭與有機會進入政治權力中心的他們切身相關。與此同時，隨著商品經濟的快速發展，人們權利意識、政治觀念突顯，這都融合成為突顯於明中後期的家國關切與政治自覺，並延續至面臨國破家亡深重災難的清初。順應明季立黨結社風氣而興的政治性文社能幫助我們瞭解明中後期以來傳統文士對家國政治的關切程度。明亡後，「士之憔悴失職，高蹈而能文者，相率結為詩社，以抒寫其舊國舊君之感，大江以南，無地無之」[81]。崇禎二年（1629）聯合雲間幾社、香山同社等成立的復社是明末清初規模較大的典型文社。它立社之初即具有強烈的政治立場，之後更發展為不可忽視的政治力量。復社成立於蘇州尹山（今屬蘇州市吳中區郭巷街道），領袖張溥、張採、吳偉業均是太倉人，第三次千人大會也在虎丘舉行。作為政治熱情高漲的地域，蘇州顯示出了特殊地位。而吳偉業不但是王抃、黃祖顓、沈受宏的業師，又與李玉、尤侗交好。文人間的耳濡目染、聲氣相通，促進了商品經濟繁榮與實學思潮下作家政治意識的自我覺醒。清初蘇州作家積極關懷複雜、激烈、多樣的朝廷內外鬥爭與擾攘紛亂、痛徹心扉的甲申之變。伴隨晚明先進思想的滲透、個體意識的出現，清初蘇州戲曲作家在明清易代的現實撕裂與對家國關係的反覆深味下，對傳統家國觀念的矛盾、弊端也產生了超越元人、符合時代的朦朧認知。

　　綜上所述，在戲曲題材嬗遞與明清鼎革等因素的交互作用下，社會政治內容成為滲

78　（清）吳偉業：〈清忠譜序〉，載李玉著，陳古虞、陳多、馬聖貴點校：《李玉戲曲集》，下冊，頁1791。

79　同前註，頁1791。

80　劉方政：〈論蘇州派作家的忠奸鬥爭戲〉，《濟南大學學報》1991年第1期，頁34。

81　（清）楊鳳苞：〈書南山草堂遺集後〉，《秋室集》，《續修四庫全書》第1476冊，上海：上海古籍出版社，2002年，卷1，頁10。

透各類題材、籠罩清初蘇州劇壇的核心話題。清初蘇州戲曲題材格局及其主題思想對作為戲曲源頭同時也是高峰之元代戲曲的「映照」與「回環」也得以呈現。而這種「映照」與「回環」，事實上是戲曲寫實精神的傳承與延續，是整個精神氣質的回望與重歸。儘管將其抻展開來，因著時代、作家、文體等種種機緣，二者又呈現出諸多具體、細微甚至豐富的差異。

吳偉業的自我書寫方式
—— 以明亡後之梅村體為中心

魯楊泰

北京　中國人民大學國學院

　　明清之際苟且偷生被迫仕清的文人吳偉業，一生絕大多數時間被政治高壓以及兵禍所裹挾，故他往往試圖用作品安慰自身的遭遇與不幸。儘管終焉打下了身仕清朝的恥辱烙印，名列《清史列傳》〈貳臣傳〉，但吳偉業與洪承疇等真正賣主求榮的叛徒尚還不同，他從崇禎去世到自己去世都一直存在著類似為故國哭的遺民心態。對於吳偉業而言，仕清本身是出於一種對自己生命的珍惜與愛護，是其為自己逃離肉身之苦難而開出的藥方，然而失節的精神苦難卻讓這份對生命的珍惜愛護翻作了折磨與痛苦，成為他一生中極大的矛盾與諷刺。不過，吳偉業因積極地在文學作品中表達反省與自訟，其形象相較其他貳臣稍稍有所提昇。如管世銘認為，「失路幾人能自訟，莫將婁水並虞山」，[1]主張將其和顏面掃地的錢謙益區分開。趙翼也認為，「梅村當國亡時已退閒林下，其仕於我朝也，因薦而起，既不同於降表簽名，而自恨濡忍不死，踽天蹐地之意，沒身不忘，則心與跡尚皆可諒」。[2]

　　這些遭遇與不幸落實在吳偉業的文字上，轉化成一種關於自己心志、自己形象以及自己人生經歷的書寫。這種書寫有時較為直白，但更多的則具有隱匿性。很多仕清的貳臣都會以此法書寫自己的人生，從而懺悔或寬慰自身，而吳偉業在其中尤為典型。這一方面是因為他的文學功底，例如四庫館臣評價吳偉業：「其中歌行一體，尤所擅長，格律本乎四傑而情韻為深，敘述類乎香山而風華為勝」，[3]點明了吳偉業之長篇歌行的獨到之處；同時追本溯源，指出其在格律方面對初唐四傑，在敘事層面對白居易的繼承與超越。另一方面便是因為吳偉業在詩篇選材、章法的獨到之處。梅村體，作為吳偉業七言歌行的子集，也是吳偉業最突出的文學成就的體現，其代表作具有鮮明的特定風格。然而這種特定風格，邊界模糊，導致各家具體概念或有出入。有學者從寬認為吳偉業的所有七言歌行乃至五言的都算梅村體，但也有從嚴者，如李瑄提煉了錢仲聯的觀點：

1　清代詩文集彙編編纂委員會：《清代詩文集彙編》上海：上海古籍出版社，2010年，第393冊，頁440。

2　（清）趙翼：《甌北詩話》北京：人民文學出版社，1963年，頁130。

3　（清）紀昀：《四庫全書總目》北京：中華書局，1965年，卷173，頁1520。

「一、體裁：七言歌行。二、題材：清初的重要歷史現實。三、表現手段：以敘事為主幹，近『長慶體』。四、風貌：聲韻和諧、辭藻華麗、用典繁複，近『初唐體』歌行」。[4] 就此，李瑄認為吳偉業只有〈永和宮詞〉、〈琵琶行〉、〈宮扇〉、〈勾章井〉等三十三首詩符合梅村體的條件，[5] 並概言了梅村體敘事的特點：「一、主角登場，展示其理想的安榮狀態。二、主角失去理想生活狀態，陷於危困。三、故事轉入當下，由主角或敘述者強化體認危困狀態。」[6] 除去詩中主角未必是英雄外，這種與亞里斯多德《詩學》悲劇觀相近的敘事風格十分經典，簡而言之，即主角由順境轉向逆境，環境昔盛今衰。由於吳偉業的人生經歷自明亡後突顯了豐富、曲折的特徵，且他本人自崇禎帝死後自己未死節時開始懺悔，故本文將主要討論範圍集中於李瑄所列三十三首梅村體詩中作於明亡之後的二十六首，並雜以吳偉業其他創作，以供更全面地佐證吳偉業之自我形象多重書寫。

根據李瑄所概言的梅村體敘事特點，不難發現吳偉業本人的生平，也符合這個敘事的框架。吳偉業青年時期高中榜眼，又得崇禎帝賞識，可謂風光一時。然他的人生隨著大時代一直在走下坡路：先後在崇禎朝弘光朝兩次下野，被迫仕清，丁憂歸還後又捲入數大案。就此，本文認為，梅村體所記錄的，或者說隱含著的，是他自己的生平經歷和他對自己的態度，是他對於自我存在的書寫。

一　「心史」觀指導的自我

吳偉業詩被冠以與杜甫詩相同的「詩史」名號。嚴榮曰：「梅村之詩，指事類情，無愧詩史。」[7] 顧師軾曰：「吾鄉梅村先生之詩，亦世之所謂詩史也。」[8] 程穆衡曰：「徵詞傳事，遺無虛詠，詩史之目，殆曰庶幾。」[9]；「吳梅村義不容辭地以詩記史的使命感，首先來源於其強烈的史官意識。」[10] 可以說，擔任過史官的吳偉業，有著史官審視世運之視角，而這是吳偉業形成詩史創作觀的基礎，也是詩、史二者的辯證關係在吳偉業其人、其詩深刻體現的根本原因。與錢謙益的以詩證史主張相比，吳偉業並未偏重或偏廢其中一方，而是將詩與史進行有機地融合，同時顯現出歷史的客觀性、豐富性與詩

4　李瑄：〈「梅村體」的界定〉，《中國社會科學院研究生院學報》2016年第5期，頁97。

5　同上註，頁99。

6　李瑄：〈「梅村體」歌行與吳梅村劇作的異質同構：題材、主題與敘事模式〉，《浙江學刊》2016年第1期，頁108。

7　（清）吳偉業：《吳梅村全集》上海：上海古籍出版社，1999年，頁1505。下文列吳偉業詩若無它注皆出本書。

8　同上註，頁1422。

9　同上註，頁1505。

10　陳岸峰：〈吳梅村〈雁門尚書行並序〉與《綏寇紀略》的詩史互證〉，《安徽大學學報（哲學社會科學版）》2018年第4期，頁54。

歌的抒情性、文學性。

　　具體而言，「心史」是吳偉業詩史創作觀的一大重要特徵，詩史是心史的基礎。「心史」紀實的同時，更明確了詩歌緣情的特色──吳偉業曾經作為讀者評價徐懋曙詩作「可以謂之史外傳心之史矣」[11]──這形容吳偉業自己的詩作也十分貼切。吳偉業於詩中在詩史有效結合的基礎上，表現了自己以實錄的精神記錄時局的兇險以及內心的感情變易，顯明地闡發了自己的內心世界，展現了對自我的思考，體現了「自審的嚴酷，與自我救贖的艱難」。[12]對於吳偉業而言，所謂心史，不但是指其詩歌實錄了歷史、記錄了自己的心史，更是指其用自己的內心在修史。「心史」以一種別開生面的模式，在內容中寄託了憂生情感，在形式上彰顯了吳偉業自我書寫的藝術特色，這種詩史相通的創作觀賦予了吳偉業其詩渾融了歷史與生命的厚重感。

　　（清）趙翼曾指出了吳偉業詩與歷史的關係：

> 而今日平心而論，梅村詩有不可及者二：一則神韻悉本唐人，不落宋以後腔調，而指事類情，又宛轉如意，非如學唐者之徒襲其貌也；一則庀材多用正史，不取小說家故實，而選聲作色，又華豔動人，非如食古者之物而不化也……全濡染于唐人，而己之才情書卷，又自能瀾翻不窮，故以唐人格調，寫目前近事，宗派既正，詞藻又豐，不得不推為近代中之大家……而感愴時事，俯仰身世，纏綿淒惋，情余于文，則較青丘覺意味深厚也……梅村身閱鼎革，其所詠多有關於時事之大者。[13]

　　吳偉業以當時個體的命運作為詩歌的切入點，將個體生命與動蕩時局兩相衝突而造成的身世浮沉、勢成騎虎訴諸於詩。吳偉業多次不得不面臨去住兩難的抉擇令其如履薄冰，使其上下求索的自我書寫融入進了強烈的悲劇體驗。這當然不是吳偉業自發的創新，畢竟「政治氣氛的變化，讓他不再一味敢言，需要用一種更委婉的批評方式來表達自己的情感。故其吟詠對象，從重要歷史人物轉為非帝王將相式的人物；其描述內容，從重大歷史事件的發生變為宮苑園亭的興衰變遷；其創作出發點，也從政治上的批評和勸諭，變為對歷史的詠懷和思考」，[14]使其詩史相通之作融會了自我生命力量的品質與高度。

　　在梅村體詩中，有時吳偉業為了不讓自己的心曲被詩歌的筆法隱藏得太深，會在詩歌敘述完畢後，於末尾稍稍寫上一筆自己的感歎。典型如〈聽女道士卞玉京彈琴歌〉，在用中山女的悲慘命運和卞玉京的逃亡映襯世運衰微後，末尾寫到自己「座客聞言起歎

11　（清）吳偉業：《吳梅村全集》，頁1206。
12　趙園：《明清之際士大夫研究》北京：北京大學出版社，1999年，頁14。
13　（清）趙翼：《甌北詩話》，頁130-131。
14　葉曄：〈「詩史」傳統與晚明清初的樂府變運動〉，《文史哲》2019年第1期：頁86-87。

嗟」,〈鴛湖曲〉感慨吳昌時遭逢兇險自取其咎曰:「我來倚棹向湖邊,煙雨台空倍惘然」,〈京江送遠圖歌〉漫寫祖上榮光後作「衰白嗟余老秘書」,〈蕭史青門曲〉感慨甯德公主遭遇後寫「只看天上瓊樓夜,烏鵲年年它自飛」,〈雁門尚書行〉感慨孫傳庭英勇後作「尚書養士三十載,一時同死何無人」等。吳偉業作為一個敘述者,時或是某事件的親歷者,時或雖非親歷者卻透過想像將自己塑造成親歷者,因為親歷者的感慨讓詩歌更容易使讀者感同身受。而將自己刻畫為親歷者這一手法,成功且令讀者滿意的核心在於吳偉業本人的悲劇性生命體驗。吳偉業在目睹或耳聞世運之慘狀後,藉世運之衰微以發自身生命不幸之悲,故而可透過自己內心的感情變易與悲慨力度以動讀者。

　　將自己塑造為親歷者,這也是吳偉業時或將自己的形象置於詩中的原因。典型如〈西巘顧侍禦招同沈山人友聖虎丘夜集作圖紀勝因賦長句〉「詞客青衫我頭白……棲遲我已傷頹老」寫出了自己經過種種苦難後展現的衰頹老態,〈後東皋草堂歌〉「我來草堂何處宿,挑燈夜把長歌續」藉孤寂的人物形象寫出了自己政治上失意之感,〈茸城行〉「我望嚴城聽街鼓……側身回視忽長笑」,用冷笑的神情和側身回看的動作,寫出了吳偉業對馬逢知在清廷和鄭成功對壘時騎牆行為的鄙夷,同時暗含了作者對自己猶豫後仕清的自訟。儘管梅村體往往並非在表面上以題寫自己為主題,但間或直接出現的詩人自身形象十分真實,且更好地令讀者體察到自己的親歷者身分。將視角從自我眼目所見轉移到自我形象的塑造,這樣的描寫塑造了一個哀怨的文人形象。這種較直接的自我書寫是少見的,但豐富了詩歌的表現。

　　除了梅村體對自我心史的書寫,在近體詩詞中,吳偉業亦有既記錄了世運、又描寫了自己心曲的詩作。如〈過淮陰有感其一〉「天邊故舊愁聞笛」,既寫出了自己很多的舊友抗清之行,又自比受徵辟而背叛故友的向秀,是一首沉鬱頓挫的心史相交之作。〈賀新郎·病中有感〉「故人慷慨多奇節;為當年,沉吟不斷,草間偷活」也對比了故友反清之舉與自己不堪的苟且。

　　〈滿江紅·題畫壽總憲龔芝麓〉中的「庾信哀時惟涕淚,登高卻向西風灑」透過對同樣身仕二主的南北朝時期的庾信的同情,表達了對自己的辯護。事實上,吳偉業與庾信在精神上存在很多契合。他們在詩歌的表達上都具有遊移性、逃避性、自省性與自辯性。但吳偉業的自辯意願較庾信更為強烈。庾信主要將失節歸於天命,可以理解為接受命運,自認倒楣,放棄抗爭;而吳偉業則辯護自己是為了家庭。崇禎死時,「先生里居,聞信,號痛欲自縊,為家人所覺;朱太淑人抱持泣曰:兒死,其如老人何?」[15]《清史稿》也給予了他「性至孝……有親在,不能不違顧戀」[16]的評價。這顯然符合儒家的孝思想,吳偉業實不甘於貳臣的屈辱,卻又身不由己地屈從於對死亡的排斥和對家人的呵護。這也預示了吳偉業晚年的丁憂歸還。

15　(清)吳偉業:《吳梅村全集》,頁1404。

16　(清)趙爾巽:〈文苑一〉,《清史稿》北京:北京清史館刊,1927年,頁8。

　　總體而言，「心史」是吳偉業十分重要的寫作觀，吳偉業在自己心靈力量的基礎上將世運與心志融合，在客觀地描寫史實的基礎上，將自己作為詩中經歷的親歷者發表感慨、刻畫自我形象，在詩中展現出了以強力生命意識為指導的自我書寫。

二　單重面具的運用

　　王爾德（Oliver Wilde）說：「給他一個面具，他就會告訴你事實。」[17]所謂「面具」，是指作者藉作品中的人物、事件，而委婉地道出自己真實的心曲。明清之際的貳臣在行動上，貪生怕死之念戰勝了盡忠前朝之念，然而他們往往戴上面具在作品中表達他們沒有選擇的另一條道路，以示自己內心的無奈與痛苦。這樣做的現實意義，一是避免政治高壓的風險，如提出「面具說」的孫康宜所指出，「梅村使用『面具』一技，實即憑藉藝事，在極為險惡的政治藩籬中找到脫身而出的曲徑；在這類篇什中，梅村可假不同角色之口，公開而又委婉地表達其悼明的哀思了」[18]；二是減輕被世人譏笑的可能，如陳建銘認為，「梅村『面具』之設，吐露忠愛……可能有心理因素影響；失節之後，他已是天下所譏的『蒙面灌漿人』，難以直紓故國之思，更遑論……欲談的功名、富貴夢」。[19]

　　本文認為吳偉業的「面具」不僅僅是藉他人的苦難來抒發自己的同病相憐，而是藉他人的苦難，隱寫自己的苦難，其真正的悲傷是為了悼念自身而非悼念詩中的主角，原因在於，若說是同情，其詩中人物經歷即便難以與自己經歷貼合亦無妨；而他所描繪的主角、事件，往往可以和自己的生命經歷相扣。吳偉業梅村體和近體詩的詩歌中，大量代表著美或醜的單重人物，或象徵此兩類人物的事物充當了他的「單重面具」，用正面人物來自寬、諱飾自己，用醜陋的人物來自訟、批判自己。

　　一種典型的「單重面具」出現在吳偉業的懷古主題作品中。明清之際，貳臣自我書寫的一個常用方式是把古代身仕二主者作為詩之主題，作為主要的寫作客體，且這種寫作客體主要是作者抽出的高貴而完善的獨立「人」格──從完美的作者人格本身更易為身仕二主者的人格，某種程度而言更為形象化與符號化──對作者現實蠅營狗苟的生活予以審視和責難或者寬慰與理解的同時，構建完善的超我面具。伍子胥是最受貳臣們歡迎的寫作客體之一。伍子胥雖然身仕二主，但名節未虧，最終為父報仇雪恨。因此，伍子胥是貳臣們為自己擇取的完美符號與原型，用來解釋、建構自己苟活於世之身分、形象的合理性與認同感。他們藉伍子胥來類比其自我經歷，並體現所謂委曲求全、忍辱負重、乃至於近似「曲線救國」的精神。例如，同為江左三大家的龔鼎孳曾寫〈驀山溪·

---

17 R. Ellman, *Oliver Wilde*. (New York: Vintage Books, 1987), p326.

18 孫康宜：《文學經典的挑戰》南昌：百花洲文藝出版社，2002年，頁170。

19 陳建銘：〈廣面具說──吳梅村〈贈陸生〉詩的曲折自辯〉，《漢學研究》2018年第2期，頁69。

登吳山吊伍子胥用秋嶽烏江渡韻〉「生有為，死何難，濺血非讒忌」[20]，錢謙益曾有〈甲午十月二十夜宿假我堂夢謁吳相伍君延坐前席享以魚羹感而有述〉「青史不刊亡郢志」。[21]吳偉業也不例外，他的近體詩有「三江籌楚越，一劍答君親；雲壑埋忠憤，風濤訴苦辛」以及「投金瀨畔敢安居，覆楚奔吳數上書」等來吟詠、感懷伍子胥。

其文〈伍胥復讎論〉更為典型地印證了他對自我變節的諱飾：

> 子胥所痛心疾首者，不徒奢、尚之死，而在建之不得立；蓋欲借兵于吳，扶建之子勝立之楚，以無忘乃父之志；廢昭王，誅其讒佞，而存楚之社稷，則子胥之忠孝可白，而吳之霸業可成，為吳即其所以為楚也。

關於〈伍胥復讎論〉，本文暫不論該段試圖論證的伍子胥借兵以「廢昭王，誅其讒佞，而存楚之社稷，則子胥之忠孝可白」這樣清君側的命題為真為假、高明與否。在吳偉業看來，自己先後仕於明清，如同伍子胥之「為吳即其所以為楚」，是盡心盡力盡忠於自己所仕之朝，「為清即其所以為明」的。既然吳與楚、清與明是統一的，又何必談什麼對立呢？吳偉業這一段歷史再解讀的文字顯然是將伍子胥之心，同於自己之心；將伍子胥之行，化於自己之行；將伍子胥的形象捏合為更像自己的形象，成為自己的面具。

無論吳偉業是懷著如何一種心情與想法寫下這段文字，這顯然是吳偉業其人關於自己的思考，表面是分析伍子胥，實際是進行自我書寫，分析並肯定自己的變節行為背後的邏輯。這充分顯示了吳偉業逃避反抗清廷的恐懼、掩飾背叛明朝的內心不安、放任自己苟且偷生的生命本能的軟弱文人形象。伍子胥註定是吳偉業的一個面具。

更為顯著的「單重面具」則在寫時人時事的梅村體中。以人自寫的篇章如〈王郎曲〉，詩歌仿佛通篇在描寫、讚美歌伎王稼，但實則是在訴說自己內心的痛苦。靳榮藩在〈吳詩集覽〉中提出「故『承恩白首』、『絕藝』、『盛名』，皆梅村自為寫照……言之長，歌之悲，甚於痛哭矣，而豈真為王郎作傾倒哉？」[22]王稼能成為吳偉業的面具，原因一者在於，詩序中寫道，作者初次見王稼是在明亡後自盡的徐開家，且明亡後，王稼寧願不要榮華富貴，而「恥向王門作伎兒」；二者在於，「易代之際，倡優之風，往往極盛；其自命風雅者，又藉滄桑之感，黍離之悲，為之點染其間，以自文其蕩靡之習」。[23]憑藉這樣的聯繫，王稼充當了吳偉業心繫故國之面具。又如〈贈陸生〉，陳建銘認為：「梅村〈贈陸生〉之辯，於是來得曲折、宛轉，他藉由聲名狼藉者的相互勸慰，竟能以詩自訟；表面不見斧鑿痕跡，背後關山已渡，其辭深隱而多歧義」。[24]吳偉業運用

---

20 清代詩文集彙編編纂委員會：《清代詩文集彙編》，第51冊，頁157。

21 清代詩文集彙編編纂委員會：《清代詩文集彙編》，第3冊，頁132。

22 （清）靳榮藩：《吳詩集覽》卷5，凌雲亭藏版，乾隆四十年（1776年），頁8。

23 孟森：《王紫稼考》瀋陽：遼寧教育出版社，1998年，頁176。

24 陳建銘：〈廣面具說──吳梅村〈贈陸生〉詩的曲折自辯〉，頁93。

了隱晦的筆法，將陸生作為自己自訟的面具。

以物自寫的梅村體篇章則如〈宮扇〉、〈百花聽歌〉、〈田家鐵獅歌〉、〈宣宗御用餞金蟋蟀盆歌〉、〈白燕吟〉、〈詠拙政園山茶花〉等等。這其中的物，往往是先象徵某一個人物，這個人物又可比吳偉業，有如二級階梯。第一級階梯吳偉業往往會直接在標題、序等處點明，但第二級則難以被讀者注意。由於吳偉業是一個心志與行為不統一的複雜人物，故無論詩中對物所象徵的正面主人公的讚揚、對物所象徵的反面主人公的批判，都可分別歸於其對於自身的自寬、自訟兩種不同的自我書寫態度。

本文試舉其〈白燕吟〉闡釋吳偉業以物為面具的寫作風格。白燕是一種象徵祥瑞的神話動物，最有名的白燕詩是明初袁凱所寫的〈白燕〉，雖藉祥瑞的白燕為題，卻展現了亂政的趙家姊妹和飄零故國之感。由於袁詩體物工妙，「在楊維楨座，客出所賦白燕詩，凱微笑，別作一篇以獻；維楨大驚賞，遍示座客，人遂呼為『袁白燕』云」。[25]可以說正是這首詩，引發了明清文人長時間對白燕的關注，如瞿佑〈白燕〉、徐熥〈白燕〉、徐渭〈白燕二首〉、〈續白燕二首〉、文徵明〈詠白燕〉、沈周〈白燕和袁海潛韻〉、王夫之〈傲昭代諸家體三十八首五袁禦史凱其五白燕〉等，自明初以降，題中有「白燕」二字的詩有近八十首。吳偉業也正是有感於袁凱〈白燕〉而作〈白燕吟〉。

吳偉業在〈白燕吟〉序中點明，該詩是為好友抗清志士單恂（字狷庵）而寫，故讀者可以察覺到詩中以白燕比作單恂。此處摘靳榮藩《吳詩集覽》所錄原詩與靳注如下：

> 白燕庵頭晚照紅，摧頹毛羽訴西風。雖經社日重來到，終怯雕梁故壘空。（「摧頹毛羽」比狷庵為弋者所篡；「社日重到」比狷庵之解組歸田；「終怯雕梁」比狷庵之遭逢多故，然只詠白燕，已是絕妙好辭，梅村筆底有化工也。）當年掠地爭飛俊，垂楊拂處簾櫳映。徵君席上點微波，雙棲有個凝妝靚。（此段是徵君山館，歌者在席，紀與狷庵相逢之始也，點染入妙。）趙家姊妹鬥嬋娟，軟語輕身鬢影偏。錯信董君它日寵，昭陽舞袖出尊前。（此段為妒狷庵者作寫照，然卻承「凝妝」句說下，似以燕比妒者，又似以歌者比妒者，令人不可思議。）長安穠杏翻躞蹀好，穿花捎蝶春風巧。楚雨孤城儔侶稀，歸心一片江南草。（「長安穠杏」，舉進士矣，「楚雨孤城」，麻城罷矣，「歸心」「江南」，已歸田矣。）縞素還家念主人，瓊樓珠箔已成塵。雪衣力盡藍田土，玉骨神傷漢苑春。（四句言歸田之時，家國多故也。妙從「白」字寫出，一筆作十百筆用，斷非梅村不能。）銜泥從此依林木，窺簷詎肯樊籠辱。高舉知無鴻鵠心，微生幸少烏鳶肉。（四句即序中「鴻飛冥冥」之意。）探卵兒郎物命殘，朱絲繫足柘弓彈。傷心早已巢君屋，猶作徘徊怪鳥看。（四句即序中「為弋者所篡」意。）漫留指爪空回顧，差池下上

秦淮路。紫領關山夢怎歸，烏衣門巷離誰哺。（四句是狷庵意中語，「紫領」句悲
家園，「烏衣」句思骨肉也。）頭白天涯脫網羅，向人張口為愁多。咽啾莫向斜
陽語，為唱袁生一曲歌。（四句是梅村意中語，蓋古今才人往往以語言得謗，張
口不如莫語，為狷庵獻三緘，是作詩本意也。「頭白」「斜陽」與起處「晚照」相
應，結句點明作詩而引出袁生，仍不脫白燕庵意。）[26]

靳榮藩顯然關注到了詩中吳偉業為單恂所寫之隱語，將白燕與單恂的對應關係詳細地做
出了說明。此外，另一注本，程穆衡的《吳梅村詩集箋注》也注意到了「傷心」句「此
似狷庵亦株連海上之獄者。」[27]然而，單論以白燕比單恂，吳偉業已自是託喻之高手。
但每每寫單恂境遇之處，若說寫的是吳偉業本人，這個託喻則更深一層；則序中明寫白
燕指單恂，顯然單恂是吳偉業所戴之面具的隱喻。本文模擬對照《吳詩集覽》之話語，
認為「摧頹毛羽」影射吳偉業黨爭失敗；「社日重到」影射吳偉業弘光朝下野；「終怯雕
梁」影射吳偉業遭逢多故；「當年」四句影射吳偉業杭浙之遊；「趙家」四句影射閹黨阮
馬等政敵；「長安穠杏」影射吳偉業欽點榜眼；「楚雨孤城」影射吳偉業掛冠解綬；「歸
心」、「江南」影射吳偉業歸田隱居；「漫留」四句影射吳被迫仕清意，「頭白」四句影射
吳丁憂歸還意，「傷心」句影射吳株連案獄。最終作者假為單恂，實為自己獻三緘策。
事實上，吳偉業死前十餘年，除卻極少數揭露黑暗現實的詩篇如〈直溪吏〉，以及極偶
爾感於世事、而抒發自身一些牢騷的句子，絕大多數詩篇徹徹底底消弭了自己的真實想
法與態度，屬實遵守了這一三緘策。

　　梅村體的大多詩歌圍繞著一人或者一事物來寫，在文體上和傳記具有高度相似性，
雖然這不是嚴格意義上的傳記。〈白燕吟〉寫出了單恂的種種經歷，幾近為單恂做的
傳。然而，吳偉業既是為單恂做傳，又何嘗不是為自己做傳呢？「用傳記來寫自傳，讓
自我穿上他者的外衣出現，這是一個獨特的想法；這種寫法的優勢顯而易見；自我中心
是自傳的原罪，而用傳記的形式來表現自傳的意識，既迴避了過分的自我張揚，又滿足
了永恆的立傳衝動。」[28]梅村體用傳記來寫自傳，這顯然是一種「移情」。「移情是傳記
家站在自己的立場上，把自己的某些心理因素移入到傳主身上，透過傳主來表述自
己……把自己的感情、性格和價值判斷……某些經歷以及產生於其中的感受……自己對
歷史的認知轉移給傳主」。[29]「一個傳記家確定了一個傳主，就必須……尋找出他們之
間的的某種一致。」[30]當然，在很多梅村體詩中，因為作者的經歷與他所寫的傳主的經

26　（清）靳榮藩：《吳詩集覽》，卷7，頁22-26。

27　（清）程穆衡原箋、（清）楊學沆補注：《吳梅村詩集箋注》北京：中華書局，2020年，頁651。

28　趙白生：《傳記文學理論》北京：北京大學出版社，2003年，頁19。

29　楊正潤：《現代傳記學》南京：南京大學出版社，2009年，168-170。

30　同上註，頁166。

歷過於類似，與其說是移情，不如可以說是移花接木了。錢鍾書也認為，「為別人做傳也是自我表現一種；不妨加入自己的主見，藉別人為題目來發揮自己……所以，你要知道一個人的自己，你得看他為別人做的傳。」[31]

　　總體而言，「面具」本質上屬於一種自我類比。就單重面具而言，無論表面所寫的是人是物，人是美還是醜，物是否又象徵著人，實質都是吳偉業自訟或者自寬的表現的結構化寫作方式，有助於展現吳偉業自我的形象和心志，從而達成自我書寫的目的。與下文的雙重面具相比，區別在於單重面具的詩篇的主題更突出鮮明，讀者更容易把握到這一種自我書寫的工具。

三　雙重面具的運用

　　誠然梅村體一詩寫一事，但一首詩中，面具卻未必只有一重。本文認為，面具的數量應當對應有主要角色之數量。因為除了上文提到的以人和物作為單重面具之外，吳偉業還擅長以作品中的男性和女性作為不同的面具掩飾自己，建構自己的雙重面具。

　　古代文人藉女子為敘事主體作為面具進行創作來遮掩自己的本來面目用以影射政治和世運，這一情況並非少見，吳偉業也透過「詩史風範和哀艷情韻相結合」[32]的方式創作了〈聽女道士卞玉京彈琴歌〉、〈過錦樹林玉京道人墓〉等詩。就這兩首寫卞賽的詩而言，吳偉業描寫為明朝守忠而出家的卞賽，表面是彰顯卞賽的故國黍離之思，其實是彰顯作者本人懷有故國黍離之思的心理。出家的卞賽是吳偉業懷念故國的一個面具，自己假男女情愛的出場是他懷念故國的另一個面具。梅村體的另一佳作〈圓圓曲〉也突顯了這種雙重面具。在關於卞賽和陳圓圓的這三首詩中，陳、卞兩人的人物形象，分別代表著貳臣與遺民面對世運之苦難所採取的不同的生命策略。除因個性懦弱、排斥死亡、保全家庭外，或許仍然抱有一絲能被清廷重用的僥倖，吳偉業在這兩種生命策略中，反覆糾結，而最終走上了陳、卞二人中前者的道路。

　　囿於女子在古代的從屬地位和古代文學的傳統風格，女性書寫往往要顧及男性角色的書寫，無論安排他們的出場是顯性或隱性，無論男性是有著女性相當的品質或者是遠不如女性。這些或現或隱的男性，實則與女主角一併屬於詩人的面具。

　　《圓圓曲》寫作時間眾說不一，本文採納馮其庸、葉君遠的《吳梅村年譜》之觀點，即〈圓圓曲〉寫於順治八年，即一六五一年前後，[33]該年正是其北上仕清前不久。

---

31 錢鍾書：《寫在人生邊上·寫在邊上的邊上·石語》上海：生活·讀書·新知三聯書店，2002年，頁9-10。

32 嚴迪昌：《清詩史》杭州：浙江古籍出版社，2002年，頁397。

33 馮其庸、葉君遠：《吳梅村年譜》北京：文化藝術出版社，2007年，頁182。

吳偉業的七言歌行「敘述類乎香山而風華為勝」[34]，其〈圓圓曲〉更是與白居易代表作〈長恨歌〉具有相同點：敘事手法高超，以風采才華取勝，以及其主題思想表現得朦朧模糊——這是由於作者本人聲音在面具下的隱匿與含蓄而造成的——故而歷來具有多種可自圓其說的解讀。

潘定武指出，〈圓圓曲〉的主題諸說大概分為諷刺說、同情不幸說、歌頌愛情說、興亡感慨說、以及「個體擦拭心靈之作」之說等等。[35]本文注意到，吳偉業與陳圓圓的人生軌跡十分相似。而「諷刺」這一負面化觀點、「同情不幸」「歌頌愛情」等正面化觀點，以及由此生髮的「興亡感慨」等諸說，基本都將〈圓圓曲〉寫作客體限定為真正意義上的客觀存在，認為〈圓圓曲〉的態度是對陳圓圓或者吳三桂陳圓圓二人的貶斥／同情／歌頌／感慨／芝焚蕙歎等，而忽略了對作者個人內心世界的挖掘。若此中一說成立，雖非不可，但作者的自我書寫則徹底被消弭。換言之，諸主題雖然都有一定道理，甚至可以被折中地評論〈圓圓曲〉具有「多重主題」性，但諸主題放之四海而皆準，換作其他諸詩人所作亦不足為奇。而能將自己經歷隱匿其中，完美與〈圓圓曲〉人物相映，而具有託喻美學色彩的，只有吳偉業可以做得到，而在某種角度而言，這近似于左思把歷史和個人身世融合到一起的詠史觀念——當然區別在於，吳偉業本人之生命作為隱匿的寫作客體，是隱藏于文本下所謂八分之七的「冰山」，[36]而需要讀者不能僅關注水面上八分之一的「冰山」，而要進行知人論世式批評的。

「確實，他（吳偉業）就是陳圓圓」。[37]從認知語言學的角度而言，〈圓圓曲〉之人物已可以看作一種創新隱喻，體現了人物與作者在生命境遇與策略上的相似性。〈圓圓曲〉不僅僅是吳偉業藉陳圓圓之意狀澆自己心情的塊壘，而更是吳偉業將陳圓圓之命途多舛，作為自己同樣跌宕起伏生命的注腳，真正所寫乃其自身。雖然吳偉業與陳圓圓同是天涯淪落人，但陳圓圓的遭際實質上是為了其隱含的吳偉業的遭際而服務，從而引出吳偉業的情感；而並非陳圓圓的遭際直接引發吳偉業的情感這樣一步到位。此外，作為一個喜歡用多重面具掩飾自己複雜形象的文人，相較在詩中為他人立傳，吳偉業的深層意思實是進行飽含生命意識的自我書寫，為自己立傳。

另外，這樣的寫作，本質上是自屈原以來香草美人比興傳統的發展——「傳統社會的政治環境，實在不是宜於說實話、說真話的場所，尤其是那些四面楚歌、遭受他人誣陷的文人，任何不當的言論都有可能使自己陷入到『文字獄』，但有了『香草美人』式的『面具』則使之大不同，這種寫作策略可以使文人游離于本事以外，以隱晦的形式抒

34　（清）紀昀：《四庫全書總目》，卷173，頁1520。

35　潘定武：〈〈圓圓曲〉主題之爭及思考〉，《學術界》2011年第5期，頁139-130。

36　董衡巽：《海明威談創作》上海：生活・讀書・新知三聯書店，1985年，頁4。

37　劉世南：《清詩流派史》北京：人民文學出版社，2004年，頁107。

發心志」。[38]吳偉業面對世事艱難，以文為哭，用帶有自傳性質的文字以疏解面對國破苦難時遭受的痛苦，書寫自我的憂生之歎。

〈圓圓曲〉主題存在多種解讀，關鍵之處在於很多人不認為作品中的人物是吳偉業的化身。這是由於他們忽視了吳三桂在詩中的存在，而僅把吳三桂作為一個背景、一個簡單象徵、一種對於陳圓圓的機械降神。畢竟僅陳圓圓一個人物，確實無法與吳偉業經歷貼合，故本文加入吳三桂在詩中的人生軌跡，形成吳偉業的雙重面具。試對比如下：

表一

陳圓圓（人物）	吳三桂（人物）	吳偉業（作者）
容貌美麗 能歌善舞	／	少年高第 參加復社
田家強買	／	黨爭無力
宮廷遭冷 奪歸永巷	／	辭官下野
／	留約圓圓	遊於杭浙 結識卞賽
／	率部出征	弘光之朝 再度入仕
蟻賊擄去	無力相救	再度辭官 草間苟活
／	救回圓圓 背叛君父	未能死節 對自己失節降清而保全身家之命運的預言
不被理解 一生鬱鬱	／	

多重面具纔能更好地貼合吳偉業的面目。根據表一所對比，〈圓圓曲〉中，吳偉業實是將自己的生平、思緒、聲音拆分為作品所塑造的陳圓圓以及吳三桂二人。兩位人物在身分境遇等層面既具有很強的統一性，也具有一定的對立性──吳三桂需要對於失去陳圓圓與失去名節之間進行抉擇，而陳圓圓則與之區別，只能被動接受客觀現實，故其質相異。二人的對立統一共同構成了隱含作者。從這個角度而言，「紅顏流落非吾戀」也僅僅表面上是吳三桂的辯解，一種不可靠的敘述；吳三桂和陳圓圓兩名人物實際上是

---

38 殷曉燕，萬平：〈詩歌中的「面具」美學──從屈原「香草美人」之「引類譬喻」模式說起〉，《文藝評論》2016年第1期，頁52。

共同失語而構造出吳偉業一人發聲之條件，兩人的性別屬性被消弭且相互獨立，這也在某種程度再發展了傳統男為君女為臣的香草美人觀。固然吳三桂和吳偉業的失節原因有著倫理區別與道德差異，但畢竟二人都有的失節這一生命策略之難言苦衷，也就為二者增添了一定的可比性。故不僅僅陳圓圓形像是吳偉業的面具，吳三桂形象更是他的第二重面具。故，固然〈圓圓曲〉存在諷刺不忠、歌頌愛情兩個截然相對的感情基調，引起學界的爭鳴，但本文認為，兩種基調的核心在於吳偉業藉兩個人物的面具，展現自己的生存狀態，愛情是他自寬的體現，諷刺是他自訟的體現。

　　至於表一中最後一排之「預言」，是因為〈圓圓曲〉所作時間在其北上前一兩年左右。雖然吳偉業在弘光二年辭官後隱居，但復社元老的名聲使他並不能真正的隱藏自己。那麼清廷找上這位復社核心名士的門來，是合乎情理且能夠被預測的。同時，作為少年高第，捲進黨爭許久，能夠看透崇禎、弘光朝廷之難成大事的吳偉業，雖然既無政治能力與野心，手腕與政治嗅覺亦不能算強，但足夠有能力對清廷的懷柔詔安的方針有所覺悟。此外兼之以自己懦弱的性格，可以說，吳偉業完全可以預測到自己將對此猶豫徘徊，但最終會聽任清廷為自己安排的生命策略，走上這一條「終南捷徑」。

　　當然，吳偉業在〈圓圓曲〉中所書寫的情節，與歷史上吳三桂、陳圓圓的實狀並無很大的區別，不存在虛構故事的舉動。但當我們將視角從作者所寫轉移到作者有何未寫的時候，就會注意到，吳偉業省去了一些陳圓圓與鄒樞、貢若甫、冒襄等人邂逅的生平經歷，這一方面自然是出於敘事結構，乃至為友人諱的需要，另一方面應是出於隱晦地將自己之生命與之對應的需要。

　　需要補充解釋的是，因為吳偉業確實善於藉男女愛情經歷作為面具表現自己，例如雜劇〈通天台〉、傳奇〈秣陵春〉，吳偉業藉劇中主人公分別寫出了自己絕不仕清和走向仕清兩種不同境遇下的心志。而其詩亦同，如他丁憂南還後所寫之〈清涼山讚佛〉。雖然該詩是五言詩而非嚴格意義之梅村體，但亦不失為一側面佐證。「在〈清涼山讚佛〉詩中，他就是福臨和董鄂妃……他摹寫這一對青年男女的愛情悲劇，實際是低吟自己的人生哀曲」。[39]本文認為，吳偉業主要藉順治與董貴妃愛情的面具展現了自己香草美人式的求美而不可得，面對世運蕭條的無奈的生命策略。

　　本文對比〈清涼山讚佛〉人物與作者經歷如下：

39　劉世南：《清詩流派史》，頁107。

表二

順　治（人物）	董鄂妃（人物）	天　人（人物）	吳偉業（作者）
坐於法宮	乘雲而來	／	少年高第
同心相合		／	參加復社
歎息微哀 （昭示自己感知必然的 悲劇結局）	好言相勸 （抱有幻想）	／	認識到明朝及 南明之腐朽 尚存幻想
悲憤、不甘	死亡 （必然結局）	／	無奈下野 被迫失節
遨遊八極 （思想世界自由奔放） （本我／獸性） 長安縞素 （現實世界痛苦壓抑） 慘不歡 （自我／人性）	／	勸其修道 （超我／神性）	仕清三年 精神現實衝突強烈
羽化登仙／ 出家參佛	／	／	遵從精神世界 鄉野終老不問世事

透過表二可以看出，在〈清涼山讚佛〉中，不但情節暗示、隱喻著吳偉業的人生狀態和生命追求，順治、董鄂妃，乃至天人，三個詩中的角色也實各是吳偉業其人人格的碎片，也分別是他的面具，分別代表著自己的表意識、對美好生命的期盼以及面對現實的理性策略。顯然，這種託喻的手法在吳偉業的晚年被運用得比〈圓圓曲〉更為成熟。

　　此外，〈永和宮詞〉的宵衣旰食的崇禎帝與從受寵到失寵的田貴妃兩重面具，藉懷念崇禎帝，展現了自己面對世運的回天乏術以及世運給自己的苦難；〈臨淮老妓行〉有勇有謀卻無力回天的冬兒與怯懦的劉澤清兩重面具展現了對自己想要為明盡忠的心念的寬解與對自己實質上降清的舉動的自訟，這些面具實質上是吳偉業複雜的人格化身，在詩中組合為吳偉業的多重面具，凝聚了吳偉業的經歷與極強的生命意識，在自我生命之書寫意識的指導下，隱含了他對苦難的生之惶惑，融入了沉鬱頓挫的憂生之氣。與單重面具相對比，雙重（或多重）面具能更為綜合、全面地體現吳偉業對於自我的書寫，甚至在同一首詩中完成自訟和自寬的雙重目的。不過，這樣的寫作方式對筆力要求很高，同時也相較單重面具更難讓讀者察覺其本質為自我書寫。

　　綜上，透過對吳偉業的梅村體，雜以近體詩詞、散文的分析，不難看出，吳偉業的自我書寫特色可以說是一種鮮明的「隱晦」。這種鮮明體現在詩歌的同質上，而隱晦體

現在自我書寫的面具中。這種隱晦是基於政治高壓、旁人譏笑而產生的對策，但實質內蘊源於吳偉業個人生命的悲劇性體驗以及其濃厚的生命意識。此外，吳偉業的「心史」特徵，在保證歷史真實性的基礎上，藉他人的行狀託喻自己，融入極強的個人體悟以及憂生的思緒，沉鬱頓挫。雖然吳偉業其人性格懦弱，有失名節，但作品中的人格，則完善、理性，且帶有較強的獨立性，足夠對自己的行為做出審視，並藉古人或時人的面具，顯現出自寬、自訟的生命態度。透過詩中情節、人物，對比、發掘吳偉業詩與其本人經歷的隱喻性面具，識別其隱藏在描寫世運以及他人命運之下的對自己生命的描寫，展現其隱藏在詩中的自寬與自訟，乃是本文的創新所在。

東物西漸

——德國柏林的中國玻璃

顧年茂

北京師範大學歷史學院

　　歷史上，禮物或商品不僅是從一個地方「移動」到另一個地方，它們是有目的地從一個地方交換到另一個地方，它們是有目的地在文化和政治邊界上交換。[1]給予和接受外交禮物是形成早期現代聯繫的關鍵因素，並為我們提供了強大的分析工具，可增進我們對這種形成的理解。在外交交流的受託情景下，交換作為禮物的物質貨物不可避免地涉及到逐步轉變和重劃界限。[2]禮物是社會膠粘劑的一部分，使全球政治共同體的形成成為可能。在歐洲，有關外交禮物的研究相對豐富，部分原因是法國、英國、義大利和其他地區有關送禮的廣泛文獻。[3]十九世紀以來，正如最近的研究表明的那樣，外交在歐洲、美洲、非洲和亞洲之間的互動中無處不在。外交行動中物質（珍貴物品、藝術品）是理解全球聯繫的關鍵之一，物質文化與外交史之間關係的歷史理解有待進一步研究。

一　臨別餞行與禮物贈送

　　一八九三年從德國駐華公使職位上離職回國前，總理衙門給在華履職多年的德國公使巴蘭德（Maximilian August Scipio von Brandt, 1835-1920，中文習譯「巴蘭德」，以下概用此名）送行。巴蘭德詳細記錄了送行宴的菜肴，十八道主菜「燕窩湯（Schwalbennestersuppe）、鰻魚（Aal Gestalt）、雞湯燉魚翅（Haifischflossen）、橙肉湯（Suppe von Orangenfleisch）、冬筍蟹肉（Winterschößlinge von Bambus mit Krabbeneieru）、鴨塊（Enten-Klößchen）、百汁糯米丸（Hundert-Kinder-Pudding Reismehlklößchen in süßlicher Sauce）、綠豆濃湯（Grüne Erbsen in Kraftbrühe）、炸雞胸（In Fett weich-gekochtes Huhn）、貽貝辣

1　Zoltan Biedermann, Anne Gerritsen and Giorgio Riello eds, *Global Gifts: The Material Cultural of Diplomacy in early Modern Eurasia* (Cambridge: Cambridge University Press), 2018, xv.

2　Zoltan Biedermann, Anne Gerritsen and Giorgio Riello eds, *Global Gifts: The Material Cultural of Diplomacy in early Modern Eurasia*, XV.

3　Zoltan Biedermann, Anne Gerritsen and Giorgio Riello eds, *Global Gifts: The Material Cultural of Diplomacy in early Modern Eurasia*, 24.

醬（Secmuscheln in pikanter Sauce）、八寶粥（Reis der "acht Kostbarkeiten" mit Zucker-krank）、蓖麻油蘸蟹尾（Krabbenschwänze in Rizinusöl）、炸魚片（Bratfisch in Stücken）、煮雞蛋（Gekochte Taubeneier）、黃點心（Gelber Kuchen）、北京烤鴨（Gebratene Peking-Ente）、混沌（Po-po〔Ravioli〕）。[4]此外，還有中國和歐洲的水果、酒。[5]巴蘭德也說到:「中國人是世界上最和藹可親的主人，也是富有魅力的客人。⋯⋯與中國人吃飯總是最愉快的。」[6]設宴餞行之餘，清帝國的高級官僚贈爭相送禮物給即將離開北京回國的巴蘭德。

巴蘭德回憶到:「當我一八九三年離開北京並與部長們道別時，他們每個人都給了我一些隨身攜帶的東西，煙斗（Pfeife）、摺扇（Fächer）、眼鏡、懷錶（Uhrfutteral）、錢包或香袋（Betelnußbeutel）作為紀念品，有兩位部長因生病無法親自向我道別，第二天向我送了這樣的紀念品。」[7]贈送隨身攜帶的物品，既是巴蘭德與清朝高級官員之間情誼的留存，又透過物品承載著豐厚的技術和觀念，凝聚著私人和共同體的情感經驗，讓人沉潛把玩和追懷。煙斗、摺扇、眼鏡、懷錶、錢包和香袋等物品，一方面，勾連出巴蘭德與清帝國高級官僚之間的情感與記憶，隱藏在物與物的背後的，是物理人情，是主體的趣味與境界;於是我們發現這些私人日用物品，不只是冷冰冰的物，也保存了官員或官僚群體經驗的真相，寄託了生命安頓的需要。另一方面，人與物的關係變遷折射了時代的深刻轉型，這些物品也是歷史的紀念碑。[8]大衛·休謨在《論奢侈》中說到:「一切商品的增多和消費都是為了給生活帶來裝飾感和樂趣，這對社會是有益處的;因為它們同時給各人帶來純粹的滿足感，並且它們是對勞動的一種儲物，在緊急狀態下，它們可以轉而為公眾服務。」[9]因而，構建權力者之間的聯繫中，眾多當權者送禮物和使用事物。禮物受到嚴格的監視，受到歡迎和批評。不同經歷的每個人以不同的方式看待禮物。[10]中國人對禮物往來的重要性具有極強的意識。與許多別的社會不同，中國的社會關係結構在很大程度上由流動的、個體中心的社會網路而非凝固的社會制度支撐的，因而禮物的饋贈和其他互惠交換在社會生活中扮演著非重要的角色，特別是在

4　Max von Brandt, *Aus dem Lande des Zopfes: Plaudereien eines alten Chinesen*, 2. (Leipzig: G. Wigand, 1898), 35-36.

5　Max von Brandt, *Aus dem Lande des Zopfes: Plaudereien eines alten Chinesen*, 36.

6　Max von Brandt, *Aus dem Lande des Zopfes: Plaudereien eines alten Chinesen*, 36.

7　Max von Brandt, *Dreiunddreissig jahre in Ost-Asien. Erinnerungen eines deutschen Diplomaten* Bd. 3, (Leipzig: Wigand), 309.

8　張春田編:〈小引〉，《物之記憶》南京:南京大學出版社，2016年，頁1-4，參考了編輯寫的小引。

9　Maxine Berg, *Luxury and Pleasure in Eighteenth-Century Britain* (Oxford: Oxford University Press, 2007), Preface.

10　Zoltan Biedermann, Anne Gerritsen and Giorgio Riello eds, *Global Gifts: The Material Cultural of Diplomacy in early Modern Eurasia*, 26-27.

維持、再生產及改造人際關係方面。[11]禮物作為一個個人建立緊密人際關係的小工具，具有很大的意義。其中，巴蘭德收到的 Pfeife（煙斗）應當不是普通的煙斗，清帝國各部尚書侍郎等高級官僚使用的煙斗當為貴重物品，應當為鼻煙壺，現在柏林藝術博物館。比如，同時代只限於北京的上層階級社會吸鼻煙使用的鼻煙壺，在北京琉璃廠或各寺廟會是最熱門的暢銷品，上好的流入古玩肆，變成為古董。最知名的，是瓶壺上可以現出蟲豸和花卉，能夠隨著時辰變換而活動，這些古玩在上海的古玩肆中都不易見到。[12]清代有一位皇族，是道光皇帝的近支堂兄弟，愛鼻煙如命，他的下一代是「奕」字排行，和慈禧太后的丈夫咸豐皇帝同輩，竟命他的兩個兒子為「奕鼻」和「奕煙」。這兩個怪名也載入皇家的宗譜「玉牒」中去，可見鼻煙和鼻煙壺在晚清北京權貴圈中的聲勢。[13]咸豐皇帝時期的權臣肅順非常喜歡鼻煙壺，陳夔龍（1857-1948）記載到「肅順喜西洋金花鼻煙，京城苦乏佳品。尚書偵知文忠[14]舊有此物，特向文忠太夫人面索。太夫人以系世交，兒輩望其吹拂，因盡數給之。」[15]對於當時人而言，社會性上升不只是隨著科舉考試的階梯一步一步爬上去，而且還透過與權貴人物建立緊密關係，晚清官場的許多場合下，「鼻煙壺」成為此類「攀附」性努力的「潤滑劑」。取媚權貴的風氣雖是士風頹廢的表現之一，但卻是難以遏制的社會現象。

　　深諳北京官場政治文化的巴蘭德，離開北京前收到的這類隨身貴重物品，自然知道其中的情誼和「分量」。珍貴禮物或普通物品在不同政治區域與邊界地大規模流動與長期地接觸，表明了近現代世界不同文化間交往的一個重要方面，尤其可能有助於打破歐洲、亞洲、美洲、非洲與全球歷史之間的壁壘。大海航時代後的兩三百年間，中國許多物質在歐洲人眼中有著特殊的魅力。許多源自亞洲特別是中國的物品為歐洲人和歐洲市場設計的消費物品無縫地融入了歐洲的物質文化。[16]

　　其次，比如巴蘭德收到的摺扇（Fächer），很可能為晚清高級官僚間流行的雕翎扇，貴重的有值紋銀百兩，到辛亥革命後並未立即退出歷史舞臺，後來京劇名角余叔岩、馬連良扮諸葛亮時，手中揮搖的便是雕翎扇。[17]摺扇卷舒方便，明永樂帝命宮中工

11　閻雲翔著，李放春、劉瑜譯：《禮物的流動：一個中國村莊的互惠原則與社會網絡》上海：上海人民出版社，2016年，頁21。

12　張春田編：《物之記憶》，頁102。

13　張春田編：《物之記憶》，頁102-103。國際上有專業的中國鼻煙壺學會，一九六八年成立至今，有專業學術期刊、會員俱樂部、拍賣展覽、觀賞品玩等多種服務，見https://snuffbottlesociety.org/（2021年3月10日閱）

14　文忠即為瓜爾佳・榮祿（1836-1903），慈禧太后後期寵幸的重臣，一九〇三年去世後，清朝廷賜諡文忠。

15　（清）陳夔龍：《夢蕉亭雜記》北京：北京古籍出版社，頁45。

16　Maxine Berg, Felicia Gottmann, Hanna Hodacs and Chris Nierstrasz eds , *Goods from the East, 1600-1800: Trading Eurasia* (London: Palgrave Macmillan, 2015), 1.

17　沈從文：〈扇子史話〉，《古人的文化》北京：中華書局，2014年，頁4。

匠大量仿造，摺扇一時成為時尚，明清時代十分盛行。摺扇由扇骨、扇頁和扇面三部分組成。以香料塗沫扇面的，叫香扇。可以藏在靴中，以備旅途中使用的，叫靴扇。更有一種以各色漏紗為扇面，可以隔扇窺人的，叫瞧郎扇。材質、製作方法和用途不同，摺扇命名不一樣。[18]巴蘭德收到的扇子不可能是空白的扇面，明清的畫扇高手，在摺扇上畫人物、畫山水、畫花卉，既風雅又實用。比如，明代唐寅在摺扇上畫桃花，張靈配上半身美人，扇題為唐人崔護的名句：「人面桃花相映紅」。有些摺扇，作為藝術品，收藏價值極高。巴蘭德收到清朝高級官僚贈送的扇子，應具有深厚的歷史底蘊和極高的藝術價值。巴蘭德離職時候收到的這些私人禮物容易消失在歷史的長河中，戰爭中丟失了大部分藏品，但現存有近一百件物品，包括陶瓷、玻璃、珠寶和金屬藝術品，現藏於柏林藝術博物館（Kunstgewerbemuseum zu Berlin）中東亞藝術館。

二　東物西漸與致物通意

德國華公使巴蘭德曾說：「我活動的另一個方向是傳播關於東亞手工藝品的知識，儘管它與德國工業分支的發展密切相關，但我不稱其為官方。……在這方面，我要特別注意中國玻璃。在我將這些藏品匯集到現在的柏林應用藝術博物館之前，亞洲藝術的鑑賞家們還鮮為人知。我與應用藝術博物館以及民族學博物館的聯繫一直以來都是最好的，如果這些收藏品欠缺精美物品，那麼與這些研究所負責人的紳士們之間的互動就令人振奮，尤其是普羅斯先生（Herren Pros）、巴斯蒂安博士（Dr. Bastian）和朱利斯・萊辛教授（Prof. Dr. Julius Lessing）[19]學到了很多東西。我被任命為藝術博物館開幕式的榮譽會員，這是給我最大的榮幸，也是我最自豪的獎項之一。」[20]這不僅是巴蘭德對中國玻璃、玻璃畫藝術的理解方面獨具慧眼，而且表現出全球時代玻璃藝術史一種相互聯繫的不同文化網路，現藏於柏林的中國玻璃畫成為十九東西方物質文化交流的重要組成部分。根巴蘭德的描述，他直到一八七八年在倫敦逗留期間，他才意識到中國玻璃、玻璃畫的藝術價值。[21]一八八五年亞瑟・帕斯特（Arthur Pabst）在《藝術和手工藝》（Kunstgewerbeblatt）雜誌發表了一篇題為《中國玻璃製品》（Chinesische Glasarbeiten）的文章，他描述了巴蘭德於一八七九年和一八八四年向柏林藝術博物館捐贈中國玻璃藏品。[22]

18　卜慶萍：〈夏日話扇〉，《河北林業》2014年第6期。

19　Prof. Dr. Julius Lessing, 1843-1908, 德國藝術史學家，柏林裝飾藝術博物館創始館長。

20　Max von Brandt, *Dreiunddreissig jahre in Ost-Asien. Erinnerungen eines deutschen Diplomaten* Bd. 3, 329-330.

21　Max von Brandt, "Das Chinesische Glas", in *Orientalisches Archiv*, Bd. 2, (1911/1912), 77-83.

22　Emile Galle, "Chinesische Glasarbeiten", in Kunstgewerbeblatt, 1.Jg., Leipzig: E. A. Seemann-Verlag, (1885): 40-45.

　　近五百年來東西方物質流動大體可分為十五～十八世紀的貿易第一時期，十九～二十世紀貿易第二時期；二○○一年中國加入世界貿易組織（WTO）以來東西方物質交流的第三期。二○○一年中國加入世界貿易組織後「中國製造」成為全球耳熟能詳的詞彙，無論歐洲、美洲、大洋洲、非洲，還是亞洲各領國，中國物品幾乎實現了「飛入尋常百姓家」。十九世紀東亞世界與歐洲、美洲、歐洲等各區域與國家間進行了人類歷史上前所未有的物質交流。近代西方的科學技術、思想文化和船堅炮利等軍事武器如何影響到東方，對東方構成巨大的衝擊和影響，這早已為人所共知。事實上，十九世紀以來，中國物質流入西方歐美各國多達兆億件；來自中國無數物品在西方社會交換、流通和使用，中國物品散落到千萬私人家庭和各國公共博物館，這些中國物品對西方社會構建中國形象、傳播中國文化、產生中國印象和形成中國觀念產生重要影響。[23]現存於德國柏林藝術博物館的一批中國玻璃、玻璃畫成為十九世紀東物西漸的代表性物質之一。一八八五年起，法國著名玻璃藝術家埃米爾‧加勒積極吸引和學習中國的玻璃製作、玻璃畫藝術，成為十九世紀全球時代藝術家「致物通意」的典型藝術實踐。[24]

　　現今柏林藝術博物館收藏巴蘭德捐贈的物品中有九十九件搪瓷和不透明的搪瓷片，還有八十三個玻璃製品，包括七十三個鼻煙壺、六個花瓶和一個玻璃燈罩。[25]一八八五年，亞瑟‧帕斯特（Arthur Pabst）說到：「博物館總共有大約十二個較大的物品：包括

23　Anne Gerritsen and Giorgio Riello eds, *Writing Material Culture History* (London: Bloomsbury Academic, 2015). Anne Gerritsen and Giorgio Riello eds, *The global lives of things: the material culture of connections in the early modern world* (London: Routledge, 2016). Keren harvey ed. *History and Material Culture: A Students Guild to Approach Alternative Sources* (London: Routledge, 2009). Leora Auslander, "Beyond Words," American Historical Review 110, No.4 (2006): 1015-1044. Arthur Asa Berger, *What Objects Mean: An Introduction to Material Culture*, Walnut Greek (California: Left Coast Press, 2009)，該書二○一九年為俄克拉荷大學Daniel C. Swan教授贈送給我，特此感謝。Maxine Berg, *Luxury and Pleasure in Eighteenth-Century Britain* (Oxford: Oxford university Press, 2005)，特別是第二章〈來自東方之物〉。Maxine Berg, Felicia Gottmann, *Hanna Hodacs and Chris Nierstrasz eds. Goods from the East, 1600-1800: Trading Eurasia* (London: Palgrave Macmillan, 2015). Zoltan Biedermann, Anne Gerritsen and Giorgio Riello eds. *Global Gifts: The Material Cultural of Diplomacy in early Modern Eurasia* (Cambridge: Cambridge University Press, 2018). Frank Trentmann, *Empire of things: How we become a world of consumers, from the fifteenth century to the Twenty-First* (New York: harper Publishers, 2016). Emily Erikson, *Between Monopoly and Free Trade: The English East India Company,1600-1757* (Princeton: Princeton University Press, 2014). Adam Clulow and Tristan Mostert ed. *The Dutch and English East India Companies: Diplomacy, Trade and Violence in Early Modern Asia* (Amsterdam: Amsterdam University Press, 2018).（美）羅伯特‧芬雷，鄭明萱譯：《青花瓷的故事》海口：海南出版社，2015年。

24　「致物通意」一詞出自「辛丑，廢胡後為庶人。然齊主猶思之，每致物以通意。」見司馬光：《資治通鑒》北京：中華書局，1956年，第171卷，頁5416。

25　Schmitt Eva, Emile Gallé und die chinesische Glassammlung im Kunstgewerbemuseum zu Berlin, *Journal of Glass Studies*, Vol. 53 (2011): 177-194.

各種形狀的玻璃瓶、一個三足突出手柄的煙熏球形香爐、罐子、一根鴉片槍等等。」[26]
其中現存博物館的藏品中以乾隆時期的鼻煙壺、玻璃瓶、玻璃畫最為精美。

　　清代玻璃生產得到皇帝、王公、大臣等上層人物的積極扶持，從康熙帝傳諭設廠生產玻璃以來，玻璃生產幾乎沒有間斷過，這在歷史上是空前的。在二百餘年中，清宮玻璃廠製造了大量玻璃器皿，包括典章用品、室內陳設、文房用具、裝飾品和鼻煙壺等，用以賞賜皇戚貴族、王公大臣以及備贈外國帝王和使臣。康熙時期以寶石名稱作為玻璃色的代名，還用黑玻璃圓片作朝袍上金龍的眼珠。到了雍正時期，以幾種玻璃代替寶石，並正式列入典章制度。如用於官員所戴的帽頂，三品官以藍色明玻璃相當藍寶石作帽頂，四品官以藍色涅玻璃相當青金石帽頂，五品官以白色明玻璃相當水晶帽頂，六品官以白色涅玻璃相當碎碟帽頂。到了晚清，在宮廷內以各種玻璃作為珍珠寶石代用品的現象有增無減，越來越多。有清一代皇宮內大量收藏各種玻璃器物，王公大臣也是如此。據說和珅被抄家時，發現在一所庫房中收藏有八百餘件玻璃器。[27]

　　內廷玻璃廠自康熙朝成立至雍正末年的五十年間是興盛期，乾隆前期二十餘年是極盛期，乾隆後期至嘉慶是停滯期，道光以後是衰落期。如今對康熙時期玻璃廠的情況不甚瞭解，只知這一時期的重要貢獻是創造了套料，製出水晶玻璃。雍正年間設圓明園造辦處，玻璃廠遷到該園六所燒造玻璃。玻璃廠生產發展的高峰時期是在乾隆朝前期。當時因擴大圓明園修建西洋樓需要制做玻璃燈，從而促成玻璃燒造高潮的到來。西方傳教士汪執中、紀文[28]二人曾參與這一時期的玻璃燒造。乾隆晚期玻璃廠無大作為，開始走向下坡路。嘉慶時期隨造辦處收縮而生產逐漸蕭條。嘉慶初年，玻璃廠每年年節活計貢進玻璃盤空盅碟一百八十一件，玻璃鼻煙壺一百二十件，共三百零一件。嘉慶二十五年改定年節活計玻璃盤盤盅爐瓶等一百件，玻璃鼻煙壺六十件，共一百六十件，所做活計更少了。[29]

　　玻璃鼻煙壺是中華文化的濃縮，玻璃壺、玻璃畫等工藝藝術品集歷代文化藝術精華

26 Arthur Pabst, "Chinesische Glasarbeiten", in Kunstgewerbeblatt, 1.Jg., Leipzig: E. A. Seemann-Verlag (1885): 44.

27 楊伯達：〈清代玻璃概述〉，《故宮博物院刊》1983年第4期。

28 汪執中，一七四〇年（乾隆五年）入宮，翌年燒造溫都里那石（即金星玻璃）成功，又燒成亮藍玻璃；一七五六年（乾隆二十一年）他又仿照圓明園水法殿游廊內所掛西洋玻璃燈式樣，製成五色玻璃燈千對。見田自秉、華覺明主編：《歷代工藝名家》鄭州：大象出版社，2008年，頁155。紀文，即德國耶穌會士紀理安，紀理安（Kilian Stumpf, 1655-1720），精通光學，擅長修理儀器。在北京期間，他負責修理的天文與其他儀器多達六百件，對金屬的熔化、鑄造也非常精通，為皇家造辦處製造了很多玻璃器皿，康熙皇帝曾將這些玻璃作為禮物送給俄國使節。為此，康熙還特意訪問紀理安，派人向他學習玻璃製作技術。見杜升雲主編：《中國古代天文學的轉軌與近代天文學》北京：中國科學技術出版社，2013年，頁266-267。柯藍妮：〈紀理安──維爾茨堡與中國的使者〉，《國際漢學》2004年第2期。

29 楊伯達：〈清代玻璃概述〉，《故宮博物院刊》1983年第4期。

於一爐。它們凝聚精深、厚重的中國文化藝術與工藝技藝，即集繪畫、書法、詩詞、彩繪於一身，又包含眾多工藝技術，有切割、琢磨、鑲嵌、套料、內畫等；[30]它們展示我國工藝匠人的高超技藝、卓越才能，同時廣泛吸收西方傳教士、技術人員的使用和玻璃製造技術、繪畫和金屬工藝，從而成為中國物質文化、工藝美學的瑰寶，成為中西文化交融之大成者，具有玩賞、收藏、賞賜、禮品等多重功能。[31]因而，十八世紀以後，鼻煙壺的收藏與鑑賞就成為一種時尚，特別是康熙皇帝以後，它更成為中國文化、工藝美學的代表之一，源源傳入歐洲，尤其在乾隆時期大量精美的玻璃鼻煙壺、玻璃畫等作為中華物質文化、工藝藝術而大放異彩。其中，十九世紀法國著名玻璃製造商、玻璃藝術家埃米爾・加勒（Émile Gallé, 1846-1904）頗受中國玻璃製作工藝、玻璃畫的影響。巴蘭德在回憶錄中說到，「*加勒在德國魏瑪（Weimar）的成長過程中非常受益，並在中國玻璃廠中找到了他的藝術品模型。我收藏的最大和最精美的收藏品屬於柏林藝術博物館（Berlin Kunstgewerbe Museum），但基於此發展而出的手工藝分支不在德國，而是在法國。*」[32]

一八四六年三月埃米爾・加勒出生於法國南錫市的玻璃、陶瓷世家，一八五八年進入亨利・龐加萊（Henri Poincaré）高中，一八六五年往德國的魏瑪（Weimar）繼續他在哲學、植物學、雕塑和繪畫方面的學習與研究。一八六六年為了準備繼承家族企業，加勒前往德國魏瑪繼續他在哲學、植物學、雕塑和繪畫方面的研究。為了準備繼承家族企業，加勒到邁森塔爾（Meisenthal）的玻璃廠當學徒，並對玻璃的生產化學進行了認真的研究。在此期間，加勒結識頗具藝術才華的畫家、雕塑家和雕刻家維克多・普羅韋（Victor Prouvé, 1858-1943）。一八七〇年短暫參加在普法戰爭，退役後加勒代表父親前往倫敦參加法國藝術展，然後前往巴黎。在巴黎的幾個月時間裡，參觀了盧浮宮和克魯尼博物館，研究了古代埃及藝術、羅馬玻璃器皿和陶瓷，尤其是早期的伊斯蘭琺瑯玻璃。[33]

一八七三年回到故鄉南錫，埃米爾・加勒在家族的玻璃廠建立了自己的車間，逐漸負責設計和生產。正式負責家族企業後，埃米爾・加勒重組了家族的彩陶、玻璃製造部門，一八八三年建立更大的玻璃換個彩陶製造車間，到一八八九年。埃米爾・加勒已經負責三百多名員工的製造企業。一八八五年四月年法國玻璃製造商和藝術家埃米爾・加勒曾從法國到德國柏林仔細觀察巴蘭德帶到歐洲的中國玻璃，中國玻璃的切割、磨光等

30 曾文德：《漫談鼻烟壺》，《南方文物》2005年第1期。

31 冷東：〈十三行與鼻煙、鼻煙壺的發展〉，《廣州社會主義學院學報》2012年第2期。

32 Max von Brandt, *Dreiunddreissig jahre in Ost-Asien. Erinnerungen eines deutschen Diplomaten* Bd. 2, S. 375.

33 網址：〈https://fr.wikipedia.org/wiki/%C3%89mile_Gall%C3%A9?wprov=sfla1〉，瀏覽日期：2021年3月10日。

生產技術，和欣賞學習中國的玻璃畫藝術。[34]巴蘭德捐贈的中國玻璃、玻璃畫為加勒作品風格提供創作靈感與藝術參照。[35]一九〇〇年埃米爾・加勒頗具中國風格和頗受中國藝術色彩影響的玻璃藝術品獲得環球展覽的兩項大獎，分別是金質獎章和榮譽軍團（Legion of Honor）。[36]十九世紀八〇年代中期以後，埃米爾・加勒迅速成為新藝術運動風格和法國藝術玻璃現代復興的主要宣導者和代表性藝術家。

　　二〇一一年德國學者施密特・伊娃（Schmitt Eva）的《埃米爾・加勒和柏林藝術館的中國玻璃收藏》和一九九二年中國上海文博專家張青筠的《十九世紀中國與法國套料玻璃工藝的比較》研究中，分別指出埃米爾・加勒與中國玻璃製作技術、玻璃畫之間的密切聯繫。[37]結合兩位專家的研究和巴蘭德的的資料，仍有進一步探討的空間。

　　如果巴蘭德不瞭解中國玻璃製品、玻璃畫的寫意形式進行裝飾的山水人物圖形，那將很難瞭解中國玻璃繪畫中發生了什麼。正如有人指出的那樣，如果德國人毫無中國知識的基礎，那麼中國物質、中國藝術作品可以很好地成為認識中國的媒介，容易吸引著人們某種真誠的欣賞與喜愛。這並不是以為其他的典籍或者物質很差地表徵中國文化，這意味巴蘭德和一八六一年中德建交後德國第一批來華人員可以讓德國民眾在日常生活中依靠中國物質和中國藝術作品迅速地識別中國文化和藝術常見的主題，從而使人們能夠以日常接觸的方式來觀看中國藝術文化和中國人追求的精神世界，以便擁有者或觀看者來改變和調整已有的中國印象和中國觀念。

三　物質流動與文化交流

　　正如與巴蘭德同時代的美國藝術史家、教育家歐尼斯特・芬諾洛薩（Ernest Fenollosa, 1853-1908）說到，「或許去日本的遊客在……進入敞開的大門看到奈良藥師

---

[34] Schmitt Eva, Emile Gallé und die chinesische Glassammlung im Kunstgewerbemuseum zu Berlin, *Journal of Glass Studies*, Vol. 53 (2011): 177-194. Uta Baier, Chinesisches Kunsthandwerk aus der Sammlung Brandt, 08. 01.2000, 網址：〈https://www.google.com/amp/s/amp.welt.de/print-welt/article496891/Chinesisches-Kunsthandwerk-aus-der-Sammlung-Brandt.html〉，瀏覽日期：2021年3月8日。

[35] 一九九二年有文博專家曾關注到加勒在法國南希創辦的玻璃廠與乾隆朝玻璃製作工藝、玻璃畫之間密切聯繫，但並沒引用埃米爾・加勒到柏林觀察和學習巴蘭德帶到德國的中國玻璃的德語資料，見張青筠：《十八、十九世紀中國和法國套料玻璃工藝的比較》，上海博物館編：《學人文集上海博物館六十週年論文精選工藝卷》上海：上海書畫出版社，2012年，頁419-424。

[36] 網址：〈https://fr.wikipedia.org/wiki/%C3%89mile_Gall%C3%A9?wprov=sfla1〉，瀏覽日期：2021年3月10日。

[37] Schmitt Eva, Emile Gallé und die chinesische Glassammlung im Kunstgewerbemuseum zu Berlin, *Journal of Glass Studies*, Vol. 53 (2011): 177-194. 張青筠：《十八、十九世紀中國和法國套料玻璃工藝的比較》，上海博物館編：《學人文集上海博物館六十週年論文精選工藝卷》上海：上海書畫出版社，2012年，頁419-424。

寺金堂所用的鍍金青銅裝飾的工藝品，面對著供奉食物的、飾有黑色青銅鑄成的閃光三巨像的石頭大祭壇時，就會一下子被一種最強烈的審美魅力所攫住。」，「我說，單是其審美價值就償還了一個學者從美國到日本的全部時間和花銷。」[38]巴蘭德大概也有這般美學的感受，因而才會說出：「在這方面，我要特別注意中國玻璃。在我將這些藏品匯集到現在的柏林應用藝術博物館之前，亞洲藝術的鑑賞家們還鮮為人知。我被任命為藝術博物館開幕式的榮譽會員，這是給我最大的榮幸，也是我最自豪的獎項之一。」[39]作為外交家的巴蘭德不能像歐尼斯特·芬諾洛薩寫作《中日藝術的時代》的美術史經典專著，[40]但巴蘭德捐贈的藏品對十九世紀八〇年代法國新藝術運動風格藝術玻璃現代復興的主要宣導者和代表性藝術家埃米爾·加勒產生重要影響，現存加勒的玻璃作品中較為清晰的顯示中國風格。

　　一八八五年亞瑟·帕斯特（Arthur Pabst）撰文說到：「中國人是切割玻璃（最流行的裝飾形式）的無與倫比的大師：從技術上講，這項工作使所有歐洲產品遠遠落後」[41]不僅在玻璃切割上，亞瑟·帕斯特和加勒驚歎中國玻璃工藝所達到的技術高度，而且在玻璃鑲嵌、套料、銅綠、成型等工藝流程中都達到非常高的水準。[42]工藝技術之餘，中國玻璃在玻璃繪畫、藝術造型上給予埃米爾·加勒更大的啟迪。圖一為一八八九年埃米爾·加勒製造的中環花瓶，與圖二中國乾隆時期的玻璃壺：色染雨綠竹韻瓶和清塘荷韻鼻煙壺，以及圖六中國乾隆時期雪霏地套黑姜太公釣魚鼻煙壺中刻有黑色浮雕裝飾之間有比較密切聯繫，一八八九年埃米爾完成圖一的中環花瓶後說到：「完成雕刻黑色玻璃層的工作。」[43]一八八五年至一九〇四年間埃米爾·加勒經常模仿其淡藍色玻璃顏色，或更謹慎地使用藍色，以柔和或深色調呈現於作品中，但他偏愛強烈的透明紫羅蘭色。（圖一、圖八、圖九）將埃米爾·加勒的作品和中國玻璃對比之後，較為清晰顯示埃米爾·加勒對中國玻璃的設計裝飾、藝術風格青睞有加。

---

38 轉引於大衛·卡里爾：《博物館懷疑論：公共美術館中的藝術展覽史》，頁165。

39 Max von Brandt, *Dreiunddreissig jahre in Ost-Asien. Erinnerungen eines deutschen Diplomaten* Bd. 3, 329-330.

40 Ernest F. Fenollosa, *Epochs of Chinese and Japanese Art: An Outline History of East Asiatic Design* (New York: F.A. Stokes Company, 1911).

41 Arthur Pabst, "Chinesische Glasarbeiten", in Kunstgewerbeblatt, 1.Jg., Leipzig: E. A. Seemann-Verlag, 1885, 44.

42 Schmitt Eva, Emile Gallé und die chinesische Glassammlung im Kunstgewerbemuseum zu Berlin, *Journal of Glass Studies*, Vol. 53 (2011): 177-194. 張青筠：《十八、十九世紀中國和法國套料玻璃工藝的比較》，上海博物館編：《學人文集上海博物館六十週年論文精選工藝卷》上海：上海書畫出版社，2012年，頁419-424。

43 Schmitt Eva, Emile Gallé und die chinesische Glassammlung im Kunstgewerbemuseum zu Berlin, *Journal of Glass Studies*, Vol. 53 (2011): 181.

圖一　中環花瓶，一八八九年，
　　　埃米爾・加勒製[44]

圖二　色染雨綠竹韻瓶（左）、清塘荷韻
　　　鼻煙壺（右），乾隆時期[45]

圖三　猶太碎銀花瓶（左）、金星翠綠花
　　　瓶（右），約一八九二～一八九四
　　　年，埃米爾・加勒製[46]

圖四　墨綠瑪瑙鼻煙壺，乾隆時期[47]

44　現藏於南希學院博物館（Le musée de l'École de Nancy）

45　現藏於柏林藝術博物館（Kunstgewerbemuseum, Berlin），巴蘭德捐贈，

46　現藏於弗賴堡奧古斯丁博物館（Augustinermuseum Freiburg）

47　現藏於柏林藝術博物館（Kunstgewerbemuseum, Berlin），巴蘭德捐贈

| 圖五　魚缸（左），一八八九年；藍料套金花卉寶壺（右），一八八九～一八九二年，埃米爾・加勒製[48] | 圖六　黑色花卉玻璃牒（左）、雪霏地套黑姜太公釣魚鼻煙壺（右上與右下），乾隆時期[49] |

　　中國玻璃的白色玻璃（圖二左），它通常用作透明有色玻璃下面的不透明或半透明的乳白色基底層（圖三、圖五左）和圖四中的瑪瑙綠，這類水晶、綠寶石玻璃上古銅色的工藝技術，一八八五～一九〇四年埃米爾・加勒的作品中「半濃郁」的蝕刻和繪畫相結合則更為常見。一八八五埃四月到柏林觀察巴蘭德捐贈的中國玻璃、玻璃畫後，米爾・加勒應當對中國的玻璃技術和裝飾的複雜象徵意義不是特別瞭解。他只能根據對藝術歷史和玻璃技術的廣泛瞭解來分析巴蘭德捐贈的中國玻璃藏品。中國玻璃使他感到驚訝，發現了與他的裝飾相似的東西，這些裝飾帶有花卉植物（圖七）、山水、蟲草（圖十，圖十一）、人物故事等的展示確實令他著迷。

| 圖七　三隻雪霏地套藍料或黃料花卉鼻煙壺，乾隆時期[50] | 圖八　「曼陀羅」花瓶，一八九八年，埃米爾・加勒製 |

48 現藏於美因茨國立博物館（Landesmuseum Mainz），杜塞爾多夫藝術博物館基金會（Stiftung Museum Kunstpalast, Düsseldorf）

49 現藏於柏林藝術博物館，巴蘭德捐贈。

50 現藏於柏林藝術博物館。

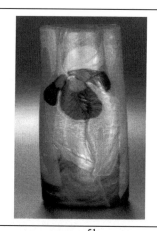

圖九　兩隻鑲嵌古銅色花卉玻璃瓶埃米爾‧加勒製[51]

圖十　蜻蜓點水玻璃瓶，一八八九～一九九〇年，埃米爾‧加勒製[52]　　圖十一　金銀花的花瓶，一八九六～一八九八年，埃米爾‧加勒製[53]

　　一八九一年埃米爾‧加勒共有十七件帶有機圖案的玻璃藝術品參加中央裝飾藝術聯盟（Central Union of Decorative Arts）組織的「植物展覽」，該展覽幫助向公眾推出了新藝術運動（Art Nouveau）。一八九一年的國家沙龍上共展出了五十種「藝術品」，其中加勒多達十七幅的藝術品，加勒的朋友和合作者維克托‧普羅維也參加了展覽。這次展覽不僅取得了圓滿成功，而且還出售了大多數「藝術品」。圖十玻璃花瓶上面刻著蜻蜓球狀的眼睛，其構圖方式和法國十九世紀大文豪維克多‧雨果（Victor Hugo, 1802-

---

51　現藏於杜塞爾多夫藝術博物館基金會。

52　現藏於巴黎奧賽博物館（Musée d'Orsay, Paris）

53　現藏於杜塞爾多夫藝術博物館基金會。

1885）的《光線與陰影》（Les Rayons et les Ombres）相類。這只花瓶描繪了神秘的池塘生活，似乎跨越了美術、裝飾藝術和文學以及新時期之間的學科界限。在裝飾藝術評論中，維克多・尚皮爾（Victor Champier, 1851-1929）注意到了這一方面，他讚揚埃米爾・加勒的玻璃花瓶和木製傢俱源於「一個敏銳的詩人，他的美夢在……玻璃或木頭的表面下綻放。」[54]埃米爾・加勒的工藝品和吸收來中國玻璃的藝術風格創造出新藝術運動的藝術品，這極大地啟發了法國同時代著名雕塑家讓・保羅・奧貝（Jean-PaulAubé, 1837-1916）、著名陶瓷藝術家奧古斯特・德拉赫切（Auguste Delaherche, 1857-1940）、大理石雕塑家弗朗索瓦-魯珀特・卡拉賓（François-Rupert Carabin, 1862-1932）等。此外，埃米爾・加勒將圖十蜻蜓點水玻璃瓶作為禮物贈送給羅傑・馬克斯（Roger Marx, 1859-1913），進一步鞏固與法國巴黎藝術圈的關係網絡。羅傑・馬克斯是新藝術運動幕後的支持者，一八八三年至一八八八年的羅傑・馬克斯國家美術管理局美術總監秘書，一八八八年和省博物館督察從一八八九年的審查員在馬克思方面處於戰略地位，以便在融合精美和裝飾藝術方面進行大廳。作為《伏爾泰》（Le Voltaire）的藝術評論家和諸如《百科全書》（La Reveue Encyclopédique）這樣的期刊的定期捐助者，馬克斯也有話語權。[55]受到中國玻璃畫藝術靈感的玻璃製品成為埃米爾・加勒增加新藝術運動的代表作品，贏得時代和法國、歐洲美術界的讚譽。

　　從十九世紀八〇年代開始，進入巴蘭德藏品展廳，見到精巧的中國玻璃製品、濃郁中國藝術風格的玻璃畫，它們以其特殊的視覺和物質形式強化德國民眾的中國印象和中國觀念。在這種情況下，中國物質文化對中國文化在歐美文化中傳播與接受有多種用途：首先，用來吸引參觀者直接參與認識中國和中國文化的媒介，透過中國物質文化的形狀、圖案、母題和用色成為了傳遞文化資訊重要的物質載體；第二，中國玻璃、中國玻璃畫等陳述了一個事實，全球時代玻璃畫藝術品已經是全球之物，世界上幾乎每個地方都在全球化的市場中購買、裝飾和使用中國玻璃畫；第三，中國玻璃、玻璃畫有助於記錄和傳播中國普通民眾所擁有的屬性，中國放入能工巧匠運用寫意的造型手法表現對生命、對自然的感悟與認識，而中國藝術都借景抒情，抒發個人的「胸中逸氣」。玻璃畫的繪畫題材常見的主題可以分為古代人物故事、山水樓閣、耕織圖、花鳥、魚草、西洋人物等。古代人物故事玻璃畫，常為伯牙子期遇知音、司馬光投壺新格、老子出關、陶淵明愛菊、王羲之愛鵝、林和靖愛梅、周敦頤愛蓮等。花卉有菊花、荷花、野菊花、秋海棠、珊瑚藤、虞美人、桃花、石榴花、月季、牡丹、萱草、鳶尾、蓼花、紫薇等。花鳥圖則有喜鵲梅花、牡丹畫眉等。[56]它們有助於記錄中國古代神話、典故、傳說等故

---

54 Fae Brauer, *Rivals and Conspirators: the Paris Salons and the Modern Art Centre* (Newcastle upon Tyne: Cambridge Scholars Publishing, 2013): 188.

55 Fae Brauer, *Rivals and Conspirators: the Paris Salons and the Modern Art Centre*, 186-187.

56 張淑嫻、徐超英：〈故宮博物院藏建築裝修用玻璃畫再探討〉，《故宮博物院院刊》2020年第10期。

事的時刻，都是彌散開來的中國文化、更是中國人日常生活中的人生旨趣和生命美學的體現。西方和亞洲藝術的主題是不同的，因為西方的藝術表達了一種基督教的世界觀，而亞洲藝術呈現的是佛教的教義。[57] 亞洲的藝術作品、工藝品進入歐洲人創立的機構——博物館，就有可能為工匠和藝術家帶來創造的靈感、經驗和市場上巨大的成功。

現藏於柏林藝術博物館巴蘭德帶回德國的玻璃鼻煙壺、玻璃畫，從製造開始便是是中西社會關係的沉澱、全球時代的產物。有學者指出，中國的玻璃畫，無論是材料還是繪畫技藝都是從西方傳入的，因此，應格外關注其在中西文化交流中的作用。[58] 一方面，十七、十八世紀耶穌會來華傳教士和中國工匠一起燒製、鍛造成型、繪製；另一方面，皇家和達官貴人要求製造它，並為工匠製造提供資金，並且在他製造之後，估計會以某種方式使用它。雙方都在不同的制度和慣例（禮制、宗教、習慣、感知、商業和廣義的社會感）中開展工作，並影響了他們共同創造的形式。[59] 巴蘭德捐贈的中國玻璃鼻煙壺、玻璃瓶、玻璃畫、玻璃燈罩等，應當是從藝術品市場購買。作為德意志帝國駐華公使的外交官身份、全球時代藝術品銷售流通市場和對東方藝術風格的玻璃藝術品的美學欣賞三者之間並不是相互割裂的關係，三者共同作用形成了巴蘭德的「時代之眼」。巴蘭德購買和捐贈給博物館東方藝術風格的玻璃藝術品的行為是積極主動的。今天柏林藝術博物館中國玻璃的藏品是巴蘭德「時代之眼」、經濟能力和全球時代中德物質文化緊密聯繫的具體體現。金錢是藝術史、東西方物質文化交流中非常重要的因素。它不僅表現巴蘭德願意花錢購買中國物品上，而且交接的細節和流通過程中都起著作用。

對於巴蘭德而言，購買中國玻璃、玻璃畫和主要是發現它們的價值和精美；更是為德意志帝國臣民所設計的，根植於帝國殖民結構、中外不平等條約交往之中。不僅「凡物皆有可觀」，而且巴蘭德希望透過「觀看」，以期獲得德意志帝國帝國臣民令人難忘的中國印象，甚至包含有名可圖的激勵。希望大部分德國對中國有實際的經驗和增加更多的知識，因為中國直到十九世紀中葉仍是一個「雖然已知，但卻沒有實際經驗的世界。」[60]，「當涉及到中國人、日本人、朝鮮人和暹羅人生活的國家時，知識少得以至於常常會被真正幼稚的無知所取代。」[61] 作為德意志帝國的臣民，想要影響和控制中國這片廣大的土地、億兆的人民，擴大中國巨大的潛在銷售市場，就一定得收集所有相關

---

57 （美）大衛・卡里爾，丁寧譯：《博物館懷疑論：公共美術館中的藝術展覽史》南京：江蘇美術出版社，2009年，頁178。

58 張淑嫻、徐超英：〈故宮博物院藏建築裝修用玻璃畫再探討〉，《故宮博物院院刊》2020年第10期。

59 Michael Baxandall, *Painting and Experience in Fifteenth-century Italy: A primer in the social history of pictorial style* (New York: Oxford University Press, 1988): 1.

60 Jürgen Osterhammel, Forschungsreise und Kolonialprogramm: Ferdinand von Richthofen und die Erschließung Chinas im 19. Jahrhundert, (Konstanz: Bibliothek der Universität Konstanz, 1987): 158. 轉引於孫立新：《近代中德關係史論》，頁120。

61 Max von Brandt, *Aus dem Lande des Zopfes: Plaudereien eines alten Chinesen*, 1.

地理、氣候、植物、動物、語言、文化、歷史的龐大資料和知識。

　　大約從十九世紀中期開始，德國人知識地圖上的空白和中國巨大的潛在市場就像一塊磁鐵，讓德國人前赴後繼前往中國，希望填補這些空白。不僅地理學家李希霍芬[62]、外交官巴蘭德、使館翻譯官福蘭閣等，而且德國國內幾乎所有知識領域的學者都學會了留白，誠實面對自己領域的無知，並試著加以填補，他們開始承認自己的理論還不完美，一定還有什麼尚未得知的重要資訊，例如一八八七年德意志帝國頒布帝國法令，決定成立「東方語言學院」（Seminar für Orientalische Sprachen），培養帝國亟需的東方國家的外交人才。[63]中國是德意志帝國構建全球性帝國的一部分，一八八〇年年代以後，特別是一八八二年後[64]，德國在世界各地逐漸建立起了基地、商貿網點和殖民地的的網路，中德物質文化交流是全球性貿易網路的一部分。歐洲帝國相信，為了讓統治與影響力更有效，就必須瞭解其他民族的語言與文化；正如語言學獲得帝國的熱烈支持一樣，帝國和資本集團也會資助植物學、醫學、地理學和歷史學。不僅為了實用因素，而且更為了在於科學能從思想上讓帝國合理化。歐洲人相信「學習新知」一定是好的，正因為帝國不斷產生新知，讓他們自以為自己的管理和思維代表證進步、正面、積極。[65]

　　一八七一年後的近二十年間，無論在中國、日本、撒哈拉以南非洲、東南亞、奧斯曼土耳其等，都有德意志帝國加入了完全宰製世界陣營。就算出現任何值得一提的衝突，也只是歐洲列強之間的內鬥，直到一八九五年中日甲午戰爭、一八九八年美西戰爭。一八七一～一八九三年間，德意志帝國不斷積累財富和資源，最終讓它有能力較深捲入亞洲，參與各大帝國的競逐，再進行歐洲人之間的分贓作業。巴蘭德說到的「我經常借借自己的官職來促進德國工業利益而受到外國人，尤其是英國人的攻擊。」[66]，「當今的外交官的任務，尤其是在像中國這樣的國家中，主要是經濟任務。」[67]，「德

62　德國地理學家李希霍芬便是如此，見施丟克爾：《十九世紀的德國與中國》，頁78-97。杜軼倫：《李希霍芬之中國歷史地理研究考論》，北京師範大學歷史學院博士學位論文，2019年，頁1-9。魚宏亮：〈晚清時期李希霍芬中國地理考察及其影響〉，《歷史檔案》2021年第1期。早在一八二三年，英國倫敦成立皇家亞洲學會（Royal Asiatic Society），一八五七年，在華英國人尼克遜（Sir. Frederick W. Nicolson）裨治文（E. C. Bridgman）、帥福守（E.W.Syle）等十八人發起成立上海文理學會（Shanghai Literary and Scientific Society）該會一八五九年便加入倫敦的皇家亞洲學會，英國東亞資深外交官巴夏禮也很支持亞洲文會調查研究中國和臨近國家。見徐堅：《名山：作為思想史的早期中國博物館史》北京：科學出版社，2016年，頁38-39。趙光銳：〈皇家地理學會與近代英帝國的西藏知識生產〉，《史林》2020年第4期。

63　李雪濤：〈歐洲此夕客星孤：論1887-1890年間柏林東方語言學院的三位東亞學者的唱和〉，《中國文化》2020年秋季號。

64　詳見「二　東物西漸與致物通意」。

65　（以色列）尤瓦爾·赫拉利，林俊宏譯：《人類簡史：從動物到上帝》北京：中信出版社，2019年，頁281。

66　Max von Brandt, *Dreiunddreissig jahre in Ost-Asien. Erinnerungen eines deutschen Diplomaten* Bd. 3, 322.

67　Max von Brandt, *Dreiunddreissig jahre in Ost-Asien. Erinnerungen eines deutschen Diplomaten* Bd. 3, 322.

意志帝國在中國擁有商業利益但沒有政治利益的原則。」[68]只是韜光養晦、以退為進的短期外交策略，長期來看，努力把德意志帝國建設成全球範圍內的、與大英帝國並駕齊驅的帝國是十九世紀德意志民族三代人的理想藍圖。現代知識譜系和現代帝國背後的動力都是一種不滿足，覺得遠方一定還有什麼重要的事物，等著他們去探索、去掌握。科學知識和帝國之間的連接還不僅如此，兩者不只動機相同，連做法也十分類似。[69]對於十九世紀中後期的德意志民族來說，建立帝國就像是一項科學實驗，而要建立某個科學學科，也就像是一項建國大計。某種程度上，巴蘭德等在一八六一年中德建交後第一代不遠萬里、遠離親朋來到東亞世界的人們，有某種相當高的全球意識，觀念是與德意志帝國、中國玻璃、中國玻璃畫、帝國時代藝術風格相匹配的人。

四　結語

　　巴蘭德先後於一八七九年、一八八四年將中國玻璃、玻璃畫等中國藝術品捐贈給柏林的博物館，一九一一年七十六歲的巴蘭德還撰寫「中國玻璃」文章向德國民眾和相關專家介紹中國玻璃的製作工藝、歷史文化和玻璃畫藝術。[70]事實上，強而有力的闡釋會極大地甚至永遠地改變藝術品的觀看方式。利奧·斯坦伯格寫道，成功的闡釋目標就是「使闡釋具有可行性，如果不能被證實的話；它們使得不甚明晰的東西變得具體可觀；而且，一旦表述出來，闡釋就會如此深入到視覺物件之中，以至於畫面似乎是在自我坦白，而闡釋者則隱而不見了」。[71]這不僅因為藝術品是需要闡釋的，展示藝術品的博物館也是如此；巴蘭德的捐贈、撰文介紹是國家藝術博物館的館藏組成、館舍建築、展陳方式和相關研究中追逐代表性、卓越性和獨特性的一部分，而博物館化的想像是建構政治想像不可或缺的公共建築空間。[72]在藝術界，最重要的權力機制是博物館。十九世紀末，現代博物館的產生是藝術體制化的一個重要體現。[73]藝術博物館作為國家凝聚力的文化遺產和構建全球帝國的權力意志宣示。柏林藝術博物館收藏的巴蘭德捐贈的玻璃、玻璃畫將長期地長期對許多德國人地中國形象建構、中國文化傳播產生重要影響。

---

68 Max von Brandt, *Dreiunddreissig jahre in Ost-Asien. Erinnerungen eines deutschen Diplomaten* Bd. 3, 281.

69 （以色列）尤瓦爾·赫拉利：《人類簡史：從動物到上帝》，頁277。

70 Max von Brandt, "Das Chinesische Glas", in *Orientalisches Archiv*, Bd. 2 (1911/1912): 77-83.

71 轉引於（美）大衛·卡里爾：《博物館懷疑論：公共美術館中的藝術展覽史》，頁23。

72 （美）本尼迪克特·安德森，吳睿人譯：《想像的共同體：民族主義的起源與散布》上海：上海人民出版社，2011年，頁173。

73 邵亦楊：〈身體，權力，主體——福柯論藝術〉，《上海文化》2021年第2期。

二十世紀三十年代熊十力的中國哲學觀

魏鶴立

北京　清華大學哲學系

　　熊十力先生作為現代新儒學的開山祖師，他在中國近現代思想史上的地位與影響是毋庸置疑的，這種重要性一方面在於熊十力創建出了以《新唯識論》為核心的儒家形上學體系，另一方面，他作為一個傳統意義上的現代大儒在古今中西的大變局之中提供了自己的感受和思考，這些深刻的洞見和他真實的人格力量在當時乃至如今都喚醒了不少昏昏欲睡的迷茫之人，正因如此，熊十力追隨者眾，現代新儒學也最終可以開枝散葉、獨樹一幟。熊十力的時代感受和哲學審思，集中體現在他的論學書劄和往來信函之中，作為熊氏得意門生的牟宗三在晚年的一次主題演講中就說到：「我奉勸諸位如果要讀熊先生的書，最好讀其書劄，其文化意識之真誠自肺腑中流出，實有足以感人動人而覺醒人者」。[1]熊十力的形上學體系已經在學界激起了不少迴響，但其論學書信中的思想資源似乎並未被充分發掘。[2]在《十力語要》中，除了進一步闡釋新唯識論的思想體系之外，較為集中的談到了熊十力對中國哲學的理解，特別是他在二十世紀三十年代的一些論學書信，當時正是「中國哲學」學科的初創、形成時期，[3]藉由熊十力的記錄，我們可以回到歷史現場，再思今天中國哲學的學科架構和研究格局是如何一步步成形。本文即透過梳理熊十力在二十世紀三十年代對中國哲學的定位與認識，從而為更好的理解他的治學特色與為人風格提供一條思路，這對於我們再思何為「中國哲學」亦不無裨益。

1　一九九〇年十二月，牟宗三先生在第一屆當代新儒學國際研討會上的主題演講，王財貴先生整理。

2　作為與熊十力形上體系相輔相成的另一面，《十力語要》、《十力語要初續》、《熊十力論學書劄》等著作為我們瞭解熊十力其人其學、其思其感提供了另一扇窗。這些書劄信函橫跨數十年，不同時期的關注重點亦略有差異。

3　在中國學者撰寫有關中國哲學的系列著作前，日本京都大學的學者已經以中國（支那）哲學為名舉辦過系列講座，其中比較有代表性的是狩野直喜和高瀨武次郎，高瀨武次郎更是在一九一〇年出版了《支那哲學史》一書，比謝无量的《中國哲學史》（1915）更早。但是，這個時期的中國哲學類著作與我們現在理解的「中國哲學」仍有一定的距離，還是要等到二十世紀三十年代，馮友蘭的兩卷本《中國哲學史》（1930、1933）、張岱年的《中國哲學大綱》（1937）出版之後，「中國哲學」的面目才逐漸清晰起來。

一　他山之石，可以攻玉——中國哲學的合法性證明

熊十力於一九三二年重返北京大學講授唯識學，至一九三七年「七七事變」後離開，這幾年在他的一生中是難得的可以穩定治學的時期。此時，「九一八事變」雖然已經發生，但日本還未發動全面的侵華戰爭，戰前的北平名流、學者雲集，思想界異常活躍，在山雨欲來之前顯示出風雲際會之象。是時，熊十力住在後門二道橋，常與錢穆、蒙文通、湯用彤、張爾田和張東蓀兄弟交遊，[4]當然，還有與他通信的張申府和張岱年兄弟及雲頌天、謝石麟等學生也往來甚密，這些人都是一時之俊傑，他們對於中國文化以及哲學也都有著自己的感情與關懷，可以說，熊先生在當時如此重視中國哲學的過去與未來等問題與當時的學術環境和師友交遊是密不可分的。在這些師友之中，既有像錢穆這樣從中國傳統的學術脈絡中成長起來的大師，也有像張東蓀這樣對西洋思想非常熟稔的人物，這使得熊先生的學術視野非常廣闊，能夠在東風、西風的強烈吹拂之下立定腳跟、不為所偏，從而為中國哲學尋找到合適的位置。

新舊文化的論爭，科學與玄學的論戰，這兩場影響深遠的討論在三十年代的北平仍在沉澱、發酵。在古今中西的歷史大變局之中，新文化運動餘波猶在，熊十力想要讓中國哲學重新挺直腰桿、確立它的合法性地位，首先就必須面對西方思想的衝擊，這衝擊既包括西洋科學，當然也有西洋哲學。面對來勢洶洶的西方文明，中國學人雖然有所回應，但在當時還沒能找到與其和平共處的方法，以西化派與學衡派為例，雖然我們現在不會再根據其口號簡單斷定他們的思想並將其劃定為勢同水火的對立陣營，[5]但西化派在瞭解中國本土文化之時確實少了「心性之體會，理解之同情」，而學衡派在面對西方文明的傳入時又略微失了些平和與包容，這樣導致的必然是兩敗俱傷的局面。正因如此，當時的中國思想界雖然熱鬧非凡，你方唱罷我登場，但真正能夠落地生根的學說並不多，正如張東蓀在三十年代觀察所見：「雖然刊物如牛毛，論文可充棟，然而很少是自抒所見的。差不多是抱著外國的某某一派，來替它搖旗吶喊。其結果只把中國當作了外國學說的戰場，而始終不見有中國自己的學說和思想。」[6]在熊十力看來，這些人正如「海上逐臭之夫」，「總好追逐風氣，一時之所尚，則群起而趨其途，莫名所以。曾無一剎那，風氣或變，而逐臭者複如故」。[7]總而言之，想要對中國哲學進行說明，在立足

4　參見郭齊勇：《天地間一個讀書人：熊十力傳》上海：上海文藝出版社，1994年，頁68；錢穆：《八十憶雙親師友雜憶》北京：九州出版社，2017年。

5　比如即使主張「全盤西化」的人物之中亦有不少人薰染於中國的傳統文化，其領袖胡適之在去世後亦被蔣介石評為「新文化中舊道德的楷模，舊倫理中新思想的師表」；學衡派雖然反對新文化運動，堅守中國本位文化，但其代表人物如梅光迪、吳宓等多留學西洋，對西方的科學、哲學等亦多有了解。

6　張東蓀：《十年來之哲學界》。

7　熊十力：〈戒諸生〉，《十力語要》上海：上海書店出版社，2007年，頁56。

中國本位的前提下，西學似乎避無可避，惜乎時人，意氣用事太多，平實瞭解偏少，能像熊十力那樣虛懷若谷，先切實理解然後再評點中西的學人，殊不多見。

　　熊十力三十五歲方始決志學術一途，[8]後又以儒者自居，我們若將其視為文化保守主義陣營中的一員，他的那種開放性和包容性是相當突出的。在文化保守主義的陣營之中，不少人都對西方的科學技術不屑一顧甚至嗤之以鼻，即使近代以來不斷挨打的屈辱史讓他們體會到了「堅船利炮」的厲害，但在他們眼中這些畢竟是奇技淫巧，只可小打小鬧而難登大雅之堂。熊十力雖然沒有在新式學堂接受過教育，但他對於西方的科學知識始終非常尊重，也在學術的殿堂中為其保留了一席之地，他認為「文學、哲學、科學，都是天地間不可缺的學問，都是人生所必需的學問。這些學問，價值同等，無貴無賤。」[9]中國文化傳統一方面並沒有孕育出類似於西方近現代的那種科技和工業文明，另一方面，老莊之道中又或多或少有些反知的思想傾向，[10]所以如何釐清哲學與科學的邊界在當時是一個頗為棘手的問題。熊十力既然承認哲學與科學都是不可缺少的學問，他在面對西方科學的衝擊之時態度就顯得更為平和，不卑不亢，在這種刺激之下反倒能夠思考哲學、特別是中國哲學的邊界和意義。

　　首先，他認為我們必須應該承認西方科學技術所取得的巨大成就（「若有一個不挾偏見的中國學者，他必定不抹殺西人努力知識的成績，並不反對知識」[11]），正是在這些科學知識的引導之下，西方各國才能夠快速發展並為整個人類的進步做出貢獻。其次，科學知識雖好，但他並不迷信科學萬能，張東蓀曾留學東洋又熟稔於西洋哲學，識見較廣，他在當時曾寫信給熊十力批評西人一味追求知識會引發一系列的問題，熊十力在回信中亦說：「西人一意馳求知識，雖成功科學，由中國哲學的眼光觀之，固然還可不滿足他，謂之玩物喪志，甚至如兄所云權利之爭等等。」[12]關於西方科學知識的所得、所失，熊十力是有許多深入的觀察與思考的，在此基礎上，他便可以平視科學與哲學，並為二者劃清界限：

> 哲學和科學底出發點與其對象以及領域和方法等等根本不同。哲學是超越利害的計較的，故其出發點不同科學。他所窮究的是宇宙的真理，不是對於部分的研

8　熊十力：〈黎滌玄記語〉，《十力語要》，頁293。

9　熊十力：〈戒諸生〉，《十力語要》，頁57。

10　「中國哲學是否反知」是當時學術界的一大辯題，總的來說，熊十力認為儒家不反知，而老莊之道中卻蘊藏有反知的思想傾向，他說「東方言修養者，唯中國道家反知識，惡奇技淫巧」（〈答張東蓀〉），「若老莊之反知主義，老子絕聖棄智，其所云聖智，即就知識言之，非吾所謂智慧之智也。莊子亦反知。將守其孤明而不與天地萬物相流通，是障遏良知之大用，不可以為道也」（〈答牟宗三〉）。

11　熊十力：〈答張東蓀〉，《十力語要》，頁63。

12　熊十力：〈答張東蓀〉，《十力語要》，頁63。

究，故其對象不同科學；他底領域根本從本體論出發而無所不包通，故其領域不同科學；他底工具全仗著他底明智與神悟及所謂涵養等等工夫，故其方法不同科學。一般人都拿科學的眼光來看哲學，所以無法瞭解哲學，尤其對於東方的哲學更可以不承認他是哲學。因為他根本不懂得哲學是什麼，如何肯承認東方底哲學？我覺得在今人底眼光裡，好似東方硬沒有學問。本來哲學上的道理，能見到的人便見得這道理是無在無不在，不能見到的人也就沒有什麼。[13]

在這段論述之中，熊十力首先點明哲學和科學在出發點、對象、領域和方法上面根本不同，在其他的一些信函之中，他還更為具體深入的對比過兩者的不同，總之是各有特點、分則兩立。為什麼熊十力如此重視科學和哲學之間的不同？這是因為他想要透過這種方式為哲學學科劃出一塊地盤，「一般人都拿科學的眼光來看哲學」，但哲學的問題根本不能用科學的思維方式來進行解決，所以有其獨立存在的必要性。進一步而言，哲學應是「超越利害的計較的」，「窮究的是宇宙的真理」，「從本體論出發」，「工具全仗著他底明智與神悟及所謂涵養等等工夫」，在這個意義上，「中國哲學」當然是一種「哲學」，從而具有存在的合法性。這段評論的後半部分，熊十力的語氣是略有不平、稍帶激憤的，從中我們可以看到他這一系列思考的問題意識和論述核心，就是要在各種挑戰和質疑聲中為中國哲學登高一呼。

當此之時，與西洋科學攜手進入中華大地的，還有西洋哲學的諸多流派。正如熊十力能夠平實的去理解科學知識一樣，他對於當時所流行的西洋哲學也十分關注，根據他的觀察，「西洋諸名家思想經紹介入中國者，如斯賓塞，如穆勒，如赫胥黎，如達爾文，如叔本華，如尼采，如柏格森，如杜威，如羅素，以及其他都有譯述，不為不多」。[14]百家眾技，他並非氾濫其中，而是有所揀選，由於他本人更為關注本體論的問題，當時羅素哲學傳入中國，號稱是擺脫了西方唯物——唯心二元對立的窠臼，所以他曾系統瞭解過羅素的思想並與諸多師友交流討論。[15]

作為當時已有名氣的大學教授，他在求學上並不倨傲，而是能夠放低姿態、好察邇言，他之所以在西洋哲學上花費氣力，除了對普遍性真理的尋求，也是想要「知己知彼」，方能為中國哲學擬出應對之策。熊十力對當時的西洋哲學並不滿意：一方面，國內對西洋哲學的引進與傳佈過於粗糙，多為走馬觀花，前文已引過張東蓀對此的觀察，

13　熊十力：〈答沈生〉，《十力語要》，頁52-53。

14　熊十力：〈戒諸生〉，《十力語要》，頁57。

15　羅素認為自己解決了心物二元論的問題，他一直在尋找組成心靈和物質的所謂「原始材料」，並將其叫作「感覺材料」、「可感素」等，但總的來看，他對傳統的唯心主義是非常反感的，他自己又是現代物理學的信徒，相信數學、邏輯能夠很好的解決本體上的難題，所以熊十力認為他「實則其根底仍不妨說是唯物論」。熊十力的這個判斷還是很準確的，實際上，就算在西洋哲學的脈絡中，當時西方學界的大多數人也不認為羅素的那種中立一元論徹底擺脫了心物二元對立的傳統。

其實，熊十力的觀感也與此類似，他觀察到西洋哲學「諸家底思想不獨在中國無絲毫影響，且發生許多駁雜、混亂、膚淺種種毛病，不可抓疏」；[16]更為重要的是，經他瞭解之後，發現西洋哲學的理論在最為關鍵的本體論問題上淪為了種種戲論。以羅素為代表的分析哲學在當時占有很大的話語權，中國哲學界也有不少人推崇這套以數理邏輯奠基的科學方法，但是在熊十力看來，「如今盛行之解析派只是一種邏輯的學問，此固為哲學者所必資，然要不是哲學底正宗。時賢鄙棄本體論，弟終以此為窮極萬化之原，乃學問之歸墟。學不至是，則睽而不通，拘而不化，非智者所安也」。[17]西洋哲學中即使有談本體論者，他們在談本體時卻是將本體與現象打成二片，如此體用割裂之體只是成一「死體」，也未得本體論真義。既然西洋哲學無法清晰明白的闡明本體之義，熊十力話鋒一轉，此正是中國哲學所長：

> 哲學上之宇宙論、人生論、知識論，在西洋雖如此區分，而在中國哲學似不合斠畫太死。吾心之本體即是天地萬物之本體，宇宙、人生寧可析為二片以求之耶？致知之極，以反求默識為歸，斯與西洋知識論又不可同年而語矣。總之，中土哲人，其操術皆善反，其證解極圓融。西洋則難免莊子所謂「小知間間」，不睹天地之純全。[18]

西洋哲學重視邏輯推理，講究條分縷析，如此雖然可以將現象層層剖析清楚，但一上升到本體層面則顯得過於繁複而「破碎大道」，中國哲學則強調天人合一、內外一本，這種即體即用的圓融之境才能真正把握得住天地之純全，從而對形上本體有真實準確的理解。正是在這種意義上，中國哲學不僅具有合理性、合法性，而且是必不可少、不能被取代的。

既然中國哲學有其存在的必要，熊十力就能夠在此基礎上進一步檢視中國哲學與西洋哲學，他在與師友的交流中經常論及中西學術的優劣短長，他曾對隨侍自己左右的弟子雲頌天談到：

> 中國人頭腦重實踐而不樂玄想。故其睿聖者，恆於人倫日用中真切體會，而至於窮神知化，是得真實證解，而冥應真理者也。然在一般人則拘近而安於固陋，其理智不發達，則明物察倫之工疏，欲不為衰萎之群而不可得矣。西洋人頭腦尚玄想而必根事實，又不似中人但注意當躬之踐履，而必留神此身所交涉之萬物，故其探賾索隱，而綜會事物之通則者，乃無在不本諸經驗，根據事實。[19]

---

16 熊十力：〈戒諸生〉，《十力語要》，頁57。

17 熊十力：〈答張東蓀〉，《十力語要》，頁64。

18 熊十力：〈答謝石麟〉，《十力語要》，頁55-56。

19 熊十力：〈答雲頌天〉，《十力語要》，頁19。

　　與此相類的討論在《十力語要》中還有很多，我們現在看來或許覺得平平無奇、卑之無甚高論，但在當時能有這種認識實在是難能可貴。是時，西風強拂，中國的學人要麼是妄自菲薄，唯西學馬首是瞻，要麼是妄自尊大，閉目塞聽、沉醉美夢。熊十力雖置身其中卻異常清醒，他的這些討論大多是娓娓道來，褒貶有度，一任其實，既不狂熱、也不卑微。馬一浮先生在為《新唯識論》作序時曾說該書「平章華梵」，若借用其語，說熊先生在面對哲學之時能夠「平章中西」，當不為過。

　　從上文中我們可以看到熊十力在上世紀三十年代面對西方科學和哲學的刺激所做出的回應，無論是在對科學知識的接納上，還是對西洋哲學的吸收中，熊十力都展現出了中正平和的態度和開放寬廣的胸懷，這種海納百川又不卑不亢的風範在那一代知識人中間是頗為難得的。同時，從表面上看起來，熊十力是在被動回應西學的傳入，實際上，他在這種回應之中恰恰貫穿著自己的理論關懷，即哲學應該是怎樣的，中國哲學又應該是怎樣的。[20]他山之石，可以攻玉，熊十力先對西方的科學和哲學進行平實的瞭解，然後在觀察與思考之中點出西學的優劣短長，最後，自然而然地點出中國哲學的價值所在，並說明其內容與特色。可以說，透過這種釜底抽薪的方式，熊十力化被動為主動，在與西學的悠遊博弈之中完成了中國哲學的合法性證明。

　　「中國哲學的合法性證明」雖是一個頗為新鮮的語詞並在近年來再次激起迴響，但與其類似的討論在民國學界已有不少，可以說，自從「中國哲學」自立門戶以來，就不得不去回答「什麼是中國哲學」這個問題。一九一五年，謝无量的《中國哲學史》出版；一九一九年，胡適完成了《中國哲學史大綱》的上卷；一九二一年，梁漱溟出版《東西文化及其哲學》一書；一九三〇、一九三三年，馮友蘭的《中國哲學史》上、下冊分別出版；一九三七年，張岱年的《中國哲學大綱》出版。二十世紀三十年代，幾部影響深遠的中國哲學著作都已經出現，但是學界在「什麼是哲學」，「什麼是中國哲學」的問題上仍然莫衷一是。Philosophy 肇始希臘，「哲學」一詞也是十九世紀末從日本轉手而來，所以當時的學人在為「中國哲學」定義時多是先觀察西洋哲學中有什麼，然後按圖索驥考察這些內容在中國的思想傳統裡能否找到，所以會有唯物與唯心兩軍對壘陣營的劃分，會遍翻古籍總結古人如何進行邏輯論證和理論分析。[21]熊十力雖然有時也不能免俗地遵照「西洋哲學有什麼，中國哲學也有」的思維模式，但他更多的時候是直面中國哲學本身，思考「中國哲學是什麼」這個問題。西學，對於熊十力來說是潛在的對手，而不是模仿的對象，正是在與西洋科學與哲學的較勁之中，他完成了中國哲學的合法性證明，確立了中國哲學的邊界：中國哲學不是科學的附屬品，中國哲學不是西洋哲學的摹仿物。

---

20 陳來先生在〈現代新儒家的「哲學」觀念〉一文中已經詳細說明了熊十力、梁漱溟、馬一浮三人對「哲學」的不同理解，可參看陳來：《現代儒家哲學研究》北京：北京大學出版社，2018年。

21 對於當時學界對「哲學」、「中國哲學」的認識，必須結合時代背景和學科發展的歷程來進行考察，不宜以今視昔、隨意批評，這樣會把問題簡單化。

二　本體與工夫──中國哲學的特色

　　熊十力透過對西洋科學和哲學的分析考察，來借力打力為中國哲學進行說明，在這個過程中我們可以感受到他海納百川般的開放性和包容性，然而，僅僅以異域之眼來審查中國哲學是遠遠不夠的，他更為重要的任務是要從中國哲學本身出發來說明其風格和特色。熊十力讀書的範圍非常廣博，上迄晚周諸子，下到晚清民國，儒釋道各家思想他都有所涉獵，在書劄信函中隨處可見他對中國哲學往昔哲人的理解和評價，帶有非常鮮明的熊氏個人烙印，他說「自有獨獲，漢唐巨儒之業，皆不屑為；宋明大師之學，何嘗墨守？矯首八荒，遊神千古，闔辟無礙，萬變皆貞，非窺大化之奇，詎測圓通之境」。[22]實際上，這些書劄信函的思想密度相當強，熊十力在很多具體問題上寥寥數字的點評完全可以擴展開來獨立成文，他對中國哲學風格和特色的理解也散見在這些點評之中。由於篇幅和學力所限，本文就不在這些具體問題的具體分析上展開，而是將中國哲學作為一個整體，考察熊十力如何對其特點進行說明，既然他自己有境論與量論的區分，我們也就從這兩個面向說開去。

　　無論是西洋哲學還是中國哲學，熊十力認為只要有哲學之名就應該把本體論的探求當作理論核心。他說「治哲學者，須於根本處有正確瞭解始得，若根本不清，即使能成一套理論，亦於真理無干，只是戲論」，[23]所謂的根本處也就是本體論問題，要探求本體與現象之間的關係，在他自己的體系中亦稱之為「體用」。但是，西學之中無論是科學還是哲學其實都沒有正視這個問題，「西洋哲學隨科學之進步，經驗日富，根據日強，理論日精」，但是卻「於宇宙之體原，或恣為種種戲論，或複置而不求」，[24]既然如此，若論中西哲學之異、中國哲學所長，必然首先彰顯出中國哲學的本體論建構。一九三二年十月，《新唯識論》（文言文本）由浙江省立圖書館出版發行，《十力語要·卷一》中所收信函的時間剛好接續在此時之後，因此在這一卷中我們能看到最早的一批對《新唯識論》的質疑以及熊十力的回應，可以說，無論是耗費心力寫作《新唯識論》，還是不厭其煩的在信函中反覆辯難，這些都是熊十力想要彰顯中國哲學形上本體的努力。把本體論當作哲學的核心，以本體論彰顯中國哲學的價值，雖是熊十力較早成熟的想法，但也成為了他畢生堅守的理念，除了《新唯識論》的文言文本外，他後來的《新唯識論》語體文本，包括晚年的《體用論》、《乾坤衍》等書都沒有背離此想法。

　　在此基礎上，無論是在中國哲學外部，還是在中國哲學內部，熊十力都把對於本體的理解是否合宜當成了評判諸家思想學說妥帖與否的標準。若以儒、釋、道三家而論，他們雖然都對本體有所瞭解，但義理淺深、層次高低卻有不同。老莊之學既反知識，在

22　熊十力：〈與薛星奎〉，《十力語要》，頁91。

23　熊十力：〈答某君〉，《十力語要》，頁37。

24　熊十力：〈答薛生〉，《十力語要》，頁43。

入世事功方面又顯得消極，這些都是熊十力有所批評的地方，但是他覺得老莊之道在本體層面畢竟有所見地，所以也需要特別留意，他說「老子開宗，直下顯體，莊子得老氏之旨而衍之，便從用上形容。《老》、《莊》二書合而觀之，始盡其妙，師資相承，源流不二」。[25]老莊雖能識得本體，但這種認識卻要透過「為道日損」的寡欲工夫去進行，「寡得盡，真體便顯」，由這種途徑所認識到的本體並不是很整全，猶有所憾。至於佛學，熊十力出入其中數十年，他對大乘空宗在本體上的洞見讚歎非常，他曾說「談本體者，東西古今一切哲學或玄學，唯大乘空宗遠離戲論，此真甚盛事也」，[26]在為薛秀夫指引治佛學的門徑之時，他也曾感歎到：「徹萬化之大原，發人生之內蘊，高而莫究其極，深而不測其底，則未有如佛氏者」。[27]雖然熊十力從佛學轉入了儒門，但他對佛學的批評主要是在其他方面，佛學在本體論上的高深造詣他一直是肯認的，甚至有不少內容也消化吸收進了自己的哲學體系之中。最後，他最為欣賞和推崇的，還是儒家的哲學，一方面既有本體論上的建構，另一方面又可以就在此世之內、在日用常行之中見得天理流行，這正是他所謂「即體即用」、「即本體即現象」的應有之義，他在與林宰平先生論中西印三土哲學時曾分析說：

> 當今學哲學者應兼備三方面：始於西洋哲學，實測之術、分析之方，正其基矣。但彼陷於知識窠臼，卜度境相，終不與真理相應。是故次學印度佛學，剝落一切所知，蕩然無相，迥超意計，方是真機。然真非離俗，本即俗而見真。大乘雖不捨眾生，以眾生未度故，而起大悲，回真向俗，要其願力，畢竟主於度脫，吾故謂佛家人生態度別是一般，即究竟出世是也。故乃應學中國儒家哲學，形色即天性，日用皆是真理之流行，此所謂居安資深，左右逢源，而真理元不待外求，更不是知識所推測的境界。至矣盡矣！[28]

西洋哲學、印度佛學、儒家哲學各有特色，研究哲學的學人視野應該要更加廣闊一些，務求對其皆有涉獵，但是唯有儒家哲學在本體與現象兩方面都有精道的理解，方可謂之「至矣盡矣」。熊十力非常重視儒家哲學中這種體用兼具的特色，《十力語要》中也有不少內容對此進行說明。[29]

在熊十力自己的設想中，《新唯識論》的哲學體系應該由境論與量論兩部分組成，

25 熊十力：〈答王維誠〉，《十力語要》，頁55。

26 熊十力：〈答客問〉，《十力語要》，頁23。

27 熊十力：〈答薛生〉，《十力語要》，頁43。

28 熊十力：〈答薛生〉，《十力語要》，頁44。

29 「至於儒道諸家所發明者，厥在宇宙真理，初非限於某一部分底現象之理。」這個道理，「範圍天地之化而不過，曲成萬物而不遺」，《繫傳》形容得好。「語大，天下莫能載焉；語小，天下莫能破焉」，《中庸》形容得好。故高之極於窮神知化而無窮無盡，近之即愚夫愚婦與知與能。至哉斯理」，參見熊十力：〈答張東蓀〉，《十力語要》，頁63。

可惜終其一生他也沒能完成下半部的量論。量論主要談及的是認識論與方法論的問題，結合中國哲學的具體語境，實踐面向、工夫進路是他在量論中的核心關切，雖然熊十力在這方面的系統論述已不復可知，但我們仍然能夠透過他的書札信函窺見他在這一方面的主張與傾向。具體而言，因為歐風東漸的時代背景，熊十力在此一階段非常關注中國哲學的實踐面向：因為西學偏重於理論思辨和邏輯分析，在這個過程中作為主體的「人」常常消失不見，所以熊十力強調中國哲學必然是學問與生命為一的，為學與修養並進的。在熊十力的著作中，常常可見他以「戲論」一詞批評西學，他所謂的「戲論」主要有二義：其一，西學未能在本體論上有真實洞見，大本不立，這一點在前文中已有提及；其二，西學未能切實的指導人生，使人真知力行，而只是淪為了思辨的遊戲。[30]熊十力把「知行合一」當作中國哲學的重要精神特質，在這一點上，他與梁漱溟、馬一浮等人是相同的，他們都是把中國哲學、儒學當作「生命的學問」，而不僅僅是書齋裡的研究對象。他認為「知行合一」之論雖然是在陽明處被發揚光大，但這其實是中國哲學中千聖相傳的共許之義。[31]在當時的時代背景下，不僅西學難明此理，中國的本土學人在西風的掃蕩之下反而丟失了中國哲學中這至為重要的精魂，對此，熊十力是十分痛心的，所以他在信函中談到這個問題時不免充滿激憤之情，很多的批評都非常嚴厲，甚至不乏當頭棒喝。

綜合以上所說，我們可以看到熊十力如何彰顯中國哲學獨特的風格和特色：他堅信本體論應該成為哲學的義理核心，並在此基礎上展示出中國哲學在認識本體時的深刻洞見，在儒釋道三家之中尤其推崇儒學的「即體即用」之說；另一方面，熊十力揭示出中國哲學中「知行合一」的精神內核，中國哲學絕不僅僅是書齋裡思辨的對象，它是真實流行的生命脈動，只有在為學與修養上齊頭並進，才能對中國哲學有親切的體會並從中有所收穫。[32]

熊十力在面對西洋的科學與哲學時顯示出海納百川之態，我們由此可以感受到他的開放性與包容性，但這並不意味著他沒有底線、一味妥協。在揭示中國哲學的特色之時，我們可以在字裡行間感受到熊十力心中的堅守：他肯認了中國哲學中的本體論建

---

30 譬如他在答劉公純時所說：「治哲學者，研窮宇宙人生根本問題，有所解悟，便須力踐之於日用之間，實見之於事為之際。此學此理，不是空知見可濟事。若只以安坐著書為務，以博得一世俗所謂學者之名為貴，知與行不合一，學問與生活分離，此乃淺夫俗子所以終身戲論，自誤而誤人」，參見熊十力：〈答劉公純〉，《十力語要》，頁91。

31 「東方學術歸本躬得，孟子踐形盡性之言，斯為極則。故知行合一之論，雖張於陽明，乃若其義，則千聖相傳，皆此旨也。歐風東漸，此意蕩然。藐予薄殖，無力扶衰。世既如斯，焉知來者？」參見熊十力：〈答張季同〉，《十力語要》，頁3。

32 關於熊十力對宇宙論與人生論關係的看法，陳來先生用傳統的方式表達為：「論先後，宇宙論為先；論輕重，人生論為重；論天人，則宇宙人生通體一貫」，這個說法相當全面的概括了熊十力在此問題上的態度，參見陳來：《現代儒家哲學研究》北京：北京大學出版社，2018年。

構，捍衛它的地盤，絕不退讓；他明白中國哲學應與生命為一，對於當時的流俗之見、浮泛之言，時而痛斥，時而怒罵，孤心長懸天壤，我們由此可以看到他的獨立與嚴苛。在當時的學術界中，不少人渾噩度日、隨俗浮沉，熊十力則如挺立崖旁的千仞之壁，任憑狂風巨浪，我自巋然不動，堅毅剛強如斯，曾子曰「士不可以不弘毅，任重而道遠」，非斯人而何。

三　中國哲學的未來──從哲學年會說起

一九三五年年初，薩孟武、何炳松等上海十位教授聯合發表了〈中國本位的文化建設宣言〉。三月底，胡適發表了〈試評所謂中國本位的文化建設〉一文，一時之間，中國本位文化建設的問題又一次成為了學界關注的熱點。同年四月，中國哲學會成立並舉行第一屆年會，湯用彤、金岳霖、馮友蘭等人都於此會集結並宣讀各自的研究成果。在哲學年會上，學者們主要討論了兩個問題，其一是關於中國本位文化的建設，其二是在此基礎上呼喚一種新哲學的產生。[33]熊十力雖然並未到會，但他在會後就大家所討論的議題也發表了自己的看法，此即〈為哲學年會進一言〉。[34]

在〈為哲學年會進一言〉中，熊十力認為本位文化建設和新哲學的產生兩者是相輔相成的，但是，本位文化建設的問題顯得過於空疏，最為急迫的反倒是新哲學的產生。熊十力認為哲學思想本就是文化所凝聚之處，若是新哲學能夠順利產生，那麼本位文化建設的問題也就迎刃而解了，由此可見，熊十力在當時對中國哲學是寄予了厚望的，這不僅是學術進步的要求，更是要以此來影響一時之風氣。

關於未來的中國哲學，熊十力認為必定會有儒家思想的一席之地，甚至，儒家思想是創生新哲學最為重要的理論資源，他在文中給出了五個理由：其一，儒家在宇宙觀、人生觀上有真實的瞭解；其二，儒家規模宏大，能夠博採眾長；其三，儒家不反對知識，能夠與科學的精神相合；其四，儒家言正德、利用、厚生，持論中正平和；其五，儒家言天地萬物一體氣象，此正是今後世界所要求的，「綜上五義，略明儒家思想，宜圖復興，以為新哲學創生之依據」。[35]以上五點，實可與上文所述熊十力對中國哲學的

33　郭齊勇：《天地間一個讀書人：熊十力傳》，頁71。

34　一九三五年，熊十力在北京出版了《十力論學語輯略》一書，這本書其實是《十力語要》第一卷的原始版本，現行的《十力語要》四卷本最初是在一九四七年印行，當時熊十力就在《十力論學語輯略》的基礎上修訂增刪，然後將其作為《十力語要》的第一卷。在《十力論學語輯略》中，本收錄有〈為哲學年會進一言〉一篇，但這篇文字在《十力語要》中被大幅度刪減，僅在〈戒諸生〉中留下了少許內容。根據郭齊勇先生的考證，〈為哲學年會進一言〉一篇曾以〈文化與哲學〉為名在天津的《大公報》發表。

35　熊十力：〈為哲學年會進一言〉，《熊十力全集》武漢：湖北教育出版社，2001年，第二卷，頁301-304。

看法相互印證，比如在與西學的互動中確立中國哲學的邊界，中國哲學應以本體論為核心等。由此可見，上世紀三十年代的熊十力正是以這些論點為中心來展開他對中國哲學的思考。

在前文的描述中，熊十力時而是開放包容的，時而是獨立嚴苛的，這兩方面看似矛盾，熊十力卻能夠兩者相容，其原因我們在此也能窺見一二。此時的熊十力已由佛家轉出而邁入儒門，他對於儒學的典籍自然也是十分熟悉的：他在本文中說到儒家既不反知，與科學的精神也並不違背，所以他對於西學也並不是抱持抵制反感的態度；歷史上的儒學規模宏大，對於其他的學術能夠「納異派而治之一爐」，所以他覺得自己也應該開放懷抱，無論是對於西洋哲學還是中國哲學中的百家諸子都應該有所瞭解，而不是以門戶之見故步自封；儒者「揭然有所存，惻然有所感」，「持志如心痛」，所以面對粗淺浮泛的學風他會痛心疾首，時而棒喝，時而怒罵。總而言之，熊十力既以儒者自居，又主張真知力行，他覺得儒學或更大範圍意義上的中國哲學就應該如此博大寬宏，而治中國哲學這門學問的人更應該有自我擔當的意識。

四　結語

二十世紀三十年代是作為現代學術的中國哲學形塑的關鍵階段，以前學界較多關注的是馮友蘭、張岱年所貢獻出的兩部影響深遠的中國哲學著作，實際上，熊十力在這個階段也在苦心極力的思考中國哲學的過去、現在與未來。熊十力在與西洋科學、哲學的博弈中說明了中國哲學的合法性，並進一步審視中國哲學傳統，彰顯中國哲學在本體論上的深刻洞見，在人生修養方面的真實工夫。在這個過程中，熊十力既能擁有海納百川般的廣闊胸襟，又能如千仞之壁般剛強獨立，處處都顯露出一個現代大儒的氣象和風範。熊先生已經去世五十餘年，中國哲學、儒家學術在這數十年之中當然也取得了長足的發展，但回首望去，我們的開放性、包容性與獨立性未必就能勝得先生許多，這也能說明為什麼熊十力在上世紀三十年代的思考在今天仍然有它的價值與意義。在中國哲學發展的過程中，哲學的普遍性與中國哲學的特殊性兩者之間的關係是一個會不斷迴響的問題，而熊十力的這些思考始終可以作為一個參照物，鑑於往事，明鏡高懸。

一個孔學現代化的嘗試
——以伍憲子的新孔學和新經學為討論中心

劉志輝

香港浸會大學

　　眾所周知，十九世紀與二十世紀之交，中國文化的主流是激烈的反傳統思想。在反傳統思潮的激流裡，在主流前頭的知識人甚至要求把文化傳統完全鏟除。如論者所言，在民族主義與社會達爾文主義在中國歷史脈絡中互動下，中國知識人都冀望能盡快尋找一條令中國富強之路。在近現代思想史的研究領域裡，一些身居主流的知識人往往備受研究者青睞。反之，一些非主流的知識人雖未至寂寂無聞，但也不能否認被置於邊緣之處。在本文裡，筆者會以九江學派的第三代傳人，簡朝亮和康有為的弟子，伍憲子的「新孔學」和「新經學」為例，探討非主流的知識人如何努力地「改造」傳統的思想資源，以求在反傳統的激流裡力挽狂瀾於既倒，並為中國傳統文化賦上新生命。

一　引言

　　一九一六年，廣東省省長上書請准朱九江從祀孔子並頒發匾額，以示坊表。呈文所記朱次琦能奉祀之由是：

> 次琦明體達用，一本躬行。山居二十年，絕跡城市。無宋學漢學之歧，有經師人師之懿。誠聖門之嫡裔，百世之儒宗。[1]

翌年，內務部准朱九江從祀孔聖，並由大總統袁世凱頒發題字匾額。[2]朱次琦一生以復興孔學為志業，凡九江弟子不論康有為、簡朝亮，還是伍憲子皆離不開孔學。考朱次琦及簡朝亮乃從儒學道統和學術源流上突顯孔子的重要性；康有為則從立教救世的角度視孔子為教主。與九江先生和南海先生相同者，伍憲子既強調孔子在儒學道統上的關鍵地位，又點明孔子在世界明文上的重要性。但與師門相異者，孔子既已超越儒家道統的範

1　〈朱省長請准朱九江入祀鄉賢呈文〉，見《松桂堂集》，頁96。

2　見〈諮呈：內務部諮呈國務院核覆廣東已故耆儒朱次琦入祀鄉賢並請頒給匾額文（中華民國六年二月一日）〉，《政府公報》，392號，1917年2月12日。

疇，亦非一教之主可以限囿。

此外，在二十世紀初葉清算傳統文化的學術浪潮中，經學是最受時代詬病之學門。晚清政府實行新政，如廢科舉，辦新式學堂，推行學制改革，採納現代分科治學觀念等等，大學堂雖專設「經學科」，但經學終究已是明日黃花。是故民國初年，政府下達了廢止讀經之令，經學終於壽終正寢。作為傳統學術的重要載籍，經書之特質既「非史」、「非哲」、「非文」，亦可謂「亦史」、「亦哲」、「亦文」。西方分科觀念將經學並入文科，促成其學術轉型，衝破了籠罩於經學的神聖光環，有積極的時代意義，但負面效應，以西學衡估中學，分化了經學思想體系的獨立性。[3] 縱然經學的地位如東去之江水一去不復返。惟獨在一眾儒家傳統文化的守護者心中，經學仍是他們心中之「常道」絕不可廢。「六經」在伍氏眼中還有什麼特別意義呢？這些「意義」的背後蘊涵什麼思想特點呢？

二　伍憲子的「新孔學」

（一）作為中國文化承傳者的孔子

若從承傳的角度析之，伍氏上承朱九江、簡朝亮和康有為尊崇孔子的傳統。如上所述，朱九江、簡朝亮尊孔在於其「道」，康有為尊孔在於其教。[4] 伍氏尊崇的孔子卻有不同的內涵：一是孔子被視為中國文化的承傳和發明者；二是在諸子百家之中孔子地位無與倫比。就前者而言，伍氏曾言：

> 研究國學，當要知得孔子……彼以為堯舜禹湯文武周公以其道傳孔子……所謂堯舜禹湯文武周公，皆賴有孔子而後見……故即此而觀，堯舜湯禹文武周公與孔子所發生之關係，不在於堯舜禹湯文武周公傳道於孔子，而在於孔子發明大道，使堯舜禹湯文武周公與有榮焉。[5]

在中國儒學的傳統裡，「堯舜禹湯文武周公」乃是「道統」之所繫。早在《論語・堯

3　王應憲：〈民國時期大學經學教育視〉，《中國學術年刊》第35期（2013年9月），頁110及113-114。

4　在康有為的論述裡，孔子既是「萬世教主」：「偽《周官》謂「儒以道得民」，漢《藝文誌》謂儒出於司徒之官，皆劉歆亂教倒戈之邪說也。漢自王仲任前，並舉儒、墨，皆知孔子為儒教之主，皆知儒為孔子所創。偽古說出，而後吻塞掩蔽，不知儒義。以孔子修述《六經》，僅博雅高行，如後世鄭君、朱子之流，安得為大聖哉！章學誠直以集大成為周公，非孔子。唐貞觀時，以周公為先聖，而黜孔子為先師，乃謂特識，而不知為愚橫狂悖矣。神明聖王，改製教主，既降為一抱殘守闕之經師，宜異教敢入而相爭也。今發明儒為孔子教號，以著孔子為萬世教主。」見康有為：《孔子改制考卷七・儒教為孔子所創考》臺北：臺灣商務印書館，2011年，頁257-258。

5　伍憲子：《國學概論》，頁16、18、24。

曰》中，孔子已隱約地勾勒出一個由堯、舜、禹、文王、周公的道統譜系。[6]其後，孟子把儒家道統寫得更加細密，加上了「五百歲」的時間維度，並突出文王、周公、孔子在道統承傳中的重要性。[7]然而，伍憲子卻認為，在孔子以前「堯舜禹湯」之事茫昧難考，就是文武周公，比較接近，其詳亦不可得聞。若非經過孔子對資料的收集、整理和創作，根本沒有可能為後世人所知。[8]故此孔子不是「道統」的傳承者，而是「道統」，甚至中國文化之創建者：

> 〔孔子〕闢土開疆，創業垂統，制禮作樂，治定功成。追法先王，堯舜禹湯文武周公之道法，始有所表現。數千年前之國學，得孔子而遂成一重心。孔子而後，諸子百家，發皇滋長之……要之皆受孔子之賜。[9]

顯而易見地，孔子到了伍憲子手裡已經成為道統、國學，甚至中國文化中的重中之重。伍氏把孔子的地位提到中國文化傳承的層次，與新文化運動以後學術界風行的疑古潮流不無關係。伍憲子曾經指出：

> 回憶二十五年前，新文化運動開始以後，一般新文化運動家，如顧頡剛、錢玄同諸人，大發其疑古之論，幾乎要將堯舜革出國籍，說中國無此人，並且說大禹是一條蟲，不是一國人，他們說堯舜禹之事蹟，都是戰國時代好作偽書的人虛構出來的。[10]

由是觀之，伍憲子把孔子設定在中國文化傳承者和發明者的位置上，是要奠定中國傳疑時代歷史的確定性，反駁抱疑古史觀者對中國文化承的質疑。關於疑古派帶來的問題，不是歷史真偽的問題，而是中國民族和文化毀滅的禍根：

> 他們公然說禹治水不可信，公然說《禹貢》是偽書，是無疑將中國民族毀滅了，是無異將中國文化毀滅了。梁任公謂中國民族之統一，開之者黃帝，而成之者大禹也，唐虞以前僅能謂之有民族史，夏以後，始可謂之國史……當巨浸滔天，萬民昏墊之際，此大聖出而治之，此是事實，有此事實，能使吾民知自然界之咸虐可畏也，此人定勝天之理想所由出。吾民族因夙信人類之上，尚有最高之主宰，然經此事實之後，知主宰我者實為仁愛，常願人力之所及而助之，此天從人欲之

6　朱熹：《論語集注‧堯曰》，見朱熹著：《四書章句集注》，頁193-195。
7　有關孟子對「道統」譜系的建構和孔子在道統承傳的重要性，可參考於朱熹：《孟子集注‧盡心下》及《孟子集注‧滕文公下》，見同上註，頁376-377及272。
8　同上註，頁18-19。
9　同上註，頁25。
10　康有為：《孔子》，頁12。

理想所由出。[11]

由上可見，伍氏引述梁啟超的言論，就是想證明疑古派對中國民族和文化的危害，對中國人相信的「意義世界」的衝擊。就此而言，伍氏推崇孔子不是保守和好古，而是為中國文化和價值之源樹立一根定海神針。

就後者而言，伍氏又把先秦諸子的地位置於孔子之下，是為強調儒家人文主義的重要性。為突顯伍憲子「崇仲尼抑諸子」的做法與前人不同，我們不妨將他的說法與其師康有為作一比較。南海先生曾言：

> 凡大地教主，無不改制立法也，諸子已然矣。中國義理制度，皆立於孔子。弟子受其道而傳其教，以行之天下，移易其舊俗。若冠服、三年喪、親迎、井田、學校、選舉，尤其大而著者。今采傳記，發其一隅，以待學者引伸觸長焉。其詳別為專書矣。[12]

眾所周知，康有為在諸子百家之中獨崇孔子，惟從創教者和改革家的角度來說諸子與孔子是平等的。反觀在伍憲子的論述裡，先秦諸子的理論皆有所缺，故不及孔子之偉大：如道家所言的「道」渺茫不可捉摸；又愛講「無為」，漠視人類的努力。此外，道家主張去奢去泰，使人陷入自然主義之弊；老子主張小國寡民，更是無政府主義之濫觴。最重要的，是道家太忽略人類心靈的創造力量，太蔑視人格，而以建己為患，以用知為累，致使令活潑的人生，變為金石草木。上述諸弊之所以出現，全因為道家背後的機械人生觀所致。[13]至於墨家學說之失，則在於其說宗教味道太濃，當中「天志」、「尚同」之說使人陷於「絕對無自由，個性完全毀滅」之窘境。此外，墨子言「兼相愛」不僅難以實行，最重要是建基於「交相利」之上。更重要的，是節用、節葬諸說既堵截人之欲望，亦阻礙社會之進化。[14]最後，法家學說之失，就是以國家吞滅個性，人生活在硬化的法律下，便如同死物一般，失到了人性。[15]至於儒家，伍憲子認為其之所以較道、墨、法優勝是因為：

> 孔子之教，活潑潑長人之天性，使人之手足極安適，使人之心靈極舒暢，不祇無束縛，實解放之。[16]

由是觀之，在伍憲子「崇孔」的思想中，我們發現他重視學說本身能否讓個體的「自我

---

11 同上註，頁100。

12 康有為：《孔子改制考卷九・孔子創儒教改制考》，頁337。

13 伍憲子：《孔子》，頁17-23。

14 同上註，頁25-27。

15 同上註，頁27-28。

16 同上註，頁30。

實現」得到充份發揮。儒家重視道德主體的「自我實現」,而「自我實現」的可能性源於以下兩方面:一是其本體論基礎和實際的力量所在的心性結構;二是對所有人尊嚴的尊重。[17]伍憲子揚孔子抑諸子,真正的目的是高舉人的內在價值,發揚中國儒家傳統的人文主義神精。

(二) 作為屬於世界的孔子

若從傳統與現代的角度觀之,朱九江、簡朝亮重視和傳揚的是傳統的孔學和孔道;康有為、伍憲子弘揚的孔子卻是充滿現代意義。這裡所謂的「現代意義」是指孔子再不僅屬於中國而是屬於世界的。在接下來的一節裡,我們將會展示被伍憲子改造了的「世界的孔子」的圖象。

首先,伍氏以西方物質發達,但道德沉淪的前提下突出孔子的重要性。伍憲子認為近代西方物質文明發達,可說是一日千里,令人震驚,但是道德人格則日日低落,此乃「世界前途之大憂」。另外,西方過於注重功利主義,資本主義仍大行其道,而馬克思主義又被極權者所利用,所以未能帶領人類走出困境。最糟糕的是,由於道德人格的墮落,致使高度的科技產物——如原子彈——被「下等心理」的人所利用,勢必將整個世界推向毀滅之路。職是之故,墮落的世界更需要孔子:

> 故人類需要科舉技能,更需要高度文化,如此則萬不能藐視孔子。須知今後仍是人類世界,仍是很久的人類世界,西方宗教祇知人與神,科學則祇知人與物,對於人與人之間,尚未研究深造,今後希望世界和平,給予人類福利,非虛心請教孔子不可。[18]

循以上的論述可知,伍氏雖然不得不承認西方的科學技術和物質比中國優勝,但從「文化」的層面而言,中國文化仍然是一種種比西方優勝的「高度文化」。由是觀之,縱然時代不同,惟朱次琦、簡朝亮那種「道重於器」的思想,仍然深藏在伍憲子的思想之中,所不同者,是伍氏進一步把孔子之道提升,成為拯救世人靈魂的良藥。

其次,在宣揚孔道能拯救世界之先,伍憲子先道出世界危機之源:

> 科學文化對人性不甚了解,經中世紀宗教文化之後,思以人權爭自由,造成人民權利之哲學文化。換言之,就是苟安畏戰,現實主義,遂變成靈魂……[19]

---

17 杜維明:〈先秦儒家思想中的人的價值〉,見氏著:《儒家思想——以創造轉化為自我認同》臺北:東大圖書公司,2014年,頁82。

18 伍憲子:《孔子》,頁2。

19 同上註,頁111。

有關「科學文化對人性不甚了解」的論斷，伍氏沒有進一步加以闡述。這是因為他論述的重點，並非著眼討論「科學文化」與「人性」的關係，而只是想說明「科學文化」是造成為人們趨向「苟安畏戰，現實主義」的肇因。作為西方世界的主要精神，「現實主義」讓人變得目光如斗，急功近利：

> 科學文化則精神全注於物，其基本在數學，其相像不能稍步含糊，其效果當然要趨於現實。因此，西方哲學感於宗教文化太虛渺之故，自然亦趨於現實，更因接近科學之故，對現實倍增趣味。於是造成功利派邊沁兒等所謂「人是天生成一個求樂避苦的動物」、「人要自己打算」、「休想他人舉手救你」等等奇論，與達爾文「物競天擇適者生存」，將人類與物類同一看法之奇想。雖然他們亦講群，亦講最大多數的最大幸福，但眼光所注，總不離現實，即使講到實用，亦是現實的實用。……以此之故，鮮能犧牲現實，以為將來。[20]

伍氏不厭其煩在闡釋「科學文化」如何使人注重「現實」、「實用」，最重要的是科學文化的盛行衍生了三個問題：一是個體的孤立，是社會的組成的獨立原子；二是由於個體只是孤立的原子，所以；三是人與萬物同等，失去了上承天道，為萬物之靈的獨特性。簡而言之，科學文化最大弊端，不是講實用和現實，而是個體的價值和意義全植根於「己」。從橫向來說，個體忽略他人、群體、國家和世界的福祉；就縱向而言，個體只著眼於現在，卻沒有顧念將來和後人的利益。

其三，伍氏指出孔子提倡的「仁」可以解決科學文化引起的種種問題：

> 世界是人類的世界，人類有互助義務，否則世界不能安寧，孔子所以提倡仁，其意義全在此。故仁如神經中樞，總攝一切，如發動機，運用一切，仁之所到處，必有感應，如父慈，感應到子孝，君敬，感應到臣忠，夫義，感應到弟恭……乃至所謂直，所謂廉，所謂知恥，所謂善，所謂美，所謂和，所謂睦姻任恤等等，凡人所應有之種種美德，無一而不可統攝之以仁。[21]

孔子學說的「仁」可以打破個體的孤立狀態，可以使人明白自己必須肩負「互助的義務」。當然，學說歸學說，如何能將孔子的學說付諸實行，使之切實成為拯救世界的良藥又是另一個問題。關於這一點，伍氏亦有所認識：

> 一切學說之發展，其目的都是為人群……雖在民主時代，亦萬不能易，一群人固然是人，代表一群人之特出者亦是人，一樣須要人格。假令一群人之人格不夠，則斷不能有代表之特出者，如此則事業終無成就，學說等於空言，故人格之修

20　同上註，頁108-109。

21　同上註，頁81-82。

養，無論何時，皆為根本問題。但修養人格之重心，斷不能放在知一方面，應該放在仁一方面，將親親仁民愛物之理，擴充至大同……孔子人格之修養，所以能調和其知情意，得到圓滿，所以能涵蓋一切，持載一切，全是能將重心放在仁的方面。[22]

據伍憲子所說，「修養人格」是落實孔子學說的唯一途徑。至於修養人格的工夫則以道德實踐為進路，即所謂「親親」與「仁民愛物」者，而放棄純經驗主義的途徑。既然道德實踐是落實孔子學說的唯一方法，那麼如何實踐道德便成了其中關鍵，而孔子的價值亦在於此。伍氏指出：

孔子人格，不祇在中國歷史中，有其最高價值，在世界歷史中，亦有其最高價值。無論何種人物，其知識、才能、或能比得上孔子，或且近於孔子，但其人格比不上孔子。[23]

在上引文中，伍憲子把孔子放在「世界歷史」的脈絡裡觀之。至此孔子已經不是中國的孔子，而成為了世界的孔子。至此孔子的人格不僅是中國人道德實踐的模楷，也成為人類道德實踐的學習典範。

（三）從「反知」到「忘我」──孔子人格的意義

如上所言，伍憲子在整個論述裡，不僅在建構「新孔子」，還賦予孔子新的世界性意涵。在伍氏的論述裡，孔子的人格亦成為世人信仰的所繫：

孔子之偉大在於人格。若果我們對孔子人格，不能起尊敬之心，不算得認識孔子。不能起愛慕之心，不算得認識孔子。不能起信仰之心，不算得認識孔子。[24]

孔子的人格既然是重中之重，那麼究竟孔子人格的內涵是什麼呢？關於這個問題，伍氏借用了梁啟超和唐君毅的說法來闡釋，自己只是作了兩點補充，但當中的補充卻十分值得留意。由於梁、唐兩位先生對孔子人格的論述不是我們的主要討論焦點所在，我們姑且以簡表概括二人所說如下：[25]

---

22 同上註，頁106-107。
23 同上註，頁89。
24 同上註，頁89。
25 同上註，頁89-99。

梁啟超的觀點	唐君毅的觀點
孔子是理智發達的人	孔子有超越忘我精神
孔子是富同情心的人	孔子有超絕言思精神
孔子是意志堅強的人	孔子有大慈大悲精神
	孔子具有英雄精神
	孔子具有教主精神

在引述梁、唐兩位先生的說法後，伍氏就以下兩方面進行補充：一是知、仁、勇三達德能調和的根源；二是小知與涵蓋持載精神的對立關係問題。若綜合視之，伍氏所關心的是人過於推崇科學精神，而忽略人文精神的向度。且讀伍憲子的幾段說話，即可證明此言非虛：

> 「人皆曰予知」，假令我們對知一方面，有此存心，則飾知矜愚之舉動，自然流露出，此是人生之最大患。不祇與仁、勇不能調和，必且去仁、勇日遠，就是單從知方面說，亦必不能日有增益。[26]

伍氏辯稱他持此說並不是輕視「知識」，而是要人明白尋求知識之餘，也要知道對道德追求是不可或缺的：

> 然我們要尋求知識，同時亦要尋求做人之道，便不能為知識一部分之領域所限，我們就要注重在道德方面，擴充其大仁。孟子曰：「聖人先得我心之所同然」又曰：「心之所同然者理也，義也，故義理的悅我心，猶芻豢之悅我口」此則與「人心之不同如其面焉」，適成一個對照。人心之不同如其面，所以要許人思想自由，學術始能藉此而發達，政治始能藉此而改良。「聖人先得我心之所同然」則是大家應同求歸宿於義理。明白此義，自然不阻礙人之自由，而思想言論，可盡量發揮。亦自然可以容納萬流，而匯成大海。[27]

由以上引文可知，伍氏所指的「道德方面」即是「行仁」，「行仁」始可讓人的諸般「自由」得以發揮。然而，「行仁」是否能實現，要視乎個體是否明白儒家「涵蓋持載的精神」，是否執著於自己的「小知」，而不能忘我：

> 小知不是大知，在知之範圍中，皆渺乎其小，猶且各自其小知，各非人之小知，所守者窄，不能忘我，如此則背道而馳……故知斷不能離道，然後能造成其偉

大。[28]

究竟什麼是「小知」？「小知」又如何成為擴充「仁」的阻礙：

> 以上所說，目的都是做到忘我，忘我而後可以持載一切，然最不能忘我者，就患在自限其小知，小知是偏見之知，因此就不能與仁配合，不能以仁運用其知，知就愈偏愈小了。[29]

由是觀之，所謂「小知」就是「偏見之知」，「偏見之知」之所由就是人「不能忘我」。說到此處，伍憲子提到其師康南海的話：

> 南海先生常說，即使吾人強霸大地，文化被於全人類，威武能統攝六種，合天下為一家，仍是區區不足驕人，而況微塵中之微塵，幾乎「視之不見，聽之不聞」之中國，那使政權在握，指揮若定，得之亦何足喜。明白此義，如此則可以說是大知，不是小知，知識能擴大至境界，當然已不是限於知識範圍，蓋已進於道矣。

話說至此，我們終於明白，伍氏引梁任公、唐君毅說孔子人格並不是重點所在。觀伍氏引康有為之說──小知、大知、忘我之說乃出自康有為的「天人說」，以其師的進路論述世界大同的可能，才是他用意之所在。固然，伍氏銳意改造孔子縱然是受康南海的影響，也與當時兩岸形勢緊張，自己卻又苦無出路不無關係。關於這一點，我們會在伍氏傳道之旅時再討論。

三　伍憲子的「新經學」

（一）伍憲子的《經學通論》

如上所言，進入二十世紀三十年代，中國經學縱然未算斷絕，但已經步入「化整為零」的階段。所謂「化整為零」是指六經已不再會被看作一個整體來學習，《詩》、《書》、《禮》、《易》和《春秋》逐漸被編配到不同科系成為專修的科目。因著高等教育的需要，一些概論性的經學基礎課程亦應運而生。同時，一些以「概論」、「通論」等為名的經學介紹性書籍也如相繼出現。它們所簡介的內容、引導的議題往往相近，多離不開對經之名義、經學的定義、孔子與六經的關係、經學傳授與流派，經書的淵源、性質、大義、義例，以及經學發展歷史的介紹。雖然諸家在章節、篇幅的安排上，時有偏重，不會面面俱到，但大體而言，導論之內容多半不出以「經」、「經書」、「經學史」為

---

28 同上註，頁103。

29 同上註，頁103。

核心的知識框架。[30]雖然，一九三六年出版的《經學通論》看似是「通論性」類型的經學介紹性書籍，但若細察之又不是那一回事。

　　據伍氏門生李大明的記述：一九三〇年，伍憲子應美國三藩市國學涵授學院的邀請撰作《經學通論》。一九三二年，李大明因事回到中國，每到一處「（此書）必攜置行篋中，暇輒展誦，不忍釋手」。到了一九三六年，李大明行經上海，便將《經學通論》校刊之，以響世之同好。[31]是書由十六章組成，若按性質區分可為四個部分：第一、是經學的範圍和意義（第一至二章）；第二、是今古文經與偽經的問題（第三至六章）；第三、是經學的發展概略（第七至十一章）；第四、是五經大義（第十二至十六章）。若以內容篇幅計算，全書共一百二十三頁。第一至第三部分有六十三頁，占全書百分之五十一；第四部分有六十頁，占全書百分之四十九。從表面上看來，《經學通論》主要的任務似是申述「五經大義」無疑，惟實言之，若說伍憲子在述說五經大義，毋寧說他在義闡發自己對儒學的信仰。

（二）亂世中的經學意義──伍憲子以「六經注我」

　　一九二八年六月，國民革命軍進入北京，北伐戰爭結束，全國形式上宣告統一。但誰都知道這只是形式上的統一，實際上內憂外患從未間斷，對內而言國民黨始終黨派林立，紛爭不斷，並多次發展成大規模的分裂和武裝衝突；[32]對外而言日本窺伺中國的野心從未止息。更重要的，國民黨藉推行訓政體制以法律鞏固其權力，試圖建立其政治主張，壟斷未來政治發展的合法性，打壓政治異見分子，箝制言論和政治自由。如一九二八年三月公布的《暫行反革命治罪法》，規定凡宣傳與三民主義不相容之主義及不利於國民黨的主張者，都會被處以有期徒刑。[33]在《暫行反革命治罪法》出臺的同一年，伍憲子身在上海創立《雷風雜誌》，並指責當局對濟南慘案的軟弱無能，近乎媚敵。不料，雜誌僅出了兩期便遭封閉。是年七月，伍氏便遠走美國三藩市，主《世界日報》筆政，展開九年的流美生活。[34]伍氏的《經學通論》亦在這樣的背景下寫成。九江學派一向經學為重。朱次琦認為，讀經與修身建立在一種互動的關係上。簡言之，讀經既可以體認古聖人的心思，也是「入德」的必須；修身就聖人之道的實踐，聖人之道通過實踐

---

30 根據盧啟聰的整理所得，由一九一二～一九四四年，現存的「通論」或「概論」式經學介紹性著述最少有二十四種。見盧啟聰：〈民國時期「經學概論」類教材與陳延傑的《經學概論》〉，《中國文哲研究通訊》第28卷2期（2018年6月），頁58-60。

31 李大明：〈經學通論序〉，見伍憲子著：《經學通論》，頁4。

32 有關國民黨內部的派系鬥爭的概略，可參考金以林撰：〈國民黨的派系與內爭〉，見王建朗，黃克武主編：《兩岸新編中國近代史・民國卷（上）》，頁163-208。

33 薛化元：《中國現代史》臺北：三民書局，2018年，頁147。

34 胡應漢：《伍憲子先生傳記》，頁16。

才能凸顯其中意義。到了簡朝亮的時候，讀經已成為對抗「道出於二」思潮的抗衡活動。重新發掘儒學經典的「大義」，重新確認儒家經典內蘊含的秩序理性及其合法性，已經成為簡氏晚年的最大任務。但如陳來所言，在辛亥革命以後的幾年，儒學已整體上退出了政治、教育領域，儒學典籍不再是意識型態和國家制度的基礎，不復為知識人必讀的經典，中國人的精神生活和政治生活兩千來第一次置身於沒有「經典」的時代。雖然，儒家「經典」的從政治、教育領域的退出，還不代表固有孔子的精神權威的自然失落，還不等於儒家的倫理價值的說服力已徹底喪失。惟隨著新文化運動的展開，「放逐儒學的運動進一步推展到倫理和精神的領域」是一個眼前不爭的事實。[35] 既然儒家由顯及隱是無可改變的事實，作為九江學派的再傳弟子的伍憲子必須告訴自己儒家經典有何時代意義。

　　如前所述，自民國建立以來，中國的政局紛亂無章。作為康有為的弟子，伍憲子奉師命奔走其間，政壇的經歷和見聞自然不少。如在解《詩經·大雅·召旻》:「維昔之富不如時」一句時，伍氏就曾說:

> 如許應騤以二十年督撫，積資不過五十萬，清末士論皆以為貪，今則一年之主席，半年之部長，而積資數千萬者比比也。豈非「維昔之富不如時」乎？[36]

「一年之主席，半年之部長，而積資千萬」，在伍氏看來，這一切一切都是「道德人格」不彰的惡果。據伍憲子記述，在一九二七年的冬天，梁啟超、徐勤和伍憲子一起討論成立民主憲政黨事宜。當時，梁啟超的一段話尤值得注意:

> 除政治主張、經濟制度之外，梁啟超更提出一個主要問題。是道德人格之磨練擴充。梁啟超說，現在國家情勢弄到如此。政府固無希望，各黨派亦何嘗有希望？這不是缺乏智識才能有緣故。老實說，什麼壞事情，都不是智識才能份子做出來的。他們根本就不相信道德的存在。而且要把他留下的殘餘、根本去鏟除。[37]

梁啟超既認定「道德人格」的不彰是國家政治混亂之由，那麼要怎樣做才能夠解決問題呢？根據伍憲子的記述，任公曾說:

> 我們要大膽糾正社會的錯誤，社會愈壞，我們愈要提起勇氣來。歸納起來祇有兩點：一是做人方法。社會上要做成一種不隨時流的新人。二是做學問方法。在學術上要做成一種適應新的國學。

35 陳來:〈現代中國文化與儒學的困境〉，見氏著:《孔子與現代世界》北京：北京大學出版社，2011年，頁141-142。
36 伍憲子:《經學通論》，頁73。
37 伍憲子:《中國民主憲政黨黨史》，頁119-120。

據伍氏說以上就是他與梁啟超、徐勤等人在討論「黨前運動」問題時所認定的根本問題。[38]若伍氏所說的不假,《經學通論》或可以被看作「做新人」和「做新國學」的實踐。在是書裡,伍氏試圖重新詮釋「六經大義」,將「人格」、「國性」、「個人」、「群眾」等元素注入傳統儒家經典中,既可以使之成為「擴充道德人格」的根據,又可以將已經垂死的「舊經學」,搖身一變成為充滿活力的「新經學」。在這裡筆者沒有勾勒伍憲子經學理論全貌的企圖,我們只會集中討論伍氏身處的「時代問題」如何讓行道者改變「道」的重心。

在討論經學的時候,伍氏仍以漢宋二分的傳統,把經學分為小大兩個層次。小者是指漢學中訓詁考據的研經方法;大者即為通經致用和修己安人的經學大義。另一方面,伍氏又把六經又可以分為兩組:《詩》、《禮》、《樂》重身心修養;《書》、《春秋》主政治措施。而《易》則「將身心修養,政治措施,鎔成一片,六經大義,息息相通。」[39]在談身心修養與《詩》、《禮》、《樂》的關係時,伍憲子提出「人格」的觀念:

> 溫柔敦厚,恭儉莊敬,廣博易良,合觀之,便成一高尚優美之人格。若從反面觀之,不溫柔,則浮澡;不敦厚,則輕薄;不恭儉,則兀傲鬪狠……如是則不成人格。凡不成人格之人,皆因失《詩》、《禮》、《樂》之教。[40]

在說明「人格」的存沒與《詩》、《禮》、《樂》的關係後,伍氏進一步指出上述三經與「國風」和「國性」的關係:

> 中國數千年來,藉賴《詩》、《禮》、《樂》之教,養成國風,鑄為國性。中國人在世界上,另有一種特質,謂之和平。合溫柔敦厚,儉莊敬,廣博易良,就是和平特質。[41]

接著伍氏又指出這種「和平」的「國性」存在已久。隨著先世的遺傳或生活環境的習染,「國性」便能代代相傳毋有斷絕。但為了證明讀經的必要,伍憲子又給傳之已久的「國性」設了限制:

> 但傳之久,則氣漸薄。若不續薰陶之,培植之,勢必天性日漓,國性日失,而浮燥輕薄,兀傲鬪狠,苟且偷安,狹隘陰險,等等惡性漸發作,而人格墮落矣……此《詩》、《禮》、《樂》之教所以可貴。經術之大用,盡在此也。[42]

---

38 同上註,頁122。

39 伍憲子:《經學通論》,頁5。

40 同上註,頁6。

41 同上註,頁6。

42 同上註,頁6-7。

上文中的「國性」觀念由來已久，若究其發明者不是別人，而是伍憲子的同門師兄梁啟超是也。[43]完成了「人格」和「國性」的闡述後，伍憲子再引用《禮記》中《孔子閒居》的「凱弟君子」來說明個人修養和群體的關係：

> 試再讀《孔子閒居》之言：「子夏曰：《詩》云：凱弟君子，民之父母。敢問何如斯可謂之父母矣？孔子曰：必達於禮樂之原，以致五至而行三無，以橫於天下……子夏曰：敢問何謂三無？孔子曰：無聲之樂，無體之禮，無服之喪子。夏曰：敢問何詩近之？孔子曰：夙夜其命宥宓，無聲之樂也。威儀逮逮，不可選也，無體之禮也。凡民有喪，匍匐救之，無服之喪也。」觀此，則由一人之修養，擴充之，使天下人人皆修養，以致其和平，故曰「凱弟君子」。凱弟者，和平之至也。夙夜其命宥密，言夙夜謀為政教以安民，使之寬和宥靜也。有威可畏，有儀可象，民自傚之，國自化之。匍匐之救，則仁心上下相通，普遍於全國，渾然一體矣。仁之至，《詩》、《禮》、《樂》之至，和平之至，治道之至，此種教化，歐美人何嘗夢見？[44]

由上可知，伍憲子旨在告訴大家，當「道德人格」被完美地從個人擴充至群體，達至「民自傚」、「國自化」、「渾然一體」，便可以稱為「仁之至，《詩》、《禮》、《樂》之至，和平之至，治道之至」，即國家政治和社會都去到最完備和理想的狀態。

　　扼要地說，從九江學統的角度來說，因著時代背景的差異，伍憲子心中的「經學意義」已經與朱九江和簡朝亮有所不同。如果說伍氏在闡述六經之義，毋寧說他借六經宣傳自己的理想。一般而言，舊時代的讀書人，如朱九江和簡朝亮，都會把讀經的起始放在個人的「修身」之上，並把經學傳講鎖定以「士」為對象。就受眾而言，經學的闡述和傳播的對象均是「小眾」。但到了伍憲子身處的時代，雖然經學的傳播對象數量上肯定已非舊時代的「士」可比，而在性質上，知識分子和舊時代的士亦有所分別。在二十世紀的三十年代，若再依從修身、齊家、治國、平天下的進路來講經學，對一般人而言可能有點格格不入。若從《經學通論》觀之，在伍憲子眼裡，六經的當世意義已經成為化解中國政治亂局的重要思想資源。亦即是說，雖然，伍氏仍以「修己安人」為討論經學之發端。但若說他重彈九江經學的舊調，毋寧說他企圖借經學闡述一個理想的「共和國」。一九一二年，民國肇始，名義上中國結束了君主專制時代走向共和時代。但民國建立以後，先有袁氏竊政，繼有軍閥爭雄。後來雖然說是南北一統，惟反蔣之聲不絕，

---

43 有關梁啟超「國性」說的扼要敘述，可參考陳澤環：〈「中國文明實可謂以孔子為代表」——梁啟超國性論中的儒學觀〉，見於《船山學刊》，2015年第6期（2015年11月）頁51-56。

44 同上註，頁7。

內戰未息。故伍氏借闡述經義，提倡「尚道德」的「真共和」的重要。[45]這個理想的共和國充滿和平之氣，和平源於人與人之間在人格上而言都是平等的。[46]由此可知，伍憲子的經學已經不是教人讀書明理，亦不是闡明隱沒的孔門大義，而是高舉六經的幌子宣揚「真共和國」的理想，以圖匡定國家混亂的政局和日人環伺的危機。在近代中國歷史的語境裡，中國知識分子對中西文化的認識與反思總是與「救亡」分不開。說到一個群體、一個國家的「救亡」問題，群體凝聚力的有無必然是其中一個不可或缺的思考選項。如王汎森曾借用「想像共同體」的概念討論梁啟超提出的「中國不亡論」和「國性說」。Benedict Anderson 指出，「國家」與「文化」可能有不同的構成因素，但更重要的是依賴其成員對「共同體」的「想像」。透過一種對共同體的信念，可以「構造」出具有凝聚力政治組織與文化群體。[47]若 Benedict Anderson「想像共同體」的概念，我們可以有理由相信，伍憲子借用梁任公的「國性說」，可能想更生經學的意義和作用，賦予原來已被邊緣化的經學嶄新的時代意義。

四　小結

一九五一年三月十一日，梁漱溟的弟子胡應漢初訪伍憲子，在客廳看見伍氏自書的對聯：

> 必有事焉，知止乃定。莫非命也，樂天不憂。

在此聯後，附有題記，彌足珍貴，值得一讀，故不嫌煩瑣，全錄於下：

> 吾輩不幸生混濁之世，天時人事之相厄者無所不用其極。無以勝之，必隳落而不能復振。勝之之道，惟有以自樂，兼有以自信。否則馳逐於物，而歆美憂戚日乘之，必漸移為流俗人矣。或主求治於先儒語錄，此藥物耳，可以治標；但其道大殼，營養不足，懼居之不安，一旦厭棄，必放倒而佚，蕩然失據矣。故必求可以居之安而自得者。上之則應無所住，次之則主一無適。然吾人不能謝絕百事，則應無所住甚難。惟有主一無適，平實切用。所謂主者足乎己無待於外；能足乎己無待於外，自然有以自樂，有以自信。有以自樂，則不至於閒而憧擾；有以自信，則不至於有所恃而蹉跎不振。今當喪亂之世，欲養成瑰偉絕特之士，非用此

---

45 如在《經學通論》〈書經大義〉裡，伍憲子謂：「吾今所言者，乃孔子借堯舜公天下之心，以示太平之意。於此而有太平之極要義，吾人不可不知者，此共和政治之精髓。」見同上註，頁81。

46 在《經學通論》〈禮經大義〉裡，伍憲子借闡釋〈士冠禮〉之義說：「孔子曷為以此冠《禮》經之首？蓋尊重成人，表示個人人格，一無貴賤也。」見同上註，頁89。

47 有關「想像的共同體」的概念，可見Benedict Anderson, *Imagined Communities: Reflections on the Origin and Spread on Nationalism* (London: Verso, 2016).

工不可。三十年前梁任公曾擬此十六字為座右銘寄麥孺博；偶憶及之，寫以自儆。己丑夏至。[48]

作為當代一位儒者，伍憲子一生恪守和弘揚孔道，並推重精神文化的優先性，乃與當代新儒家的思想性格相似。[49]如徐復觀先生（1904-1982）說，儒學源於「憂患意識」，[50]這種憂患指的是「憂道不憂貧」之「憂」，是「憂以天下」之「憂」，「憂患」是緣於「道」而來的，「道」指的是民族文化的綜體，是整個民族的倫理精神象徵，是形而上的道德實體，而之所以為此而憂，乃因為「道」乃是全民族之所以能存活的精神依據。從思想史的角度言之，憂患意識的興起乃是面臨意義危機（crisis of meaning）而生的。當代新儒家就是感受到這個「意義的危機」，而苦心探索，欲謀求一理論和實踐上的解決。[51]綜觀伍氏致力發揚「新孔學」和「新經學」的努力，與對世界的「憂患」有著密不可分的關係。[52]

48　胡應漢：《伍憲子傳記》，頁3-4。

49　在伍憲子的現存著述，如《國學概論》、《經學通論》、《孔子》等，都有明顯的「精神文化」為尚的特徵。另一方面，伍氏與當代新儒家，如張君勱、唐君毅，雖然關係深淺不同，但都是相遇相知的。

50　同上註，頁20。

51　林安梧：《牟宗三前後：當代新儒家哲學思想史論》臺北：臺灣學生書局，2011年，頁13-14。

52　如伍憲子講孔子時明言：「故人類需要科學技能，更需要高度文化，如此則萬不能藐視孔子。須知今後仍是人類世界，仍是很長久的人類世界，西方宗教祇知人與神，科學則祇知人與物，對於人與人之間，尚未研究深透，今後希望世界和平，給予人類福利，非虛心請教孔子不可。」見伍憲子：《孔子》，頁2。

俞平伯教授致馬士良佚函二通考述

何廣棪

香港　新亞研究所教授

　　余於民國九十二年（2003）六月廿三日，曾撰就〈葉君重先生珍藏槐屋居士《書贈陶重華詩卷》跋〉一文，奉詒君重兄，該文後收入拙著《碩堂輯佚札叢》中。「葉君重」兄，名國威，好收藏名家墨寶，余之摯友也。「槐屋居士」，俞平伯教授之號，俞陛雲子，清代鴻儒俞樾（曲園）之曾孫，乃《紅樓夢》研究專家，於學壇甚富盛名。「陶重華」，平伯弟子，晚歲任教臺北之中學。〈書贈陶重華詩卷〉，則平伯所撰佚詩，以贈重華者。

　　余素喜好輯佚，近有幸，又輯得俞平伯致馬士良佚函二通。第一通載見中國書店《二〇〇九年春書刊資料拍賣會·古籍善本專場》圖錄，編號215，甚難得。茲謹先將俞氏致馬士良原函影本迻錄於前，而其釋文則附後，俾便讀者研閱。

釋文：

　　簫雲仁兄惠鑒：久疏音問，為
　念。昨奉
　來書，審　近候安和。良慰，良慰。
　老輩凋零，誠如
　尊言。保存文獻，
　足下之力非細也。承　示夏老
　詩。花之寺，確在右安外三官
　廟，卻未去過。廣和居，在北半
　截胡同，前曾有一飯之緣，事
　在民初，年久印象亦已模胡。
　至後於淪陷時期，移至西長
　安街路南，改名同和飯莊，憶亦去過。肴品尚有
　舊風味，再遷西四今地，即迥
　異從前矣！《花之寺看海棠
　圖》，原冊即在弟處，暇日
　惠臨，儘可從容瀏覽；　如擬鈔
　寫題詩，希　攜紙來寓，弟
　每日下午均在家。前
　示以《東園記》，俟面奉。諸容
　晤談，即頌
　近安

　　　　　　　　　　　　　　　　弟　平伯頓首
　　　　　　　　　　　　　　　　四月十五日

案：函首「簫雲」乃馬士良別字。而本圖錄下則附有提要，其資料頗富，茲亦一併轉載
如下，以資參考。

215　俞平伯書札
　　俞平伯　撰并書
　　1975 年寫本
　　1 通 2 頁　紙本　散頁
　　25.5 × 18.5cm
　　提要：是爲俞平伯致馬士良書札，附實寄信封
　　　　　一枚。
　　　　　俞平伯，1900–1990年，古典文學研究家、
　　　　　紅學家、詩人。早年參加新文化運動，爲
　　　　　新潮社、文學研究會、語絲社成員。新中
　　　　　國成立後，歷任北京大學教授、中國社會
　　　　　科學院研究院研究員、九三學社顧問、作
　　　　　協理事等。
　　　　　　　　　　RMB 4,000-5,000

讀者參閱圖錄所附提要，便知平伯致馬士良函，殆寫於一九七五年四月十五日。又提要所記及俞平伯行實頗詳，而於馬士良則一字不載。余因細意翻檢各種中國人名大辭典，均無馬士良之條目。後利用 Google 幫助查檢，始知馬士良乃紹英之子。而紹英傳記，《清史稿》卷三百七十五、〈列傳〉一百六十二附其祖「昇寅」傳末，惟甚簡略。昇寅傳末所載曰：

> 昇寅，字寶旭，馬佳氏，滿洲鑲黃旗人。……子寶琳，
> ……寶珣。……孫紹祺……紹誠，……紹英，宣統初，
> 度支部侍郎，內務府大臣。

據是則紹英乃昇寅第三孫。再檢 Google 所示資料，又知紹英字越千，光緒時曾任商務右丞，乃出洋考察憲政五大臣之一，頗得宣統信任，後且擔任內務府總管。撰有《紹英日記》，其書內容豐富，對研究晚清史事甚有參考價值。紹英子即馬士良，又稱世良，字簫雲，曾整理《紹英日記》。士良卒後，其子馬延玉將《日記》送予政府。以上資料，足補《清史稿》所未及。

　　又案：俞平伯此函鮮談學術，其內容屬好友閒談往事。函首既謂老輩凋零，推譽士良保存文獻有功。繼而談及「夏老詩」、「花之寺」、「廣和居」，後又言及「同和飯莊」之餚品尚有舊風味。其後則告士良，謂〈花之寺看海棠圖〉原冊仍存其居處，約暇日惠臨，可從容瀏覽。最後謂前此所示之《東園記》一書，則可面奉。總上所述，俞函所談多屬瑣屑小事，無關宏旨，惟從中仍可推知俞、馬二老飲食住行方面頗多同好，而兩人友誼且甚篤厚也。

　　俞平伯致馬士良佚函第二通原本乃中國嘉德國際拍賣有限公司由其子站拍賣，編號為「4805俞平伯致馬士良書札」，茲將原函影本逐置於前，釋文則列後，俾便讀者參閱。

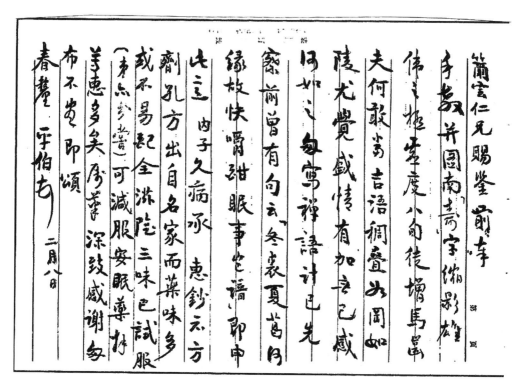

釋文：

簫雲仁兄　　賜鑒：前奉

手教，並圖南「壽」字縮影，雄

偉之極。虛度八旬，徒增馬齒，

夫何敢當。吉語稠疊，如岡如

陵，尤覺盛情有加無已，感

何如之。匆寫禪語，計已先

察。前曾有句云：「冬裘夏葛何

緣故，快嚼酣眠事豈諳。」即申

此意。內子久病，承　惠鈔示方

劑。孔方出自名家，而藥味多

或不易配全。滋陰三味已試服，

（弟亦分嘗）可減服安眠藥，拜

尊惠多矣！屬筆深致感謝。匆

布不盡，即頌

春釐

平伯頓首

二月八日

案：考本函原件第三行有「虛度八旬，徒增馬齒」之語，平伯生卒年既為一九○○～一九九○，是其歲之八旬，應在西元一九八○年，則可推知俞函之撰就，即在一九八○年二月八日。蓋馬士良贈「壽」字及吉語祝賀，故平伯奉函以表謝忱。函末則謝馬氏惠鈔方劑，以治其夫人失眠症，夫人乃「囑筆深致感謝」。讀此函，足見俞、馬二氏交情深厚，有事彼此相扶持。

　　此二函頗富文獻價值，倘能善用其材料，固可增補《俞平伯年譜》之未備，又可增加對馬士良友誼認知之資料。由是觀之，凡研治中國傳統學術者，其於輯佚學殊應多加運用一事，豈可忽乎哉！

錢穆先生的中國經濟史研究

張偉保

澳門大學教育學院

一

　　七十多年前，錢賓四先生南來，創辦新亞書院暨新亞研究所，晚年移居臺北外雙溪。先生為二十世紀國學大師，著作等身，一九九七年聯經出版事業公司為先生出版之《錢賓四先生全集》三輯共五十四冊，實為近代大儒所罕見。且其中嘗有漏網者，如其高弟葉龍教授之《錢穆講中國經濟史》（香港商務印書館，2013年；簡體版，北京聯合出版公司，2013年）、《錢穆講中國文學史》（香港商務印書館，2015年）、《錢穆講中國社會經濟史》（香港商務印書館，2016年；簡體版，北京聯合出版公司，2016年）和《錢穆講中國通史》（香港商務印書館，2017年；簡體版，天地出版社，2017年）等。事實上，錢先生的著作有不少是由演講稿整理而成，如《中國歷史研究法》、《中國史學名著》等，而流傳最廣的應是《中國歷代政治得失》（三民書局，1954年），在中、港、臺出版了無數次，並由西方學者譯成英文版，成為我們學習中國政治制度史的必讀書。由此可見，雖然是課堂講稿，但仍深具學術意義，值得大家倍加重視。其中，與本文關係極為密切的，是葉龍教授在年青時期所筆錄的兩種中國經濟史的課堂筆記。

　　新亞研究所的胡詠超教授[1]為《錢穆講中國經濟史序》時指出：

> 是篇原為賓四先生五〇年代於桂林街新亞書院講授「中國經濟史」與「中國社會經濟史」之筆記。賓四先生著作等身，其史學造詣，早蜚聲海內。方民初更始，先生講學上庠，傳統是揚，挽狂瀾於既倒，意量亦偉矣。獨惜於中國經濟史尚付闕如，使向慕先生之史學者，不無怏怏。今葉子輒集所記，編整成書，誠快事也，而先生之講授兩科也，不限於經濟一隅，觸類旁通，實可溝貫先生史學之全

---

[1] 胡詠超（1933-2005）字永泓，廣東南海人，一九五五年畢業於新亞書院文史系，旋承錢先生命為新亞夜校校長，後復入新亞研究所碩士班肄業。及香港中文大學創校，卒獲中文大學碩士學位。胡老師長期任教於嶺南大學，至二〇〇二年榮休，旋任新亞研究所導師。胡老師多年在香江講學，廣受年青同事及弟子的愛戴。胡老師藏書甚富，亦喜與弟子們分享，以長其聞見，培其學養，故弟子們在香江各官津名校擔任中文、歷史科的教席者極多，堪稱桃李滿門。最近，弟子們為他出版了《出入文史天地間：胡詠超老師講義選輯》（香港：中華書局，2019年）作為紀念。筆者年青時有幸與胡老師共事，深感其學問精深、品性樸實，有儒者之風。

　　體大用焉。願茲篇傳之海內，為先生增一專著也。[2]

本書是錢先生於香港新亞書院講授「中國經濟史」（1953-1954年間）及「中國社會經濟史」（1956-1957年間）[3]兩個課程的詳細記錄，講述由上古至明清時代的經濟情況及財政政策，並道出經濟與政治、文化、社會、軍事、法律、宗教之間的相互影響和聯繫，評價政策對朝代興亡之關係。本書整理者葉龍教授師從錢穆多年，詳盡筆錄及整理了錢老師「中國經濟史課」的內容，並作了若干補釋。葉教授以流暢及易讀的文筆撰寫，以保存及發揚錢穆先生的講學精粹。本書涵蓋了兩千多年的中國經濟史，猶如親身上了國學大師的一堂課。跟據本書的內容，約包括了探討及評論各朝代之經濟課題：農業經濟及土地分配、基建及水利工程、工商業的發展、貨幣改革制度、社會階級現象、稅制及徭役等。[4]

　　及後，葉龍教授再接再厲，整理出錢先生的《錢穆講中國社會經濟史》，與《中國經濟史》適配合成雙璧，讓錢先生在這領域之研究，得一傳世專著，如胡詠超教授所企盼者。唯錢先生發表著作，態度固極之嚴謹。前述之《中國歷史研究法》，據葉龍教授所述，均是新亞書院秘書徐福均先生要他擔任記錄。所有整理好的初稿，均「經賓四師修改潤飾。」說明錢先生的演講稿的發表，一般必經過錢先生親自修改。可惜本講稿的整理，是在錢先生逝世後才進行，故無從進呈。此亦無可奈何之事。文中或有錢先生演講時、葉教授記錄時或有誤記之處，亦在所難免。如能將二書結合，並加以補充，使合為一書，或將更符合胡詠超教授序文的初衷。事實上，葉教授也曾道出整理工作的甘苦，其中斟酌的一字一句，較自撰文章更花費精神，故我們在拜讀之餘，當對葉教授心存感激。

二

以下是錢穆先生著作中較多涉及中國經濟史的課題的，現以原書出版或著錄先後排列：

一、《秦漢史》，原北京大學一九三二年講義（現據東大圖書公司，1992年版）。

1	秦的社會經濟	38-39[5]
2	漢初民間	41-42

2　繁體版：《錢穆講授中國經濟史》序一，頁i。

3　據葉龍記錄整理《錢穆學術文化九講》，成都市：天地出版社，2017年，書前插圖之「葉龍修習錢穆所開課程的記錄」。

4　據本書封底。

5　此為本書相關的頁數，下同。

二、《國史大綱》，國立編譯館，一九四〇年（現據商務印書館，2010年版）。

三、《中國文化史導論》，正中書局，一九五一年（現據商務印書館，2001年版）。

四、《中國歷代政治得失》，三民書店，一九五四年（現據東大圖書公司，2002年版）。

五、《錢穆講中國經濟史》，這是錢穆先生在一九五三～一九五四年間的講課紀錄，由葉龍教授編錄。葉教授在一九九一～一九九三年間由林山木先生在《信報》〈政經短評〉中分期刊載，並後由「壹出版」刊印為《中國經濟史》。後經與陸國桑先生協商，由香港商務印書館於二〇一三年再版（簡體版則由北京聯合出版公司在二〇一四年出版）。這是目前發現錢穆先生對中國經濟史最全面的論述，極為珍貴。全書共約三十五萬字，共十三章：

第一章：中國古代農業經濟初探

第二章：上古時代的井田制度

第三章：封建時期的工商業

第四章：秦代經濟

第五章：西漢時期經濟

第六章：新朝時期經濟

第七章：東漢時期經濟

第八章：魏晉南北朝時期經濟

第九章：隋代經濟

第十章：唐代經濟

第十一章：宋元時期經濟

第十二章：明清時期經濟

第十三章：中國貨幣、漕運及水利問題雜談

　　六、《錢穆講中國通史》，原是錢先生在一九五四～一九五五年間的課堂紀錄，現據香港商務印書館，二〇一七年版。

6　按：本書行文中有一、二句涉及者，略去。如頁52：「魯肅擁有兩大米倉」、「社會並無團結之莊園勢力」等。

七、《錢穆講中國社會經濟史》[7]，葉龍編錄，香港商務印書館，二〇一六年版。此書主要涉及內容以中國經濟史為主[8]，其篇目為：

第一篇　古代氏族社會與農業概況
第二篇　古代封建社會
第三篇　春秋與戰國時期土地與工商業
第四篇　古代四民社會
第五篇　漢代社會
第六篇　魏晉時期門第社會
第七篇　魏晉南北朝制度
第八篇　魏晉南北朝佛教傳播
第九篇　中古時期城市
第十篇　唐代海內外交通和貿易
第十一篇　唐宋科舉社會
第十二篇　宋代興起的新制度
第十三篇　元代統治狀況
第十四篇　明代經濟狀況
第十五篇　宋元明三代民間手工業
第十六篇　宋以後的市場形式
第十七篇　從井田制談到唐代賦稅制
第十八篇　明代稅制
第十九篇　清代稅制與民生
第二十篇　民國時代的賦稅[9]

八、《錢穆學術文化九講》，葉龍編錄，天地出版社，二〇一七年版。因相關的篇章分別是在五十、六十年代的演講，故置於此。全書合共九章，與中國經濟史有關的主要有兩章，即〈秦漢政治得失〉和〈中國經濟史的特點與研究方法〉。

1　〈秦漢政治得失〉，其中與經濟史相關的包括：

7　按：這是錢穆先生在一九五六～一九五七年間的講課紀錄。
8　按：此書的中國社會史的範疇，包括：第二篇第一節　宗法社會；第四篇第一節　士；第五篇第四節　士族社會；第八篇第二節　教育意義；第九篇第三、四節　中國社會特點、漢代郎吏和唐代科舉；第十一篇第一、四節　唐代科舉、唐宋明考試制度；第十二篇第一篇書院制等。
9　按：因篇幅過少，簡體版改為第十九篇的附篇，故此版只有十九篇，與繁體版不同。

　　2　〈中國經濟史的特點與研究方法〉，本文原名〈如何研究經濟史〉，收於《中國歷史研究法》，香港孟氏教育基金會出版，友聯印刷廠在一九六一年印行。

三

　　〈中國經濟史的特點與研究方法〉是錢穆先生完整地析述其對中國經濟史的獨特見解的專論。它代表錢先生對以上述各種著作中的經濟史領域的一次綱領性闡述，可以作為本課題的重點。錢穆先生首先提出「中國歷史之渾融一體性」，必須注意中國歷史的這種特殊性。他極力強調「我們研究中國政治史，或社會史、經濟史，只當作一體來研究，不可個別分割。我們當從政治史、社會史來研究經濟史，我們亦當從政治思想、社會思想來研究經濟思想，又當從政治制度、社會制度來研究經濟制度。」而在政治、社會、經濟三者中，「則同有一最高的人文理想在領導。」[10]這便是中國歷史傳統及其特殊性。在這種認識下，錢穆先生認為中國經濟史具有以下六個要點：

（一）傳統中國對經濟的觀點以不超過基本物質需要為限度

　　錢穆先生認為：「中國歷史傳統對經濟的問題所抱一項主要觀點，即是物質經濟在整個人生中所占地位如何。」錢先生強調「經濟對人生自屬必需」，亦即基本「經濟之水準」，而高於此水準「對人生可謂不必需。」他認為「低水準的必需經濟，對人生是有其積極價值的……（而）不必需的高水準經濟，卻對人生並無積極價值……這種經濟，只提高了人的欲望，但並不即是提高了人生。」[11]錢先生指出此一觀點是我們「研究中國經濟史必須先著眼把握此點。」這種以「人生為主而經濟為副的低水準的經濟觀……（不讓）放任其無限發展……（否則）將成為人生一種無意義之累贅。」[12]錢先生以「制節謹度」[13]來整合對適度與超越的水準，又以《荀子》〈禮論〉為例，認為：「故以禮義以分之，以養人之欲，給人之求。使欲必不窮乎物，物必不屈於欲，二者相

---

10 錢穆：〈中國經濟史的特點與研究方法〉，收於葉龍記錄整理《錢穆學術文化九講》成都：天地出版社，2017年，頁150。

11 錢穆：〈中國經濟史的特點與研究方法〉，頁136。

12 錢穆：〈中國經濟史的特點與研究方法〉，頁138。

13 錢穆：〈中國經濟史的特點與研究方法〉，頁138。

持而長，是禮之所起也。」荀子強調「人之物質欲望不可超過現有之物質限度。」兩者
「須互相調節……這是一種人本主義的經濟理論。」[14]所以，他認為「富而驕固不可，
但貧而憂也須防。當經濟條件降落到必需水準以下時，亦會發生人群間之不安和不和。
董仲舒即是要人們處在富而不驕、貧而不憂兩者之間作一調和，減少差別，來持相當調
和之經濟水平……有一種不驕不憂之德。」[15]

（二）中國以農業立國，即使由農業社會進入工商社會後，農業仍不可缺

錢先生認為「農業經濟最為人生所必需出，其他工商業，則頗易於超出此必需的水
準與限度以外，而趨向於一種不必需的無限的發展。」他認為中國的傳統經濟政策「係
根據其全體人群的生活意義與真實需要而來做決定。」[16]而西方經濟學者[17]往往忽視農
業，把人生「轉成追隨在經濟之後。經濟為主，人生為輔」，認為「這是本末倒置了」
二者的正確關係。他又認為儒家學者都抱有此種觀點，原因是「導源於農村社會」[18]，
並以《大學》「有德此有人，有人此有土，有土此有財，有財此有用」為例，指出「人
之結集，即是土地之拓展。土地拓展了，則不患財用不充足。」[19]他表示近代對土地承
載力的理論不合於中國傳統社會，因為「中國是一大陸國家，人群和合了，亦即是土地
拓展了，也即是財用充足了。」[20]

農業社會與田制關係最大。中國傳統以井田制為古代理想制度。在《孟子》〈滕文
公上〉載：「（滕文公）使畢戰問：「井地」？。孟子曰：「……夫仁政，必自經界始。經
界不正，井地不鈞，穀祿不平。是故暴君汙吏必慢其經界。經界既正，分田制祿可坐而
定也。夫滕壤地褊小，將為君子焉，將為野人焉。無君子莫治野人，無野人莫養君子。
請野九一而助，國中什一使自賦。卿以下必有圭田，圭田五十畝。餘夫二十五畝。死徙
無出鄉，鄉田同井。出入相友，守望相助，疾病相扶持，則百姓親睦。方里而井，井九
百畝，其中為公田。八家皆私百畝，同養公田。公事畢，然後敢治私事，所以別野人
也。此其大略也。」又在《孟子》〈梁惠王上〉中，孟子說：「不違農時，穀不可勝食
也。數罟不入洿池，魚鱉不可勝食也。斧斤以時入山林，材木不可勝用也。穀與魚鱉不
可勝食，材木不可勝用，是使民養生喪死無憾也。養生喪死無憾，王道之始也。五畝之

---

14 錢穆：〈中國經濟史的特點與研究方法〉，頁142-142。

15 錢穆：〈中國經濟史的特點與研究方法〉，頁144。

16 錢穆：〈中國經濟史的特點與研究方法〉，頁138。

17 如馬克斯。

18 錢穆：〈中國經濟史的特點與研究方法〉，頁140。

19 錢穆：〈中國經濟史的特點與研究方法〉，頁141。

20 錢穆：〈中國經濟史的特點與研究方法〉，頁141-142。

宅，樹之以桑，五十者可以衣帛矣。雞豚狗彘之畜，無失其時，七十者可以食肉矣；百畝之田，勿奪其時，數口之家可以無饑矣；謹庠序之教，申之以孝悌之義，頒白者不負戴於道路矣。七十者衣帛食肉，黎民不饑不寒，然而不王者，未之有也。」

　　錢穆先生很贊成孟子的這種觀點，他以為此即就是「保持必需經濟低水準」的傳統，亦即孟子「為民制產」的精神，也近於孫中山先生提出的「平均地權」。在秦漢以後，即「為各時代之均田制」，主要是為了裁抑兼併。社會上出現「富者田連阡陌，貧者無立錐之地」的情況，乃「歷代政府所求糾正者」。此外，也包括「廢除奴隸，使成為自由民」和「輕徭薄賦，以及各項憫農、恤貧、救荒、賑災、公積、義倉，以及獎勵社會私人種種義舉，以寬假平民。」這些政策的目的，無非是「使一般人民的經濟生活不落入過低水準。」[21]

（三）自由工商業的出現，駸駸乎超過封建貴族，而傳統並不主張裁抑工商業

　　錢先生認為士人的勢力，在戰國秦漢時「幾乎已替代了古代的封建貴族的勢力。」[22]而自由商人如陶朱公、白圭、呂不韋等的勢力也十分龐大。司長遷稱「此一批人為『素封』，即指其憑財力代替以往封建貴族會的地位。」此外，《史記》也提及烏氏倮、巴寡婦清、蜀卓氏程氏等。[23]所以，司馬遷〈貨殖列傳〉是用以下文字來形容漢初的情況：

> 漢興，海內為一，開關梁，弛山澤之禁，是以富商大賈周流天下，交易之物莫不通，得其所欲，而徙豪傑諸侯彊族於京師。

錢先生認為另有一類事工商活動的是游俠。他們「專在營干冒犯政府法令之一應工商生利事業者，故當時稱之為『姦』。舉例言之，如入山開礦、鑄錢、燒炭、掘冢等。此等事業，都是結集群體勞力來從事違法的生產。」與從事貨殖的商人大概是異途同歸了。這些商賈游俠，「無不交通侯王，奴役平民。」[24]

　　此外，錢先生認為漢武帝打擊游俠和商人，令他們「失去素封與新貴之地位，不能如漢初般發揮其特殊之作用，也使除「《史記》外，二十四史中也不再有貨殖、游俠列傳了。同時，「漢初有禁止商人衣絲乘車之事，此種限制，直到清代，仍是常有變相出

---

21 錢穆：〈中國經濟史的特點與研究方法〉，頁145-146。

22 錢穆：〈中國經濟史的特點與研究方法〉，頁139。

23 錢穆：《秦漢史》臺北：東大圖書公司，1992年，頁38。同書頁39載：「樓煩班氏」，其活動時間為秦末漢初，「班壹避地樓煩，至馬牛羊數千群。值漢初定，當孝惠高后時，以財雄邊。」

24 錢穆：〈中國經濟史的特點與研究方法〉，頁139-140。

現。」[25]此類人物雖然迅速消失於歷史舞臺中，但並不表視「中國歷史傳統一向輕視商人」[26]。事實上，自春秋以來，中國均奉行「通商惠工」的政策。其中最具代表性是齊國和鄭國。「通商即通商販之路，令貨利往來，給商人以種種便利。」《左傳·昭公十六年》有一段十分珍貴的史料：

> 子產對曰：「昔我先君桓公，與商人皆出自周，庸次比耦，以艾殺此地，斬之蓬蒿藜藋，而共處之。世有盟誓，以相信也，曰：『爾無我叛，我無強賈，毋或丐奪。爾有利市寶賄，我勿與知。』恃此質誓，故能相保，以至於今。」

反映春秋時代商人地位受到相當的保障。錢先生又引孟子「關市譏而不徵」，表示「歷來商稅皆不高，有時且不徵商稅。商品可自由流通全國，絕無阻滯之弊。」只有「在晚清咸同年間，為平洪、楊亂事，創辦釐捐，當時曾引起極大爭持，此乃一時不得已而為之。」[27]總之，錢先生更正了舊說謂中國「重農抑商」，其實是以偏概全之說。他認為「中國政治傳統，只是防止商人專為牟利而妨害了社會，卻並不是允許政府為牟利而妨害商人，可知亦非賤商。」[28]他又特別指出《周官》是戰國末年人作品，其經濟主張曾由王莽和王安石「依照此書推行新政……結果二王的新政均失敗」，錢先生認為因為二人「推行《周官》政策，裁抑工商業太甚，以致失敗。」由於中國歷史包含「一種中和性，不走極端，不為過甚，同時亦見中國歷史傳統本不專向裁抑工商業一方推進。過分裁抑工商業，必然會招致惡果無疑……尤其當王安石時，一輩舊黨反對新政，此輩人亦多為儒士，可謂與王安石在學術上仍是同路線者。若我們仔細去讀當時反對派的那些言論，更可明白傳統思想中對經濟觀點之內涵意義。」[29]

（四）統治者的窮兵黷武和驕奢，經常導致國家經濟的破產

漢武帝即位之初，繼承了漢初以來的豐厚積聚。司馬遷《史記》〈平準書〉說：

> 至今上即位數歲，漢興七十餘年之間，國家無事，非遇水旱之災，民則人給家足，都鄙廩庾皆滿，而府庫餘貨財。京師之錢累巨萬，貫朽而不可校。太倉之粟陳陳相因，充溢露積於外，至腐敗不可食。眾庶街巷有馬，阡陌之間成群，而乘字牝者儐而不得聚會。守閭閻者食粱肉，為吏者長子孫，居官者以為姓號。故人人自愛而重犯法，先行義而後絀恥辱焉。

---

25 錢穆：〈中國經濟史的特點與研究方法〉，頁144-145。

26 錢穆：〈中國經濟史的特點與研究方法〉，頁146-147。

27 錢穆：〈中國經濟史的特點與研究方法〉，頁147。

28 錢穆：〈中國經濟史的特點與研究方法〉，頁147。

29 錢穆：〈中國經濟史的特點與研究方法〉，頁149-150。

錢穆先生認為武帝即位後，即實行利用董仲舒建議，實行罷黜百家、獨尊儒術，並遵從公孫弘的建議，設立博士弟子員，在中國開創了士人政府的產生。然而，其後由於取匈奴長期作戰，漢武帝把多年來的財政積儲都花光了。漢武帝為了增財政收入，開始對鹽、鐵等商品採用了「節制資本」和「裁抑兼併」的專賣政策，並實行楊可的算緡令[30]。漢武帝進行經濟方面的種種手段來對付坐擁豐厚產業的商人，結果是委任了桑弘羊、猗頓、郭縱等擅於會計和生產的經濟專家。由於歷代統治者均認為「鹽鐵為人生日常必需品，不當由私家所操縱專利」，故此項專賣制度「永為後世所承襲，遂便此後永遠無壟斷之大資本家出現。」[31]影響可說直到今天。

除了窮兵黷武的戰爭之外，錢穆先生同時指出「帝王之驕奢淫逸，而浸淫及於士大夫生活，又如政府之冗官冗吏，過量開支……凡此種種，皆足以招致國庫空竭，人民貧乏。」[32]即使是號稱盛世的大唐帝國，「中葉以後，亦可說是一種帝國主義之向外擴張而招來國內不安，乃至生出五代之黑暗時代。」或者「因中國國防線太長，如宋代、明代，皆因防邊而動用浩大之財力，耗散浩大之人力，亦為造成當時國力衰弱之主因。」這一切種種困難，大概都與統治者的驕奢和自大有關，足以成為歷史的鑒戒。[33]

（五）地方因欠缺凝聚力和社會重心，導致地方事業沒法推動

錢穆先生中國有兩項較重大的公共工程，主要是宋以前的建設，即萬里長城和大運河[34]，對二者都予以肯定，認為「此種大工程，亦與國防民生實用有關。」[35]唯除此以外，特別在宋代以後，地方上基本上欠缺力量來進行建設。其原因則與社會結構有關。他指出「唐以前之門第社會，雖若跡近封建，導致社會不公平等，然當時之大門第實為社會財富之積聚中心。社會因有此積聚，而使一般經濟易於向上。」[36]他進一步分析說：

　　唐以後，則是一個白衣進士的社會，財富分散了，經濟無積聚，好像更走上平

---

30 按：楊可「算緡」是中國首次徵收財產稅，即每兩千錢財產，每年納算緡錢一百二十文錢，即百分之六。為了防杜隱匿或虛報，元狩六年（西元前117年），又發布「告緡令」，對隱匿財產不報，或報而不實的，沒收其財產，並獎勵告發，查實後，以所沒收財產之半獎給告發者。因此，中等以上的商賈大批破產。

31 錢穆：〈中國經濟史的特點與研究方法〉，頁144。

32 錢穆：〈中國經濟史的特點與研究方法〉，頁150-151。

33 錢穆：〈中國經濟史的特點與研究方法〉，頁144-146、149-151。

34 按：元代大運河部分沿用隋代運河，只有大都和通州之間、臨清和濟州之間沒有便捷的水道相通，由元世祖在統一南方後修建，以改善漕運。此項工程雖有相當規模，但仍遠遠及不上隋代的鉅大。錢先生兼指二者。

35 錢穆：〈中國經濟史的特點與研究方法〉，頁148。

36 錢穆：〈中國經濟史的特點與研究方法〉，頁151-152。

等。但一切社會上應舉之事，反而停滯，無法推動。此因社會力量因平鋪而癱瘓了，不易集合向前發展……此實是宋以下中國常苦貧乏之一因。[37]

孫中山先生在《民權初步》序說：「中國四萬萬之眾，等於一盤散沙。」雖然與錢先生所採的視角有所不同，然對中國傳統社會的見解，二人可說是「英雄所見略同」了。

（六）中國傳統經濟較西方為佳，今後須在制度、政策、思想上因地制宜，別自建樹

錢穆先生認為中國歷史上，工商業在古代較西方更為發達，「如南朝以下之廣州，唐以後之揚州，此等城市，其商業繁榮之情況常見於歷史記載，多有超出吾人想像之外者。如宋代《太平廣記》所戴瑣事逸聞，可想見當時中國各地之商業情況，足以打破我們所想像中國永遠留在農村社會之一假想。」[38]他更指出「中國工商業一直在發展情況下繁榮不衰，唯到達社會經濟物質條件足以滿足國民需要時……便在此限度上止步。」即追求一更高的目標，即「人生之美化，使日用工業品以得以高度的藝術化」，如商周青銅彝器、宋元之陶瓷器皿、明清的絲織刺繡。又如中國的文房四寶，筆墨精良，美紙佳硯，「無不超乎一般實用水平之上，而達到最高的藝術境界。」錢先生又以「經濟史上之種種發明而言，如鈔票是發明在中國的，如近代山西票號之信託制度等金融措施，亦是中國人自己發明的」，故實不宜「妄自菲薄，引喻失宜」。他痛心地指出：「今天我們失卻此自信，種種聰明都奔湊到抄襲與模仿上，自己不能創造，也不敢創造。」並直言這是「中國今日最大最深之病。」[39]

因此，錢穆先生強調「吾人治中國經濟史，不可專從經濟看經濟，不然，則不足以了解中國的經濟發展史矣！」[40]同時，我們如果能從整體來看，「中國歷史上之經濟情況，自秦迄於清，直到道（光）咸（豐），向來可說是較佳於西方的。經濟落後，只是近百年事。」[41]我們應該認識以往的種種經濟上的創造、發明，「增長國人之自信」，以求在經濟制度、經濟政策、經濟思想上，自己因地制宜，別有建樹。[42]

最後，錢穆先生認為中國經濟在面對西方科學興起，應該切實「思考如何引進西方之新科學，而又能保持中國經濟舊傳統。」換言之，他是要求在引進西方科學的時候，必須「保持中國一向堅守的人文本位之經濟思想與經濟政策」，可以得益於「新科學興

37　錢穆：〈中國經濟史的特點與研究方法〉，頁152。

38　錢穆：〈中國經濟史的特點與研究方法〉，頁147。

39　錢穆：〈中國經濟史的特點與研究方法〉，頁152-153。

40　錢穆：〈中國經濟史的特點與研究方法〉，頁148。

41　錢穆：〈中國經濟史的特點與研究方法〉，頁152。

42　錢穆：〈中國經濟史的特點與研究方法〉，頁153。

起後之經濟發展」，但卻仍適合中國自身的條件，而不純為「欲望」和「奢侈」所驅使和支配的社會經濟。[43]

四

本文既題為〈錢穆先生的中國經濟史研究〉，自然不能不對《錢穆講中國經濟史》和《錢穆講中國社會經濟史》兩書[44]做點討論。值得注意的是梁天錫教授在序文中曾指出本書「特重吾國財政制度之得失」、「中國自秦以來二千年之政治、學術，莫不與其社會形態相協應」，頗與上文所述相合。[45]唯筆者以管窺天，所見有限，故只就其中一些能夠體會的精彩論點稍加點出，希望大家予以關注。

《錢穆講中國經濟史》是一本三十五萬字的大書，其內容極為豐富。據葉龍教授的回憶，「賓四師開這門課，上講堂時攜帶了筆記卡片，是作了有系統的備課，有不少新意在其中的」[46]。筆者深有同感，如：子貢走私（頁23）、評漢武帝的奢侈與驕侈（頁71）、吳主孫皓賜茶（頁152）、洛陽四市（頁173）、外族人鼓勵科學發明（頁175）、隋文帝、煬帝父子俱具貴族氣質，不能體恤民困（頁186）、歷代人口記錄不可盡信，但可看出世運之盛衰與升降（頁191）、藩鎮財力殷盛，反映「唐代積富於民之厚」（頁196）、會昌滅佛，沒收田畝數千、萬頃（頁199）、對兩稅制的分析（頁205-211），均十分精彩。又，與一般經濟史不太相同，錢先生非常重視唐代海陸貿及商業交通（頁224-245），占全書約十分之一的篇幅。

事實上，葉龍教授回憶他為錢先生整理講稿的經驗時說：「賓四師撰著發表仍學術思想向來極為謹慎的……他的多次講演……總是極為仔細地作了修改。」[47]此書是錢先生首次全面講演整個中國經濟史，卻無緣為之增訂修飾，故編排上或許仍有需要調整的地方。例如，此書的重點在兩漢魏晉南北朝隋唐部分，而關於宋元明清部分比較簡略。關於後者，其中原因或有二：其一是中國的主要經濟制度、經濟思想至唐末已基本成熟，故錢先生對宋代以後的演變，只就其中較具時代意義的課題，如宋代莊田、南北之

---

43 錢穆：〈中國經濟史的特點與研究方法〉，頁153。

44 按：由於最初準備此論文時是用簡體國內版的《錢穆講授中國經濟史》（北京：北京聯合出版公司，2014年）和繁體港版《錢穆講中國社會經濟史》（香港：商務印書館，2016年），故今所列頁數均根據此二書。

45 梁天錫：《錢穆講授中國經濟史》序三，頁3。張其凡教授曾介紹梁天錫教授「是香港治宋史的前輩學者，他是珠海學院的博士，長期擔任香港能仁書院的宋史教席，著作等身」，如《宋樞密院制度》、《宋代祠祿制度考實》、《宋宰相年表新編》、《宋宰輔研究論集》、《北宋傳法院及其譯經制度》等，惜於二〇〇六年遽歸道山。

46 葉龍：《錢穆講授中國經濟史》自序，頁7。

47 葉龍：《錢穆講授中國經濟史》自序，頁9。

爭和元代農社制、明代戶口管理、一條鞭法、清代人口激增等，都加以分析，而對一般性或與前代相近、變化較少的課題，則予以省略。其二或許是因受課堂鐘點的限制，未及較平均地處理。由於本書未經錢穆先生的親自審訂，而葉龍教授的專業則以文化史、文學史研究為主，故校勘上容或許有疏漏處，如：北魏戶口增至五百餘萬戶（頁126）、晉哀帝時每畝共收三十升（頁128）、唐代的庸二十天，閏月加五天、唐有土地二百四十餘萬大畝（頁194）等[48]，宜於本書再版時一一查證。

《錢穆講中國社會經濟史》則是一本較為精簡扼要的書，內容分布也較平均，全書共約有十萬字。雖是小書，新意卻也不少。如：〈大學〉的「齊家」是指「千乘之家」（頁38）、士人發展為士族，再發展為門第（頁41）、晉武帝改屯田兵為農民，但稅額高達六至八成，古今罕見（頁48）、孝文帝行均田制，把稅額由六成改為三十稅一（頁50）、科舉制度維持了中國一千年的安全（頁58）、稱讚元統治時的科學進步（頁80）。最特別、有趣的是，錢先生認為「今天的社會變了，女人整日打麻將」，原來是「因無工可作，這是不得已」，是「織布業的衰落」的結果（頁85）。本書也未經錢穆先生的親自審訂，故校勘上也有些疏漏處，如：李冰水利工程在成都泥江（頁28）、稱「孟嘗君」為孟氏（頁28）、九品中正制是曹操時所有的（頁48）、玄奘原名陳家富（頁60）等[49]，似也宜於再版時查證。

---

[48] 按：疑分別應為五十餘萬戶、每畝共收三升、閏月加二天、二百四十餘萬頃。
[49] 按：疑分別應為：成都岷江、稱「孟嘗君」為田氏、九品中正制是曹丕時所有、玄奘原名陳褘。

淺談唐君毅先生對心靈特質的論述

鄭祖基

澳門大學教育學院

　　本文嘗試從唐君毅先生的著作中論及心靈的特質作一概括的分析，闡述唐先生對心靈特質的精湛體認。在唐氏眼中心靈的第一個特質便是超越性，此超越性乃是心靈不容已的發出者。他先從人的能知永遠要超越所知的角度看，心靈是永不能滿足於已知的世界之內，因已知之世界永遠只為人之心靈之能知之所知。心靈之能知永要冒出於此所知之世界之上，而有更超越的響往和思維。心靈在能知此已知之世界時，他已經超越此已知的世界。[1] 另外，心除了是能知外，心之本身也是一純粹的能覺者。所謂純粹的能覺就是心能超越於一切吾人的性格、習慣與心理結構。純粹能覺乃超越於一切既成的結構、遺傳與環境，具絕對的自由；有自由創造自己的未來及能超越現在所有的一切。[2] 唐先生更以此純粹能覺就是思想本身，思想能超越於時空之上，思想無限的時空，並可不停滯於任何有限的時空之上的。思想的對象雖會在時空中生滅，但思想本身是不生滅的，因思想本身是超越於時空之上。唐氏認為若吾人追問思想本身是什麼，問到最後思想本身就是純粹能覺。此純粹能覺就是心之本體，亦是內部之自己。他即是吾人不滿現實世界的生滅、缺憾、虛幻，而求其永恆與真善美之根源。他只有隱顯而無生滅，是超越現實一切之上的恆常而真實的本體。[3] 他亦是一無限而超越的主體，可在個人生活，人倫庶物和家國天下上見[4]；在日常生活中很多事例已顯心的超越性，如在人與人之間的握手問候中、推己及人的相互幫助中，家庭生活的父慈子孝裡皆可看見心的超越性。另外在理解數學與形狀、經濟活動、歷史的理解、宗教的祭祀，亦見到心靈的超越活動。[5]

　　心靈或心的第二個特質便是自覺性。心靈的超越性與自覺性是互為表裡的。若吾人對心靈的超越沒有自覺，則超越亦不算為超越或沒有意義。另外，自覺就是某種的超越，吾人若能自覺某事或物，則已是超越了它，對它有一定的認識。人能追求真善美，明白自己的行事為人的意義所在，委身於不同的事業，皆是因為人有自覺的作用，讓人從不同的視界反省自己與世界。唐先生更認為人生的目的，就是當下能用自覺的心，自

1　唐君毅：《中國人文精神之發展》臺北：學生書局，1983年，頁345。

2　唐君毅：《道德自我之建立》臺北：學生書局，1983年，頁120。

3　唐君毅：《道德自我之建立》臺北：學生書局，1983年，頁120。

4　唐君毅：《道德自我之建立》臺北：學生書局，1983年，頁131。

5　鄭順佳：《唐君毅與巴特——一個倫理學的比較》香港：三聯書店，2002年，頁3-4。

定自主的活動之完成或作感到該作而作的活動；感該作而作便是心的自覺活動。自覺就是心之活動本身，他不同於各種感覺、知覺、記憶、想像等心理活動。因心之活動本身是滲透貫通於一切心理活動之中，一切心理活動，皆是自覺力運用而後有，所以自覺能力之運用是構成一切心理活動之基礎。[6]自覺之所以如此是由於自覺能統攝與綜合過去心理活動的經驗，找出過去經驗的共同點，從而建構更豐富的現今經驗；使現今的經驗內容超越於過去經驗的框架。更且在過去的經驗內容重現於現在之後，自覺力是貫通於吾人之前後經驗的。換言之，不同的經驗心理活動，透過自覺心的統攝，便能交相互滲透貫通，而有新的經驗內容產生。新的經驗內容也要透過自覺，才能對自己與世界有新的了解，所以人對自覺心的掌握是決定人生目的之價值與意義，並且是人格發展的關鍵。[7]

　　心之自覺性是無限的，自覺心可包羅宇宙萬象，當吾人能體驗心靈能包攝外界統一內外時，吾人便能真正存在於己，過自強不息的充實生活。[8]一切善之價值與心靈的價值之所以能為吾人所肯定，皆在於心靈能自覺其已存在與應當存在。唐先生強調心靈不單能自覺其自身之活動所表現之價值，也能自覺一切存在事物所表現之價值。換句話說，若無心靈之自覺，則一切價值皆不能無憾，只能存在於自己而不為心靈所認識與肯定。所以心靈的自覺為「攝天地萬物之價值，為其所有，而繼以詠之、嘆之，以更保存之，以為其所有。」[9]

　　除了價值的統攝外，心靈本性之自覺更能超越其自身，而與一切超越的存在相接觸。當心靈自覺與此超越存在接觸，此超越存在便某一意義下內在於自覺心。自覺心既能包括超越自己的超越存在，則自覺心也可說是以無限性為其本質。[10]不過唐氏提醒此自覺心可傾斜成為唯我主義者的自覺心，成為一最高級之大我執、大傲慢與大驕矜。因人若以此自覺化他人之自覺為所覺，把他人化為客體，不能肯認他人也有與我一樣的無限自覺心在他之內，而使自己的自覺心無限膨脹，則唯我主義或自我無限化的偏執是難以避免的。[11]

　　既然心的自覺性是一統攝凝聚之原則，一切價值與超越存若不透過他，則全不能內在化於生命中，使之屬於自己。自覺心的凝聚與統攝是人生意義的提升與品格修養形成的樞紐。可以說自覺心能把吾人一切向外求之生活與活動，不斷的加以內在的凝聚與統攝，使吾人各方面之生活活動能互相滲透。這便可形成吾人人格之中心主宰力量，使

6　唐君毅：《心物與人生》臺北：學生書局，1984年，頁84-86。

7　唐君毅：《心物與人生》臺北：學生書局，1984年，頁90-95。

8　唐君毅：《人生之體驗》臺北：學生書局，1995年全集校訂版，頁170-171。

9　唐君毅：《哲學概論》（下）臺北：學生書局，1982年，頁1119。

10　唐君毅：《哲學概論》（下）臺北：學生書局，1982年，頁1175。

11　唐君毅：《生命存在與心靈境界》（下）臺北：學生書局，1986年，頁342-343。

人格進於完美。再者，自覺心的凝聚收攝絕不是缺乏內容，掛搭於半空中的純形式原則，而是在日常的生活中，時刻作此收攝凝聚的工夫，以使生活合理化，過豐盛與具價值意義的生活。可見，心靈的自覺乃謂人能統攝與貫通不同的價值與經驗，能凝聚不同的經驗內容與超越經驗的框架。自覺的心能貫通各種心理活動，他是各種心理活動的根源。自覺心從對生活世界的不同內容之統攝與凝聚，使之形成對自我、社會與世界之創新價值的認定，確立更豐盛之人生目的。[12]

心靈的第三個特質就是他的無限性。自覺心既能自覺超越自己的超越存在時，或說沒任何價值或存在是他不能自覺的，則自覺心便有某種無限性為其本質。然而究竟什麼是無限，無限這一概念在唐氏眼中的定義是什麼？其特質何在呢？首先，唐先生以他所謂之無限不是一種積極的無限，而是一種消極的無限。消極的無限是謂心靈不能同時認識現在與未來不同時間之事物，因心靈要認識外物必須透過吾人的身體、感官與神經，他們皆是有限的物質存在，以致經由他們認識的對象亦是有限的。換言之，心靈的無限性必要借助有限的物質才能表現，所以心靈的無限性是被有限的物質限制著的，所以心靈本身縱使是無限，也不能表現為積極的無限，而只能具消極的無限。雖然，心靈之無限是與物質身體的有限難以分開的，但心靈之無限就在於他之破除有限上。心靈能破除吾人之限便是心靈的能，從他之能可破除限，即他無「所破除之限」。[13]所以心靈本身不是有限，因他要破除有限，而心靈本身是不能破除自己的，以致心靈是無限的。無限要透過有限呈顯，有限又不絕對等於無限，於此唐先生把心靈區分為心之自身與心之活動。心之活動即破除有限之活動，其活動只能在有限上呈現。心之自身則超越一切限；心之自身必然起用，破除有限而內在於一切限。換句話說，在其破除有限中，可看出他的無限。心靈要有此未克服破除之限，才可施其克服破除之能；心之無限表現自己時必須有限，因他要有此限才能表現他破除限制之功能。所以，有限與無限是不能分開的，心靈之所以是無限，即在他之破除有限，他必有限可破，然後才能成其無限。[14]唐先生把心的無限偶於有限，有限成為無限實現自己的場域。無限就是突破有限，於是有限與無限終歸一體。[15]唐先生認為無限與超越的本心本性在突破有限時，是有某種次序或方向的。因心之無限性與超越性，是不能安於一切現實的家庭、社會、國家等有限制的結構之內。心之無限性必然溢出其外，破除種種限制，直到一超現實的無限存在。當然此超越外在之境或存在，必要同時化為內在於吾人之本心本性，這才是有限與無限不能分開的最終實現。[16]總言之，心靈具無限性，無限的心靈亦不能以現有之一生為其超越的

12 鄭順佳：《唐君毅與巴特──一個倫理學的比較》香港：三聯書店，2002年，頁47。

13 唐君毅：《道德自我之建立》臺北：學生書局，1983年，頁97。

14 唐君毅：《道德自我之建立》臺北：學生書局，1983年，頁139。

15 唐君毅：《人生之體驗》臺北：學生書局，1995年全集校訂版，頁167-170。

16 唐君毅：《中國人文精神之發展》臺北：學生書局，1983年，頁379-382。

限制。然此無限的心靈亦必表現於此有限的一生。心靈之超越與突破有限的活動，不單表現於現實世間，也能遍運至全宇宙。[17]

心靈的第四個特點就是其「感通」性和「情」性。感通就是「通情成感，以感應成通。」[18]通情就是感通的本質。唐氏以心靈的最重要特質不在理之無不通，卻在情之無不感。情是心靈的根本屬性。他更認定心之本體就是無盡的情流。情是對於一切生命的無盡同情、是見一切生命悲苦之不忍。人們只能從不忍之感觸中，才能識得吾人心體之惻惻然之仁。再從這惻惻然之仁出發，感應世間的悲歡苦樂，使之願渡化眾生免於貧苦、饑餓、壓迫與殘害。[19]另外，心靈的感通面亦非只限於人間世，其可涵蓋於一切自然物之上，更可直感通於造化之源與幽明之際。此種超越的感通動力乃是心靈中的「惻然藹然之至性至情」，透過道德實踐，以達知性，知天、承天、祀天的道德與宗教境界。[20]當然此種超越的感通與人間世的感通是具「存有的連續」性的。[21]就是說人與天之間是沒有不可逾越之鴻溝，人天之間的感通不一定帶有一種不可告人的神秘性，人天之間的感通是一種順理成章的人性至性至情的彰顯。所以，與天感通是不須要超離於此天所生之人物；從人間世的人與物的感通裡便能逐步上達於與天的密契。從感通的立體維度來說，人與自己生命的內在感通時，見一內在的深度；人與他人生命感通時，見一橫面的廣度；人與天感通時，見一縱面的高度。此深度、廣度與高度構成感通的立體三面向；使生命心靈成為內存於己，外存於人與縱存於天的真實存在。[22]總言之，唐先生以心靈是能與他人、他物、甚至上天互為感通的，其本質是與一切人物天相感通之情。此情乃感物而後動之惻隱、羞惡、辭讓與是非之情。所以心靈之本為性情，性情又必與人、物、天感通，以顯心靈之無限性、涵蓋性與超越性。[23]

再者，唐氏亦有論及心靈感通與境的關係。他說：

感通即感覺，感通即往通外境，感通之方向即境呈現之方向。

感通依序而起時，境便有前後相。感通依類而起時，境便有內外相。感通欲超越前後內外相時，境便有上下相。感通有多少方向，境便有多少方向。[24]換言之，有何種心靈感通，則有何種境；心靈與境乃相應而俱生俱起，俱存俱在。境不在心靈以外，心靈亦依境才具真實的存在，感通亦只存在於心靈與境之中，所以心靈、境與感通三者是互為內

17 唐君毅：《生命存在與心靈境界》（上）臺北：學生書局，1986年，頁27-28。

18 唐君毅：《中國哲學原論原道篇》臺北：學生書局，1984年，卷一，頁76。

19 唐君毅：《人生之體驗》臺北：學生書局，1995年全集校訂版，頁229-232。

20 唐君毅：《中華人文與當今世界》（下）臺北：學生書局，1980年，頁476-477。

21 林安梧：《道的錯置——中國政治思想的根本困結》臺北：學生書局，2003年，頁45。

22 唐君毅：《中國哲學原論原道篇》臺北：學生書局，1984年，卷一，頁133-134。

23 唐君毅：《中國文化之精神價值》臺北：正中書局，1981年，頁142-147。

24 唐君毅：《生命存在與心靈境界（上）》臺北：學生書局，1986年全集校訂版，頁106。

在的。當然三者之中「感通」才是他們互為內在的關鍵，因未感通之境是在心靈之外，心靈也在此境之外。更且不同之境，亦彼此各有一界，而互相超越，互相外在。若心靈與境沒有感通，而只是一互為外在的關係時，則心靈與境皆互不相屬。[25]至於就心境感通之本身而言，即是心與境物的直接相遇，而「直接覺之觀之之直覺或直觀。」所以感通也是一種直覺或直觀，而直觀之原則與目的在於去境物內容之矛盾，以使心靈能安頓。致使心與境之感通能上下，前後、內外皆貫通一致，生命心靈流行無礙，俾能過理性化之生活；理性的存在於已。[26]而在唐氏看來生活理性化之終極義旨就是吾人性情之全幅表現。此性情除了是吾人惻隱之心的呈現外，也是一種「餘情」。此餘情乃見於人之性情能向前後、上下、內外作無盡之伸展與感通。人之宗教性情操，如頌讚、祈禱、悲憫等亦是此餘情之表現。換句話說，理與情是絕不相互排斥的，乃理中有情，情中有理的一體表現。所以，一切始於性情，終於性情。[27]

　　總括而言，唐先生認為心靈是以無限的、超越的、自覺的與感通的屬性為其特質。另外，他亦不以一般看待客觀有限存在事物之性質或性相來看心靈，而是從心靈內部之動態實踐發展的角度以瞭解之，明顯地他以心靈絕不單是一個可供客觀分析與研究的認知對象或物件，因心靈是在一種動態的歷程中擴大充實，其具有一種自覺及自我超越的能動性與化生性。而此種能動性與化生性亦只是能透過心靈的反省與生命的踐履來體驗其真實。

25　唐君毅：《生命存在與心靈境界》（下）臺北：學生書局，1986年全集校訂版，頁254-257。

26　唐君毅：《生命存在與心靈境界》（下）臺北：學生書局，1986年全集校訂版，頁309-310。

27　唐君毅：《生命存在與心靈境界》（下）臺北：學生書局，1986年全集校訂版，頁314-317，506-507。

從單向度到多元化

──論方方小說的歷史敘述倫理[*]

王雲杉

南京大學中國新文學研究中心

　　九〇年代以來，方方先後創作《祖父在父親心中》、《烏泥湖年譜》、《水在時間之下》、《民的1911》、《武昌城》等多部中、長篇歷史題材的小說，內容涉及辛亥革命、北伐戰爭、抗日戰爭等近現代中國的重大歷史事件。目前，不少論者對方方這部分小說的研究，侷限在單個文本的細讀批評，分析其藝術特徵和思想內涵，但是幾乎沒有將這些作品視為具有完整性的歷史敘述系列，考察作家的歷史建構方式和相應的書寫倫理。應該說，方方小說具有豐富的歷史內涵。作為姊妹篇，《祖父在父親心中》和《烏泥湖年譜》不僅對知識分子命運進行深刻反思，而且展現歷史當事人被時間無情埋沒的人生結局，意味著歷史事件的某些組成部分無法進行重構，這種歷史觀念在之後創作的《水在時間之下》有所體現。到了《民的1911》和《武昌城》創作時期，方方改變了之前的歷史觀念，試圖以小說的方式，建構現代中國革命歷史的記憶空間。因此，小說怎樣參與歷史事件的建構過程，可以成為討論的起點。柯文《歷史三調》透過考察清末義和團運動的歷史活動，探究歷史寫作的普遍規律，指出歷史的三種存在形態：一、歷史學家運用史料所呈現的事件。二、歷史事件的直接參與者的個人經歷。三、歷史故事在人們心中形成的種種神話，即人們對於歷史事件的價值判斷和感性認知。柯文指出：「我對（歷史）意識的這些不同方面進行考察（和比較）的目的，在於說明歷史研究工作是難以盡善盡美的，在於解釋人們創造的歷史（在某種意義上說，它是確定的，不變的）與後來人們撰述並利用的歷史（它似乎一直在變）之間的差異。」[1]從柯文著作中可以看到，歷史事件的豐富性和複雜性超乎人們的想像。由此，作家如何建構他們心中的歷史事件，成為我們可以思考的問題。具體而言，方方怎樣以小說敘述的形式，建構武漢的城市歷史，以及現代中國具有轉型意義的歷史事件，展現一種歷史敘述倫理，這些問題值得進一步研究。

---

* 本文係國家社科基金重點項目「中國新文學學術史研究」（批准號：20AZW015）中期成果。

1 （美）柯文，杜繼東譯：《歷史三調：作為事件、經歷和神話的義和團》北京：社會科學文獻出版社，2015年，頁23。

一　革命歷史的本質化敘述

　　《民的1911》透過一位全知全能敘述者「民」，展現歷史事件的發展過程。讀者透過「民」的視角，不僅看到革命黨人在起義前後的行為活動，而且注意到普通民眾參與革命事業的過程，及其在革命前後的生活狀態。按照胡亞敏的敘事理論，「民」屬於「異敘述者」：「他可以凌駕故事之上，掌握故事的全部線索和各類人物的隱秘，對故事作詳盡全面地解說。當然，他也可以拋去這種優越感，緊跟人物之後，充當純粹的記錄者，有節制地發出資訊。」[2] 從「民」敘述視角，讀者看到歷史事件的複雜性和偶然性。革命者劉同與孫武在密謀的時候，由於武器爆炸事件的意外發生，導致革命檔丟失，相關革命者被捕。這一系列事件又再次加快武昌起義的過程。一方面，總指揮蔣翊武在清兵的圍剿中脫身，彭楚藩被清兵逮捕，英勇就義。另一方面，下級軍官熊秉坤、金兆鵬等人卻意外地打響起義的第一槍。在小說中，「民」不僅作為一種敘述視角，再現歷史事件的來龍去脈，而且還是民眾的象徵，表達作者對於辛亥革命的認識。「民」屬於鮮活的生命個體，參與了武昌起義。同時，作者塑造了多種民眾形象，例如「民」的父親、母親，「民」的夥伴吳四貴及其父親吳麻子，青年學生趙師梅、趙學詩兄弟、陳磊，以及趙裁縫等人。這些人以不同的方式參與革命活動之中，如趙師梅等學生繪製革命軍的旗幟，趙裁縫製作旗幟等。作者透過諸多民眾的故事，表達人民群眾作為歷史主體的革命史觀。當然，方方儘管肯定民眾之於革命的重要推動力量，但是對他們亦有一定的批判。在小說中，趙裁縫為革命者製作旗幟，絲毫沒有理解革命之於老百姓日常生活的意義，而是僅僅考慮革命事業的勝利，對於自身維持生計的影響。「民」的父親給黎洪元剪辮子時，雙膝情不自禁地跪下去，「民」的母親認為革命勝利之後，父親的收入和生活並不會發生較大的變化。相比老一輩人，「民」和夥伴吳四貴則屬於覺醒的一代人。由此，方方對於辛亥革命這個歷史事件採取一種較為理性的認知態度。

　　從歷史敘述的層面上，《民的1911》體現作家以文學文本建構歷史真實事件的初步嘗試。方方以小說的方式，對辛亥革命的歷史進行雙重建構。一方面，作者以獨特的敘述視角和人物，展現武昌首義歷史事件的過程。另一方面，作者對於辛亥革命的認識，接近歷史學界的主流觀念，對於普通讀者具有知識普及和思想教育意義。於是，《民的1911》與當代文學史上的革命歷史小說產生一定的互文性。在這裡，我們可以對這個文學史概念進行梳理和延伸。從創作題材上看，「革命歷史」通常指中共領導的多場革命鬥爭運動。陳思和認為：「它的特徵是以近代以來的革命歷史為線索，用藝術形式來再現中國共產黨領導的新民主主義革命的必然性和正確性，普及與宣傳中國共產黨的歷史知識和基本觀念的敘事文學作品。」[3] 黃偉林認為：「革命歷史小說就是一九二一年到一

2　胡亞敏：《敘事學》武漢：華中師範大學出版社，2004年，頁41。
3　陳思和：《中國當代文學史教程》上海：復旦大學出版社，2008年，頁74。

九四九年這個歷史階段，以中國共產黨為主體的歷史活動為題材的小說。由於這些活動最終獲得了一個中國共產黨成為執政黨的結果，所以，稱之為革命歷史就有了一種緬懷光榮的意味。」[4] 簡而言之，黨史成為絕大多數革命歷史小說的敘述題材。不過，對於革命歷史小說中的「革命」，我們不妨將其內涵擴展為近現代中國的重大歷史轉折事件。阿倫特將現代革命界定為社會的根本性變化：「革命這一現代概念與這樣一種觀念是息息相關的，這種觀念認為，歷史進程突然重新開始了，一個全新的故事，一個之前從不為所知、為人所道的故事將要展開。」[5] 在阿倫特看來，革命意味著社會發生根本性的變遷，展開一段全新的歷史敘事。辛亥革命宣告兩千年的封建帝制的終結，屬於中國社會的一次重大轉折。隨著這場革命的成功，中國的政治格局、經濟結構、思想觀念等方面產生巨大的轉變。同時，辛亥革命與「現代文學」的發生存在緊密的關係。由此，作為建構這一歷史事件的文學文本，《民的1911》可以視為一部革命歷史小說。

按照方方自述，自己曾經為一家動畫片公司撰寫一部關於辛亥革命的歷史普及性讀物，而小說正是在這份文字資料的基礎上改編而成。[6] 以此來看，《民的1911》亦體現出作者「主題先行」「先入為主」的創作思維。《民的1911》以獨特的創作方式，按照主流意識型態的敘述模式，不僅建構了真實的歷史事件，而且傳播了政治正確的歷史觀念，這與革命歷史小說亦有相似之處。洪子誠認為革命歷史小說的目的在於：「以對歷史『本質』的規範化敘述，為新的社會、新的政權的真理性作出證明，以具象的方式，推動對歷史既定敘述的合法化，也為處於社會轉折期的民眾，提供生活、思想的意識型態規範。」[7] 一般認為，在革命歷史小說中，人物及其行動往往為了證明一個先驗的歷史觀念，具有鮮明的思想傾向性。革命歷史小說通常取材於諸多重大歷史變革，在藝術風格層面具有一致性，例如小說重視社會主義新人和英雄人物形象的塑造，具有集體主義意識和樂觀主義精神。同時，這類小說還被認為具有崇高美的藝術風格。[8] 同時，在一些經典的文本中，作家亦有較大篇幅書寫民間文化習俗，展現鄉村的風俗畫和風情畫，增加作品的審美價值。

總體來看，革命歷史小說並非完全為了突出現實功利色彩，而對文學應有的審美趣味進行懸置。相比而言，《民的1911》根據馮天瑜、賀覺非《辛亥武昌首義史》等資料創作而成，對宏大的歷史場面進行文學建構，在表達既有歷史觀念的基礎上，卻淡化了小說作品的文學性。從傳統文學理論來看，人物是小說的核心之一，而《民的1911》卻

4　黃偉林：〈革命歷史小說〉，洪子誠、孟繁華編：《當代文學關鍵字》桂林：廣西師範大學出版社，2001年，頁113。

5　（美）漢娜・阿倫特：《論革命》南京：譯林出版社，2011年，頁29。

6　范昕：〈作家方方：時間之下，風景深處〉，《文匯報》2011年8月5日，頁7。

7　洪子誠：《中國當代文學史》北京：北京大學出版社，2010年，頁117。

8　唐詩人：〈共和國精神與中國當代小說七十年〉，《小說評論》2020年第3期，頁4-11。

淡化了主要人物「民」和其他民眾形象的塑造。即使「民」具有豐富的思想象徵意義，但是作為普通個體而言，作者也應該刻畫出人物多元的性格特徵，以增強歷史題材作品的文學性。歷史和文學屬於兩種話語體系，儘管其中存在一些相通之處，但是差異性因素是顯而易見的。歷史著作的話語風格偏向客觀嚴謹。鄧小南指出：「歷史學的特性在於注重實證，注重反思。史學研究的根基在於史料；研究的成功與否，取決於史料與『問題意識』結合得成功與否」。[9] 南帆認為：「歷史話語的分析單位鎖定整個社會，歷史學家的考察必須預留足夠的時間與空間距離，並且清理大型的因果關係脈絡。」[10] 相比講究常規、常識而且嚴密科學的歷史話語，文學話語不僅更加富有文采，講究音律、韻味等多方面的美學元素，而且注重對於日常生活中諸多事件的細節描寫。《民的1911》的語言偏向歷史文獻客觀化的編纂風格，淡化文學文本應有的藝術審美特徵。

方方似乎意識到歷史文本和文學作品之間的微妙差別，試圖賦予筆下的人物鮮明的個性，以此增強小說的可讀性。在小說中，「民」的父親膽小如鼠、敏感脆弱。作者多次描寫父親為大總統黎洪元剪辮子的時候，雙膝顫抖的細節，似乎模仿了魯迅小說。由於作者寫到一些歷史細節和具體的人物活動，使得《民的1911》不完全等同於普通的歷史文獻。總而言之，方方《民的1911》試圖以文學的方式，建構辛亥革命歷史事件，對近現代中國的「革命歷史」進行本質化的敘述。不過，在歷史題材的作品中，作家如何突破既有的歷史闡述方式，表達對歷史的多樣化理解，發揮歷史書寫的創作主體性，依然是需要面對的創作問題。

二　歷史敘述的主體性與歷史闡述的多元化

與《民的1911》相比，方方創作《武昌城》的時候，同樣具有普及歷史的現實意圖。方方曾經詢問身邊的不少人，是否瞭解武昌圍城的歷史故事，得到的答案都是否定的。[11] 由此，再現歷史事件的過程，屬於作家的基本創作宗旨。《武昌城》在篇末的附錄部分，收入〈武昌城簡史〉、〈北伐戰爭在鄂境內的三大戰役〉、〈武昌戰役所涉重要歷史人物〉、〈北伐誓師詞〉、〈國民革命軍第四軍武昌戰役部分陣亡者名單〉等歷史資料。方方將支撐小說故事內在邏輯的史料直接陳列在附錄部分，體現以文學敘述建構歷史真實的思想觀念。在小說《武昌城》中，作者既描寫了歷史上真實存在的人物，如陳定一、葉挺、郭沫若、劉玉春等，又虛構了另外一批歷史當事人，如青年學生梁克思、羅以南、陳明武等。從文學史的序列來看，謝冰瑩《北伐日記》和郭沫若《北伐途次》都以紀實的方式，描寫了北伐戰爭的一些歷史場景，以及攻城、守城雙方的戰術策略。方

9　鄧小南：〈歷史研究重史料〉，《人民日報》2016年5月16日。

10　南帆：〈歷史話語與文學話語：重組的形式〉，《天津社會科學》2012年第3期，頁92-103。

11　方方：《武昌城》，北京：人民文學出版社，2011年。

方認定郭沫若屬於武昌戰役的重要歷史人物，很有可能從《北伐途次》中吸取諸多歷史資訊，而《北伐日記》對於部分戰爭場面的描寫，或許同樣進入了作家的參考視野。由此，《武昌城》延續以文學文本建構歷史事件的創作路徑。

　　方方在二〇〇六年創作中篇小說《武昌城》，發表於《鐘山》，即人民文學出版社二〇一一年版單行本《武昌城》的上部「攻城篇」。而後，方方又創作小說的下部「守城篇」。兩個部分合在一起，共同組成長篇小說《武昌城》。應該說，方方對於武昌戰役的描寫，分別從攻城和守城兩種角度進行敘述，這種敘述方式在中、外戰爭小說中都非常罕見。相比偏向寫實風格的《民的1911》，《武昌城》以更加複雜的藝術形式，體現作家歷史敘述的主體性。克羅齊認為，過去的歷史具有當代性，它應該在歷史學家的思考中得到回應。因此：「一旦生活與思想在歷史中不可分割的聯繫得到體現以後，對歷史的確鑿性和有用性的懷疑立刻會煙消雲散」。[12]克羅齊主張歷史學家在研究活動中，發揮自身的主體性。柯林伍德反對以收集史料為中心的純客觀化歷史研究方法，稱其為「剪貼史學」，認為歷史是人類活動的產物，體現人的意志因素，歷史學家如果不對事件背後的思想進行闡述，則無從瞭解歷史的面貌：「史學所要發現的物件，並不是單純事件，而是其中所表現的思想。發現那種思想就是理解了那種思想。」[13]由於該作上半部分「攻城篇」已經成為了一個自足的藝術世界，下半部分「守城篇」又對同一個歷史事件的進行重複的書寫，因此，我們不妨跟隨作者的思路，首先分析小說上半部和下半部各自的藝術特徵，其次考察兩個部分之間的一些差別。透過分析文本的敘述手法，人們能夠瞭解作家的歷史建構方式。

　　從全書來看，作者對殘酷戰爭的批判，是整部《武昌城》的基本主題。進一步看，小說的前後兩部分各自呈現的主題，又有一些微小的區別，但與作品總的主題並不衝突。小說「攻城篇」以青年學生和北伐革命軍人兩種視角，表達對革命歷史的認同感。在該部分，作者描寫進步學生羅以南和梁克斯投入革命浪潮，最後付出巨大代價的結果。與此同時，作者從北伐軍人的視角，表達對革命合法性的確認。一方面，作者描寫北洋軍隊中，士兵由於逃跑而被槍決的慘烈場面，以及北洋軍人哄搶大洋的事件；另一方面，作者描寫北伐軍人成立敢死隊，眾多士兵視死如歸的犧牲精神。在攻城行動中，吳保生拼死保護連長莫正奇。行動失敗後，莫正奇三番五次潛入戰場，營救傷患。如果細讀「攻城篇」篇末部分的情節，例如奪取城池後，羅以南與莫正奇的對話，以及歷史親歷者羅以南的人生結局，作者還借此表達世事滄桑、人生無常之感。

　　如果僅看「攻城篇」，我們發現作者讚揚革命，譴責戰爭，更多地站在北伐軍人這一方。在「守城篇」，作者則給予筆下的人物更多的理解和同情。例如同樣描寫爭奪城

12　（義）克羅齊，傅任敢譯：《歷史學的理論與實際》北京：商務印書館，1986年，頁4。

13　（英）柯林伍德，張文傑、何兆武譯：《歷史的觀念》北京：商務印書館，1998年，頁27。

樓的戰場畫面，小說上半部表現北伐將士視死如歸的精神，以及重返戰場營救傷者的英雄壯舉，而下半部則描寫守城將領面對戰爭的無奈。對於描寫守城將士出城搶佔糧倉未能成功，被迫撤回城中的情節，小說上半部描寫北伐軍人英勇無畏的革命豪情和寧死不屈的戰鬥精神，而下半部則描寫北洋將領的厭戰情緒，體現戰爭機器的殘酷。小說描寫馬維甫與袁宗春在戰爭之前，去道觀燒香的場景，以及袁宗春戰死之後，妻子帶領子女來前來投奔丈夫的悲劇性情節。馬維甫安排袁宗春妻女的吃住，並且命令士兵對其隱瞞丈夫亡故的真相，間接暗示戰爭之殘酷面目。小說上半部對於守城司令劉玉春被北伐軍人活捉的人生結局僅僅一筆帶過。在下半部，劉玉春將自己名下的食品送給戰死將領袁宗春的家屬，塑造複雜矛盾的人物形象。總之，作者對守城一方充滿同情、憐憫，而不是用意識型態的觀念將人物進行妖魔化、臉譜化描寫。

縱觀整部小說，「攻城篇」與「守城篇」的細微但卻重要的區別，不僅體現作者對於攻守雙方不同的觀察視角和人物形象，而且還在戰爭風雲之下民眾群體形象的描繪。在「攻城篇」，作者對於普通群眾困苦不堪的生存狀況僅僅進行總體性介紹，而在「守城篇」中，作者對於該部分內容既有整體性描寫，又將敘述的重點放在具體的人物身上。小說在「守城篇」部分的第十四節和第十八節均對武昌城內物資短缺、民不聊生的慘澹現實進行較為詳細地介紹。除此以外，作者展現大戶人家洪佩珠家庭的生活變化。在戰爭烏雲下，作者敘述洪家上下成員被兵痞迫害，從而家破人亡的悲劇。由此，作者透過洪家土崩瓦解的結局，進一步襯托廣大群眾在戰亂環境之下的悲慘的生活處境。

作者透過同一歷史事件的重複性敘述，表達對於歷史真實的認識，作品在藝術形式和思想觀念層面，均不同於以往的革命歷史小說。進一步說，《武昌城》的歷史敘述方式與新歷史小說具有一些相似性。從「寫什麼」到「怎麼寫」，新歷史小說對革命歷史小說既有重述和補充，又有解構和顛覆。新歷史小說提供了與以往不同的歷史理解方式和新的藝術表達形式，也就是評論家雷達所說的「靈性啟動歷史。」[14]首先，莫言《紅高粱》以「我」來講述「我爺爺」「我奶奶」那一輩人的故事，體現傳統與現代的對話。其次，象徵、隱喻、意識流等現代主義藝術常被運用於作品之中，歷史的莊嚴性、神聖性被消解，如喬良《靈旗》、葉兆言《追月樓》等。新歷史小說以民間化、個人化視角取代宏大敘事，這種區別在《白鹿原》與《紅旗譜》之間得到較為充分的體現。更具體地說，新歷史小說注重對普通人物的日常生活進行細緻地描寫，如余華《活著》、蘇童《妻妾成群》等。最後，新歷史小說注重當下與過去的對話過程，具有一定的當代性。有學人對於新歷史小說的藝術特徵進行較為全面的總結：「敘事立場的民間化、歷史進程偶然化，解讀歷史的欲望化，理想追求隱喻化。」[15]簡單地說，新歷史小說以豐

14　雷達：《雷達自選集·文論卷》濟南：山東文藝出版社，2006年，頁343。

15　李陽春、伍施樂：〈顛覆與消解歷史的言說——新歷史主義小說創作特徵論〉，《中國文學研究》2007年第2期，頁96-100。

富多樣的藝術手法，表達更加多樣化的歷史觀念。在這裡，作家歷史敘述的主體性因素得到極大的展現。

《武昌城》與新歷史小說具有異曲同工之妙。在寫作視角上，作者選擇客觀中立的敘述立場，分別從攻城方和守城方的敘述角度，對於同一歷史事件進行建構，力求揭示歷史的複雜性和相對真實性。《武昌城》守城軍官馬維甫似乎直接表達出作者的思想觀念：「學物理的就要先懂得客觀，懂得一個物體再簡單的表面也有它複雜的背後。這個世界也不是你說一，它就是一。」[16]同時，在小說《武昌城》中，作者對於歷史進程中的人性衝突亦有深刻的表現。在作者的敘述中，武昌戰役以守城方打開城門而告終。從歷史的總體發展趨勢來看，守城方的戰爭失敗是無可避免的，而開放城門的戰略舉措無疑保護了多數百姓的生命。作者在「守城篇」詳細交代守城軍官馬維甫，作者描寫他在執行守城命令與保護百姓生命之間的心理掙扎。在戰爭雙方激烈交鋒的背後，人性中的善、惡因素亦處在緊張的對抗中。最終，由於人性善的力量更為強大，戰爭的雙方透過斡旋和博弈，最終打開城門，解救百姓。因此，在歷史闡述方面，方方認為人性善是推動歷史演變發展的主要力量，這種觀念不同於部分新歷史小說家。由此，方方以文學的方式，啟動二十世紀二、三十年代的城市歷史故事，體現歷史書寫的主體性和歷史闡述的多樣化。

從《民的1911》到《武昌城》，方方轉變了歷史敘述的路徑，由尋找歷史的固定「本質」，到建構個人化的真實歷史。其中，作者不僅突破革命歷史的既有理解，而且嘗試以人性等多種視角對以往的歷史進行具有新意的闡述。在作者筆下，歷史「真實」具有多個維度。由此，作家怎樣在歷史敘述中，兼顧文學和歷史兩種層面的真實？這些問題值得進一步探究。

三　歷史真實與文學真實的雙重變奏

方方對於辛亥革命和民國題材的歷史似乎有著某種執念，長篇新作《是無等等》對於武昌首義的書寫雖然不多，但是生動有趣。在小說中，作者寫到：「當爺爺還是年輕人時，武昌起義了。那時節，爺爺在中和門當守衛，聽到槍炮打得震耳，嚇得一炮尿拉在褲子上。他溜回家換好褲子，聽槍聲更加密集，便沒敢出門。待天亮去外面觀望，天下已然換了主人。爺爺迎著太陽走向中和門，路邊竟然有剃頭匠大聲吆喝他過去剪辮子，嚇得他幾乎又一泡尿撒在褲襠裡。」[17]小說中的爺爺與《民的1911》中「民」的父親具有相似的性格特徵。同時，《是無等等》開篇還提到武昌圍城的歷史事件。縱觀方

---

16 方方：《武昌城》，北京：人民文學出版社，2011年。

17 方方：〈是無等等〉，《十月·長篇小說》2019年第6期，頁4-151。

方歷史題材的小說，作者一方面注重對於歷史真實的文學建構，如《祖父在父親心中》和《烏泥湖年譜》的主人公都以自己熟悉的「祖父」和「父親」為創作原型，而且小說中一些重要情節取材於真實的歷史情景。另一方面，作者在以小說建構宏大歷史的同時，又以獨特的藝術形式，表達對於歷史真實性的個人化認知。方方小說涉及現代中國的諸多重大歷史事件，相比革命歷史小說和新歷史小說的創作風格，既存在一定的呼應，又具備自身的異質性。從《民的1911》到《武昌城》，方方表現武昌這座城市在百年之中的歷史變遷，涉及到歷史真實的不同層面。

在兩部小說中，方方用文學虛構的方式，啟動了原始的歷史典籍。在史學家看來，「歷史」一詞的涵義頗為複雜。文學建構歷史，註定不是一件簡單的事情。彭剛認為：「立足常識的角度，人們常常把歷史區分為三個不同的層面：客觀的歷史，史料中的歷史和作為歷史學家研究成果的歷史。與此相應，歷史事實也可以區分為過去真實客觀地發生的事實，史料中所蘊含的事實，以及歷史學家所認可和運用於其研究之中的事實。」[18]「歷史」一詞，意味著客觀的歷史事件和人們對於這些事件的解釋。西方傳統史學界在歷史文獻的層面理解「歷史真實」，認為人們透過研究原始資料，注重對於史料的嚴密考證，並且以客觀中立的敘述態度，能夠發現部分事實真相，確定本質化的歷史真實。後現代歷史學家指出歷史的敘事傾向：「一種歷史敘述只論及真實的而非僅僅虛構的事件是不夠的；並且這種陳述只是依據事件最初發生的編年序列，並且按照話語順序來再現事件也是不夠的。事件不僅必須被記錄在最初發生的編年框架內，還必須被敘述，也就是說，要被展現得像有一個結構，有一種意義順序，這些都是僅僅作為一個序列的事件所沒有的。」[19]海頓·懷特所說的「歷史」，不僅包括客觀的事件，而且還涉及人們對這些事件的理解：「歷史就不僅是事件，而且也關於這些事件所體現的關係網。關係網並不直接存在於事件之中；它存在於歷史學家反思事件的腦海裡。」[20]懷特認為，人們很難還原真實的歷史場景，發現準確的歷史事實本身，只能得到一套關於歷史的敘述方式。也就是說，人們僅僅找出被「加工」和解釋過的歷史，這種說法為小說進入歷史場域提供巨大的可能性。

從文學史的歷史書寫譜系來看，方方和其他作家以不同的方式，建構近現代中國的諸多歷史大事件，豐富我們對原有歷史的認識。在革命歷史小說家那裡，歷史存在一套固定的本質和意義。如《紅旗譜》以幾代人的經歷，證明農民自發的革命運動想要取得成功，不能離開了共產黨的領導。《創業史》則透過兩種路線的鬥爭，證明農村展開農業合作化運動的合理性。《青春之歌》敘述林道靜的成長之路，指出知識分子在參與革

---

18 彭剛：《敘事的轉向》北京：北京大學出版社，2009年，頁119。

19 （美）海頓·懷特，董立河譯：《形式的內容——敘事話語與文學再現》北京：文津出版社，2005年。

20 （美）海頓·懷特：〈作為文學虛構的歷史文本〉，張京媛編《新歷史主義與文學批評》北京：北京大學出版社，1993年，頁173-174。

命事業的過程中，在融入工農大眾群體之後，才能確立自身的生命價值。在一些新歷史小說家筆下，歷史失去了穩定的價值體系，得到更加多樣的闡發。有的作家認為，歷史充滿偶然性和不確定性、宿命感，如格非《迷舟》、《青黃》等。最後，新歷史小說家常常以欲望敘述的方式，解釋歷史發展的動力，如人物的本能欲望、權力欲望等。蘇童《罌粟之家》將人物關係繪製成一張女性生殖圖，《米》的主人公五龍的一生幾乎所有的行動，都為了滿足自己的食欲、愛欲等諸多欲望因素。海頓‧懷特將歷史著作視為言辭結構，對於歷史文本的話語結構進行細緻研究，認為其中存在詩性要素：「只要史學家繼續使用基於日常經驗的言說和寫作，他們對於過去現象的表現以及對這些現象所做的思考就仍然會是『文學性』的，即『詩性的』和『修辭性』的，其方式完全不同於任何公認的明顯是『科學的』話語。」[21]因此，歷史的面貌並非天然形成，而是源於人們對於歷史事件的建構：「任何特定的一系列真實事件都不會原本就是悲劇的、喜劇的、鬧劇的等等，而只能透過事實之上施加一種特定故事結構的方式被構建成那樣。」[22]從文學創作來看，革命歷史小說與新歷史小說都以不同的方式建構近現代中國歷史，呈現了不同層面的歷史真實。

　　從《民的1911》到《武昌城》，方方的歷史敘述具有革命歷史小說和新歷史小說的創作意味，呈現了本質化史實層面和個人化敘述層面的歷史真實。人們很難確認何種層面的歷史敘述具有更高的真實性。由於時代環景、作者主體性、讀者接受等因素的差異，小說建構了諸多類型的歷史真實，體現人們對於宏大歷史事件的不同理解。以文學中的土改敘述為例，丁玲《太陽照在桑乾河上》和周立波《暴風驟雨》從階級衝突的闡述框架敘述歷史事件，突出農民以暴力形式反抗惡霸地主壓迫的合理性。到了張煒《古船》、劉震雲《故鄉天下黃花》等作品中，土改運動中的人性惡、國民性弱點等問題得到更多的展現。嚴歌苓《第九個寡婦》透過主人公王葡萄暗中保護地主長達數年的傳奇經歷，在展現東方女性獨有的性格氣質的同時，建構了土改歷史的另一種真實性。人們對於歷史真實的指認，與一套關於歷史知識的認識結構有關，不同的認知結構產生出多種歷史闡述方式，而不同層面的歷史真實具有相互補充的作用。

　　方方的兩部武漢城市敘述的小說從多個維度展現歷史真實，其中包含史學意義和敘述意義兩種層面的真實性。一方面，歷史並非存在唯一的真相。約翰‧H‧阿諾德認為對於某個歷史事件，僅僅認定一種真相並非合理：「確定一種記載優於另外一種的危險性在於，它是為了把『歷史澆鑄成一個單一的真實故事。這也是尋求一種『客觀的』或『科學的』歷史所遵循的邏輯──就其意欲實現的目標而言，它們都是不可能的」。[23]

21　（美）海頓‧懷特，陳新譯：《元史學：十九世紀歐洲的歷史想像》南京：譯林出版社，2013年，頁1。

22　（美）海頓‧懷特，董立河譯：《形式的內容──敘事話語與文學再現》北京：文津出版社，2005年。

23　（英）約翰‧H‧阿諾德，李里峰譯：《歷史之源》南京：譯林出版社，2013年，頁122。

由此，約翰‧H‧阿諾德主張尋找歷史的多個真相。對於歷史真相的確認，海頓‧懷特認為：「為使一個事件有資格作為歷史事件，它必須能夠容許起碼兩種對它的敘述。除非同一組事件能想像出至少兩種敘述方式，否則歷史學家沒有理由說自己有權威來給實在發生的事件提供確實的記述。」[24]方方以小說的形式，對於建構歷史真實的不同途徑進行探索。在這裡，人們既看到史學意義上的本質真實，又看到經過作家心靈加工的敘述層面的歷史真實。應該說，人們很難指認歷史真實高於文學真實，或者文學真實超過歷史真實。

儘管歷史具有複雜的面貌，以及多種理解的可能性，但是它並不是任人隨意打扮的小丑。在一些作家筆下，歷史的真實性一旦遭到任意地肢解，歷史事件似乎也就成為「一地雞毛」，失去理解和闡釋的可能。對於歷史題材小說的創作活動，人們應該呼籲一種基本的敘述倫理。孫先科認為：「虛構和想像是可以的，但是基本的歷史事實應該得到尊重。」[25]歷史本身發生什麼，不同於人們如何敘述歷史。歷史著作並非能夠原原本本地重建歷史事件，而歷史題材的小說也並非完全屬於虛構與想像的產物。作家在小說中，如何兼顧歷史真實與文學真實，在二者之間取得一個平衡點，這成為關鍵的問題。在文學史上，諸多經典的文學作品往往又被視為史學典籍，這些作品往往兼具文學真實與歷史真實。從文學與歷史互動的關係層面來說，方方以武漢歷史為敘述物件的兩部小說，為人們帶來了一種較為合理的歷史敘述倫理，彌補了碎片化、欲望化、道德化，以及歷史虛無主義等文學創作的侷限性。

---

24 （美）海頓‧懷特，董立河譯：《形式的內容——敘事話語與文學再現》北京：文津出版社，2005年。

25 孫先科：〈當代文學歷史話語的敘事策略與歷史觀〉，《文藝報》2006年4月25日，頁3。

漢語語境中的「丟人」與「丟臉」的語用區別
—— 基於面子理論和禮貌原則

張子昱

新加坡國立大學

一　引言

　　「面子」的概念滲透到了中國人日常生活的方方面面。在日常的運用中，「面子」和「臉」的概念幾乎是可以通用的，它們塑造著中國人的日常生活，心理和行為方式。而「丟臉」則是其中重要的一部分內容，丟臉就意味著失去面子和丟失良好形象。「臉」和「人」一直以來是漢語環境中使用十分靈活的內容，雖然「人」和「臉」從語義和語用上是完全不同的兩個概念，但是當它們與「丟」搭配起來時，「丟臉」和「丟人」則在一定範圍內可以語義互通，但這種互通則有多種情況和條件限制，在日常生活中它們的使用還是存在著區別的。過往在這方面的研究，更多是單純的對於「丟臉」的語用分析。

　　在基於面子理論的基礎上，一直以來眾多學者都注意到了在現代漢語語境中「丟臉」這一詞語背後的複雜內涵，有從傳統語義學進行分析研究的，也有從社會學視角進行解釋介紹的。由於漢語的靈活性，即便是「丟臉」也有很多的表達方式，而其中最為常見的就是「丟人」。語用對比分析是眾多學者們研究的重要方法，在筆者前鮮少有人涉及到「丟人」與「丟臉」的語用分析，如果從「丟人」和「丟臉」的對比分析入手，也許可以幫助大家更好地理解在中國的臉的概念。本文要討論的主要問題就是在現代漢語語境中，「丟臉」與「丟人」在實際語用中存在的差別，並嘗試對兩者的使用情況加以區分定義，以填補這一部分內容的空白。

二　「丟臉」和「丟人」的釋義

　　根據《現代漢語規範詞典》中的解釋，「丟臉，（動）喪失體面，也就是丟面子」，而「丟人，（動）丟臉，相當於丟醜。」[1]。在《同義詞近義詞反義詞詞典》中：「丟

---

[1] 《實用現代漢語規範詞典》長春：吉林大學出版社，2001年，頁298。

臉，丟掉面子。」、「丟人，喪失體面」[2]在《現代漢語詞典》[3]中「丟臉」則被解釋為喪失體面，「丟人」則直接沒有釋義。可以看出，單從語義層面，很難對「丟臉」和「丟人」兩者做出準確的區分。從各個詞典中的釋義情況來看，幾乎都將「丟臉」與「丟人」作為近義詞處理，但不同的是在詞性的畫分上則存在有一些區別。

在這些內容中，當單獨把這兩個詞放出來的時候，詞典中會把它們當做動詞處理，而在相關的例句中，在一些情況下它們則會被當做形容詞處理，比如「幹這種事，你就不怕丟臉？」[4]和「你就別在這裡丟人了。」[5]。如果單從兩個詞的動詞屬性來看，它們似乎差別並不大。但是如果以這兩個例句來看，放在句子中作為形容詞的兩者似乎不能簡單的被替換，僅僅從漢語的日常使用習慣中也鮮少會這樣的使用。比如說第一個例句中的「幹這種事，你就不怕丟臉？」這裡如果換成丟人，雖然從語義上可以理解，但實際的漢語語境中很少有人會這樣使用。

綜上所述，從語義層面上來看，「丟臉」與「丟人」存在以下幾個方面的區別與聯繫：（一）當「丟臉」和「丟人」單獨作為動詞出現時，兩者之間可以作為近義詞互通，且語義不會受到影響；「臉」和「人」在這個層面上可以互通。從「面子保全理論」上來看，在這個意義上「典型人」和他所具有的「面子」（即在公眾面前的「個人形象」是一體的）。所以當單獨使用這兩個詞語的時候，「丟臉」和「丟人」不存在程度輕重的差異，人和面子成為了一體的存在。

當「丟臉」與「丟人」放入具體的語境中，其兩者尤其是作為形容詞在對話中出現時，會存在很明顯的差異，「人」和其具體要維護的「臉」（即「面子」）會存在一定程度上的割裂現象；「丟臉」更大程度上指的是丟失了外在面子，即在公眾面前所營造的積極正面形象。

因為上述兩個語義上區別的存在，如果要進一步探究「丟臉」和「丟人」的具體語用差別，就需要將兩者放在具體的語境對話中去理解。在接下來的論述過程中，筆者也會主要以有來有回的對話日常語料為主要分析研究對象，來論述「丟臉」和「丟人」的具體語用區別。

三　搜集語料的方法

「丟臉」與「丟人」既存在共性，也存在個性，這種差異主要體現在了語用的層面。為了分析其兩者在漢語語境中的具體語用情況，主要會透過構建具體檢索式得到在

2　《同義詞近義詞反義詞詞典》北京：商務印書館，2018年，頁110。

3　《現代漢語詞典》北京：商務印書館，2019年，頁167。

4　《現代漢語詞典》北京：商務印書館，2019年，頁167。

5　《實用現代漢語規範詞典》長春：吉林大學出版社，2001年，頁298。

單句中符合檢索式的語言片段，透過典型例句分析語義，在這些步驟的基礎上，透過限制語料來源來進行語用分析，進而得到結論。

而在語料庫的選擇上，筆者主要會以 BCC 語料庫（北京語言大學大數據與語言教育研究所開發）為主，輔之以 MLC 語料庫（中國傳媒大學媒體語言語料庫）和 CCL 語料庫（北京大學語言語料庫）和筆者日常記錄到的言語對話進行分析。

選擇 BCC 語料庫的是因為 BCC 語料庫一向以數據量大而著名，且 BCC 語料庫可以直接構建檢索式，可以透過直接限制搜索的範圍和具體的搭配來篩選可以使用的語料，極大地減輕了工作量。此外，BCC 語料庫也可以準確地檢索到有效的內容，且範圍不侷限於日常對話，還可以檢索到報刊、文學作品中正式的用語。但是在 BCC 語料庫中有很多日常對話，這些內容中口語化內容很多，相對來說規範性稍差，且一些語料因為資訊不全不能夠作為有效語料，需要進一步篩選。

MLC 語料庫的特點則是，它收錄了來自於各大媒體節目的文本記錄，這些媒體節目中使用的內容語料，整體語料是規範化用語，較為科學。而 CCL 語料庫的特點則是其中大多是書面用語，更加嚴謹正式。當然，在本文中對這些書面語料的應用相對來說會少涉及一些，在語料的選擇和篩選對比分析中主要仍然會以 BCC 語料庫為主，在這個基礎上會參考其他兩個語料庫的情況，這主要是為了使樣本的篩選更加具有普遍性。

根據初步的篩選統計結果，在 BBC 語料庫中將語料範圍限制在日常對話中，對話中出現「丟人」的語料為七八六八條，而含有「丟臉」的語料有三三六八條，筆者排除掉重複有語病不成立的語料之後，如：「姐姐好想你們啊」，「你昨天很累吧」，「你們排隊也很累在車上哭好丟人」，「……幹嘛哭，下次逮住機會就見面」「突然有一種吃肉蟹煲的衝動」，「胖哥倆肉蟹煲簡直好吃到爆」，「決定了下周就去！」和「姐姐好想你們啊」，「你昨天很累吧」，「你們排隊也很累在車上哭好丟人」，「……幹嘛哭，下次逮住機會就見面」，「就像做夢一樣又一次結束了」，「以後機會還有」，「心疼的抱抱你」，「同是單身狗，何必在意……」，這樣語句中涉及到「丟人」的主體對話段落為一樣的內容，則自動視為一條有效語料。

透過這樣的篩選之後，在日常對話中使用「丟人」的有效語料為一九八六條，而使用「丟臉」的有效語料為八七七條，共二八六三條。

筆者為了使收集到的語料更具有普遍性，還分別收集了在語料庫中報刊新聞以及文學作品中出現的「丟人」和「丟臉」的使用情況。在進行 BCC 語料庫中的報刊語料的篩選時，筆者主要選擇《人民日報》中出現的語料。因為《人民日報》是公認的當代中國最權威的官方媒體，也是中國整個媒體的風向標，其語言組織等具有很強的代表性。筆者主要選用的是一九四九年新中國成立之後，在《人民日報》中的新聞標題以及具體的報導內容中出現「丟臉」和「丟人」的語句報導內容，因為一九四九年是中國歷史的重要分期，以四九年為界，有助於分析當代中國日常生活中對「丟臉」和「丟人」的不

同理解。在筆者剔除了四九年之前的語料，以及一些殘缺的語料之後，剩下含有「丟人」的報刊語料有八三二條，而含有「丟臉」的報刊語料有七六三條，共一五九五條。

而在文學作品的語料篩查時，筆者主要以現當代的中國白話小說為主要的篩選依據，將 BCC 語料庫中外國文學與古代文學的內容剔除。結合 CCL 語料庫中現當代文學作品中對「丟臉」和「丟人」的使用，文學作品中使用到「丟人」的語料共七三二條，使用「丟臉」的語料共九六三條，總共可參考語料有一六九五條。因為本文目前不做語法分析，所以在這些有效語料中，筆者並沒有進一步根據其成分分類，接下來主要會從統計數據和具體的語料分析入手對兩者進行語用分析。

四　分析數據

透過上一部分的內容，已經簡單地介紹清楚了搜集語料的過程，在對語料的來源和篩選過程有了基本瞭解的基礎上，其實可以大致看出「丟臉」和「丟人」在漢語語境中使用頻率和分布規律。從整體情況來看，如下表：

表一

	日常對話	文學作品	報刊新聞	總　計
丟臉	877	963	763	2603
丟人	1986	732	832	3550
總計	2863	1695	1595	6153

在原始的語料庫中，日常用語的對話語料中運用到「丟臉」和「丟人」的已經多達了上萬條，可見這兩個辭彙在漢語語境中是經常使用的。

結合上文語料庫的材料檢索和篩選，可以得出以下分布結果：

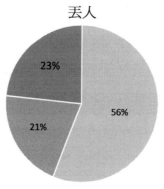

丟人

23%　56%　21%

▪日常對話 ▪文學作品 ▪報刊新聞

圖一

從上圖可以看出，「丟人」在三種類型的語料使用中差異十分明顯，在日常對話中對「丟人」的使用，要遠遠多於它在文學作品和報刊新聞中的使用頻率。從「丟人」自身的使用上來看，相對來說，會更偏向於日常化和口語化的使用，而與其在日常對話中使用的頻率相比，其在規範化使用中相對會少一些。

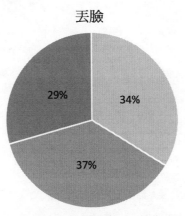

圖二

在三類語料中，「丟臉」在文學作品中出現的頻率，在其整個語料中所占比例最大，但其實三種類型的語料中「丟臉」所占的比重沒有差異很大，可以看出「丟臉」的適用範圍相對來說更為靈活。從自身的適用類型上來看，「丟臉」的使用靈活性更廣。

　　在將其兩者的數據與自身的對比中，可以看出「丟臉」和「丟人」在不同的語言類型中使用頻率有所區別，接下來透過上方兩者的數據對比可以得出：

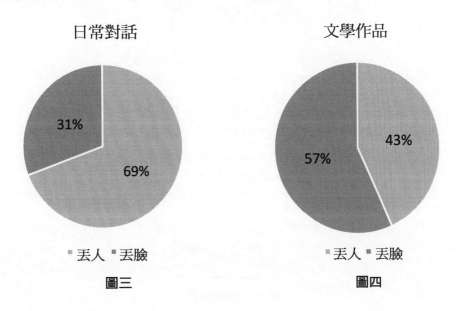

圖三　　　　　　　　　　　　圖四

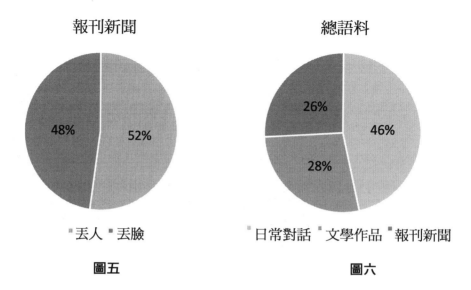

圖五　　　　　　　　　　　　　圖六

　　從上圖三個類型的語料以及總體數據的對比情況中，可以看出在不同的語料類型中，「丟人」和「丟臉」的使用頻率差異極大。其中以日常對話中的使用差距尤為突出，日常對話語料中使用「丟人」的頻率要遠遠多於「丟臉」的使用頻率。在現有的語料數據中，「丟人」的使用頻率幾乎是「丟臉」的使用頻率的兩倍。其實不光是日常對話中，即便是在網路對話中，「丟人」的使用頻率要遠遠大於「丟臉」的使用。

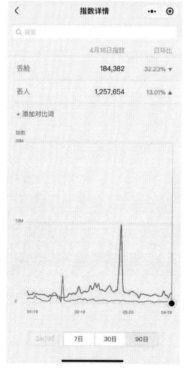

圖七　微信數據

上表為微信的使用統計中，「丟人」與「丟臉」兩者之間的指數對比項（此對比項為截止到二〇二一年四月十八日，九十天內「丟人」與「丟臉」使用情況的統計數據），結合之前的統計數據，可以看出在正式的規範化語言應用中，如在文學作品和報刊新聞中，「丟人」和「丟臉」兩者之間使用頻率相差並不大，但是從總體的語料數據上來看，在規範化的語言使用中不論是「丟人」還是「丟臉」其實使用頻率都要遠遠稍於它們在日常對話中出現的頻率。

綜上，我們透過數據的對比，可以得出：

（一）「丟人」的使用會更加偏向日常口語化，在文學作品和報刊新聞使用「丟人」這樣的語言表達的情況要遠遠少於其在日常對話出現的頻率；「丟人」的語用環境使用具有明顯的傾向性。而「丟臉」的使用則較為靈活，不論是在日常對話還是文學作品和報刊新聞中，其出現頻率沒有顯著差異，不存在特別大的語用環境差異。

（二）從總體語料的搜集情況來看，「丟臉」和「丟人」的語料在日常對話中所占的體量，要遠遠大於其在文學作品和報刊新聞中的體量。總體而言，「丟人」和「丟臉」的使用會傾向於日常化、口語化。

（三）在不同類型的語料對比中，「丟人」在日常對話語料中占比要遠遠多於「丟臉」，而在規範化的語料，類似文學作品和報刊新聞中，「丟人」和「丟臉」的使用頻率相差不多。可以看出，在不同的語用環境下，「丟人」更加日常化、生活化，「丟臉」的適用範圍則更為廣泛。在同種語用環境下，突出差異主要表現在日常對話中。

五　語料分析

透過上述內容，可以得知「丟人」與「丟臉」的主要語用區別體現在漢語日常對話中，為了探究其兩者之間的具體語用差異，本文會以最為典型的日常對話語料為基礎進行分析。雖然其兩者在規範化用語，如文學作品、報刊用語中也會存在區別，但因為總體統計數據相近，需要大量的語料詳細分析，故在此先不做討論。筆者以其中的典型為研究基礎，是為了使得分析的結果和數據更具典型性。

（一）語用分析理論

Goffman 在二十世紀六〇年代從社會學角度提出了「面子」（face）問題。他認為，人們在交談中往往會涉及到「臉面工作」（face work）。[6]緊接著，Brown & Levinson 在 Goffman 等人的研究基礎上提出了成熟的面子理論。他們認為，面子是每個社會成員想

6　Erving Goffman *Interaction Ritual :Essays on Face to Face Behavior* (New York: Garden City, 1967).

為自己爭取的公開的自我形象（self-image）。Brown ＆ Levinson 將面子分為積極面子（positive face）和消極面子（negative face）。[7]所謂積極面子，是指每個社會成員都希望他的願望能夠滿足，他的自我形象被人欣賞和贊許；所謂消極面子，是指每個社會成員都希望其行動不被人干涉，即具有行動的自由和自主決定的自由。

而在中國，「面子」問題也是學者們的重要研究內容，這樣的研究不僅僅限於社會學內容，也涉及到語用學。史密斯曾說「在複雜的現實生活中，一舉一動都參照戲劇化的樣式，中國人就會很有面子。當他們全心入戲時，如果你不理他們，輕視他們，或者喝倒彩，他們就會覺得『丟面子』。『面子』猶如一把鑰匙，一旦人們正確理解了它所包含的意義，就可以打開中國人許多重要的性格之鎖。」[8]中國人對於「臉」和「面子」的理解與上文所說的行動自由，自主決定仍有較大的差異性，對於這部分內容的理解，需要從整個中國文化的氛圍語境中去理解。

在中國的文化中，集體觀念是十分重要的內容，如果一個個體在集體和社會中不被接納，那麼對於中國人來說，就會失去立身之本。為了在集體中塑造良好的形象，即所謂的「臉」在遇到名利時，損己利他是中國文化基本要求，即多給對方以好處，少給自己好處。

所以在對漢語日常對話進行語用分析時，不能夠離開禮貌原則的運用。Leech 在 Grice 提出的合作原則[9]的基礎上，進一步提出了禮貌原則。[10]他認為，發話人違反合作原則，把話說得間接是出於禮貌的需要。Leech 認為，構成禮貌的重要因素是命題所指向的行動內容，給交際雙方帶來的利損情況和話語留給受話人的自主選擇程度。在西方的禮貌原則的基礎上，出於對中國文化的理解，顧曰國曾總結了五條禮貌準則，如貶己尊人準則，稱呼準則，文雅準則，求同準則與德、言、行準則。[11]

Leech 的禮貌原則主要關注字面意義上的禮貌表達，而在實際生活中，人們在語言使用上字面意思表達可能與其真實目的相背離，於是就產生了字面意義上的禮貌與實際意義上的不禮貌，或表面上的不禮貌與深層次的禮貌之間的矛盾。Leech 本人也注意到了這個問題，因此他又提出了另外兩個原則——譏諷原則（the irony principle）和玩笑原則（the banter principle）作為禮貌原則的補充。Leech 認為禮貌原則、譏諷原則和玩笑原則之間相輔相成，互為補充，依次以前一種原則作為基礎和條件，形成了一種等級

7　Penelope Brown and Stephen Levinson. *Universals in Language Usage: Politeness Phenomena*（Cambridge: Cambridge University Press,1978）.

8　阿瑟‧史密斯：《中國人的性格》，鶴泉譯（北京：中國華僑出版社，2014年版），頁2。

9　H.P. Grice, "Logic and Conversation," in P. Cole and J.L. Morgan, eds., *Syntax and Semantics*, Vol.3: Speech Acts (New York: Academic Press, 1975).

10　G. Leech, *Principle of Pragmatics* (London: Longman, 1983).

11　顧曰國：〈禮貌，語用和文化〉，《外語教學與研究》，1992年，頁10-17。

關係（hierarchy）。此外，興趣原則也非常重要，也就是要儘量說讓彼此感興趣的話，使得交際能順利進行。合作原則、禮貌原則、譏諷原則、玩笑原則以及興趣原則一起則構成了 Leech 的人際交際修辭理論的核心，一起形成了對話語規約的總原則。這些內容會在下文分析語料的過程中體現，在此只做簡單介紹。

　　因為不論是「丟人」還是「丟臉」，從其內核而言，兩者之間的對比分析都會涉及到在言語行為中對「面子」問題的討論，在分析漢語語境中的日常用語中，區別兩者的作用和具體的語用時，也就不能繞開對言語行為中具體的語用原則的掌握和應用。在下面的分析中，筆者會主要圍繞「面子理論」，對具體的語料，透過對交際修辭理論的運用，對「丟人」和「丟臉」的具體語用區別加以分析說明。

　　當「丟人」和「丟臉」在具體的日常對話中的使用中，往往是作為評價言語行為存在的，「丟人」和「丟臉」一般會去形容人丟掉了體面，以「面子理論」來說是指這個人營造的自我形象受到了損害。在漢語語境中，「丟人」和「丟臉」都是對個體人的評價，而這種評價的發出者可能是被評價者自我的評價，也可能是他人的評價，亦或是一種代替評價即被評價者並不被包含在對話交流的對象中。

　　筆者接下來將分別從「自我評價」、「他人評價」、「代替評價」三個方面對「丟人」和「丟臉」加以分析論述。

（二）分類語料分析

1　自我評價

　　在整個語料統計中，使用「丟人」作為自我評價話語出現的頻率要遠遠大於「丟臉」出現的頻率。在自我評價中，「丟人」和「丟臉」的區別會受到自我認知和事件嚴重程度影響，請看下面兩個例子：

> A1：「我去年長智齒，上課時候給我疼哭了，現在想起來超級丟人。」
> B1：「一點也不丟人，真的，智齒疼哭我覺得是應該有的戲份。」
> A1：「終於找到被智齒折磨的同病相憐的人。」
> B1：「我智齒還沒開始疼呢，我就是怕要拔，幹想像就哭了半個點。」
>
> A2：「以後照相別等我打球後。特狼狽。」
> B2：「不會，特帥，以後喝酒別拿一整瓶給我，**特丟臉。**」
> A2：「偶都是這樣喝的不是臉丟大了。」
> B2：「哥，我是女的。」

在這兩組語料對話中，分別用到了「丟人」和「丟臉」。從他們的對話中可以看出，當

一個人發出對自我評價時，作為傾聽對象同時都做出了貶損自己這樣的回應，符合顧曰國貶己尊人準則。當作為評價發出者，自我評價為「丟臉」或者「丟人」的時候，其本身未必要是在陳述客觀事實，而是為了得到說話對象的回應。

在自我評價時，「丟人」更加強調對客觀事實的評價，如第一組語料中出現的「上課被疼哭」，讓話語發出者自我評價為丟人，但是這種客觀事實本身，對於接收者 B1而言，並不存在有形象貶損的問題。B1沒有參與到 A1感到「丟人」的場景中。而在第二組例子中，話語發出者 B2使用了「丟臉」，筆者認為在這樣的自我評價用語中，B2使用「丟臉」這樣的自我評價是因為，本身在接收者 A1面前，B2存在有自我形象維護的意味，其在使用這樣的評價時「丟臉」將自己的內在人格和外在形象分割開，使得接收者不會認為 B2這樣的行為實際上涉及到了真實的人格品性上。

總之，在進行自我評價時，自我評價主體會更多使用「丟人」，以自身為出發點，因為不涉及到他人看法和外在形象，會更多的使用「丟人」。而在假意自我評價以贏取接收者的好感的情況下，則會更偏向於使用「丟臉」，因為使用「丟臉」進行自我評價時，會使得接收者認為發出自我評價的個體本身內在人格等實際沒有受到侵害。在自我評價時，使用「丟臉」往往是由於對話接收者也屬於發出者所要營造的形象對象範圍中。

2　他人評價

與自我評價不同，在他人評價中對話的另一方發出「丟臉」或者「丟人」這樣的評價時往往是一種真實的貶義情況。而在這種情況下對「丟臉」和「丟人」的使用則主要取決於對話雙方的親疏關係，和被評價者的社會形象、身分地位。如：

> A1：「喜歡韓國的怎麼了吧？我們還愛好世界和平嘞！」
> B1：「沒人說，你自己在哪自作多情。」
> A1：「那就有些是有些狗在說嘍。」
> B1：「說話都說不順，還罵人，趕緊回家學習去，別出來丟人。」
> A1：「是你說沒人說，當然就是狗在說。」
>
> A2：「莫慌莫慌，咱們一起考。」
> B2：「考不過你豈不是更丟臉。」

在第一則語料中，對話雙方之間的氛圍明顯是劍拔弩張，兩者之間是在互相不友好的情況下直接進行相互貶損。B1說「別出來丟人」的時候，是直接對 A1的內在人格進行評述。而在第二組語料中，他人評價的「丟臉」則是在雙方進行友好交流的情況下，B2所說的「丟臉」，只是擔心 A2的行為會威脅到 A2本身的積極形象，其本身不帶有惡意，且把「丟臉」與 A2本身人格分隔開了。

在漢語語境中，當使用「丟人」或者「丟臉」對他人進行評價時，當話語發出人用「丟臉」來評價話語接收者時，其貶損程度較低，是從被評價者的外在形象出發進行評價。尤其當對話雙方處於較為疏遠關係或者是中等的相互較為陌生的情況下，在日常對話中使用「丟臉」來為進行他人評價，對內在人格的攻擊程度較輕。這樣的描述在規範化的新聞報刊中使用也較為明顯，尤其是當對一些具有一定身分地位的社會人士進行評價時，使用「丟臉」的頻率要遠遠多於使用「丟人」的頻率，如：「蘇貞昌在臺北市輸了十七萬票很『丟臉』，蔡英文要把蘇貞昌的傷疤撕開，還在上面灑鹽」（中央電視臺：「中國新聞」，2010年12月31日）。

而在日常對話中使用到「丟人」時，往往是對話雙方的談話進行的不順利，雙方的交流中出現不友好信號，如上文列舉的第一則語料，對話雙方不光違反了禮貌原則，連最基本的合作原則也沒有遵守。當用到「丟人」的評價時，往往是直接評價接收評價者的個人人格。在漢語語境中，因為中國文化使然，對話中使用「丟人」這樣的詞語來評價他人時，往往說明對話雙方關係特別親密，或者是陌生甚至是關係特別不好的兩種極端情況，這樣兩者的親疏關係不管是極端親近還是極端疏離，雙方都不存在需要在對方面前維持形象的需要，這樣的他人評價時往往會使用「丟人」。

總之，在對他人評價時，對「丟臉」和「丟人」的使用主要看被評價者與評價者的親疏關係，以及被評價者的社會身分地位。被評價者具有一定身分地位，或者是發出評價者與其處於不遠不近的親近關係時會用到「丟臉」，反之則多用「丟人」。

3　代替評價

在使用「丟人」和「丟臉」進行評價時，上述在言語行為中直接加以評價的情況，在整個被統計的語料中所占比重不高，反而是代替評價的情況占有很大的比重。代替評價，顧名思義是指被評價者不屬於對話雙方的任何一方，但是在對話雙方中會涉及到協力廠商，這種情況下被評價者可能是個體或者是一個團體，而發出評價的對象可能代表的是個人，也可能是群體，因此筆者將這種代替評價的言語行為進一步分為「一對一」、「一對多」、「多對一」、「多對多」的語言模式，以此來進行進一步分析。

（1）一對一的代替評價

一對一的代替中「丟人」和「丟臉」的使用情況，往往取決於被評價的協力廠商對象和正在發生言語對話的雙方之間的關係，以及被評價的協力廠商本身所具有的個人形象，如：

A1：「她是個超模，記住，她是個超模」

B1：「什麼超模，素質差到極點了，只顧自己，到外國去就是丟人。」

當使用「丟人」對協力廠商進行評價時，會著重強調這個人與群體的割裂性，將這個人的行為後果歸咎於這個人自身，如上述「到國外就是丟人」，這裡強調的就是被評價者自身個體，而並非整個超模群體，這樣的協力廠商評價則不涉及外在形象的維護。因為在進行協力廠商評價的同時，本身已經涉及到對被評價者的形象損害，因此會更傾向於使用「丟人」。而在使用「丟臉」時，則整體會顧慮到禮貌原則和被評價者的形象問題。如：

> A2：「加油加油。」
> B2：「必須的，不可以給老大丟臉。」
> A2：「快去做。」
> B2：「在做呢。」

上文的語料中「給 XX 丟臉」這樣的表達方式，在漢語日常會話中經常會出現，比如說一些運動選手獲獎後會說「沒給教練丟臉」，或者是「沒給父母丟臉」這樣的代替評價是反向維護被評價者的積極形象，而在漢語語境中使用「丟臉」來進行代替評價時，往往其情感色彩是中性或者褒義，「丟臉」說明的是被評價者本身具有極好的聲譽和外界形象。

　　在一對一的代替評價中，使用「丟人」具有明顯的割裂被評價者與集體的傾向，中華文化一向更注重集體，也因此使用「丟人」時是對於協力廠商傾向貶義的評價。而使用「丟臉」則往往證明協力廠商本身在社會集體中存在一定影響力，或者是其本身的形象是具有積極意義的，才會使用「丟臉」。

（2）一對多的代替評價

> A1：「個人觀點，現在某些人貶低自己國家崇外也太過分，有這種同胞真的丟人。」
> B1：「你不要斷章取義好麼，我也可以說某些人不思進取，活在自己的夢裡？」
> A1：「難道我所說的那某些人不存在？至少我不會胳膊往外拐。」
>
> A2：「就你還和我是同一城市的，天津人，我的替天津人丟臉。」
> B2：「你多大臉啊，還替天津人丟臉？飯隨愛豆吧，玻璃心又臉大。」
> A2：「反正比你大就行。」
>
> C1：「作為江蘇人我覺得江蘇網警丟人。」
> D1：「作為一個江蘇人我只覺得你丟了江蘇人的臉。」
> C1：「你不配。」
> D1：「沒有腦子的人才不配做江蘇人。」
> C1：「別罵自己，心疼你。」

當涉及到一對多的代替評價時，「丟臉」和「丟人」的集體傾向性區別更為明顯。在語料一中，雖然是一對多的評價，但是話語發出者最後是歸咎於自己感到「丟人」，而語料二中則是個體代替整個群體感到「丟臉」。可以看出，一般在這種一對多的代替評價中，「丟臉」是從群體出發的評價，而「丟人」則不具有評價整個群體的功能。從第三則語料中可以清楚地看出這種差異，如 C1 中「覺得江蘇網警丟人」是帶有貶義色彩，並且將自己與「江蘇網警」割裂開，而 D1「丟了江蘇人的臉」則是將被評價的協力廠商納入了整個群體中去評價。

（3）多對一的代替評價

> A1：「這個本地博主真夠丟人。」
>
> B1：「不好意思，我可以證明他不是廈門本地人，不能代表廈門。取關吧。」
>
> A2：「沒素質的藝人，丟國人的臉。」
>
> B2：「不要說什麼丟國人的臉，如果是這樣的話大家都在丟臉。」
>
> C2：「呵，那他自己的臉早就丟完了。」

在多對一的評價中，與上述一對多的評價用法相似，當使用「丟人」進行評價時，表現出發出評價的群體希望與被評價的協力廠商割裂的強烈欲望。在日常對話中，這樣的傾向性尤其明顯，呈現出個人不能代替群體的意味。而當使用「丟臉」時，則默認這一個人的行為不光代表著其個人的形象，還會代表被評價協力廠商所涉及到的群體形象問題，如 B2 中「不要說什麼丟國人的臉，如果是這樣的話大家都在丟臉。」可以看出，作為代替評價時，使用「丟臉」往往會自動將被評價的個體納入發出評價的集體形象中。

（4）多對多的代替評價

> A1：「吃火鍋去成都？重慶火鍋的臉往哪裡放…」
>
> B1：「別給重慶人丟臉。」
>
> C1：「地震都震了幾次了，還沒把你震醒？」
>
> A2：「就有一部分東北人把整個東北人全抹黑了。」
>
> B2：「我也是東北人，但是我很反感這樣的舉動。」
>
> C2：「我也是，我在外地生活有時都不說自己是東北的，丟人。」
>
> D2：「有什麼不好意思的，行的端坐的正，不能因為他們三個敗類把咱們所有人都侮辱了。」
>
> A2：「在三亞生活這邊的東北人名聲已經臭的不能再臭，講真的，一提你是東北人先呵呵。」

在多對多的評價中，往往涉及到一個群體在對話中對另一個群體發出評價，這樣的情況中幾乎不會使用「丟人」進行群體評價。因為在群體對群體中，即便存在個體行為對群體的影響，但是很少能夠單獨把個體獨立出來，「人」本身相對於「臉」來說是一個單數個體概念，而「臉」則可以泛指複數群體。如在上述語料 C2 中，其在群體對群體評價中，單獨使用「丟人」來進行自評，是為了證明其與被評價群體的割裂性，表明自己作為個體的獨立性。綜上，在漢語語境中，涉及到群體對群體的代替評價時，則會使用「丟臉」這樣群體性評價，這時的「丟臉」則是帶有集體意味，對整個群體形象的貶損。

六　結語

綜上所述，在漢語語境中，「丟臉」和「丟人」既存在共性，也存在個性。首先，單純從語義層面上看，「丟臉」和「丟人」語義可以互通。但是在實際語用中，則存在較大差異性。兩者都是偏向日常口語化的使用，而在日常使用中「丟人」使用的頻率也要遠遠大於「丟臉」的使用。在規範化用語，如新聞報刊、文學作品中「丟臉」的使用則要稍微多於「丟人」的使用。兩者的語用區別主要受到三個方面的影響：對話對方雙方關係親疏；被評價方社會形象和身分地位；群體與個體之間的接納關係。

在日常對話中，進行自我評價時，更傾向於使用「丟人」，以評價發出個體為中心，以關係的親疏遠近為畫分，在越親近的人面前，個體發出自我評價時會使用「丟人」。而在親疏關係中出於中間地帶的人，當自我評價發出者自我評價時，為了贏得對方好感塑造形象則會使用「丟臉」。進行對他人評價時，則對「丟臉」和「丟人」的使用，會受到對方身分地位以及關係親疏影響，「丟人」的批判意味會更強，且關係越近越會使用「丟人」。而對公眾人物或者是一定範圍記憶體在積極形象的個體評價時，則會使用「丟臉」。在替代評價中，如果對話牽涉到的協力廠商是個體，且不存在群體代表性，更傾向於使用「丟人」將被評價協力廠商與群體割裂；如果代替評價的協力廠商是積極形象代表則會選用「丟臉」；當協力廠商為群體時，則不會使用「丟人」，因為「丟人」一般不具有群體概念。

從面子理論來看，「丟臉」一般來說意味著個體或群體對外的積極外在形象受損，而「丟人」則是在剔除外在形象後，對內在個體本身的質疑。從被評價者的數量上來說，「丟人」一般用於評價個體，而「丟臉」的應用範圍則更廣可以用來評價群體。因為日常對話往往發生在雙人之間，受到親疏關係等影響，「丟人」的使用頻率會相對較高。筆者因篇幅有限，只從日常對話中對其語用進行了分析對比，在漢語語境中，兩者雖然語義相近，但在具體語用存在較大差異，值得更進一步的研究探討。

《新亞論叢》文章體例

一、每篇論文需包括如下各項：

（一）題目（正副標題）

（二）作者姓名、服務單位、職務簡介

（三）正文

（四）註腳

二、各級標題按「一、」、「（一）」、「1.」、「（1）」順序表示，儘量不超過四級標題.

三、標點

1. 書名號用《》，篇名號用〈 〉，書名和篇名連用時，省略篇名號，如《莊子・逍遙遊》。

2. 中文引文用「」，引文內引文用『』；英文引文用" "，引文內引文用' '。

3. 正文或引文中的內加說明，用全型括弧（）。

　　例：哥白尼的大體模型與第谷大體模型只是同一現象模型用不同的（動態）坐標系統的表示，兩者之間根本毫無衝突，無須爭執。

四、所有標題為新細明體、黑體、12號；正文新細明體、12號、2倍行高；引文為標楷體、12

五、漢譯外國人名、書名、篇名後須附外文名。書名斜體；英文論文篇名加引號" "，所有英文字體用 Times New Roman。

　　例：此一圖式是根據亞伯拉姆斯（M. H. Abrams）在《鏡與燈》（*The Mirror and The Lamps*）一書中所設計的四個要素。

六、註解採腳註（footnote）方式。

1. 如為對整句的引用或說明，註解符號用阿拉伯數字上標標示，寫在標點符號後。如屬獨立引文，整段縮排三個字位；若需特別引用之外文，也依中文方式處理。

七、註腳體例

（一）中文註腳

1. 專書、譯著

　　例：莫洛亞著，張愛珠、樹君譯：《生活的智慧》北京：西苑出版社，2004年，頁106。

2. 期刊論文

　　例：陳小紅：〈汕頭大學學生通識教育的調查及分析〉，《汕頭大學學報（人文社會科學版）》，2005年第4期，頁20。

3. 論文集論文

例（1）：唐君毅：〈人之學問與人之存在〉，收入《中華人文與當今世界》臺北：學
生書局，1975年，頁65-109。

4. 再次引用

（1）緊接上註，用「同上註」，或「同上註，頁4」。

（2）如非緊接上註，則舉作者名、書名或篇名和頁碼，無需再列出版資料。

例：唐君毅：〈人之學問與人之存在〉，頁80。

5. 徵引資料來自網頁者，需加註網址以及所引資料的瀏覽日期。網址用〈 〉括起。

例：〈www.cuhk.edu.hk/oge/rcge〉，瀏覽日期：2007年5月14日。

（二）英文註腳

所有英文人名，只需姓氏全拼，其他簡寫為名字 Initial 的大寫字母。如多於一位作
者，按代表名字的字母排序。

1. 專書

例（1）：J. S. Stark and L. R. Lattuca, *Shaping the College Curriculum: Academic Plans in
Action* (Boston: Allyn and Bacon, 1997), 194-195.

例（2）：R. C. Reardon, J. G. Lenz, J. P. Sampon, J. S. Jonston, and G. L. Kramer, *The
"Demand Side" of General Education—A Review of the Literature: Technical
Report Number 11* (Education Resources Information Centre, 1990),www.career.
fsu.edu/documents/technicalreports.

2. 會議文章

例：J. M. Petrosko, "Measuring First-Year College Students on Attitudes towards General
Education Outcomes," paper presented at the annual meeting of the Mid-South
Educational Research Association, Knoxville, TN, 1992.

3. 期刊論文

例：D. A. Nickles, "The Impact of Explicit Instruction about the Nature of Personal
Learning Style on First-Year Students' Perceptions 259 of Successful Learning," *The
Journal of General Education* 52.2 (2003): 108-144.

4. 論文集文章

例：G. Gorer, "The Pornography of Death," in Death: Current Perspective, 4th ed., eds. J. B.
Williamson and E. S. Shneidman (Palo Alto: Mayfield, 1995), 18-22.

5. 再次引用

（1）緊接上註，用「同上註」，或「同上註，頁4」。

（2）舉作者名、書名或篇名和頁碼，無需再列出版資料。

例：G. Gorer, "The Pornography of Death," 23.

大學叢書・新亞論叢 1703008

新亞論叢　第二十二期

主　　編	《新亞論叢》編輯委員會
責任編輯	林以邠
發 行 人	林慶彰
總 經 理	梁錦興
總 編 輯	張晏瑞
編 輯 所	萬卷樓圖書股份有限公司
地址	臺北市羅斯福路二段 41 號 6 樓之 3
電話	(02)23216565
傳真	(02)23218698
發　　行	萬卷樓圖書股份有限公司
地址	臺北市羅斯福路二段 41 號 6 樓之 3
電話	(02)23216565
傳真	(02)23218698
電郵	SERVICE@WANJUAN.COM.TW
香港經銷	香港聯合書刊物流有限公司
電話	(852)21502100
傳真	(852)23560735

ISBN 978-986-478-604-6（臺灣發行）

ISSN 1682-3494（香港發行）

2021 年 12 月初版一刷

定價：新臺幣 820 元

如何購買本書：

1. 劃撥購書，請透過以下郵政劃撥帳號：
   帳號：15624015
   戶名：萬卷樓圖書股份有限公司
2. 轉帳購書，請透過以下帳戶
   合作金庫銀行　古亭分行
   戶名：萬卷樓圖書股份有限公司
   帳號：0877717092596
3. 網路購書，請透過萬卷樓網站
   網址　WWW.WANJUAN.COM.TW

大量購書，請直接聯繫我們，將有專人為
您服務。客服：(02)23216565 分機 610

如有缺頁、破損或裝訂錯誤，請寄回更換

國家圖書館出版品預行編目資料

新亞論叢. 第二十二期/《新亞論叢》編輯委
員會主編. -- 初版. -- 臺北市：萬卷樓圖書股
份有限公司, 2021.12
　　面；　公分. -- (大學叢書. 新亞論叢；
1703008)
年刊
ISBN 978-986-478-604-6(平裝)
1.CST: 期刊

051　　　　　　　　　　　　　　111001084